COLECCIÓN TIERRA FIRME

Cuentos y relatos de la literatura colombiana

Cuentos y relatos
de la literatura colombiana
Tomo II

Luz Mary Giraldo
Selección y textos

FONDO DE CULTURA ECONÓMICA

Primera edición: Fondo de Cultura Económica, 2005

Giraldo, Luz Mary, 1950-
    Cuentos y relatos de la literatura colombiana / Luz Mary Giraldo. — Bogotá :
Fondo de Cultura Económica, 2005.
    2 t. ; 24 cm. — (Colección Tierra Firme)
    1. Cuentos colombianos 2. Literatura colombiana I. Tít. II. Serie.
Co861.6 cd 19 ed.
AJD4622

CEP-Banco de la República-Biblioteca Luis Ángel Arango

Diagramación: Vicky Mora
Diseño de cubierta: Nacho Martínez
Fotografía de cubierta: *Luisa González Camargo (la carta)*, Fídolo Alfonso González Camargo,
Colección del Banco de la República

ISBN (obra completa): 958-38-0107-0
ISBN (Tomo II): 958-38-0109-7

Impreso en Colombia – *Printed in Colombia*

©Plinio Apuleyo Mendoza. *El día que enterramos las armas* _ ©Rodrigo Parra Sandoval. *Álbum de billetera* _ ©Gustavo Álvarez Gardeazábal. *Ana Joaquina Torrentes* _ ©Ricardo Cano Gaviria. *La mosca* _ ©Harold Kremer. *Gelatina* _ ©Nicolás Suescún. *El retorno a casa* _ ©Óscar Collazos. *El lento olvido de tus sueños* _ ©Hugo Ruiz. *Un pequeño café al bajar la calle* _ ©Fernando Cruz Kronfly. *Drick era de nombre Genovevo Palomo* _ ©Teresa Fayad. *Cantor está de viaje* _ ©Julio Paredes. *Soprano* _ ©Germán Espinosa. *Noticias de un convento frente al mar* _ ©Juan Pablo Riveros. *Autocrítica* _ ©2001, Rafael Humberto Moreno-Durán. *Último informe Kinsey*, de *El humor de la melancolía*. ©2001, Distribuidora y Editora Aguilar, Altea, Taurus, Alfaguara, S. A._ ©Marco Tulio Aguilera Garramuño. *La noche de Aquiles y Virgen* _ ©Myriam Garzón. *El campeón de siempre* _ ©Amalia Lú Posso Figueroa. *Honoria Lozano* _ ©Roberto Burgos Cantor. *Nada, ni siquiera Obdulia Martina* _ ©Andrés Caicedo. *El atravesado.* ©Editorial Norma S. A._ ©Octavio Escobar. *¿Recuerdas* Staying alive? _ ©Pedro Alejo Gómez. *El dios errante* _ ©Amparo Arango. *El pez ateo de tus sagradas olas* _ ©Julio César Londoño. *Pesadilla en el hipotálamo* _ ©Triunfo Arciniegas. *Alas a mitad de precio*, que hace parte de la obra *El jardín del unicornio y otros lugares para hombres solos.* ©Panamericana Editorial Limitada _ ©Joaquín Mattos Omar. *Hombre pierde su sombra en un incendio* _ ©Andrés García Londoño. *La plegaria del jardinero*, hace parte de *Los exiliados de la arena*, publicado por la Editorial Universidad de Antioquia _ ©Antonio Montaña. *Al amanecer llegó el litógrafo* _ ©Juan Manuel Roca. *Feliz Navidad, señor Amézquita* _ ©Lina María Pérez. *Bolero para una noche de tango* _ ©Tomás González. *Las palmas del* ghetto _ ©Lenito Robinson-Bent. *Desde el otro lado del viaje* _ ©Jorge Franco. *Viaje gratis* _ ©Enrique Serrano. *El día de la partida.* ©Editorial Planeta Colombiana S. A., 2003_ ©Pablo Montoya. *La Sinfónica* _ ©Juan Gabriel Vásquez. *El regreso* _ ©Antonio Ungar. *Madagascar* _ ©Ricardo Silva. *Doctor Tomás Aguirre* _ ©Carlos Vidales. *El crimen perfecto* _ ©Enrique Hoyos Olier. *Benchmarking II* _ ©Miguel Méndez Camacho. *Azabache* _ ©Jaime Echeverri. *El jardín del guerrero* _ ©Germán Santamaría. *Morir último* _ ©Gabriel Pabón Villamizar. *La sal de Lot* _ ©Nana Rodríguez Romero. *El astrolabio* _ ©Arturo Bolaños. *Sin salida* _ ©Eduardo Caballero Calderón. *El corneta llanero*, que hace parte de las obras *Historia en cuentos 3.* ©Panamericana Editorial Limitada _ ©Arturo Alape. *El caballo y su sombra.* ©Panamericana Editorial Limitada _ ©Jairo Aníbal Niño. *El último resucitado*, que hace parte de la obra *Historia y Nomeolvides.* ©Panamericana Editorial Limitada _ ©Pilar Lozano. *Turbel el viento que se disfrazó de brisa.* ©Panamericana Editorial Limitada _ ©Triunfo Arciniegas. *Cerdos en el viento*, que hace parte de la obra *El jardín del unicornio y otros lugares para hombres solos.* ©Panamericana Editorial Limitada _ ©Santiago Londoño. *Rabdomán el mago* _ ©1995, Yolanda Reyes. *Frida*, de *El terror de sexto B.* ©1995, Editorial Santillana. ©2002, Distribuidora y Editora Aguilar, Altea, Taurus, Alfaguara, S. A.

10-24-05

CONTENIDO

V UNA VISIÓN CALEIDOSCÓPICA

Introducción   5

1 **Violencia**

Plinio Apuleyo Mendoza
El día que enterramos las armas   15

Rodrigo Parra Sandoval
Álbum de billetera   21

Gustavo Álvarez Gardeazábal
Ana Joaquina Torrentes   32

Ricardo Cano Gaviria
La mosca   35

Harold Kremer
Gelatina   53

2 **Ciudad**

Nicolás Suescún
El retorno a casa   75

Óscar Collazos
El lento olvido de tus sueños   90

Hugo Ruiz
Un pequeño café al bajar la calle   101

Fernando Cruz Kronfly
Drick era de nombre Genovevo Palomo   124

Luis Fayad
Cantor está de viaje   128

Julio Paredes
Soprano   147

3 Erotismo

Germán Espinosa
Noticias de un convento frente al mar   161

Marvel Moreno
Autocrítica   183

R. H. Moreno-Durán
Último informe Kinsey   196

Marco Tulio Aguilera Garramuño
La noche de Aquiles y Virgen   216

4 Oralidad y escritura

Eligio García
El campeón de siempre   233

Amalia Lú Posso Figueroa
Honoria Lozano   245

Roberto Burgos Cantor
Nada, ni siquiera Obdulia Martina   251

Andrés Caicedo
El atravesado   299

Octavio Escobar
¿Recuerdas Staying alive?   339

5 Imaginación y fantasía

Pedro Gómez Valderrama
El dios errante   351

Gonzalo Arango
El pez ateo de tus sagradas olas   357

René Rebetez
La nueva prehistoria   366

Julio César Londoño
Pesadilla en el hipotálamo   373

Triunfo Arciniegas
Alas a mitad de precio   384

Joaquín Mattos Omar
Hombre pierde su sombra en un incendio   388

Andrés García Londoño
La plegaria del jardinero   390

6   **Tradición y novedad**

Antonio Montaña
Al amanecer llegó el litógrafo   413

Juan Manuel Roca
Feliz Navidad, señor Amézquita   418

Tomás González
Las palmas del ghetto   423

Lina María Pérez
Bolero para una noche de tango   431

Lenito Robinson-Bent
Desde el otro lado del viaje   442

Jorge Franco
Viaje gratis   448

Enrique Serrano
El día de la partida   453

Pablo Montoya
La Sinfónica   461

Juan Gabriel Vásquez
El regreso   478

Antonio Ungar
Madagascar   486

Ricardo Silva
Doctor Tomás Aguirre   497

7   **Minicuento**

Luis Vidales
El crimen perfecto   505

Enrique Hoyos Olier
Benchmarking *II*   506

Miguel Méndez Camacho
Azabache   507

Jaime Echeverri
El jardín del guerrero   508

Germán Santamaría
Morir último   510

Gabriel Pabón Villamizar
La sal de Lot   511

Nana Rodríguez Romero
El astrolabio   512

Arturo Bolaños
Sin salida   513

VI RELATOS PARA NIÑOS Y JÓVENES

Introducción   517

Rafael Pombo
El renacuajo paseador   521
La pobre viejecita   524
Mirringa Mirronga   527

Eduardo Caballero Calderón
El corneta llanero   530

Arturo Alape
El caballo y su sombra   541

Jairo Aníbal Niño
El último resucitado   548

Pilar Lozano
Turbel el viento que se disfrazó de brisa   551

Triunfo Arciniegas
Cerdos en el viento   558

Santiago Londoño
Rabdomán el mago   562

Yolanda Reyes
Frida   565

Los autores   569

Bibliografía   589

V

UNA VISIÓN
CALEIDOSCÓPICA

INTRODUCCIÓN

Desde finales de la década de 1970 hasta el presente, la narrativa colombiana se despliega en múltiples direcciones en las que convergen varias generaciones o promociones, así como tendencias temáticas y preocupaciones formales. Esa diversidad se pone a tono con el espíritu de una época ceñida por las utopías que condujeron a la urgencia de revolución social, política, cultural y literaria, mostrando "el otro lado" o un "más allá de Macondo" —equivalente a lo que en el resto de América Latina significa deslindarse del *boom* narrativo—, en contraste con quienes al no reflejar vínculos con la tradición ni tener en la mira la búsqueda de un futuro distinto o de una utopía, su obra resulta más próxima a su presente. Los escritores que dieron testimonio del tránsito de los sesenta a los setenta, en la década siguiente vivieron la estruendosa "caída de los puntos cardinales". El balance se concreta en una literatura de nostálgicos críticos y de escépticos. En los primeros prevalece el distanciamiento de lo rural y del realismo mágico, mítico y maravilloso, el cambio de arquetipos por figuras emblemáticas o personajes más cercanos a lo real e inmediato, y las expresiones y experiencias son más propias de la complejidad urbana, de escrituras experimentales y de revisión de la sociedad o de relectura de la historia; en los segundos prima la velocidad del tiempo histórico, la cultura de la imagen, de lo banal, de lo fugitivo, lo horroroso y lo grotesco, acuñados en diversas formas de la violencia y/o de la descomposición y del cambio de valores.

El abanico empieza a abrirse a mediados de la década de 1960 con la publicación de los primeros cuentos de Germán Espinosa, Óscar

Collazos, Nicolás Suescún, Luis Fayad, Hugo Ruiz, Fernando Cruz Kronfly, Roberto Burgos Cantor y Marvel Moreno, entre otros. Distanciándose del tema de la violencia partidista que se había convertido en común denominador, algunos autores empezaron a mostrar vetas que dinamizan la narrativa: diversas formas de afrontar la(s) violencia(s), la ciudad, el erotismo, la ficción y la fantasía, lo tradicional y lo novedoso, la oralidad y la escritura, la minificción o el minicuento, incluyendo el humor, el erotismo y la erudición, la historia y lo fantástico, lo negro y lo policial, lo real y lo existencial, lo público y lo privado, en fin, entrecruzamientos que dan una visión caleidoscópica de nuestra realidad y literatura.

La *violencia*, por ejemplo, abandona el carácter documental y testimonial que exploraba en los temas nacionales y las masacres de mitad del siglo xx, cumpliendo un proceso narrativo más complejo e interesante, al ser recreada o retomada en su ir y venir desde diversos ángulos y matices: reconociendo bandos opuestos, situaciones emocionales, introspección de personajes, épocas, escrituras y formas; mirando más allá de las heridas y la sangre derramada en cada página de ciertas ficciones anteriores; revelando la expansión del campo a la ciudad; ahondando en la soledad y el desastre de la contemporaneidad; aboliendo la noción del territorio hasta sugerir la ruptura de los límites. Es decir, la violencia deja de ser básicamente denuncia social y política para plantearse como un problema tan emocional como existencial e histórico. Cada uno la define y caracteriza con un estilo particular, respondiendo a postulados y escrituras de época. Así, por ejemplo, en el cuento de Plinio Apuleyo Mendoza, desde la experiencia del militante en territorio rural, se recrea el debate de la violencia y se sugiere (tras ese acto posterior que consiste en "enterrar las armas") la necesidad de empezar de nuevo, con particular equilibrio narrativo en el manejo del relato y los diálogos muestra la tensión de la vida y la sociedad ante la muerte y la relatividad. Más contemporáneamente, Rodrigo Parra Sandoval se apropia de formas narrativas experimentales para establecer intercambios entre el yo narrativo y el de la creación, apelando a un lector atento que percibe la dinámica del relato en la conjetura; así, aborda por igual el enigma frente a un cadáver encontrado en una ciudad cualquiera y la representación de la soledad en ese individuo anónimo a quien la voz narrativa lúdicamente le otorga una historia que lo nombre y lo salve del olvido. Desde una sugestiva y rica escritura, Gustavo Álvarez Gardeazábal muestra los pliegues de una sociedad y de un personaje típico de provincia en épocas de violencia. A la vez, Ricardo Cano Gaviria ofrece analogías con otras violencias históricas y de otros países a través de imágenes y alegorías, y, como Parra Sandoval y Cano Gaviria, Harold Kremer inserta la problemática y la angustia de la violencia en los entresijos de la vida urbana con todas sus formas de decadencia y crisis en la contemporaneidad.

La *ciudad* es abordada en su impronta del ciudadano en el mundo: Nicolás Suescún y Luis Fayad recrean personajes verosímiles en situaciones posibles en el ámbito urbano, que reflejan rutinas y comportamientos intrascendentes con estilos puntuales en los que se destaca la producción de una atmósfera de abulia y monotonía. Desde sus comienzos, la prosa de Óscar Collazos es deliberadamente urbana y ha mostrado el proceso de formación y asimilación de la ciudad a través de individuos corrientes, al aportar la imagen de la lengua hablada con la escrita que, como en el caso del cuento que incluimos, cuya espacialidad es sugestivamente íntima, se revela entre el monólogo y el diálogo indirecto e interior de personajes periféricos cuya palabra fluye de manera vital y corriente; Hugo Ruiz aborda situaciones de índole social penetrando en ambientes y comportamientos propios de la cultura y sociedad de clase media baja, estableciendo con el lector el pacto de contarle poco a poco una historia posible y realizada en ambientes tan públicos como privados; Fernando Cruz Kronfly se repliega en la interioridad de sus personajes y transmite atmósferas individuales, cuidando su prosa que sale de la interioridad del personaje hasta explayarse en la exterioridad del mundo al que pertenece; con gran precisión del relato, Julio Paredes retrata sugestivas situaciones y circunstancias desde un ámbito cuya complejidad es abordada con la delicadeza de una escritura que conduce al lector por los aconteceres de la vida urbana.

El *erotismo* tiene muchas formas de representación. Hay escrituras y temas eróticos que determinan el cuerpo para la acción o la expresión. Aunque no es nuevo en nuestra literatura, como puede evidenciarse a lo largo de la antología, su aprovechamiento es más contemporáneo, en la medida en que el espíritu del presente lo hace más corriente y desacralizado. Si bien Germán Espinosa ha sido ampliamente reconocido por la exploración de la historia en sus ficciones, por la indagación en lo misterioso del ser y por la finura de su erudición y sabiduría, se reconoce en él el riguroso poder del lenguaje que logra llevar el erotismo de manera sugestiva y al máximo de plenitud, como una forma de conocimiento y de placer. Aquí el erotismo es transgresor: del nacimiento de la sexualidad se pasa a la relación homosexual y de ésta a la heterosexual, rindiendo tributo a las manifestaciones y apetitos del ser. Marvel Moreno, considerada una de las autoras que en su literatura pone en crisis el sistema patriarcal, critica las instituciones y con actitud rebelde aprovecha temas eróticos, muestra tanto el placer de las transgresiones como el de los sentidos y las sensaciones y, experimentando con el estilo, aprovecha una escritura cuyo foco narrativo sostiene una mirada *voyeurista* reveladora y cuestionadora. R. H. Moreno-Durán, reconocido por Ángel Rama como uno de "los contestatarios del poder" en la literatura latinoamericana de comienzos de la década de 1980, con una pluma incisiva, crítica y experimental, aprovecha la parodia, el conocimiento profundo, la erudición y el erotismo para recrear situaciones metropolitanas o cosmopolitas, particularmente a través de personajes femeninos. De esta manera, jugando con los significados y gracias a su humor festivo cargado de relaciones y asociaciones libres, establece contrapunto entre la realidad representada en la ficción y la que subyace enmascarada en el texto. Con ironía burlesca, Marco Tulio Aguilera Garramuño aúna escritura y goce del cuerpo. El autor ha construido un universo narrativo en el que llamando a risa y a sonrisa, así como a conciencia de realidad, da prelación al discurso erótico y a la escritura lúdica sin perder de vista lo social y lo existencial, lo cotidiano y lo ocasional.

La *oralidad y la escritura* también entran en juego en nuestra narrativa. Si bien en el mundo arcaico lo oral se define por el rescate o la conservación de la memoria de mitos y leyendas de la cultura popular y las convicciones sagradas, en el contemporáneo la oralidad escrita tiene otro sentido, pues forma parte del fluir verbal, del habla popular o de la jerga de una determinada clase o grupo social. La oralidad se fija en la escritura de manera contemporánea aprovechando el habla y las formas del decir conversacional en un fluir que refleja el mundo humano y corriente, como en los interesantes casos de los cuentos que seleccionamos. El estilo del cuento de Eligio García Márquez recuerda el de Collazos, en esa configuración de un personaje que habla afianzándose en una suerte de forma de aprendizaje vital y social, pues la palabra oral es conciencia de sí y fluye en la escritura en tono coloquial, proyectando la interioridad de la conciencia humana y su afán de comunicación. Como en un juego de espejos o de voces que se reflejan alternadamente, en el cuento de Roberto Burgos Cantor la voz de quien habla contrasta con la de quien cuenta y reflexiona, logrando la construcción de una trama unitaria que se extiende sin desvanecer las características de su género. En este cuento la tensión entre el lenguaje comunicativo oral y el lenguaje escrito exige una retórica deliberadamente analítica que establece condiciones de objetividad que revelan otra forma de conciencia. En los cuentos de Andrés Caicedo y Octavio Escobar la voz fluye de la boca de un joven: en el del primero es la de un personaje de la "gallada" con su estilo, es decir, forma parte de un grupo con imaginarios comunes que revelan tono, fuerza, ritmo y rebeldía; y en el del segundo se despliega en la música, el escepticismo, el desencanto y las referencias a un presente cuyo ritmo vertiginoso resulta esencial. En el de Amalia Lú Posso Figueroa, si bien hay una marcada vinculación al lenguaje de la cultura popular y de la raza negra, éste deviene escritura, fluye y se acomoda al texto escrito, a la historia que se cuenta, mostrando nexos y al mismo tiempo separación de un pasado ancestral, y sostiene una visión erótica que nace tanto del cuerpo como del gesto. Indudablemente, relacionada al lenguaje de la cuentería, los cuentos de Amalia Lú se nutren de ese *performance* que en la puesta en escena activa y recontextualiza lo contado.

Aunque toda obra creativa es *imaginación y fantasía,* hay temas y formas que al revisarlos constituyen una tendencia particular. Así, por ejemplo, la fantasía de un piano que asume un viaje de Europa a América se expresa de manera sugestiva en el cuento de Pedro Gómez Valderrama, en el que se recrea el espíritu aventurero y misterioso que tanto interesó a románticos y simbolistas y que, en el caso latinoamericano, alude a la aventura heroica, a nuevas formas de conquista del mundo, a la emoción frente a la interioridad. Como en un juego de niños, el lenguaje surrealista es idóneo para la ficción narrada en el cuento de Gonzalo Arango, quien contribuye al fortalecimiento de la imaginación surrealista y a cierto apostolado de la disidencia en cuyo punto de tensión funda y anima el Nadaísmo[1]. El mundo contenido proyecta esa sensibilidad en la que la fantasía se desdobla en imágenes oníricas que trastocan la realidad exterior, indicando el valor lúdico de la imaginación que no se dirige al movimiento y entrecruzamiento visual y juguetón cercano al absurdo, al delirio y a lo inesperado. Si en este cuento la ciudad en ruinas se transforma con nuevas y absurdas imágenes de vida en movimiento, en el de René Rebetez –incluido en destacadas antologías norteamericanas de relatos de ciencia ficción–, se parodia la masificación y el anonimato del mundo moderno en una masa amorfa que representa una suerte de reingreso a la prehistoria. De otra manera, Julio César Londoño, Joaquín Mattos, Triunfo Arciniegas y Andrés García, desde lo fantástico, ofrecen en sus cuentos metáforas y analogías interesantes: Londoño recrea el temor al olvido, a la pérdida del conocimiento y la angustia de quedar vacío (analogía también del Alzheimer), mediante la representación ficticia de un pequeño "monstruo" que devora el saber de un intelectual; Joaquín Mattos, recordando quizá una de los tópicos de Andersen, desde una metáfora del doble apunta a la soledad y el silencio; Arciniegas y García se valen de otras representaciones relacionadas con la belleza y el arte del encantamiento: el primero, apelando a lo social y el segundo, a lo metafísico; en los dos lo sobrenatural cumple la función de hilo conductor del relato.

La sección correspondiente a lo *tradicional* y lo *novedoso* ilustra otras preocupaciones contemporáneas. Entre la representación del arte autorreflexivo que se debate en los respectivos cuentos de Antonio Montaña, Juan Manuel Roca y Lina María Pérez hay distintos movimientos narrativos: en Montaña, mediante una visión solemne del arte y con una minuciosa factura se simula un acto de creación que se revela paulatina-

---

[1] Movimiento de origen provinciano (gestado en Cali y en Medellín) que, en la década de 1960, convoca a jóvenes rebeldes a manifestarse con su actitud irreverente y de ruptura frente a la sociedad burguesa, en actos que se pueden ver como correlatos de la generación *beat*. Aprovechando gestos y comportamientos espectaculares y escrituras lúdicas, fomentaron imágenes y formas de estilo y de fantasía próximas al surrealismo y a las vanguardias europeas. Su carácter altamente contestatario puso en crisis las convicciones de una sociedad pacata, al cuestionar tanto sus valores morales como culturales.

mente; Roca, con un exquisito manejo del relato, deja fluir la historia de decadencia, deterioro y despojo de un músico que abocado a la más desesperanzada soledad pacta por la miseria, generando en el lector la certeza de una situación probable en la vida real; Pérez, con notable uso de la expectativa desarrolla una parodia del oficio de escritor frente a los concursos literarios, narrando dosificada y equilibradamente cada momento del proceso hasta transmitir con ironía un final que puede resultar inesperado. Con unos imaginarios que recuerdan situaciones absurdas y maravillosas, Robinson enfrenta a un diálogo de sordos generado por una comunicación epistolar de una sola vía, para dar el paso progresivo a la soledad y la incertidumbre; el tiempo narrativo y el del relato se dan de manera lenta y sugestiva construyendo el estado anímico propio de la espera. La ambigüedad y la incertidumbre se ponen de presente en el cuento de Tomás González, quien con su estilo interiorizante propone dramas de personajes abocados a los avatares de la vida, presentando con eficaces diálogos, en el caso del cuento elegido para esta antología, una temática estremecedora, elaborada armónicamente hasta lograr un clima preciso. La escritura contenida se hace notable en los respectivos cuentos de Enrique Serrano, Pablo Montoya y Juan Gabriel Vásquez; el primero con temas provenientes de la cultura clásica, el segundo desde lo musical y el tercero con la puntualidad de un suceso que narra la soledad esencial del individuo, el horror al vacío, el desamparo cósmico y lo inesperado de la condición humana; el escepticismo y la ironía dan fuerza a los relatos de estos tres autores, en los que prima dominio verbal y oficio de contar. Los cuentos de Jorge Franco, Antonio Ungar y Ricardo Silva –los dos últimos son, con Vásquez, los más jóvenes de esta antología–, se regodean en el lenguaje y en el movimiento vertiginoso de la contemporaneidad: lo visual, la velocidad narrativa, la intensidad de situaciones, la visión de un mundo fragmentado, el escepticismo y el humor sarcástico –sobre todo en Silva–, son algunas de sus características.

El *minicuento* es minimalista. Oscilante entre el cuento y el poema, ese "artefacto explosivo" tan arraigado en la tradición clásica y el relatar actual, alberga síntesis y precisión. Cuenta a la vez que poetiza desde el más profundo sentido de la sugestión, para suscitar a un tiempo revoloteo de imágenes y potencialidad de pensamiento y reflexión. Las precisiones se dejan ver en cada uno de los autores seleccionados, redundando en ironía, sugerencia, alusión, dosis suficientes de absurdo y presencia de analogías y metáforas. Luis Vidales, Enrique Hoyos, Miguel Méndez Camacho, Jaime Echeverri, Germán Santamaría, Gabriel Pabón, Nana Rodríguez y Arturo Bolaños revelan mundos distintos: Vidales y Bolaños, el absurdo de la vida urbana y Méndez Camacho, la ironía y la risa ante el malentendido; Hoyos, Echeverri, Pabón y Rodríguez, el debate del individuo en lo sintético de lo histórico; Santamaría, la sentencia ante la vida o la muerte.

La cultura polivalente se refleja en esta serie de cuentos que, aunque dividida en grupos, se relacionan en temas, escrituras y tendencias. La nueva historiografía literaria entiende que hay redes que se comunican en el tiempo y en el espacio. La violencia, la ciudad, el erotismo, la oralidad y la escritura, la imaginación y la fantasía, la tradición y la novedad, el minicuento, en fin, construyen una trama en la que unos y otros se encuentran. Imposible negar el carácter urbano, la relación con la historia, el énfasis erudito en algunos autores, la disposición al erotismo, el sentido tanático, la invitación a la reflexión o al divertimento. De eso se trata: de relatos que cuentan y sugieren.

1
Violencia

El día que enterramos las armas

A Eduardo Franco, el general

Cuatro años peleando, sí señor; cuatro años echándonos candela con los patones. Si no fuera por los muertos y por la muerte, que de tiempo en tiempo pasaba rozándonos el ala del sombrero, diría que tuvimos la gran fiesta. Acostúmbrense a la idea, decía a mis chusmeros: se van a morir, están muertos, cosa de no extrañarse cuando los tiemplen de un balazo. Al principio éramos pocos y andábamos descalzos, mal armados con revólveres y escopetas, escurriéndonos por caminos de duendes, lejos de los trapiches y pasos reales donde estaba la tropa. Guindábamos los chinchorros en los varales de los ranchos abandonados y para no ser delatados por ningún ruido teníamos que descabezar gallos y ahorcar los perros del monte. Después se animó el baile. El gobierno envió más tropa, la tropa llegó quemando ranchos y a la vuelta de un año largo no éramos docenas sino miles. Todo el llano, de Arauca a San Martín, estaba hirviendo de chusmeros. No daban abasto los patones, ni aviones ni bombas les valían.

¡Qué años! Todavía me acuerdo de aquellas madrugadas de la guerrilla, del café cerrero y la brisa soplando en los pajonales cuando se apagaban las últimas estrellas. Me acuerdo de las fogatas, las conversaciones en la noche de chinchorro a chinchorro. Cuando más duro era el acoso, más hermanos, más camaritas nos sentíamos. No sé por qué empezamos a llamarnos así, camaritas. ¡Adiós, camarita!, ¡Qué hubo camarita!... con eso nos decíamos todo. ¡Qué época! Pensar que tuvimos la revolución a tiro de soga. Pensar que nos la cambiaron por un cuartelazo, pobre chusma.

Me acuerdo, como si fuera ayer, del día que enterramos las armas. La víspera, en vez de bombas, los aviones militares habían largado sobre el campamento paquetes de diarios y un diluvio de hojas volantes. Los periódicos hablaban del fin de la dictadura, de la paz, de la amnistía, de la entrega pacífica de las guerrillas en todo el llano. Y no era mentira, allí estaban las fotos de Guadalupe, de Aluma, los Galindo y el Negro Miguel Suárez al frente de sus columnas de chusmeros bien formados, entregándole sus armas al Ejército. Paz. Amnistía. Dos palabras y todos se habían ido de jeta. Y nosotros, ¿qué podíamos hacer? Éramos el comando guerrillero que más cerca operaba de la frontera, el más remoto, el último. Por un momento creíamos posible continuar la lucha. Pero qué va, nos habrían aplastado. Lo vimos claro cuando llegaron los estafetas contando que en los pueblos había ambiente de fiesta, por todos lados banderas y el himno nacional, y la gente, nuestra gente, cambiando sus armas por bultos de sal y panela; a veces por menos, por un discurso y un ramito de flores que les entregaban las niñas de la escuela. Así que nosotros decidimos acabar la fiesta de otra manera. Decidimos enterrar las armas y dispersarnos para siempre.

Me acuerdo que madrugamos a recoger chinchorros y a guardar trastos. Antes de ensillar las bestias, di orden de tumbar las horquetas de los fogones y echar tierra sobre las cenizas para que no quedara ni rastros del campamento. Cuando llegó el momento de dispersarnos llamé a mis hombres. Los veía callados, cerreros. Llevábamos tanto tiempo en el mismo paseo... Muchos habían llegado al llano desde el principio, cuatro años antes, sin más idea que salvar el pellejo, con hambre, miedo, llenos de piojos. Para vivir habían tenido que ponerse inteligentes, señor: el que no, se moría. Habían aprendido a moverse en manada por toda la llanura. Habían aprendido a estar un día aquí y otro allá, a escurrirse por el monte igual que los indios y armar trampas para cazar a los patones como venados. Y ahora les salía yo con el cuento triste: se acabó la fiesta, dejen las armas y vuélvase cada cual por su lado sin más compañía que su caballo y una muda de ropa. Razón tenían de andar retrecheros. Para que no perdieran tan pronto la costumbre, resolví darles de adiós mis últimas órdenes.

—Quítense de encima toda prenda militar —les dije—. Nada de cascos, chacós o pañuelitos rojos al cuello. Nada de disfraces.

Poca gracia les hizo que ordenara a Puntería, mi segundo, recoger las armas. Se miraban inquietos. Alguien, hablando por todos, se atrevió a preguntarme qué pensaba hacer con los fierros. Ahí mismo sentí que habían tenido atorada la pregunta, se les salía por los ojos.

—Enterrarlos —les dije.

—¿Dónde? —me preguntaron.

—En sitio seguro. Digamos que es secreto militar.

—Será la guaca de la chusma —dijo Puntería sin dejar de recoger los fusiles para colocarlos sobre un trozo de tela encerada. Pero nadie se rio. Seguían mirándome, cada uno atisbando sus propias dudas en la cara del otro.

—Así es, la guaca de la chusma —les dije—. Y no pasará mucho tiempo antes de que los fierros vuelvan a sus manos. Lo de ahora no es sino un respiro.

—Pero el llano es grande, coronel —me dijo alguno.

—Por grande que sea, no hay tiro en el Arauca que no se escuche en San Martín. Para encontrarnos será pequeño.

Me acuerdo que hubo un silencio y que, mientras ese silencio duró, escuchamos en alguna parte, cerca del río, un clamor de guacharacas.

—Nos vamos —les anuncié para terminar de una vez aquel coloquio—. A la guerrillera, sin despedidas.

Se fueron desgranando del círculo para echarse al hombro las capoteras, de mala gana y despacio, como si les doliera. Y así terminó todo.

Puntería me ayudó a llevar las armas a la orilla del río. Puntería era un chusmero de los buenos: pequeño y taimado como un gato y también con algo de gato en los ojos amarillos, que apenas se le veían bajo el sombrero de fieltro. Era el último y el único que quedaba vivo, de cuatro hermanos que bajaron de la cordillera al llano cuando la policía llegó al norte de Boyacá arrasando pueblos liberales.

—La verdad es que nadie quiere regresar a los hatos y a los pueblos para tascar otra vez el freno —me decía—. Se dispersan pero no saben adónde.

Ahora que la guerra había terminado, a Puntería le atraía la manigua, quería irse al Vichada. Tampoco yo sabía exactamente dónde iría a colgar mi chinchorro.

—Quizá me vaya a Venezuela —le dije—. Venezuela está ahí mismo, a la otra orilla del río.

El bote estaba listo, con su motor fuera de borda instalado y la proa encallada en el playón. Manolo Sandoval nos estaba aguardando con una caneca, tres palas y un talego de cal. Todo estaba dispuesto para el entierro. Cuando trajimos el resto de las armas, contamos diez fusiles, un F. A. y una ametralladora Thompson, que colocamos en el fondo del bote, envueltos en tela encerada.

Río abajo encontramos un lugar que nos pareció bueno. Podría reconocerlo todavía por el enorme higuerón que se levanta en un promontorio, sobre la hojarasca de la ribera. Frente al higuerón, en la orilla opuesta, hay un barranco amarillo. Examiné con cuidado los rastrojos. Luego, para llegar al pie del árbol, tuvimos que abrir trocha. Puntería, poniéndose en cuclillas, tomó un terrón y lo observó. Nos dijo que era tierra seca y a buen nivel; no había peligro de inundaciones. Manolo se había quedado escuchando el grito de los guacamayos en el monte.

—Es un lugar de brujos —dijo.

Cavamos a cinco pasos del higuerón para que el hoyo no estuviera al alcance de sus raíces. Trabajamos por espacio de una hora. Primero limpiamos el terreno con un machete; luego nos pusimos a cavar como sepultureros, hundiendo las palas con el apoyo de las botas, porque la tierra parecía endurecida por el verano, hasta cuando el hoyo tuvo una profundidad de metro y medio. Entonces colocamos dentro la caneca, que había sido curada con pendare. Vertimos en ella la cal y en seguida depositamos las armas. Finalmente cerramos la caneca con cuidado y la cubrimos con cuarenta centímetros de tierra bien apisonada.

Cuando terminamos, más de dos palmos de sol habían salido fuera de la sabana. Recuerdo que Manolo, secándose el sudor del pecho con su propia camisa que había guindado de la rama de un árbol, me dijo: "Coronel, es el momento de rezar un Padrenuestro por esta revolución que se le acaba de morir". Manolo siempre andaba con burlas. Era un niño bien, un hijo de familia que resultó sumándose a la guerrilla por travesura, cuando ocupamos el hato de la vieja Victoria Amaya, su tía. Se había peleado con la novia, creo. Escribía versos... La guerrilla fue para él una gran juerga. Y por seguir la juerga se fue conmigo a Venezuela.

Navegamos todo el día. Me parece estar viendo todavía los barrancos de la ribera y el resplandor del sol en el agua del río. Era tiempo de verano. Los pastos de la sabana estaban amarillos. A veces cruzábamos falcas que remontaban el Meta con su acostumbrada carga de sal y tambores de gasolina. Los marineros nos saludaban al pasar. Acabé durmiéndome, amodorrado por el ruido del motor. Tuve un sueño raro, recuerdo. Soñé que a mis hombres los había capturado el Ejército, que iban en una falca con los brazos atados a la espalda y que al pasar cerca del bote se quejaban diciéndome: "Coronel, nos dan pocillos de tinto, luego nos rompen los huesos".

Cuando desperté, las riberas se habían alejado. El sol, del lado de Colombia, estaba rojo; parecía un incendio. Del lado de Venezuela había unos inmensos peñascos encendidos como brasas. La corriente se estrellaba contra ellos levantando olas. Soplaba un viento muy fuerte. Por el olor, comprendí que habíamos llegado al Orinoco. Me lo confirmó Puntería a gritos, sentado junto a la caña del motor. Manolo, despabilándose, señaló una bandada de loros que volaban hacia la orilla colombiana.

—Despídase de sus paisanos —me dijo.

Al fin divisamos las luces de las plantas eléctricas de Puerto Páez, en la orilla venezolana, brillando entre rocas y techos de zinc. Era el pueblo más grande que había visto en mucho tiempo desde que había empezado la guerra. Pensé que por primera vez en mucho tiempo podría tomar un baño caliente, comer tres veces al día. ¡Caramba, y beberme un vaso de agua helada! Cosas así se le ocurren a uno cuando llega del monte después de tanto tiempo.

Atracamos en un banco de arena, a cien metros de las primeras casas.

Puntería no quiso quedarse con nosotros en Venezuela. Nos dejó en el playón y se fue navegando hacia la otra orilla. Todavía veo su camisa blanca y su sombrero de fieltro alejándose en la oscuridad del río. Nunca llegó al Vichada, creo. Lo mataron en una cantina de Villavicencio. De un tiro. Como a Guadalupe y al Negro Suárez. A todos fue cobrándoles el Ejército su cuenta, uno por uno. Es tan fácil quebrar una ramita suelta... Los que se dieron cuenta del engaño y se volvieron al monte, tuvieron que quedarse para siempre con el rótulo de bandoleros. Y con ese rótulo de epitafio se murieron también. Pero esa es otra historia.

Yo me quedé en Venezuela. Manolo, que no era hombre de exilios, volvió a su casa. Cogió el paso a la muerte de su padre. Hoy es un ganadero rico, gordo, con un hijo estudiando en la Naval: ni sombra del chusmero que fue. Y a mí, bueno... a mí se me fueron los años sin saber a qué horas. Hice de todo, trabajé en Caracas, en Puerto Cabello, hasta busqué diamantes en Guayana.

A veces, detrás de un mostrador, en una bomba de gasolina o manejando un camión, encuentro a un chusmero de los míos, de los antiguos. Nos bebemos una cerveza conversando de la revolución y brindamos por la otra, por la que ha de venir. ¡Pero qué va! Ahora que hay tanto muchacho hablando de Fidel Castro y del Che y con ganas de meterse al monte, comprendo que es tarde para nosotros. Nada qué hacer, el tren nos dejó. Está pitando lejos. Vea, el pelo se me ha puesto gris, la barriga me abulta. El mes pasado tuve que comprar lentes para leer el periódico. Y aquí estoy, en este pueblo, vendiendo licores como cualquier bodeguero. Por las noches, cuando hace mucho calor y es difícil dormir en el cuarto, saco un taburete a la calle. Pienso muchas cosas. Caramba, me pregunto a veces, ¿qué paso con usted Emilio Santos? ¿A qué horas se le fueron los años en tropel?

De la guerra sólo me queda vivo, bien vivo, el recuerdo del día que enterramos las armas. Y lo peor es que las armas están ahí aguardándonos. Al pie del higuerón. Quisiera encontrar a los muchachos que han sido picados hoy por el mismo avispón que me picó a mí. Quisiera llevarlos allá lejos, al río Meta, donde hace tantos años dejamos enterrada la guaca. Diez fusiles, un F. A., una ametralladora Thompson sirven de mucho para empezar. Quisiera decirles: "Ahí tienen, síganla, muchachos, síganla, que ahora la fiesta es de ustedes".

Álbum de billetera

APARECIÓ MUERTO de un tiro limpio en la frente.

No lleva documentos de identificación, ni tarjetas de crédito, ni recibos, nada. Apareció desnudo. Lo que se llama totalmente desnudo, sin la prenda más íntima, por respeto. Un NN clásico, un alma olvidada. No tiene antecedentes ni señales particulares ni mensajes escritos a última hora en la palma de la mano ni hay signos de lucha en sus uñas o en su cuerpo. El pelo negro revuelto, limpio, perfumado, de quien va a una cita de amor. Sólo un detalle lo hace diferente, digamos particular, persona. Lleva, agarrada con fuerza en la mano derecha, ya rígida, una billetera con diez fotografías. Las autoridades no tienen idea de quién lo mató ni de por qué los asesinos dejaron las fotos en la billetera, por lo demás vacía.

—¿Ya las tenías? ¿Te las sembraron?

En el anverso de cada foto hay escritas dos o tres palabras. A veces cuatro. La caligrafía es imprecisa, de letras grandes y emborronadas, indescifrables. Como la caligrafía de un niño desaplicado. Puede decirse, sin embargo, que esas palabras convierten las fotos, apelmazadas y húmedas, en un álbum de billetera, les dan unidad.

¿Te parece bien el nombre "álbum de billetera"?

Luce, creo que luce. Todo sugiere el azar o una broma macabra. Tal vez eso ha sido tu vida, una broma macabra. Como la vida de tantos aquí. La vida de demasiados, si me preguntas. Aunque es posible que tu caso sea distinto y el final turbulento haya sido consecuencia del sentido que le diste a tu vida. Bien, amigo, cualquiera que sea el caso no hay alternativa, debo seguir adelante con la ceremonia de tu entierro. Cumplir mi ministerio. No te pongas nervioso, es la vida. A todos nos agarra la chirona. Echarte encima el agua bendita y unos responsos no duele. Está bien, eso se supone que debo hacer ya mismo. Hay otros esperando. Pero no puedo. Las preguntas me lo impiden. Se agolpan en mi cabeza. Bailan y me distraen, me provocan, como payasos que intentan, en serio, cambiar de identidad bailando ballet.

—¿Estabas desnudo, te sorprendieron con una hembrita por ejemplo o te desnudaron después de matarte?

Supongo que prefieres la idea de la hembrita. Dejémoslo entonces así: estabas gozándote una hembrita, pongamos mestiza, delgada, ojona, gritoncita, como te gustan, cuando te sorprendió la muerte. La muerte es la muerte, siempre. La tuya, sin embargo, fue una muerte feliz: abrazado a una hembrita desnuda que gritaba de felicidad. Pero, dime, ¿puedo permitir que un hombre que se aferra con tanta fuerza a sus fotos se vaya como un desconocido? Darles un nombre a las almas olvidadas es lavarles el baldón del anonimato, el grado máximo del desamparo. Un nombre es ya una singularidad, el huevo de una historia. Veamos entonces. ¿Qué nos dicen las fotos sobre tu vida? ¿Puedo imaginar que son fotos de tu familia? Para eso sirven las fotos, para hacerlas hablar. Con un poco de imaginación.

Primera fotografía: tu perro
Por la plaza del pueblo pasa un perro, flaco, amarillo, un pobre perro proletario. Es tu perro y le tomas una foto. Encuadras y hundes el obturador. El perro se detiene mientras orina en la base del monumento a Bolívar. El pueblo ha sido atacado cinco veces este año y los que lo atacan y los que lo defienden se han parapetado en el monumento. Bolívar ha quedado en medio de todos los fuegos. Las balas o las granadas o tal vez los cilindros de gas con metralla, no se sabe, lo han dejado sin nariz, con media quijada, manco, con varios orificios en el pecho, descascarado el vientre, con ambas piernas en los huesos de hierro. El sexo también ha volado, hay que decirlo. Aunque sea el Libertador. Cuando el perro termina de orinar se aleja con un trotecillo satisfecho que levanta una pequeña nube de polvo. Ríes con malicia al recordar la irreverencia de tu perro. Un perro sin amo, flaco y amarillo descolorido como si hubiera estado mucho tiempo al sol, que entró un día en tu casa, se sobó en tus

piernas y se quedó sin preguntar. Sí, ya sé, lo quieres. Es un perro ocurrente, parece que tuviera sentido del humor. Un humor negro. Le pusiste Anarkos de nombre. Un acierto.

—¿Qué dices? ¿Que cómo me metí en este trabajo tan extraño?

Fue por causa de una gripe infecciosa. La gripe le dio a mi obispo. Lo puso de mal humor. Me llamó y me dijo vaya a trabajar con los muertos desconocidos, no reclamados, casi siempre víctimas de la violencia, que como sabe su reverencia nunca es gratuita, algo deben haber hecho esos hombres, casi siempre son cosas de dinero, de política, de mujeres. Socorrerlos con la extremaunción es nuestro deber. Hasta nueva orden, padre. Era el destierro en una Siberia pastoral. La verdad, Alberto, te llamaré Alberto, fue desconsolador al principio. Se me nubló el cielo, se tiñó de un morado eléctrico, zumbón, como si hubiera caído sobre mis ojos una irrisoria noche de neón. Luego, poco a poco, comenzó a gustarme esa pastoral de cementerio.

Segunda fotografía: tu pueblo

En la pequeña finca de tierra caliente la madre y los dos niños menores han estado durante cuatro días con sus noches escondidos, tirados en el suelo, alimentándose de bananos y de huevos crudos. El calor los hace sudar y se pasan la única toalla que tienen a mano para limpiarse. Hablan solamente con los ojos y las manos. Escuchan la balacera en las fincas cercanas y los gritos de los heridos. Respiran el humo recalentado de los incendios que devoran las construcciones y los cobertizos. Al cuarto día cae un aguacero que va apagando los fuegos hasta dejarlos en meros recoldos, en cenizas apelmazadas. Parece que ya terminó. Esperan unos minutos y súbitamente la madre dice: vamos. Salen agachados en silencio, respiran con placer el aire nuevo, se montan los tres en el viejo caballo y arrancan con un trote lento. La iglesia, la escuela, la sucursal bancaria, las casas están en el suelo. ¿Qué habrá sido de sus habitantes? Corren hacia la casa de tu hermana. El porche rosado de la última casa del pueblo se ha salvado. Los tres miran en el porche la silla de mimbre que todavía se mueve levemente. Tu silla. Una silla dócil que se mece con un impulso suave de las piernas, la silla en que te meces cuando lees. Te gusta hacer ambas cosas al tiempo: mecerte y leer. También te gusta mirar la montaña azul, recortada contra el horizonte, que se ve desde el porche. Te gusta su solidez, su dureza ostentosa, sin timideces, varonil. Sobre la silla hay un libro abierto. Dino Buzzati, *El desierto de los tártaros*. La madre se detiene un instante y le toma una fotografía. No sabe qué pensar. La madre le toma fotos a todo. Siempre ha tenido ese gusto. Aunque no sabe qué pensar del libro que leías, parece no dejar ninguna pista. Sobre todo si no lo has leído. Porque la madre de tus hijos no ha leído ese libro que habla de la espera.

Se me ocurrió no enterrarlos en fosas comunes, uno sobre otro como frutas podridas, y solicité espacios individuales en los cementerios. Conseguí ataúdes de segunda con los familiares de los muertos en el crematorio. Me miraban como si estuviera loco. Pero un día comenzaron a comprender y de allí en adelante tuve un generoso surtido de fastuosos ataúdes. Y, otro día, viéndolos desnudos, tuve la idea de conseguirles ropa para enterrarlos vestidos, con respeto, como Dios manda. Así comenzó a convertirse en otra cosa este trabajo y así me fue gustando y ahora nadie me saca de aquí. Más que un trabajo es un desafío, y más que un desafío, ya lo debes haber adivinado, querido Alberto, es un acto teatral, una obra de arte efímero, un happening, una instalación, como la vida de todo lo que vive.

Tercera fotografía: la casa de tu finca
En la casa vivían un hombre, una mujer de nombre Matilde y sus dos hijos menores. Los dos hijos mayores, Esteban y Ramiro, ya no vivían con sus padres. Habían muerto. Alguien dejó en la puerta un artefacto explosivo. Por la noche cuando se supone que todos duermen. El sitio, una montaña de ladrillos, maderas y latas retorcidas, ha sido visitado hoy por un fotógrafo de la prensa local. Hay un misterio, una pregunta que aletea en los ojos del fotógrafo como un pájaro borracho. En la foto que está revelando aparece primero el piso de baldosas resquebrajadas y luego, vestida de blanco para una boda, la muñeca de porcelana con los ojos azules, inhumanos, perfectos, constantemente abiertos. Pero no aparecen los cuerpos de las víctimas.

Porque también se me ocurrió una idea que me enamoró: inventarles la historia de sus vidas. Durante los funerales les invento historias que compaginen con sus rostros, con sus heridas, con el país en que viven. Cada uno se va como dueño de una historia. A todos les regalo su historia de amor. Un hombre sin historia, sin una historia de amor, no es un hombre. Así que conseguí un libro grande, de los que usan para asentar bautizos en las parroquias y allí pego la foto y escribo la historia de cada una de mis almas olvidadas. Ando muy ocupado, puedes jurarlo. De manera que así han sido las cosas, Alberto. Y no te sientas mal porque a todas mis almas olvidadas les pongo Alberto por nombre. A estas horas ya debes saber que tuve un amigo con ese nombre y que con él tengo una deuda impagable de amistad, de detectivismo y de confianza. Sobre todo de confianza.

—¿Cómo te parece?

Cuarta fotografía: tu esposa y tus dos hijos menores

Sobre el fondo de una pared descascarada, sentados en un andén urbano no identificado, están los tres, Matilde, tu esposa, Luis y Lucía, tus hijos menores. Rodean la vieja maleta que compraste para tu viaje de bodas. Matilde mira hacia la izquierda como si esperara a alguien. Aunque el desinterés de su mirada sabe más: sabe que nadie vendrá. Defiende las piernas, que fueron hermosas y fuertes en su mocedad, del frío o del sol o de la mirada de los hombres, con una chaqueta de algodón. Sobre el regazo lleva la cartuchera de una pequeña cámara de fotografía. La niña de seis o siete años mira hacia la cámara. Se lleva la mano izquierda a la boca. Blusa negra con pepas blancas, el pelo amarrado atrás. El niño de tres o cuatro años, botas altas de caucho, pantalón blanco dentro de las botas. Mirada ambigua, entre la sonrisa, las lágrimas y el desafío. A la izquierda de la foto alguien los mira con amor mientras posa vanidosamente: tu perro amarillo. Tú no estás en la foto, claro. Te quedaste allá. Quién sabe dónde. Quién sabe con quién.

—¿Te gusta así la historia, mi querido Alberto?

¿A mí? A mí me va bien. Sólo un poco preocupado por las amenazas. He recibido en los últimos días amenazas de las funerarias. Dicen que les daño el negocio. También anónimos en forma de sufragios, tal vez de gentes enredadas en las muertes de mis almas olvidadas, tal vez de ociosos que sirven de altavoces a los que desean engendrar el miedo. No sé. Pero cuando el miedo me agarrota la garganta y me tiemblan las piernas de cobardía les pido a mis almas olvidadas que me protejan. Les pido que el hombre que me vaya a matar tenga buena puntería. Quedar parapléjico en una silla de ruedas me aterra. Un parapléjico despidiendo a un hombre asesinado en un desconocido callejón sería un acto de humor negro. Algo exagerado y lamentable.

Quinta fotografía: Ramiro, tu segundo hijo

Al fondo el horizonte bermejo del atardecer. A media distancia una casa, pequeña, con un árbol de caucho en la entrada y un perro amarillo un tanto cínico que ya conocemos, acostado bajo su sombra. Cerca al ojo del fotógrafo se ve una tumba de tierra con una cruz negra. Una ceiba extiende sus ramas sobre la tumba formando una isla de sombra. Sobre la cruz está escrito en el vertical el nombre del difunto y en el horizontal la fecha de su nacimiento y de su muerte. En la base de la cruz resalta un círculo de flores silvestres, geranios, margaritas, campánulas moradas, diostedés, manodeosos. Una niña de cinco o seis años se inclina sobre la cruz. Tiene un vestidito azul claro con pequeñas flores, tal vez clavellinas, manga corta y faldita a la rodilla. Zapatos escolares negros. Los zapatos que le regalaste para su último cumpleaños. Tu Lucía. Recuesta la mano derecha sobre el horizontal y el pecho sobre el final del madero vertical. Mira hacia abajo, hacia el círculo de flores donde está sepultado Ramiro, su hermano. Parece más cierto decir que no llora. Puede decirse que conversa con él. Que le cuenta cosas de su vida. De aquel niño que la mira los domingos en la misa. De Luis, el silencioso hermanito menor. Va todas las tardes, cuando ha terminado las tareas. Está comenzando a aceptar que murió. Pero ahora vino a visitarlos un hombre que se negó a identificarse. Parece que Ramiro está vivo. Uno de sus infiltrados afirma haber visto su nombre en una lista de capturados. De manera que la madre ahora dice que su hijo ha resucitado. La niña todavía no quiere creer. Aunque quiere creer. Pero tiene temor de creer porque si cree y resulta que era una falsa noticia y él está muerto entonces su hermano volverá a morir. No cree poder resistirlo. Y si él está vivo, ¿por quién ha estado llorando? ¿Con quién ha estado conversando? ¿A quién le ha confiado sus secretos más guardados? ¿A un extraño? Los hombres dijeron que en ese ataúd sellado estaba el cuerpo de su hermano. Lo pusieron en la sala de la casa, se despidieron y se fueron. Ni esperaron el café que la madre les estaba preparando. Prefiere pensar que era él. Aunque su mano izquierda frota con un clavel el vertical de la cruz de arriba a abajo como si quisiera borrar el nombre que ella misma escribió cuando lo sepultaron. Es una hermosa niña. Crecerá y será una hermosa mujer, como debe ser una hija tuya, empecinada, valiente, capaz de contener en sus brazos el amor de un hombre con agallas. Que será así lo sabemos tú y yo, por eso puedo dármelas de profeta. Ser profeta en el ejercicio de la pastoral que ejerzo no es gran mérito, tú comprendes, profetizar ante ti lo que no podrás comprobar es un abuso y un facilismo. Y, sin embargo, puedes estar seguro de que mi palabra se cumplirá. En los ojos, tristes ahora, de tu hija puedo ver la fuerza y la vigorosa enjundia que moverán su vida. Pero hablemos un poco de Luis.

Sexta fotografía: Luis, tu hijo menor

Günter trabaja en el ayuntamiento municipal de Munich. Se recuesta sobre una mesa y traza líneas sobre un plano. Diseña el museo del juguete. Viste finas ropas de arquitecto. Súbitamente pasa la imagen por su mente. Una imagen como una fotografía. Nítida en parte, desenfocada en parte. Parece el recuerdo de la fotografía de un periódico porque tiene un pie de página que no ha logrado leer. Lo sorprende cada vez en los momentos menos esperados. Günter es alemán pero su piel es cobriza. Los ojos aindiados. El pelo recio de los mestizos. Tan parecido a ti. Es el hijo que más se parece a ti. Es alto, de manos grandes. Fue adoptado por sus padres alemanes cuando tenía tres o cuatro años. Sus padres han jurado guardar el secreto. Es una cuestión de seguridad. Sólo sabe esto: el castellano es como un sueño del que súbitamente surgen palabras extrañas que busca en los diccionarios. Intenta armar frases, algo, como quien resuelve crucigramas. Es una imagen que parece de otro planeta: una calle de casas bajas, con paredes desconchadas y techos de paja. Piso empedrado. Una mujer joven ataviada con ropas de colores bizarros que lleva de la mano a un niño y a una niña. Detrás de ellos cinco hombres armados con fusiles, con las bocas abiertas, como si gritasen. Puede verse a sí mismo en el niño. Siente que él es el niño. ¿Será ella su madre? ¿Será la niña su hermana? ¿Cómo serán sus vidas? ¿Estarán vivas? Sólo eso tiene, una imagen. Una imagen en la que se esconde su origen. ¿Podré hablarle algún día sobre ti? ¿Contarle tu vida azarosa de hombre secreto? ¿Tus gustos, tus preferencias, tus amores de hombre inquieto y vanidoso, tu reciedumbre a borbotones como una olla que hierve? Lo intentaré, indagaré con mis amigos del servicio de inmigración para seguirle los pasos cuando venga a buscar su historia. Buscaré el momento propicio y le hablaré sobre ti, sobre su madre, sus hermanas, le contaré la oscura historia que ha sido su semilla, su flor, de la que él es fruto amargo y prometedor. Pero también es necesario hablarte de tu hijo mayor, de su muerte.

Séptima fotografía: Esteban, tu hijo mayor

El capitán recordó, al despertar de una siesta atormentada por pesadillas marciales, al soldado mestizo que era un poco torpe de piernas aunque de buen corazón. La acción tuvo lugar en una montaña encrespada de caminos falsos, al entrar en un recodo que escondía una celada. Recordó el momento doloroso en que comprobó, después de la batalla, que la bala había atravesado primero la camisa del soldado, después la nota que le había escrito la madre en el reverso de su fotografía para que lo librara de todo mal y, finalmente, le había partido el corazón. Era la foto de una mujer joven, de ojos oscuros, huraños, un poco tristes, un dulce rostro ovalado, prematuramente gastado por el sol y por el viento seco de las tierras bajas. La foto tenía una perforación en la parte inferior, a la altura del cuello. El general se levantó con un movimiento brusco y dijo en voz baja, para sí mismo, con rencor: ¿por qué siempre recuerdo los hombres y no las batallas?

¿Y tu muerte, Alberto, cómo fue? ¿Vino en secreto y te sorprendió desprevenido? ¿La miraste de frente, como te hubiera gustado? Sólo el pensamiento que se enfrenta a la muerte es un verdadero pensamiento, dijo alguien que fue o mereció ser filósofo. Ninguna frase se refiere más a ti que esa frase. Pensabas mucho en la muerte. Le plantabas cara cada día, cada amanecer. La saludabas. Pensabas en ella como si fuera una novia. La acariciabas, le hacías el amor. Era tu sombra. Y decías: más verdadera es mi sombra que mi cuerpo. De seguro que ahora dirías, al mirar la octava fotografía y para desteñir la solemnidad de tu frase: más verdaderos son mis pantalones que mi cuerpo.

Octava fotografía: tus pantalones

Debe ser mediodía porque la luz del sol cae perpendicularmente sobre la carretera. El pavimento brilla, reblandecido. Al fondo, a la izquierda de la carretera, se ve una casa de cañas con un cobertizo. A la derecha un solitario helecho arborescente extraviado del bosque de niebla a que pertenece. Después sólo una zona árida, pedruscos. Pero allí donde el fotógrafo puso el ojo está tu pantalón en una posición inverosímil, arrugado, con una extensa mancha de sangre. Con la tela blanca de los bolsillos afuera. Unos metros adelante, hacia el norte, al lado derecho de la carretera, relucen con el sol los vidrios del motel de donde te sacaron a la fuerza. Aún vibran en tus oídos los gritos de la hembrita. Primero los de placer. Luego los de terror.

Pero no te voy a preguntar por qué te mataron. En qué asuntos andabas. Cada uno es dueño de sus secretos. Además hay asuntos en la vida de un hombre que es mejor no saber. Hoy en día es más sabio no saber. Dejémoslo así, un secreto que te llevas enredado en la lengua como un manojo de anzuelos. ¿Te parece? Sólo correspondo a tu respeto. Tú tampoco me has preguntado qué razones me llevaron, siendo un sacerdote prometedor, a terminar arrinconado en este oficio. Aunque ahora lo ame. Te agradezco el respeto, Alberto, amigo. Y para corresponderte te confieso mi nombre: Faraón. Sí, Faraón, aunque te cueste creerlo. Así me dicen los fieles con una sonrisa que no pueden esconder: Padre Faraón. Los amigos de confianza me dicen Fara o Farita, Padre Farita. Con ese nombre debo vivir.

Novena fotografía: tú mismo

El lujoso ataúd vino tinto es de tu tamaño. Pero no te voy a enterrar desnudo. Esta camisa morada rutilante y estos pantalones verde biche, de prenses anchos y boca pequeña, te quedarán bien. Estos zapatos italianos de diseño moderno, sin estrenar, son de tu tamaño. Negros, como siempre te han gustado los zapatos. Eres un hombre alto y fornido, de manos toscas y pies encallecidos. Un verdadero hombre. Quedas elegante, con una elegancia deportiva. Personas caritativas nos han enviado un cargamento de ropa para enterrar a los NN que ahora surgen, innumerables, de todos los rincones de la guerra. Quedan hermosas, coloridas, extrañas, como salidas de un videoclip, mis almas olvidadas. Así, con este último cariño, las envío a la vida eterna. Con respeto. Con una hermosa ceremonia. Con un vestido decente. Con nombre e historia personal. Sí, como personas, eso. Mejor te pongo tu álbum de billetera en la mano. Debes amar mucho estas fotos, fue lo último a que te aferraste. Así, así quedas. Ahora te tomo dos fotos. Una para mi libro de almas olvidadas y otra para ponerla en tu álbum de billetera, para que te acompañe como señal de identidad. Y no te preocupes, amigo, por tus dos mujeres. Son fuertes y tienen dos razones poderosas para vivir: tú y Luis, tu hijo menor. Dedicarán sus vidas, con un pacto secreto que las mujeres nunca rompen, a buscarlos, vivos o muertos. Matilde, tu mujer, es silenciosa y persistente. Está destinada a sobrevivir a todos tus hijos. Lucía, la niña de tus ojos, se hará detective de los cuerpos de seguridad del Estado. Será amante de un capitán de inteligencia. Ambas te buscarán a ti y a Luis. No pierdo la esperanza de encontrarme con ellas. Lo haré, te lo prometo. Las buscaré. Y les daré noticias tuyas, les contaré la manera valiente como has enfrentado la muerte. Lo mucho que las amas. Les mostraré tu última foto, en tu lujoso ataúd, en tu ropa nueva. Les daré el abrazo que les envías. Sí, tranquilo, no le diré nada a Matilde de la hembrita que murió abrazada a ti gritando que te amaba, no te preocupes, viejo amigo. Secreto de confesión. Pero ahora tendré el placer de contarte algo que no te esperas.

Décima fotografía: la hembrita

Ahora puedo darte una sorpresa: la fotografía de tu hembrita. No te voy a contar cómo la conseguí: digamos que usando mis influencias con los santos. No podía dejarte ir sin ese consuelo: mirarla todas las noches y pensar en ella. Y, además, hay una razón poderosa para que ella no esté aquí contigo como una NN cualquiera, para que se haya salvado de ese dolor. Alégrate, es una razón buena, no una traición sino un cuidarse, una forma de amarte sin cargar sobre tus espaldas el sucio fardo de su desdicha. Mírala, pues, a tus anchas: la hembrita tiene veinte años, ojos alegres y odia dejar las cosas fundamentales de la vida al azar. Con el dinero que ha ganado como ayudante de bibliotecaria en la universidad se hace construir un pequeño mausoleo. Sobre el mausoleo pone un ángel de la guarda con las alas desplegadas en actitud protectora. El ángel es esculpido en una piedra gris y porosa. Encarga también una lápida con su nombre y la fecha de su nacimiento en letras góticas. Visita el mausoleo con frecuencia, lo asea con esmero y cambia los lirios en el florero de piedra. Después piensa con regocijo en su vida, en la dicha de ser joven y estar viva, de amar a ese hombre moreno, de pelo recio, de brazos fuertes, de ojos violentos que la miran con amor. Esta noche celebrará con él en la cabaña, rodeada por cultivos de rosas, que le ha prestado una amiga. Alegrará sus manos en tu piel limpia, intensamente oscura como el cielo de una noche de verano. Se alegrarán con los vinos dulces y las costillas de cordero, con el incienso y las rosas, con la música de despecho que ha dejado su amiga en la cabaña. No le contará su historia, no, todavía no. Primero lo primero. Lo había conocido en una velada musical. Lo vio salir de la cocina, adusto y ceñudo, con una bandeja de asado sureño en las manos. Recordó que su madre le había dicho: cuidado hija, es un hombre de armas en la clandestinidad. Pero esta noche, Alberto, te llevarás una sorpresa. La hembrita se ha hecho un tatuaje muy llamativo en la erguida blancura de los pechos: un cóndor, el ave nacional. Bajo el cóndor ha grabado su nombre y el código de su mausoleo. Ha rodeado estos datos con una patriótica guirnalda de rosas rojas, amarillas y azules. Sabiendo como sabe que puede morir en cualquier momento de manera violenta, como todos en el pueblo, no quiere terminar en una fosa común. Todo está previsto. Ahora puede ser feliz. Sí, ahora le toca el turno a la dicha. La esperas tú y una noche de verano, toda una noche de verano, vertiginosa noche que será la noche de su primera plenitud. La hembrita tiene veinte años, ojos alegres y odia dejar las cosas fundamentales de la vida al azar.

Y ahora, con esta historia de amor de la tierra, debo despedirme, Alberto. Alberto te llamas, ya te lo dije, pues así te bautizo ahora, como Alberto. ¿Debo también regalarte un apellido? Pues que sea Angola. Apellido sonoro al que le tengo un cierto apego sentimental. Alberto, un hermoso nombre. Siempre el primero al que llaman a lista en la clase. Eso te gusta mucho, siempre te gustó, ser el primero. Se nota con sólo mirarte. Y sí, gracias Alberto amigo, me cuidaré. Son tiempos para cuidarse. O para morir. Depende.

Ana Joaquina Torrentes

Y FUE EN Ceilán. Eran las seis de la tarde del 26 de octubre. Todavía olía a cebolla de la que se habían llevado, como todas las tardes, en el camión de Michelín. No habían rezado el rosario en la iglesia del padre Obando, no había salido la Ana Joaquina Torrentes a esperar a su marido en la esquina del parquecito que le servía de atrio a la iglesia. No eran las seis exactamente y ya se veía venir el polvero de tantos de a caballo y tantos de a pie que muchos creyeron que no eran los jinetes de la chusma de Chucho, el de La Marina, sino los mismos del Apocalipsis y que era el fin del mundo y no de ciento cuarenta y tres liberales lo que les tocó presenciar. Vinieron por arriba desde San Rafael y por abajo desde Galicia y en la tienda de Pedro Nel Jaramillo se tomaron seis cajas de cerveza y le pagaron con tres tiros en la cabeza, y en la de Domitila Aguado, la moza de don Leonardo Santacoloma, pararon siete, solamente siete, pero se metieron en las entrañas de las dos sirvientas de Domitila y en las nalgas de los tres pelados de don Leonardo y cuando ya acabaron, y pasaron los de la tienda de Jaramillo, los sacaron desnudos a la calle —no tenían más de quince años, blancos de cabeza grande y pelo rubio—, con su trasero sangrante, sus ojos llorosos, sus pies pisoteados y más de diez dispararon muy hondo en el corazón de Domitila Aguado cuando los tres pelados, Leonardo, Pedro José y John Jairo cayeron acribillados por las balas que hicieron eco en unas risotadas.

Entraron al granero de don Leonidas Suárez y se metieron en los aposentos y de su mujer dejaron un pedazo de carne sanguinolenta que buscaba inútilmente sus partes púdicas hinchadas de tanto hombre que quiso medirle sus entrañas, y como él no estaba, se llevaron lo que encontraron y como no era mucho, les pareció mejor echar candela y decir después que entre las cenizas de Ceilán, María Sofía Restrepo de Suárez había muerto carbonizada, pero eso sí, nada de mujeres muertas a balazos, los godos no mataban sino hombres y para hombres verracos ellos, los que se entraron a la casa de Nepomuceno Angarita y le sacaron de las greñas del zarzo de su cocina y le pusieron en la puerta de su casa y le amarraron de los pies al bobo de La Pelusa, que seguía meneando su banderita liberal, y le dieron sal para que supiera a tierra, le pegaron tres machetazos en el vientre, y si no hubiese sido porque Lamparilla pasó en su mula rucia y se desesperó de oír los quejidos metiéndole tres tiros en la nuca, allí estaría todavía el bobo viendo cómo se moría don Nepomuceno. Y en la cantina de Ludmila, la que decían era medio mujer del negro Cruz, el liberal de Galicia, se cansaron de tocar la puerta y la tumbaron a empellones y la buscaron debajo del mostrador, se le bebieron tres botellas de aguardiente y cinco de ron, se metieron en la pieza, la encontraron con el hijo de don Augusto Roa y lo sacaron en bola con ella al lado, oliendo a sexo, a mujer y a muerte. Lo hicieron arrodillar, le cortaron la cabeza de un tajo y la Ludmila se desmayó para que veinte le cayeran encima y se olvidaran a qué habían venido. Y donde Clotilde Andrade, la de las empanadas los sábados, encontraron a los tres Montalvos, y a los tres los llenaron de huequitos sin que alcanzaran a quejarse, fue la muerte más bondadosa. Y le prendieron candela a la casa de los Cipagautas donde se había bajado treinta y dos años antes, cuando el pueblito apenas si existía, el doctor Heraclio Uribe Uribe, y se quemó la que seguía y la otra que seguía y así todo el costado derecho del pueblo que era una calle larga, y la candela que los hacía salir y la bala que los hacía morir y así quedaron sesenta y cuatro, o al menos los contó el cabo Rojas cuando lo mandaron desde Tuluá para que viera con tres hombres más qué era lo que había pasado en Ceilán. Y cuando el padre Obando salió con el Cristo y les puso la custodia en la cara y se metió en las ñatas de los caballos que les llevaban calle arriba sembrando la muerte, las colas le pegaron a la custodia pero de la plaza no pasaron, y Ana Joaquina Torrentes no tuvo necesidad de esperar a su marido porque los pájaros esos se devolvieron y como él venía con la leña para la comida loma arriba, le prendieron tanto machetazo que cuando lo recogieron esa noche, creyeron que era un pedazo del puerco que le habían robado a Pretoria Candil y que se había llevado en su alocada carrera los cercos del rancho que aún ardía.

Y de ahí para abajo acabaron con el resto. Se llevaron cuanta vaca vieron y quemaron cuanto rancho encontraron y si alguno salía a decir que era godo, le cogían de la camisa o le agarraban del cinturón y le montaban en la primera mula libre para que se uniera al carro de la victoria y siguieran regando sangre, como la que le hicieron regar gota a gota al tío de Martín Mejía en orilla del zanjón de Piedras, arribita de Pardo, cuando le cogieron de una pierna, le arrastraron tres cuadras, le rompieron la ropa, le prendieron candela a la barba larga que le llegaba al pecho y le cortaron la cabeza abriéndole después un huequito en la espalda para meterle la lengua, pero como no se la pudieron sacar, le cortaron la punta noble que le había dado seis hijos y se la metieron en la boca para que después no dijeran que no le habían ofrecido tabaco. Y cuando la noche se volvió candela y de Ceilán no quedaba sino cenizas humeantes, el padre Obando, Ana Joaquina Torrentes y treinta y siete viudas, ochenta y nueve huérfanos y un olor a sangre y un olor a muerto y una bandera roja en las manos del bobo de La Pelusa, la chusma, los pájaros, dejaron de ser hombres para volverse sombras con las luces de la mañana.

La mosca

A Miriam Vergara

AVANZÓ TRES pasos hacia el rincón donde el camastro de madera lo esperaba con su sórdido revoltijo de sábanas y mantas y, cuando iba a dar el siguiente, el zumbido de la mosca lo sorprendió por la espalda, rozó como algo casi físico y cortante su oído y lo hizo pararse en seco; una mueca de perplejidad se dibujó en el rostro del viejo, que levantó el bastón y lo agitó en el aire como matamoscas, con lo que sólo logró perder el equilibrio y caer al suelo.

El golpe seco del impacto retumbó sordamente dentro de la casa, replegada en la penumbra luminosa de las ventanas entornadas, por las que se colaba el rudo sol de mediodía. Tal vez en el piso de abajo –pensó el viejo, cuando empezó a entrever lo dramático de su situación, la mejilla aplastada contra el entablado–, el silencio fuera menos inquietante, y estuviese menos supeditado a la impertinencia de esa mosca carroñera, de alas verdes plateadas, que desde hacía rato no paraba de importunarlo, y a la que intentaba inútilmente matar. Por su aspecto parecía un abejorro, pero no era ruidosa y lenta sino ligera y rápida: apenas se la oía a este lado cuando ya estaba al otro, y no parecía asustada del encierro. Antes bien, volaba sin aquel atolondrado ir y venir de los insectos que buscan desesperadamente una salida, y casi pudiera decirse que esta vez había hecho exactamente lo necesario para que él se pusiera nervioso, perdiera el equilibrio y se desplomase, y así, tendido en el suelo, ni siquiera pudiese escuchar los latidos de su corazón, como aquella vez los escuchó, a pesar de las metralletas y los cañones... Aquella vez...

El sol había salido ya cuando desde la explanada pudieron comprobar cómo la columna Dimitrov avanzaba por el sur en dirección a la colina fortificada que se recortaba en la distancia como un enorme hormiguero. Pero apenas iniciado el avance la columna rusa tuvo que retroceder, dada la virulencia del fuego con que fue recibida desde el otro costado de la colina, donde estaban las fortificaciones y las ametralladoras mirando hacia el valle que se alargaba y se difundía suavemente a lo largo del río. Se decía que los alemanes que ayudaban a los sublevados habían dispuesto en ese flanco atrincheramientos bien nutridos de morteros y también armas de largo alcance, cuyo repiqueteo sin duda era el que se oía en la mañana resplandeciente, interrumpido de vez en cuando por el zambombazo de los obuses. El sol de agosto brillaba en medio de las humaredas, y su luz destellante hacía dudar de lo que veían sus ojos, doblemente deslumbrados: por su intensidad y por el destrozo que, a cada explosión, se producía aquí y allá en el paisaje. El tejado de una casa saltó por los aires a su izquierda, y de pronto se dio cuenta de que en el intervalo la columna de los rusos había avanzado ya una barbaridad hacia el cementerio. Él no era ruso pero luchaba en el mismo bando que ellos, que estaban en un país extranjero, un país que era en cambio el suyo... Había que ver cuántos extranjeros se habían dado cita en aquel pueblo, cuyas mujeres y niños, según se decía, se habían refugiado en la iglesia, de gruesos muros, semejante a una fortaleza, mientras que los hombres se habían unido a los Requetés que ocupaban las trincheras cavadas junto al cementerio. Por eso resaltaba la densidad de la tropa en esa zona; si se miraba con los gemelos, se podían ver incluso algunas cabezas contemplando seguramente con terror el lento pero imparable avance de los tanques, al otro lado de las frágiles alambradas de alambre de púas que las defendían. Y no durarían mucho, los atrincherados, no... En efecto, ya cerca de las diez de la mañana, el campo junto al cementerio estaba ya sembrado de heridos y de muertos. Pensó que debía ser terrible para sus mujeres, si es que podían contemplarlos desde la iglesia, a unos quinientos metros de allí...

Con la mejilla aplastada contra el suelo, por más que se esforzó, y a pesar de que el silencio era casi absoluto –seguramente, apiadándose de él, la mosca había decidido darle una tregua– tardó algo en escuchar los latidos de su corazón. Por un momento pensó que éste se había apagado ya, y él era sólo la sombra que uno deja tras de sí cuando muere, pero luego se dijo que nadie que estuviera muerto, realmente muerto, podía temer de ese modo el hostigamiento de una mosca, por más grande, ruidosa y terca que fuera. Era pues su propio miedo, casi hubiera podido decirse su rabia, lo que lo mantenía vivo; en tal situación lo mejor que podía hacer era ahorrar fuerzas: no quería perder ante una mosca la que bien pudiera ser su última batalla. Por eso permaneció inmóvil, sin intentar levantarse. En una postura, por cierto, que era casi la misma en que había quedado el otro tras recibir el disparo que le entró por la parte izquierda de la espalda y debió incrustarse en pleno pulmón, pues no tuvo orificio de salida, según pudo comprobar cuando, abandonando el refugio –de hecho, la parte más baja y ahuecada de una roca en la que comenzaba una especie de repecho–, recorrió los diez metros que lo separaban del herido y, con gran dificultad, logró ponerlo a salvo del fuego enemigo. El hombre no estaba inconsciente, pero sí terriblemente pálido y sudaba... Por eso, aunque le hubiera gustado reprocharle algo, su imprudencia por ejemplo, prefirió quedarse callado. Además, él era el más joven, y no quería ser objeto de sus burlas, aunque sin duda ya lo había sido, sin saberlo, si es que el canadiense había llegado ya con la joven miliciana a ese nivel de intimidad. Pero si el canadiense era tan inteligente, ¿cómo es que no supo prever que podía recibir un disparo por ese costado? ¿Y que el enemigo puede esconderse en el sitio que menos se espera? ¿Y, por otro lado, por qué los juntaron precisamente a ellos dos?

Las cosas se habían desarrollado de forma muy rápida, como todo aquella mañana... Fue tras la eliminación de la resistencia por el lado del cementerio cuando los que estaban al mando de aquella gran escaramuza, fueran los rusos de la Dimitrov o los americanos de la Lincoln, aunque se decía que el propio Lister andaba por ahí, pensaron otra vez en la colina en forma de hormiguero. Sí, una acción de comandos con las mejores pistolas de dos de las brigadas, una acción de comandos de élite que no debió haber sido lo único que se les ocurrió, aunque sí lo más original y también arriesgado. Pues no era un encargo fácil de cumplir el de llegar hasta el pie de la colina y empezar a subir, pese a lo cual precisamente fue eso lo que hicieron, literalmente, al menos ellos dos, en su comando, ya que el chico americano que los acompañaba, el tercer miembro, fue herido en una pierna apenas comenzado el ascenso. En lo tocante a su compañero, tenía que reconocer que "Benito", que así se hacía llamar el canadiense, actuó como un valiente; fue él el que lo guió en el ascenso, el que se adelantó saltando como una cabra sobre las rocas y el que se agachaba o se dejaba caer cuerpo a tierra, y le avisaba cuándo podía avanzar y cuándo no. No lo hacía mal, pero a él le irritaba que un extranjero le indicara cómo trepar como un lagarto por una colina española, y precisamente él... y luego ocurrió todo; habían alcanzado casi la meta elegida, cuando una roca saltó en fragmentos cerca de ellos por un morterazo, y comprendió que se habían puesto a tiro de los que posiblemente habían empezado a bajar la colina para recibirlos. Entonces echó cuerpo a tierra y reptó hasta un arbusto desde el cual apuntó y disparó. Lo hizo con el corazón palpitante, muerto de miedo y de rabia, en una especie de raptus. Disparó una, dos, tres veces y cuando abrió los ojos ahí estaba el otro, su compañero, tendido en el suelo...

Sin cambiar de postura, se quedó entredormido y recordó un episodio de infancia en el que aparecía con sus primos, en el patio de la vieja casona de los arrayanes, compitiendo en la caza de moscas que los niños practicaban en la zona limítrofe, donde estaban los mangos y los zapotes y uno de los criados guardaba, en un gran recipiente metálico, las boñigas frescas que utilizaba como abono, y que las gallinas que se escapaban del corral vecino acababan siempre por dispersar. Sólo los dos mayores tenían matamoscas en regla; los demás se las arreglaban como podían, valiéndose de periódicos viejos, trozos de cartón, para no mencionar el zapato medio deshecho que el más pequeño, de sólo tres años, se limitaba a arrastrar por el suelo, mientras miraba desbordado y al borde del llanto la labor de los demás. Cada uno guardaba sus moscas por separado, en un pequeño cucurucho de papel que al final corría entre risas y alaridos a entregar a la tía Elena... Ella los recibía sonriendo, los besaba y acariciaba, y él disfrutaba cuando la cascada negra de su melena ondulada y muchas veces goteante caía sobre él y le rozaba las mejillas, que conservaban la huella de ese leve y acaso no del todo involuntario contacto durante varios minutos. A los otros, que no se enteraban de nada, aparte de los besos, ella les daba a veces unas monedas que repartía equitativamente entre la chiquillería, cuidándose siempre de no herir la susceptibilidad de los más pequeños, a punto siempre para la protesta y el llanto. Sólo él, y no por contarse entre los mayores, es decir, entre los que disponían de matamoscas en regla, parecía dispuesto a renunciar a lo que fuera, salvo a su sonrisa y al roce de su pelo chorreante, actitud que a veces era sobradamente correspondida cuando la tía Elena le permitía secundarla en la delicada labor de alimentar alguno de los pichones... Sin duda ella, la más joven de las hermanas de su padre, había sido su primer amor. Lo supo el día en que apareció en casa con un tipo alto y bigotudo, cuyo aliento olía a aguardiente, y que presentó a la familia como su novio, pues una tristeza infinita se apoderó de él, una tristeza ciega y sin nombre, cuyo efecto vengativo volcó sobre las moscas. Las mató a decenas, a escondidas, sólo por hacerlo, para demostrarse cuánto la despreciaba. Incluso llegó a considerar como una chifladura esa manía de la tía María Elena, la reina de los turpiales, de ocuparse no sólo de estas aves, sino también de todos los pichones que, avanzado ya el verano, se caían de sus nidos y aterrizaban en los alrededores de la casa. En cuanto al borracho del tío Gabriel, cuando al final se casó con ella y se la llevó a vivir a la Fiquera, siempre lo odió, y aunque entonces la tía ya no era la misma, y su sentimiento hacia ella casi se había borrado por completo, tuvo que contenerse para no saltar de alegría el día en que supo que una vaca malhumorada le había propinado una coz en el pecho y lo había dejado medio muerto. Estuvo en el hospital varios días pero al final sobrevivió.

No había sido lo mismo lo que sintió respecto al canadiense, al que, sin darse apenas cuenta, se encontró intentando salvar... En efecto, con toda claridad recordaba que, una vez en el refugio, inmediatamente procedió a desnudarle el torso para examinarle la herida. El agujero era pequeño, increíblemente pequeño como para creer que por él pudiera escaparse la vida entera de un hombre de esas proporciones, de un hombre de la prestancia de ese brigadista, que había venido desde tan lejos para participar en una guerra ajena, y también para seducir a mujeres que no le pertenecían... Por eso, en un comienzo, le costó creer que la muerte rondase al herido, y que estuviese tan cerca de los dos. Ni siquiera pensó que eso fuera posible cuando, apenas unos minutos después de ese primer y previsible intercambio de disparos, en el que sólo se oyó el fuego de los fusiles, empezó a oírse otra vez el de las ametralladoras. Ninguna posibilidad pues de retroceder en busca de ayuda, ni siquiera de deshacer parte del camino para gritarles a los de abajo que uno de los dos había sido herido. Manteniendo la sangre fría, se dispuso a esperar lo que fuera antes de cometer una imprudencia como esa. Seguramente, cuando surgiese la menor posibilidad, sus compañeros vendrían a buscarlo, o le harían llegar las nuevas órdenes...

Despertó algo así como una hora más tarde, lo supo por la luz del sol, que, trazando una línea casi recta desde la ventana hasta la pared del otro lado, empezó a calentarle la nariz, el único obstáculo en su trayectoria. Casi lo hizo reír esa coincidencia, como si su nariz quisiese olfatear la luz. O, más bien, como si la luz misma quisiera traerle el recuerdo de algún olor que sirviese para reanimarlo, diciéndole cuál era su hora. Era hacia las tres de la tarde cuando, en época de verano, la luz del sol irrumpía por ese ángulo de la ventana, se arrastraba durante un rato por el suelo y alcanzaba algo después las pelusas innombrables del rincón. Luego comenzaba a escalar la atiborrada estantería de libros, empezando por los de abajo, que eran los viejos textos escolares que había utilizado en sus últimos años de actividad, siguiendo por los ensayos, que estaban en medio, y terminando por las novelas, más abundantes, allí donde las inciertas pilas a veces se desmoronaban. Así, los últimos rayos se apagaban sin haber tocado los libros más gastados, los que antes le gustaba prestar, y que ahora ya nadie le pedía... Pero ahora prefería pensar que no le hubiera resultado difícil saber qué ocurría a esa hora de su infancia en la casa de los arrayanes, poblada de luz y de olores (especialmente de frutas y de otros productos que sólo se encontraban en el mercado de los domingos, en la plaza del pueblo), todo lo cual desapareció cuando su padre decidió volver a España. Su gestión al frente de la Fiquera había sido un fracaso. El broche de oro lo pusieron las vacas que hizo traer de la costa por el ferrocarril de la Dorada para abrir un nuevo frente de ingresos en la hacienda: los pobres animales llegaron muertos de hambre, y en dos días se comieron prácticamente todo el Fique... "Qué sabrá un español de lo que comen las vacas colombianas", se burló el administrador, mientras contemplaba desde la casona el desfile de vacas, de mata en mata, las que ya sabían que eso se comía y las que querían aprender. Fue ahí cuando su padre bajó la cabeza, y se quedó pensativo. Debió pensar en la noticia que hacía poco tanto lo había conmocionado: Alfonso XIII había sido expulsado del país, y se había proclamado la República... Y él, por cuyas venas corría vieja sangre republicana, estaba allí haciendo el ridículo por no saber nada de vacas. Estaba bien claro, ¿no debía reaccionar antes de que fuera demasiado tarde?

Cuando llegó la hora de pronunciarse, la tía Elena se negó rotundamente a volver a España; a ella la política la traía sin cuidado, lo cual le granjeaba los reproches de su hermano mayor, quien desde que era niña había sido para ella como un padre. Por lo que a él se refería, ¿qué podía importar su opinión si no era más que un adolescente? ¡Ni siquiera importó cuando, siendo ya casi un hombre, tuvo que empuñar el fusil para ir a la guerra! Y luego permanecer varios meses a la espera en el frente del Ebro, hasta ser destinado, en lo más rudo del verano, y gracias a su padre, que quería tener a su heroico hijo cerca, a aquel batallón en el que por primera vez la vio a ella, una bella miliciana que tenía toda la apariencia de una señorita burguesa. Al menos eso fue lo que pensó, cuando la vio hablar en catalán con sus paisanos, en francés con un periodista y en inglés con otra enfermera a la que explicó cómo se hacía un torniquete. Le llamó la atención su retraimiento, y el que no se apartase de una compañera, que parecía su dama de honor: la picardía de uno de su edad le permitió espiarla con los binóculos cuando se lavaba el pelo, ayudada por su compañera, en aquel arroyo cerca de Belchite. Una mata de pelo negro chorreante de agua y espuma, bajo la cual le hubiera gustado yacer. Luego, ya eran amigos cuando alguien, a la hora de comer, aludió bajo el sol de junio a aquella estampita del Sagrado Corazón de Jesús que muchos soldados franquistas se metían en el bolsillo izquierdo de la camisa con las palabras "detente bala", y entonces se le ocurrió la idea... Recuerda cómo los ojos de la muchacha se encendieron con un brillo risueño cuando él le enseñó el pequeño cartón con el dibujo, hecho por él mismo, de un corazón atravesado por una flecha, con la leyenda "mátame flecha", que llevaría en el lado izquierdo a partir de entonces... Pero, tras esa tímida y originalísima declaración de amor, y a lo largo de casi los dos meses que pudieron verse todos los días, ella nunca pareció tomarlo en serio. Y él advirtió cómo le brillaron los ojos, y se puso muy nerviosa tras la llegada de aquel grupo de brigadistas, los invitados de la undécima hora.

El presentimiento de un sonido, más que el sonido mismo, lo hizo volver en sí con sobresalto, y luego escuchó el zumbido. El insecto entró esta vez en el cuarto volando pesadamente, planeó sobre los muebles y al final se dejó caer en picada sobre su hombro. Pero no aterrizó en él, sino que, en el último momento, remontando el vuelo, prefirió el pomo del cabezal de la cama, en el que se posó y se quedó quieto mirándolo. Sí, ella lo miraba, de eso estaba casi seguro. Una mosca de tales características, que aparece de esa manera en una casa con las ventanas cerradas, no se queda tanto tiempo inmóvil, si no es que mira y sopesa algo. Por lo demás, en el sitio en que lo hacía nada podía alcanzarla ni molestarla, ni siquiera el viejo que yacía como un fardo ahí abajo, en el suelo. Era sin duda este lo que atraía su interés. Porque estaba claro que no estaba allí por los restos de la cocina, ni por la basura acumulada junto a la puerta del patio, ni siquiera por la paloma muerta que, arriba, en la buhardilla, seguramente aún no se había acabado de secar. Sí, había venido por otra cosa, si es que había venido de fuera, eso era también evidente. Incluso podía ser, pensó con un pálpito, que no fuera ese su primer encuentro... Por eso tuvo esa extraña sensación cuando, mientras dormitaba en su sillón, la escuchó por primera vez, de eso hacía ya por lo menos seis horas. Y cuando logró verla, algo en ella le resultó extrañamente familiar. Entonces quiso observarla de nuevo y entrecerró los ojos, intentando enfocarla, lo que a esa distancia, y sin anteojos, le resultaba sumamente difícil. Pero en esos momentos ella también debía estar intentando recordar dónde lo había visto antes a él. Porque, en cuanto a la capacidad de ver se refiere, ya que no de recordar, sin duda ella lo aventajaba. Había leído en algún sitio que las moscas tenían ojos diferentes, divididos en pequeños poliedros que veían cada uno independientemente, multiplicando los puntos de referencia para anular los ángulos muertos, y ahí estaba aquella estudiándolo y analizándolo a él, un viejo enfermo que no valía la pena multiplicar ni dividir por ninguna cifra, ni siquiera por siete, que era el número que ahora le venía a la cabeza, tal vez por aquello de las siete vidas del gato. Más bien las siete muertes, pensó... Porque sin duda había empezado a morir muy pronto, tan pronto que ni siquiera recordaba su primera muerte, que debió haber ocurrido en el momento de la desaparición de su madre. La segunda debió haber ocurrido cuando tuvo que separarse de la tía Elena, que se quedó en Colombia con su borracho. La tercera, cuando lo internaron en aquel colegio de jesuitas en Madrid. Luego vinieron una cuarta y una quinta... y ahora debía estar ya por la undécima, porque era evidente que había rebasado ya la cifra de muertes que le había sido asignada, pero antes de todas ellas él fue feliz, una segunda vez, allá en Extremadura... Ocurrió cuando, a unos meses del regreso, reaparecieron las disensiones familiares, y su padre hizo de nuevo las maletas y se marchó a Barcelona. A él lo mandó a la finca de un amigo en Puebla de la Calzada, cerca de Mérida, donde lo dejó vivir durante unos meses a su arbitrio, recorriendo los campos y dedicado a la caza de conejos y jabalíes, pues eso era lo que le gustaba, batir los campos con dos perros de caza y una escopeta al hombro. Cuando vino a buscarlo, su padre dijo que no podía permitir que siguiera viviendo como un salvaje. Salvaje: la palabra lo sorprendió tanto que casi le gustó. Luego descubriría que era todo lo contrario de un salvaje, pues lo que le gustaba era que las cosas tuvieran un orden y un sentido, pero no como quería su padre, con su eterna cantinela de la lucha de clases y la toma del poder, sino de otra manera, sin extremismos. Todo hubiera ido mejor entre los dos si él no hubiese estado todo el tiempo intentando someterlo a su esquema. Y, sobre todo, si hubiese sabido hablarle de otras cosas, abrirle otros horizontes... Sin duda fue por eso que él empezó a reconciliarse consigo mismo sólo tras su muerte; al menos fue entonces cuando, después de una larga meditación sobre su vida, y sobre lo ocurrido aquel día a orillas del Ebro, descubrió que debía hacer algunas cosas elementales. La primera de ellas, encontrar alguien que hubiese leído muchas novelas. Tal vez esa persona pudiera explicarle cuál era la que a él le faltaba; tenía la corazonada de que debía persistir hasta encontrarla, sí, la novela... Y no le resultaba fácil por aquella época en que todo el mundo andaba preocupado de cómo sobrevivir, encontrar con quién hablar de libros, y especialmente de uno que él no había leído. Incluso llegaron a mirarlo de esa forma en que se mira a alguien que no está bien de la cabeza... "A este debió dejarlo majareta algún golpe recibido en la guerra...", debían pensar. Pero fue la tía Encarna la que le espetó, con su estilo lapidario: "tu padre el gran republicano, ha muerto en Francia lejos de su patria, y tú pareces más preocupado por una novela. Desde que volviste de la guerra te encuentro muy raro, sobrino. Deberías contarme lo que sabes de ese libro, de qué va la historia, a ver si me entero de una vez por qué te preocupa tanto...". Pero tampoco ella pudo darle ninguna pista; evidentemente porque ella sólo leía libros malos, novelitas de amor, y el que le había hablado de aquel libro era un hombre culto y refinado. No le hubiera hablado de cualquier libro, no, un hombre como él, y en un momento como ese...

Fue al anochecer, estaba casi seguro, cuando el canadiense tuvo el primer desmayo. Esperó un rato y luego lo obligó a beber un poco de agua. Lo había visto en las películas: cuando un herido se desmaya hay que obligarlo a beber agua. Luego le puso un pañuelo mojado sobre la frente, pues sudaba. El hombre permaneció una media hora inconsciente, y por primera vez él sintió miedo ante la posibilidad de que muriera... Desde hacía rato que ya no se oía nada; el silencio se había cerrado sobre la noche, como si estuvieran ya en el limbo y no en medio de un campo de batalla. De vez en cuando se oía del lado del pueblo alguna voz a lo lejos, en francés o inglés, o tal vez en ruso, y luego el motor de un vehículo, seguramente una ambulancia. El silencio se rompió cuando, de pronto, como si alguno hubiese dado la señal, los perros se pusieron a aullar, los perros... Debían de estar pasándose informes acerca de lo ocurrido, aprovechando para plantear sus asuntos, ellos también. Porque a lo mejor había algún perro politizado, como aquel que fusilaron los franquistas en Quintanar, junto a su amo, tras sorprenderlo llevando mensajes en clave al frente enemigo. Pero los perros que aullaban ahora eran simplemente los que habían huido del pueblo y debían corretear por los alrededores intentando averiguar si ya había acabado todo. Uno de ellos debía estar diciéndole a los otros que esperaran, que les iba a tocar pasar la noche donde pudieran, como a sus amos, que en unas cuantas horas habían visto a la chusma extranjera hacerse fuerte en casi todo el pueblo, mientras que a ellos sólo les quedaba la iglesia y la colina. Y a lo mejor hasta los perros sabían, como él, que en cualquier momento podían reanudarse de nuevo los disparos, pensó, aunque era poco probable que ello ocurriese durante la noche. Fue entonces cuando, con el último aullido, el canadiense empezó a hablar en inglés y entreabrió los ojos... Lo miró sin sorprenderse y dijo:

—¡Esos coyotes! Procura mantenerlos lejos, muchacho...

—¿Coyotes? Pero si en España no hay coyotes —protestó él, y al punto comprendió lo estúpido de su énfasis; entonces añadió en voz baja—: Son los perros del pueblo que están muertos de hambre, y vagan por ahí, pobres...

—Pronto van a tener mucha comida... —farfulló el herido.

El comentario lo sobrecogió. La idea de que los perros domésticos, incluidos los chuchos de bien que las gentes tenían en sus casas, pudiesen acabar comiendo carne humana lo ponía fuera de sí. Pero debía ser cierto, según las historias que contaban los que llevaban más tiempo en esa guerra caótica e inhumana. Había sido un navarro bruto e insensible el que había hablado entre risas de uno del otro lado al que llamaban tío Mortadelo que se dedicaba a desenterrar las cabezas de los cadáveres republicanos más recientes para arrancarles los dientes de oro, y ni siquiera las volvía a enterrar. Entonces venían los perros y se paseaban por los campos royendo las cabezas... Sí, todo eso debía ser cierto, tan cierto como que ellos estaban allí abandonados a la buena de dios. Todo por la ocurrencia de algún capitán ruso o italiano que para mayor inri respondía al nombre de "Paco". Hasta era posible que se hubiera replegado ya (hacía por lo menos dos horas que el fuego cruzado había cesado por segunda vez, y no se escuchaba absolutamente nada, aparte de algún ladrido aislado), dejándolos olvidados allí, por lo que bien podría... Sí, a lo mejor había llegado el momento de sacar la bandera blanca y pasarse al bando del enemigo. Ocurría con frecuencia, según había oído decir. Hubiera sido una bonita manera de coronar su historial de guerra, el del hijo de un comandante republicano, amigo de los jerarcas, y que se había entrevistado por lo menos dos veces con Largo Caballero, que se había pasado al enemigo...

—Ni se te ocurra, chico —oyó decir entonces al canadiense, que sin que él se diera cuenta lo estaba mirando con los ojos entrecerrados—. Si lo haces, te prometo que no llegarás muy lejos, pues te dispararé aunque sea por la espalda... —lo amenazó, e hizo el gesto de llevarse la mano a la pistola, que guardaba aún.

Al oírlo, palideció... "Por la espalda", tomó nota, "Ha dicho por la espalda...".

—Va, olvídate, estaba bromeando, chico. Mejor hablemos, contémonos algo, nuestras vidas por ejemplo... Creo que es mejor que no me vuelva a desmayar. Empieza tú, mientras tanto yo recupero fuerzas...

—¿Pero qué podía contarle? ¿Que era un chico español que se había quedado sin novia porque un brigadista, que seguramente tenía mujer e hijos, se la había quitado? ¿Que estaba en esa guerra no por voluntad propia, sino porque otro, su padre, así lo había decidido? ¿Que hubiera preferido ser un Requeté, y creer que Dios, y no su padre, lo sacaría de aquel infierno en el que su cabeza podía acabar por ahí, en la boca de algún perro hambriento? No, no podía contarle nada de eso, entonces algo le dijo que debía hablarle de América, de que él también había estado al otro lado del océano. Y, animándose de súbito, le habló de su infancia entre los cafetales, de una gran hacienda en la falda de los Andes llamada La Fiquera, de un gran río que se navega entre montañas y valles en barcos de ruedas con aspas como los del Mississippi... Dijo lo del Mississippi porque se lo había oído a uno que había viajado varias veces por el Magdalena y porque le sonaba que el Mississippi era un río del Canadá.

—Se ve que no has leído todavía las aventuras de Tom Sawyer... —se limitó a comentar el otro, y añadió—: Bueno, ahora me toca a mí...

Hablaba con un poco de acento, no sin fluidez, intercalando localismos que seguramente eran incorporaciones recientes, y su voz, al comienzo débil, fue ganando cada vez más en fuerza y seguridad. Al cabo de unos minutos no parecía que el que hablara fuera el hombre que llevaba una bala de fusil en los pulmones y que, de hecho, estaba viendo agonizar, como si el hablar tuviera sobre él un poder curativo. Fue así como él supo que se ganaba la vida como profesor de literatura y español en un colegio de Victoria, una ciudad de mediana importancia situada en la punta sureste de la isla de Vancouver, con vistas al estrecho de Juan de Fuca. Aunque ya era un poco mayor para volver a la universidad, una beca para especializarse en historia en la Sorbona de París lo había llevado hasta Francia, donde lo sorprendió la noticia del alzamiento. Pocos meses después, se organizó en la capital francesa la recluta de voluntarios para las brigadas y él fue uno de los primeros en entrar en España por los Pirineos. Luego vino el desfile grandioso por las calles de Barcelona y el largo viaje a Badajoz. Cuando les escribió a sus parientes y amigos contándoles lo que había hecho, todos lo consideraron una locura. Pero él no se echó atrás. En la vida hay que cometer al menos una vez una locura como esa...

—¿No te parece, chico?

Había aparecido en sus ojos un brillo casi paternal, y él asintió. Casi hubiera podido jurar que, allá en Victoria, el otro hablaba a sus muchachos de esa misma manera, preguntándoles cosas e interpelándolos paso a paso...

—Pero no vayas a creer que las armas son buenas para hacer carrera, muchacho... Uno las coge cuando no le queda más remedio. Los tiempos del rojo y el negro quedaron muy atrás, no sé si me entiendes —aquí el canadiense lo miró pensativo y guardó un momento silencio. Luego le preguntó de golpe:

—Y tú qué eres, ¿un viva la vida?

—No...

—Entonces habrás leído algo de Galdós... ¿O de Pardo Bazán, o de Baroja?

—No...

—¿Y qué estás esperando? ¿Cómo es que estás aquí y no has leído aún nada, chico?

No entendió muy bien la pregunta. Y, aunque el otro hizo un gesto de dolor y pareció desmayarse, fue por el orgullo que no le pidió que se la explicara. Más bien, casi deseó que el otro no pudiera seguir hablando, pues en un momento volvió a sentirse como el mal alumno que era, y que ya conocían los que habían sido sus profesores. El último, en aquel colegio de Madrid, burlonamente le había augurado un buen futuro como montero mayor, que era un oficio desaparecido, mas no como poeta o escritor, lo que en realidad lo traía sin cuidado. Nadie menos dotado que él para las letras, y, mirándolo bien, tampoco nadie con peor suerte; porque ir a toparse en aquel lugar, y en aquella situación, con un tipo que precisamente era profesor de literatura al otro lado del mundo, no era precisamente tener buena suerte. Por lo demás, el muy ladino se las daba de buenazo con los chicos, pero ¿qué pensaba de las chicas? ¿Por qué les sonreía tanto, por qué era tan meloso con ellas?... Iba a lanzarle una pulla al respecto, cuando se dio cuenta de que el otro había dejado caer la cabeza y que tenía ahora los ojos cerrados. Entonces corrió a su lado y le palmoteó las mejillas, sin que reaccionara. En la mano le quedó la sensación de la barba mal afeitada y de la mejilla grasosa, y se la frotó en la manga del pantalón... Creyó que esta vez el otro sí se había desmayado, pero no fue así: de pronto abrió los ojos de nuevo y retomó la conversación como si tal...

—Te quería decir que ya que no has leído ninguna novela, te voy a contar una que por muy zoquete que seas te va a gustar... En ella hay uno que vivió en América como tú, un indiano.

—¿Un qué? —se interesó él por puro automatismo.

Desde hacía rato que no se oía nada, ni siquiera un ladrido, y no estaba muy seguro de si eso era lo normal. Hubiera querido preguntarle al otro qué opinaba, pero éste parecía interesarse sólo por su historia.

—Un indiano... Se llamaba así a los que se iban a América a hacer fortuna y volvían ricos. Sí, ya sé que tú no volviste rico y que por eso estás aquí, pues debes ser más pobre que el mismo Nazarín... Pues vamos allá... ¿Has estado en Madrid? Imagínate el Madrid del siglo pasado, chico, el de los tiempos de Isabel II...

Y así, en medio de la noche tensa y calurosa, cuando allá abajo se oía casi el silencio de los centinelas, constantemente al acecho, gracias a las palabras del herido ingresó en el hogar de Francisco de Bringas, un cincuentón ahorrativo y bueno como un pedazo de pan que vive en el Madrid de Isabel II. El hombre se ha comprometido a ayudar a unas parientes, dos hermanas de familia bien que se han quedado huérfanas. Amparo, la mayor, acepta servir durante el día en su casa, bajo el mando de Rosalía, la esposa de Francisco, pero la menor, más orgullosa, no. La de Bringas es una dama pretenciosa, de buen ver, que vive por encima de sus posibilidades, maneja a su marido y tiene planes para todos... A Agustín, el primo de Francisco, un hombre maduro aunque soltero, muy generoso, que hace poco ha vuelto de América forrado de dinero, quiere convertirlo en su yerno, ya que es demasiado tarde para hacerlo su propio esposo... A la dócil y servicial Amparo, que resplandece como una diosa por encima de su pobreza, quiere hacerla monja, pero la joven carece de dote; según ella, nadie más adecuado que Agustín para dársela. Pero he aquí que el indiano, que ya ha tenido oportunidad de observar la sencillez y la belleza de la joven, no está satisfecho con esa solución...

—¿A que no adivinas por qué? —preguntó aquí el canadiense, mirándolo con un brillo de malicia en los ojos.

Afuera se oyeron unas voces, que venían de la parte alta de la colina, y un perro ladró dos veces abajo, sin que ningún otro le respondiera.

—Es evidente. Se ha enamorado sin darse cuenta de Amparo... —dijo él con naturalidad, alzándose de hombros, no fuera que el extranjero fuese a pensar que era idiota.

—¡Eso es!... —aprobó con viveza el narrador, que con aquello pareció recobrar fuerzas... Entonces habló de corrido casi una hora, recreándose a gusto en los sentimientos y las situaciones, así los miedos de Agustín, un hombre generoso pero apocado, sin experiencia ni malicia en cuanto se refiere a las mujeres, la tímida obsequiosidad de Amparo, a la que le cuesta creer en tamaña dicha, la hipócrita aceptación de lo que ya no tiene remedio de Rosalía, que en un abrir y cerrar de ojos ve a su casi criada convertida en la prometida del hombre que hubiera cambiado mil veces por su esposo.

—Es ahí cuando Amparo, que tiene un secreto que la corroe, recibe una carta...

—¿Una carta? —preguntó el que escuchaba en el corazón de la noche, sin poder disimular el sobresalto.

Antes de responder, el herido hizo una pausa y miró con risueña curiosidad a su contertulio. Luego cerró los ojos y pareció torear un dolor interno, pidió un poco de agua...

—La carta que le envió un cura descarriado y cínico con el que Amparo ha tenido antes una relación... —dijo luego, hablando con dificultad.

Porque si allí no hubiese entrado en acción una fuerza negativa, algo que hiciera peligrar la dicha que estaba ya casi al alcance de la mano, la novela sería una mierda y carecería de sentido...

—¿Te das cuenta chico? Es casi lo mismo que en la vida... —filosofó el canadiense, y se llevó la mano al costado—. Pero la mía se me está quedando corta...

Y siguió contando aunque cada vez con menos fuerza... Así Polo, el cura renegado, que estaba allí dispuesto a hacer lo que fuera para no renunciar a su Tormento, que es como llamaba a la pobre Amparito, a la que había deshonrado tiempo atrás. Quería irse con ella lejos, a un país asiático, para empezar una nueva vida... Por su parte, ella no quería renunciar a su prometido, al que amaba. ¿Pero cómo confesarle que ya había sido de otro, que ya no era una mujer virgen?

De pronto, el otro dejó caer la cabeza.

—Muchacho, tengo la corazonada de que no voy a poder terminar... Si es así, cuando esto acabe coges mis pertenencias y se las llevas a "Paco", mi comandante, que sabrá qué hacer con ellas... —dijo el herido tras una pausa, y sus últimas palabras cayeron en la noche, exiguas y puntuales, como las gotas de un grifo que se cierra...

Lo primero que pensó fue que el otro sólo quería inquietarlo, hacerse el interesante, pero al ver que no reaccionaba se le acercó otra vez. Entonces, al verlo completamente inmóvil, por segunda vez sintió miedo, pero ahora miedo de quedarse solo en esa noche horrible, sórdida y calurosa, miedo de no saber lo que ocurriría dentro de unas horas, miedo de los perros vagabundos que desenterraban las cabezas de los chicos como él... Le cogió la mano y le tomó el pulso; latía aún. Entonces intentó reanimarlo, pero fue inútil. Sin embargo, un rato más tarde, cerca del amanecer, el otro levantó la cabeza de repente y pronunció algunas palabras. Él sólo entendió algunas... "Amparo..., Amparito..., una beldad pobre...". Y luego, pasados unos minutos: "Los frijoles mejicanos con arroz, recuérdalo, chico, nada menos que los frijoles con arroz... Sé dónde los preparan en Madrid. Un día de estos te invitaré... Le gustaban mucho a Agustín...".

Continuó esperando, a ver si decía algo más, y así, esperando, se quedó dormido él también...

Lo despertó un ronroneo de motores al amanecer. Eran los tanques que, allá abajo empezaban de nuevo a moverse, tomando posiciones. Entonces recordó a su compañero; volvió a su sitio y le auscultó el pecho. Su corazón palpitaba aún, pero muy débilmente. Se arrastró hasta el borde del barranco y, aprovechando que ya se veía bastante bien bajo la luz lechosa del alba, miró; arriba no se notaba todavía ninguna actividad, y abajo reconoció en la distancia los cañones más delgados y largos de las baterías antiaéreas. "Estarán esperando los aviones", pensó. "La que se va a armar dentro de poco".

Permaneció a la espera hasta que el sol empezó a brillar, y se oyeron por el lado de la iglesia los primeros disparos. No cabía la menor duda de que eran los dos únicos sitios que aún quedaban por tomar, la iglesia y la maldita colina en la que ellos habían quedado atrapados y olvidados. Porque estaba claro que mientras durase todo aquello nadie iba a acordarse de ellos. De pronto, le pareció oír al fin en la distancia el zumbido de un motor de avión, que resultó ser algo muy diferente... Lo comprendió cuando, tras una leve pausa, un punto negro empezó a volar en círculo junto a él, enfiló hacia el herido, lo sobrevoló y, al final, tras dibujar en el aire una especie de ese, aterrizó sobre su mejilla. Entonces pudo apreciarla en todo su esplendor: era una mosca enorme, afelpada y verde, con fuertes alas tornasoladas, cuya trompa palpaba con avidez la piel del herido. Sin duda venía del cementerio, donde se derretían ya al calor los muertos del día anterior, por eso el maldito bicho parecía tan seguro y se paseaba como si tal por esa cara nueva, que acababa de descubrir... La miraba, paralizado por un miedo supersticioso, la miraba y pensaba que debía espantarla, lo pensaba mientras ella se paseaba con descaro sobre el moribundo, bajaba lentamente por su pecho y, lenta, minuciosamente, abrevaba en la sangre, fresca aún, de su herida.

El viejo abrió los ojos con sobresalto; sólo pudo mover un poco la cabeza para comprobar que la mosca no aparecía ahora por ningún lado. La última vez estaba posada en la cabecera de la cama, pero no hubiera podido asegurarlo. A lo mejor lo había soñado todo; aunque, pensándolo bien, lo más probable era que no, pues todo parecía tan real porque sin duda lo era. En cualquier momento la mosca podía reaparecer, y hasta era posible que en ese mismo instante estuviera observándolo, agazapada en algún rincón. ¡Si al menos pudiera levantarse, para salir en su busca y matarla! Entonces un leve zumbido llamó su atención; desvió levemente la mirada hacia la derecha y la vio... ¡Sí, allí estaba, frotándose las alas, sobre la empuñadura del bastón, a unos pocos centímetros de su mano! Pero esta vez, inesperadamente, lo invadió al verla un sentimiento de alivio, como el de quien comprende al fin algo. "Sí, ya nos conocíamos, mosca, ya nos conocíamos", pensó, y en el acto el deseo de matarla desapareció... Pues era justamente eso lo que había venido a recordarle la mosca, que seguía haciéndose la *toilette* junto a su mano derecha, la misma mano, ahora vieja y nudosa, con que aquella vez él había apretado el gatillo. Además, estaba claro que el animal preparaba ya sus alas para un largo viaje. "Limpia tus alas, mosca, limpia tus alas", añadió el viejo, y casi previó que, muy pronto, alguien rompería la puerta de una patada, los vecinos entrarían para descubrir en el suelo el cuerpo del anciano cascarrabias que se había empeñado en vivir solo, y por el pueblo correría la voz, mientras que nadie repararía en la mosca, que, una vez abierta la puerta, alzaría el vuelo, recorrería en línea recta el pasillo, saldría al jardín en vuelo rasante sobre los rosales, se elevaría sobre las ceibas que cubrían con su sombra el juego de los niños y subiría hacia los rayos del sol, puros y fuertes. Entonces pensó que a lo mejor Dios sí existía, sólo que era una mosca, una gran mosca que todo lo veía y recordaba, y detrás de la cual se escondía el que en ese mismo instante escribía el final de su historia, una mosca que de tiempo en tiempo abandonaba su refugio, y emprendía largos viajes a través de los océanos y las edades, para ir en busca del alma de sus descarriados... "Si no fuera porque soy definitivamente ateo como mi padre, te rezaría, mosca, te rezaría", murmuró y se durmió.

Gelatina

Hoy voy a la oficina a las seis de la tarde. La secretaria dice que Carepasa me necesita. Subo. Me hace sentar. Los pies me duelen. Tengo ampollas en uno de ellos. Sin mirarme pide las facturas, sin mirarme las observa una a una y toma apuntes en una libreta.

—¿Apenas cinco cajas?

—Apenas —respondo.

Se rasca la cabeza. Coge el lapicero y luego se echa hacia atrás.

—Creo que voy a enviarte a ese curso de inducción. ¿Qué hiciste hoy, hijo?

Paso la tarde llamando a casa desde un teléfono público. Suena ocupado. Estoy por la galería Santa Elena. Dejo el teléfono y voy a uno de los puestos. Hago la introducción, el gancho de gelatina con doble vitamina C. No se vende, me responde una anciana casi ciega. Estamos para servirle. Dejo una tarjeta. Vuelvo al teléfono. Ocupado. Voy a otro granero. Saludo de mano a un viejo grasiento. Ahí tengo todo el pedido anterior, señala. Y ahí están las cajas descoloridas. Vuelvo al teléfono y marco despacio. Es una eternidad. Ocupado. Quiero ir a casa y matar a Ana.

—Recorrí toda la zona de la galería Santa Elena —digo—. Alrededor de quince graneros.

Carepasa no me quita los ojos de encima. Le sostengo la mirada.

—¿De dónde crees, hijo, que sale el dinero para pagar los empleados? Nunca lo he pensado. No me interesa.

—De la venta de productos de panadería —respondo.

—Correcto... Cuando una empresa tan importante como la nuestra lanza al mercado un producto nuevo, tiene que invertir. Por lo general se da un año muerto, sin ganancias, pero ¿sabes cuánto tiempo llevamos con la gelatina en el mercado?

Hace una anotación en la libreta.

—Dímelo, hijo...

Odio al viejo cabrón.

—Tres años —digo.

—Estás en un error. Llevamos cinco años en el mercado y somos la segunda fábrica de gelatinas en Colombia. El primer lugar en ventas lo ocupa Bogotá, el segundo Barranquilla, el tercero Medellín... ¿Sabes qué lugar ocupa Cali?

Hace otra anotación. Siempre anota cosas, lleva estadísticas, tiene a la mano tablas. Y siempre me hace preguntas que no puedo responder.

—Dímelo, hijo...

—El cuarto. Estamos en el cuarto lugar.

—Estás en un error. Ocupamos el séptimo lugar —se señala la cabeza varias veces con el índice—. Piensa un momento: ¿es justo que la tercera ciudad en importancia del país ocupe el séptimo lugar?

Digo no con la cabeza. Pero el viejo quiere oír mi voz y espera la respuesta.

—Pues no...

Estoy cansado y cambio de posición. Pienso en Ana. Quiero llegar a casa y oírle decir que nada ha pasado.

—Eso es cierto, hijo. Cada mes tengo que enviar un reporte a Bogotá y cada mes me avergüenzo de las ventas. Hace tres años ocupábamos el segundo lugar, peleábamos cada panadería, cada tienda, convencíamos a la gente de la necesidad de nuestros productos... pero el primer convencido debe ser el vendedor. Dime la verdad: ¿en tu casa consumes *Gelreina*?

Coloca las manos sobre el escritorio y me observa.

—Nos encanta —digo—. Sobre todo a la niña. Le gusta mucho la de tutti frutti. A veces la compro aquí mismo.

Mi hija odia la *Gelreina*. "Parece un caucho y sabe a pintura", dice.

—Eso es, hijo. El buen vendedor empieza por casa. Sueño con el día en que la gente no pueda vivir sin *Gelreina*. Ese día seremos grandes. ¿Entiendes?

Muevo la cabeza afirmativamente y aprovecho otra vez para cambiar de posición.

Entonces se levanta y va a la pequeña biblioteca empotrada en la pared. Busca entre un montón de papeles y libros polvorientos. Saca un libro y lo sacude contra el escritorio. El polvo lo hace toser.

—*El vendedor más grande de América* del doctor Pedro Mejía Arana.

En la carátula aparece el mapa de Norteamérica y un hombre sonriendo, de gafas, con un trofeo entre las manos.

—Este libro es una Biblia, hijo. Tienes que leerlo cuatro o cinco veces al año. Yo todavía lo leo.

Lo abro. Es un librito de mierda con capítulos como: ¿Qué es un producto? ¿Qué es un cliente? ¿Qué es vender?

—Una Biblia —repite.

Se sienta y me observa. Sigo hojeándolo, leo títulos en voz alta. Carepasa sonríe.

—Ya tendrás tiempo, es un regalo. Quiero hacer de ti un hombre de bien, un gran vendedor. Ahora cuéntame: ¿estás casado? ¿Cierto?

—Sí, don Ismael.

—¿Cuántos hijos tienes...?

—La niña nomás, don Ismael...

—¿Y tu mujer...?

Mi mujer es la puta más grande de América. Dos semanas atrás descubrí que tiene un romance con un tinterillo. Ella no lo niega pero dice que *aún* no ha pasado nada. Según Ana es un hombre interesante con el que habla de cosas interesantes. Y si *aún* no ha pasado nada es porque me quiere. Mientras tanto yo me la paso gastando zapatos, mis pies se deforman, las ampollas me torturan, mi cabeza es una porción de gelatina. Anoche llegó a la una de la mañana. Negó que andaba con el tinterillo. Salió de la universidad con unos compañeros y se metió a *La casona* a beber unas cervezas. Estaba borracha, pero no tuve fuerzas para evitar que se durmiera, para empezar una pelea y despertar a la niña.

—Se llama Ana —digo—. Estudia para abogada... es una maravilla, una esposa ejemplar... nos quiere a la niña y a mí... creo que juntos vamos a triunfar en la vida.

—Así me gusta que hables —dice el cabrón—. Más adelante, hijo, cuando seas un vendedor estrella, la empresa te hará préstamos para que compres tu casa y tu carro. Así empecé yo hace treinta y cinco años. En esa época era un joven parecido a ti... incrédulo y rebelde... y ahora estoy convencido que la familia nos otorga la felicidad, la empresa el bienestar y el Estado la libertad.

Traerme el recuerdo de Ana me amarga. Quiero levantarme y estrangularlo, tirarlo por la ventana, cortarle el cuello con la navaja. Lleva tres meses echándome el discurso. Cuando mi mujer demora en la calle y no puedo dormir me pongo a pensar cosas bonitas para evitar la mala sangre. Pero son pocas las cosas bonitas que han sucedido en mi vida. Entonces oigo la voz de Carepasa y ya no puedo evitar la mala sangre. Todo lo que odio empieza a bullir en mi cabeza: la gelatina, la familia, la empresa, el Estado. Sigue mi madre, mi mujer y luego otra vez la gelatina.

—Ahora vete, hijo —dice—. Tu familia te espera.

Salgo a la calle y subo por San Nicolás a la quince. Buses repletos. Carros. Vendedores. Ladrones. Putas. Empuño la navaja y atravieso la avenida. Me duelen los pies.

Hoy llego a la oficina temprano. Carepasa me necesita. Le entrego a la secretaria las facturas y el maletín y le digo que vuelvo enseguida. Voy a la universidad. Es viernes y necesito hablar con Ana. Le pregunto al portero por la facultad de derecho. Me mira de arriba a abajo.

—¿Cuál curso?

—Primer año.

—¿Cuál salón?

No sé. Me informa que hay siete primeros. Quiero entrar y me detiene. Es un indiecito con cara de sapo.

—Necesito a mi mujer. Mi suegra está en el hospital y en cualquier momento puede morir.

Alega que necesito carné. Es una orden de rectoría. Hay rumores de que la guerrilla quiere tomarse la universidad.

—¿Y mi suegra?

Habla con otro guardia. Pide mi cédula y me requisa. Encuentra la navaja, una automática que siempre cargo.

—Para defenderme de los ladrones —aclaro.

El otro guardia también me requisa.

—¿Entonces?

—Siga, pero la navaja se la guardo aquí.

Voy a los salones y echo un ojo desde las puertas. Sesenta, setenta estudiantes por curso: todos hablan de familia, leyes y sociedad. Doy una vuelta por los corredores, leo las carteleras. La quiero sorprender con el tinterillo. Al final arrimo por mi navaja y voy a la cafetería de enfrente. No encuentro dónde sentarme. Traen una banquita. Ningún conocido. Todo el mundo grita, todos se van de rumba, el equipo de sonido apaga las voces. Pido una cerveza. A las nueve y media empiezan a salir. Pago y me instalo en la puerta. Espero media hora. Ana no está en la universidad. Entonces toco mi navaja y bajo a *La casona*.

El portero no quiere dejarme entrar. Alega que no hay mesas, pero lo empujo y sigo. Adentro está oscuro. Voy de mesa en mesa. Me acerco a las parejas que bailan. De pronto me agarran por un brazo: es el portero. Me suelto y empuño la navaja.

—¡Le dije que no hay mesas!

—¡Ya lo sé, maricón!

Se va y vuelve con dos meseros.

—Le pedimos el favor de retirarse, señor —dice uno.

Saco la navaja y disparo el dispositivo.

—¿Quién va a sacarme?

Dos mujeres que vuelven del baño nos ven y empiezan a gritar. Al momento todas las mujeres están gritando. Las mesas se desocupan. Me muevo hacia adelante, abriendo un poco los pies. Los meseros retroceden. La música calla. Hago un amague y saltan atrás. Uno de ellos da un paso adelante y le lanzo un navajazo que casi le abre la barriga. El hombre retrocede y cae hacia atrás. De un lado alguien habla.

—¿Pero qué pasa? ¿Qué pasa aquí? ¿Qué es lo que quiere?

Se acerca con las manos a la altura del pecho. Me volteo un poco. Me están arrinconando. Se dirige a los meseros.

—Yo hablo con él... vamos amigo: ¿qué es lo que quiere?

Oscilo entre el grupo de meseros y el hombre. Veo el reflejo de las luces en la navaja. La hago girar.

—¡Este maricón me insultó! —grito señalando al mesero con la navaja.

El tipo los mira, les hace una seña con la cabeza.

—Le pedimos disculpas, señor... La casa lo invita a lo que quiera, pero le ruego el favor de guardar esa navaja.

Conozco el truco. Guarde la navaja, somos amigos y luego ensalada de puños y patadas. Oigo una sirena. Me muevo de espaldas a la puerta. Frente a la calle hay un grupo de personas. La sirena se oye más fuerte. Salgo con la navaja en la mano y todos gritan y corren. No se ve la radiopatrulla. Corro en dirección a la universidad, tres cuadras loma arriba. Salto un antejardín y me tiro al piso. Espero como una hora. La radiopatrulla pasa varias veces. Espero otra hora. Voy por los lados de la universidad y compro una botella de aguardiente. Llego a casa y, antes de abrir, sé que está vacía.

Hoy me levanto a las nueve. Vomito y tomo cuatro pastillas de legalón. La casa es un desastre: platos sucios, ropa tirada, basura por todos lados. Abro la nevera y no hay hielo. Ana me abandonó hace una semana. Se fue a vivir con Angelita donde mi suegra. Todos los días intento hablar con ella y nunca está. El miércoles y el jueves esperé, hasta tarde, en el parque que da a la casa de mi suegra. La muy puta vive ahora en moteles, con el tinterillo. Me dejó una nota diciendo que quiere estar sola por un tiempo. Habla del futuro, de la niña, de mi alcoholismo. Sé que ella no la escribió: se la dictó el tinterillo. Me baño y marco el teléfono. Es ella.

—Voy para allá —digo—. Necesito que hablemos.

—No quiero verte. Una amiga me contó lo que hiciste en *La casona*. Esto se acabó.

—Quiero que me lo digas en persona.

—¡No quiero verte! —grita—. ¡Si vienes llamo a la policía!

Oigo su respiración. No tiene fuerza.

—¡Vas a impedirme ver a la niña!

Silencio. Dice que espere. Oigo voces al fondo. Creo que una es de hombre. Vuelve al teléfono.

—Puedes venir.

La sangre se me sube a la cabeza.

—¡Allí está el tinterillo hijueputa!

Silencio.

—No... lo de nosotros no tiene nada que ver con él... sólo es un amigo.

—¡Y desde cuando los amigos les meten la mano a las amigas!

Tira el teléfono. Me visto rápido y corro a parar un taxi. ¿No hay taxis en Cali un sábado a las 11 de la mañana? La niña al verme corre a abrazarme. Quiero a mi bebita. Tiene cinco años y la dejo hacer lo que quiera. La bruja de mi suegra quiere apartarla de mí. Angelita me cuenta cosas de Ana: duerme hasta tarde, no le da la comida, vive pegada al teléfono. Y si la niña insiste en alguna cosa, como jugar o salir, la castiga. Odio a Ana. Con Angelita siempre invento juegos. Vamos al parque. Le pregunto si Ana está en la casa. Aprieta los labios y niega con la cabeza. Alcanzo a ver la cortina moviéndose. Le pregunto otra vez.

—Es la abuela —dice.

Y luego ríe. Se suelta de mi mano y corre a esconderse en un árbol. Me recuesto en él y hago que lloro por mi hija perdida. Angelita sale con los brazos abiertos y rodamos por el suelo. Jugamos a que el parque es un bosque.

—¿Quién soy yo?

—Eres un gallo perdido en el bosque —dice Angelita abriendo los ojos, mostrando sus dientecitos al reír.

Y me pongo a hacer como gallo. La bruja sigue detrás de la cortina. Salto y grito con más fuerza.

—¿Para qué sirven los gallos? —pregunto.

—Para que le ayuden a las gallinas a hacer los pollitos.

Es muy inteligente Angelita. Corre hasta mí con los brazos abiertos y caemos otra vez. La siento en mis piernas. Un viejo nos está mirando.

—¿Quién es ése?

—Un viejo —dice. Acerca la carita a mi oreja, la cubre con las dos manos y me secretea—: nos está mirando.

Me levanto y le grito:

—¡Qué nos mira, viejo marica!

El viejo corre al otro lado del parque. Angelita ríe. Nos sentamos y me cuenta *La sirenita*. Luego nos acostamos en la hierba y jugamos a los animales en las nubes. De pronto la niña me habla al oído:

—Mamá se daba besos con un señor.

Mi corazón se agita. Cierro los ojos. Siento que me hundo. Empiezo a sudar.

—¿Quién es? —le pregunto con la voz ahogada.

—El doctor Gerardo... y... y... y mamá se fue en un carro grande con el doctor.

Entro a la casa y le digo a la niña que empaque sus cosas.

—¡La niña no sale de aquí! —grita la bruja.

La agarra por un brazo y la tira hasta hacerla llorar. Empujo a la vieja. La niña grita. Saco la navaja y se la acerco a la cara.

—¡La suelta o la marco!

La suelta. La llevo hasta el cuarto para que empaque. Vuelvo a la sala. La vieja está llorando. Quiere transar, me habla de la ropa, de la comida, de la educación. Ella paga los vestidos de Ana, el colegio de Angelita y a veces manda un mercadito. Le grito que mi hija no puede educarse en una casa de putas, en un barrio de maricas.

La vieja corre a su cuarto. Doy vueltas por la sala: porcelana extranjera, sillones grandes y limpios, alfombra para la mesa. Le pego una patada a un jarrón grande. Revienta contra la pared. Abro la navaja y la hundo en un sillón. Quiero rajarlo, pero no puedo. Por más esfuerzos que hago apenas logro hacer un hueco pequeño. Entonces lo cojo a navajazos. Luego sigo con los otros. Agarro tierra de una matera y la tiro sobre la alfombrita. Voy a la cocina y traigo una jarra con agua: riego la mitad sobre la alfombra y restriego los pies. El resto del agua lo echo en los respiraderos del televisor. Angelita demora. Oigo que grita. La bruja la tiene bajo llave.

—¡Papá, papá! —grita detrás de la puerta—. ¡La abuela me encerró!

Está con ella. Le digo que la deje salir o voy a tumbar la puerta. Me grita que la policía está en camino. Empujo con el hombro, retrocedo dos pasos y lanzo una patada a la mitad de la puerta. Cimbra un poco. Tomo impulso y cargo con el hombro, pero reboto y caigo al suelo. Me levanto y sigo con las patadas. Paro un momento para tomar aire y entonces veo a los policías. Uno arrodillado en una pierna y el otro de pie, apuntándome con los revólveres.

—¡Quieto o disparo! —grita uno de ellos.

Angelita llora. Les digo que la niña es mi hija y la tienen secuestrada. Dudan un momento.

—¡Contra la pared! —dice el que está arrodillado. Angelita sigue llorando. El policía insiste—: ¡Contra la pared con las manos en alto!

Me requisan y encuentran la navaja. La vieja abre y la niña corre a mis brazos. Vamos a la sala. Llevo a la niña cargada. La bruja grita al ver los muebles. Dice que soy un degenerado, que estoy loco. Yo grito que tiene secuestrada a mi hija. Mi suegra quiere que me lleven por daños en propiedad ajena.

—Esos muebles rotos y el jarrón quebrado ¿estaban así? —le pregunto a la niña.

Todos miramos a Angelita. Dijo, señalando a mi suegra:

—La abuela los dañó.

—¡Ella lo hizo para culparme! —digo enseguida.

Afuera se forma un corrillo: veo al viejo marica y le guiño un ojo. Me montan atrás. En el camino no hablan.

Hoy decido no ir a trabajar. Llamo a la oficina y le comunico a la secretaria, con voz trémula y desfalleciente, que estoy muriendo de fiebre. Me pasa a Carepasa. La voz me tiembla, de verdad, al escucharlo. Quiere hacer de mí un hombre de bien. Me da consejos para el escalofrío y la fiebre.

—Dígale a su mujer que le prepare una aguadepanela caliente.

Como aún no llega la tarjeta del seguro social, me da el nombre de un médico contratado por la empresa. Hago el que voy por un lapicero y papel, tapo la bocina con una mano, y me quedo escuchando. Habla con alguien.

—Es uno de esos vendedores... ahora resulta enfermo...

Tapa la bocina y todavía puedo oír.

—...qué se va a perder si apenas vende cinco cajas a la semana...

Luego silencio. Escucho risas lejanas. Dicta la dirección y me habla del curso de inducción. Ya me inscribió y empieza en una semana. Utilizo el truco de la línea cortada: mientras hablo cuelgo el teléfono. Lo dejo descolgado y me meto en la cama. Llevo tres noches sin dormir. Hay días en que ni borracho puedo dormir. Tengo miedo. Oigo los ruidos de la noche y pienso que algo va a sucederme, que la policía viene a llevarme o que unos sicarios entran a matarme. Mi corazón se acelera. Me cubro hasta el cuello con la cobija, cierro los ojos y que sea lo que sea. Cuando logro dormir sueño escenas de mi infancia, cosas que luego no logro recordar.

A las once salgo y busco un carromoto. Montamos la nevera, la estufa, el equipo de sonido y el televisor. Vamos a una casa de empeño. Me dan doscientos mil pesos. Entonces voy a la calle 11 y pregunto por Chucho. Me llevan por piezas de inquilinato, corredores y huecos de tapias que dan a otras casas de inquilinato. Huele a basuco, mierda y orines. Quiero una pistola con silenciador, pero el dinero no alcanza. Negociamos un revólver y veinte balas.

Hoy es miércoles. El lunes fui a la cantina de Gerardo. Se sienta en mi mesa una zorrita. No está mal y la invito a unas cervezas. Tiene veinte o veinticinco años y le falta un diente. Me gusta así, sin diente, con los ojos grandes y negros. Es pequeña, bien armadita y cuando vamos por la cuarta cerveza me pregunta si quiero acostarme con ella. Le digo que yo no pago putas. Me replica que no es puta, que lo hace porque tiene una necesidad y me cuenta una historia en la que aparecen marido, hijo, madre, hermanos, arriendos. Parece una telenovela. Sonrío. Pido más cerveza y le digo otra vez que yo no pago putas. Charlamos un rato y se marcha. Va de bar en bar buscando nido. Al rato vuelve y se sienta. Seguimos bebiendo.

—¿Y qué?

Me mira con sus ojazos y se queda callada. Me doy cuenta de que está trabada. Le digo que soy vendedor y le vomito *El vendedor más grande de América*. Le explico qué es una mercancía y cómo se vende. Me escucha con atención, o eso creo. Le hago ver que su error está en combinar la mendicidad con la prostitución.

—Si vivieras en Norteamérica tendrías alguien que manejara el negocio por ti, alguien que te indicara qué debes vender, cómo hacerlo y cuánto cobrar...

María prende un cigarrillo.

—...y que no puedes ir por allí rogando, haciendo rebajas.

Me pregunta cómo me va en las ventas. Pienso un momento y le digo la verdad: mal.

—La *Gelreina* es una mierda. El que la compra por primera vez nunca la vuelve a comprar.

Le explico que estoy detrás de un puesto en una empresa lechera. Bebo cerveza. Me levanta el ánimo el discurso que acabo de inventar.

Varias veces he soñado con un gran puesto de vendedor. Quizá se solucionarían mis problemas, quizá podría volver con Ana y la niña, tendría tiempo para volver a estudiar, sería... María me habla.

—Te cobro la mitad.

No pago putas, le repito. Sigue rebajando. Está borracha, un poco más que yo. Al final dice que gratis.

—Pagas la pieza.

Pago la cuenta y la llevo a casa. Cuando llegamos se queda dormida, vestida. La desnudo. No está mal. Tiene una cicatriz arriba del ombligo y otra en la espalda. Parecen cierres. Me acuesto a su lado y me siento bien, tranquilo. Traigo un poco del perfume de Ana y le unto en el cuello, las orejas y los hombros. Le tomo una mano y duermo profundo. Al amanecer despierto. María sigue a mi lado. Aún está oscuro. Voy al baño a orinar. Luego bebo dos vasos de agua, vuelvo a la cama y enseguida me duermo.

A las diez despierto sudando. María no está. La busco por toda la casa. Recuerdo el revólver en la cocina. Sigue allí. Lo echo en la maleta y corro a bañarme. Tengo hambre, tengo prisa. Subo a la calle quinta. El bus demora y estoy a punto de cancelar todo. Pero el bus aparece.

La casa es perfecta. Queda frente a un parque y a los lados hay dos lotes vacíos. Barrio de ricos, lotes de ricos, calles de ricos, carros de ricos. Odio a los ricos. A las doce el vigilante va a almorzar. Camino con mi maleta en dirección a la montaña. Paro en una tienda y bebo una cocacola con dos pandebonos. Trato de pensar en otras cosas: en la niña, en Ana, en María, en Carepasa, en la caución que me obligó a firmar la inspectora de policía para dejarme libre. Podía ver a la niña tres horas cada quince días hasta que una juez de menores decidiera otra cosa. No podía ni acercarme a la casa de mi suegra. ¿Y la demanda por el secuestro de mi hija?, pregunté. Tiene que hacerla en un juzgado penal, dijo. Cuando me sacaron de la celda vi en el otro cuarto, por un instante, a Ana con el tinterillo. Si no firmaba corría el riesgo de una demanda por amenaza de muerte y daño en propiedad ajena. Firmé. Me llevaron a la celda. Al rato me soltaron.

Voy al parque y no veo a nadie. Camino a la casa imaginando a Ana con el tinterillo en la cama, explicándole sus derechos frente a la niña. Entonces me carga el rencor. Abro la verja y toco el timbre. Se asoma la sirvienta. Pregunto por doña Francisca y al tiempo saco del maletín un sobre de manila.

—El doctor Gerardo mandó estos papeles.

Quiere que se los pase por la ventana. Le digo que son papeles para firmar, debo llevarlos otra vez.

—¡Apúrate que tengo hambre! —le digo—. Tengo que ir hasta Aguablanca a almorzar.

Duda un momento. Abre. Empujo con el hombro la puerta y entro sacando el revólver del maletín. La sirvienta cae de culo al suelo. Le pego con el revólver de lado y me machuco un dedo.

—¡Cállate o te mato!

La cojo del pelo, pero se revuelca y arranca a correr. La persigo hasta el cuarto de servicio. Allí se pone a gritar, a llamar a doña Francisca. Al verme se monta sobre la cama. Se acurruca en un rincón, llorando.

—¡Cállate o te mato! —repito.

La voz se me quiebra cuando le pregunto cuántos hay en casa. De pronto no tengo fuerzas y me siento a su lado. La calmo: sólo quiero robar.

—Nada de gritos —digo acercándome a su rostro—. ¿Cuántos hay?

Doña Francisca y ella, dice. El doctor llega a la 1. ¿Habrá escuchado doña Francisca los gritos? Le meto el revólver entre los ojos. Está dormida, dice. Eso está bien. Las doce del día y aún durmiendo. Puta vieja rica. Me levanto y prendo el televisor a buen volumen. Le paso una cobija.

—Te vas a quedar viendo la telenovela mientras subo. Échate encima la cobija.

Se cubre toda. Dice que no la mate, que arriba está el dinero, las joyas y los dólares, que ella no me va a denunciar. Cojo un cojín y se lo pongo en la cabeza. La empujo.

—Quédate allí.

Coloco el revólver y disparo. El cuerpo deja de moverse. Desde la puerta de la cocina veo el rostro de la sirvienta. Por el cuello le cae sangre. Tiene los ojos abiertos, la mirada fija a un lado. Regreso y le tiro encima otra cobija y me siento en la cama. En la televisión dan una propaganda. Oigo un timbre y le bajo al televisor. Estoy sudando. Vuelve a sonar. Es el teléfono. De arriba contestan. Corro a la sala y levanto el auricular. Es el tinterillo. No puede venir a casa, tiene mucho trabajo. Sé cuál es el trabajo que hace con Ana. Maldigo mi mala suerte. Me siento unos segundos y decido subir. Las puertas de los cuartos están abiertas. Doña Francisca sigue hablando. Entro cuando cuelga. Está acostada pensando en lo bueno que es su marido.

—¡Esto es un asalto! —grito—. ¡Cállese o la mato!

Se frota los ojos. Es una vieja cincuentona, ajada, rechoncha.

—¿Qué es lo que quiere? —dice atragantándose—. En mi cartera tengo dinero y... las joyas están allí...

Señala con una mano un cofrecito.

—Así me gusta —le digo—. Si grita la mato. Solo quiero el billete.

Busco en la cartera. Por lo menos doscientos de los grandes. Una ñapa. Voy al cofrecito: anillos, pulseras, candongas. Le pregunto por los dolaretes.

—Eso... es todo...

—¡Levántate, vieja puta!

La cojo por el pelo y le meto el revólver en las costillas. La acerco al armario y la obligo a abrirlo.

—Sólo hay ropa —dice—. Las joyas y el dinero es todo lo que tengo.

Empujo con el cañón. Se lo hundo varias veces, con fuerza. Se corre contra la pared.

—¡Quieres que te meta un tiro!

Cree que no es en serio. Levanto el revólver y le pego en la cabeza. Se dobla un poco y pega un chillido como de rata. La levanto del pelo y le apunto en el rostro. Me señala un cajón. Tiro la ropa y ahí, envueltos en un plástico, están los duros, los dolaretes. Doña Francisca llora. La ayudo a levantar y la acuesto en la cama.

—Quédese tranquila —le susurro—. Ya me voy.

Le tiro la cobija.

—Quédese viendo la telenovela mientras me largo de aquí.

Prendo el televisor a buen volumen. Están en el noticiero. Pasan una noticia de una masacre en Urabá. Diecisiete muertos. Me siento a un lado en la cama y veo la noticia. Doña Francisca está como un ovillo envuelta en la cobija. Le pego un tiro por la espalda. Bajo un poco el volumen y voy al baño a lavarme.

Hoy me levanto tarde. Llamo a la oficina y le digo a la secretaria que sigo enfermo. Ella cree que me van a echar. Quiere pasarme a Carepasa. Cuelgo el teléfono y voy a la cama. María está dormida. Anoche bebimos donde Gerardo hasta tarde. Quería dinero, que le pagara lo de la otra noche.

—Ni siquiera te toqué —dije.

No me creía. Se encabrita y la echo de la mesa. Llamo a Gerardo. Aparece con una varilla.

—Te he dicho que no molestes a mis clientes.

Jura portarse bien, agacha la cabeza y le pide perdón. Hace lo mismo conmigo. Bebemos una botella y luego vamos a casa. María está borracha y grita en la calle que es una puta, que puedo cogerla cuando quiera. Gratis. Al llegar la meto al baño.

—Tienes que bañarte —digo—, hueles a puta.

No quiere. Me meto con ella bajo el chorro y la restriego por todos lados. Traigo el perfume de Ana. Casi no puede mantenerse en pie. La arrincono en el baño. La seco bien, le unto el perfume, le hago poner un pijama. Vamos a la cama. La acaricio y me pego a su cuerpo apretándola. Y enseguida duermo.

María despierta casi al mediodía. Estoy a punto de salir. Le digo que tengo un pedido. Tiene hambre. Voy a la tienda por pan y gaseosa.

—Si me esperas traigo comida.

En la calle compro los periódicos. Voy donde Gerardo y le pido mi maleta. Saco los dolaretes, los meto en una bolsa de manila y se los entrego. Le digo:

—Esto quema, Gerardo.

Me mira a los ojos y guiña un ojo.

—Yo no sé nada —dice.

Otra vez donde Chucho. Piezas, corredores, huecos. El olor me hace vomitar. Está sentado en una silla de cuero. En la penumbra distingo una silueta de mujer. Sólo oigo murmullos. Media hora después me hacen seguir. Chucho hace una seña y los dos hombres que me acompañan desaparecen. La habitación es inmensa, de paredes altas, llena de cajas, televisores, equipos de sonido. Casi a la altura del cielo raso hay una ventanita por la que entra algo de luz. Chucho ríe. Le faltan varios dientes. Es pequeño y flaco. Me observa unos instantes antes de hablar.

—¿Qué quieres?

—Quiero algo mejor... la bonita con silenciador...

Le paso el revólver y las joyas. Se voltea para mirarlas a la luz de la ventanita. Aseguro que valen más de cinco millones. Chucho se ríe. Dice que valen diez veces menos. Las recojo, pido el revólver y me despido. Chucho sigue riendo.

—¿Y quién te las compra?

Le hablo de una peña. Vuelve a reír. En cada casa de empeño hay un policía esperando por ellas.

—Ya lo sé —le digo—, pero donde Joaquín las reciben por la puerta de atrás.

Prende un cigarrillo, se rasca un hombro y se queda mirándome.

—¿Sabes quién era la sirvienta de la Faunita?

—¿Quién?

—La sirvienta...

Quedo mudo. Chucho aspira del cigarrillo. Trago saliva.

—¿De qué me estás hablando?

Chucho sonríe.

—... a uno le cuentan aquí, oye allá, pregunta un dato y el resto lo adivina.

—¿Y quién era la sirvienta?

—La hermana de un policía —dice.

Busco donde sentarme. No hay asientos. Chucho me sigue con la mirada.

—Todo se sabe y nada se sabe.

—¿Quién más sabe de esto? —pregunto.

Chucho ríe.

—Nadie sabe —dice—. Ni yo.

Quiero irme y busco la salida. Chucho me detiene.

—¿Y qué quieres?

Lo miro. Sigue allí, sentado, con el cigarrillo entre los dedos. Me hace una seña para que me acerque.

—La bonita con silenciador...

La trae. La limpia con la falda de la camisa. Le quita el silenciador y lo vuelve a colocar.

—Una belleza.

Me pide las joyas, el revólver, trescientos grandes. Afirma que todo está sucio. Pido rebaja.

—Ni un peso y no te conozco.

Le entrego todo. El resto con Gerardo. Me enseña a montarla, a descargarla, a quitarle la bala de la recámara.

Vuelvo a casa. María está durmiendo. La despierto y comemos. Me llamaron dos veces del trabajo. Me acuesto y prendo la radio.

Hoy llego a la oficina temprano. Subo donde Carepasa. Me hace sentar, pide la excusa médica. Le explico que no la tengo, que no fui al médico, que no tenía un centavo para la droga. Carepasa me escudriña.

—Eso es grave, hijo. ¿Por qué no me llamaste?

Le digo de los recados con la secretaria.

—Los recibí —señala—, pero te digo por lo de la droga.

Agacho la cabeza.

—Me daba pena con usted, don Ismael.

Toma un apunte y se rasca la cabeza calva.

—Vete a trabajar, hijo. En la tarde vienes a mi oficina. Tengo algo para ti.

Subo a la quince y compro *El caleño*. Allí está la noticia. "Por robar matan a dos mujeres", es el titular. Leo todo. Hay investigaciones y sospechosos. No saben nada, pienso. Voy a la galería Alameda. Utilizo el gancho de la doble vitamina C, el sabor exclusivo de tutti frutti, la caja con cincuenta gramos más. Ni me miran. ¿Saben que la *Gelreina* es un caucho con sabor a mierda? ¿Por qué insisto? Por Angelita y por Ana. Si triunfo como vendedor sé que volverán a casa. Me propongo vender diez cajas, subir el promedio. Voy a la galería Siloé y arranco de puesto en puesto. Y al final logro vender una caja surtida. Un enano me dice que la gelatina sólo la compran los ricos. Coloco la maleta en el mostrador. Me apoyo en un pie, enseguida en el otro.

—Eso no llena la barriga —afirma.

Quiero explicarle lo de las vitaminas, la nutrición, pero ni lo intento. Y agrega:

—Hay gente allá arriba que ni nevera tienen.

Miro hacia la montaña: casas amontonadas, calles sin pavimentar.

Pido una cerveza y le ofrezco una. El enano acepta un aguardiente. Saca la botella debajo del mostrador y se sirve una copa doble. Dejo allí la maleta y voy a un teléfono. Me contesta Ana. Le ruego que no cuelgue, estoy arrepentido y la llamo para pedirle perdón.

—Quiero ver a Angelita... me hace falta.

Dice que me odia, que soy un degenerado y que colocó la demanda de separación. A la niña puedo verla en una semana. Le digo que las quiero, que recuerdo los buenos momentos. Me responde que recuerda mis borracheras, los días sin comida, el arriendo atrasado.

—Estoy mejorando —le digo—. Ya soy jefe de vendedores y tal vez trabaje en una compañía de seguros... además... tengo un dinero ahorrado para Angelita, para ropa. Puedo llevarlo enseguida.

—Si vienes por aquí llamo a la policía —dice.

Ni ella ni Angelita me necesitan. Y si voy, vuelve a repetir, llama a la policía. Me odia y me tiene asco.

—Está bien —le digo—. Sé que me he portado mal...

Ana calla. Oigo la televisión. Debe ser una nueva.

—...pero estoy mejorando. Si vuelves conmigo olvidaré lo del tinterillo.

Me insulta. Repite que me tiene asco. Entonces me lleno de ira y cuando empiezo a gritar, cuelga el teléfono. Vuelvo a llamar. Ocupado. Voy donde el enano y bebo otra cerveza. Lo invito a otro aguardiente. Los pies me duelen. Odio ser un vendedor.

Paso la tarde donde Gerardo bebiendo cerveza. A veces Gerardo dice algo como "hace calor" o "cuida mientras entro al baño". Sé que fue un hombre duro, que pagó cárcel y luego montó la cantina. Tiene un soplo al corazón y no bebe ni fuma.

—¿Qué piensas tanto?

Sonrío. Me estoy emborrachando.

—Mujeres —digo.

Paso la tarde pensando cómo hacerlo. Tiene que parecer un accidente. Podría cortarle los frenos al carro, pero no sé nada de carros. Le pregunto a Gerardo.

—¿Qué quieres hacer?

No le contesto. Agrega que no es efectivo eso de cortar los frenos. En Cali no, porque es plana. Puede ocurrir un accidente y nada más.

—Nunca hagas las cosas a medias —agrega—. Vete siempre por el lado más seguro.

Me voy emborrachando y pido más cerveza. Pienso en Angelita cuando nació, en Ana cuando nos casamos. Me recuesto en la mesa y duermo.

Pego un brinco cuando me sacuden: es María. Son casi las seis. Me lavo la cara. María quiere ir conmigo. La sacudo del pelo y me pega una patada. Gerardo se acerca con la varilla. Cuando voltea a mirarlo le pego una cachetada. Salgo y paro un taxi.

Carepasa baja a abrirme. Pregunta por las ventas. Coloco la factura sobre el escritorio.

—¿Apenas una caja?

Se recuesta en la silla y se cruza de brazos.

—¿Sabes cuánto nos cuesta llevar una caja de gelatina a Siloé?

No pienso responder. No sé, no me interesa. Me hace cuentas de la gasolina, el tiempo, sueldo del chofer, desgaste del carro: todo eso vale más que la caja.

—¡No es por mi culpa! —digo levantando la voz—. ¡Me dieron los barrios más pobres de Cali!

Carepasa hace un apunte. Me mira y vuelve a anotar.

—¡En esos barrios ni nevera tienen!

—Cálmate —dice—. Hueles a licor... ¿Estuviste bebiendo en horas de trabajo?

No contesto. Deja a un lado el lapicero. Abre el cajón derecho y saca un sobre. Luego abre el cajón del centro y saca varias hojas. Extiende el sobre. Está a mi nombre. No requieren más de mis servicios, dice la carta, por reestructuración de la empresa. La tiro sobre el escritorio.

—Lo siento, hijo —dice—. Quise que te quedaras, pero las ventas no te ayudaron. Además...

Se detiene un momento. Busca, páginas atrás, en la libreta de apuntes.

—...seguimos tus reportes. Varios de los graneros ni siquiera existen. Otros nunca recibieron tu visita.

Se acerca y extiende la liquidación.

—Firma.

Barro con la mano el escritorio. Carepasa se levanta asustado. Coge el teléfono. Me acerco con la pistola en la mano y lo golpeo en la cabeza.

—¡Nada de teléfono, cabrón!

Le sale sangre. Lo tiro al suelo y le coloco un pie en el estómago. Apunto con las dos manos.

—¡Carepasa, cabrón!

Aprieto con el pie y acerco más la pistola.

—¡Di que la *Gelreina* es una mierda!

Lo dice.

—¡Tu mujer es una puta!

Llora. Me ruega que no lo mate. Jura que me entiende, que podemos volver a empezar. Me ofrece aumento de sueldo, préstamo para casa y carro. Le hundo más el pie.

—¡Puedes llevarte lo que quieras! ¡Abajo está el dinero! ¡Juro que no te denunciaré!

Le pego una patada.

—¡Yo no soy ladrón, malparido!

Vuelvo a pegarle. Se estrella contra una pata del escritorio y se queda quieto. Al momento tose. Me mira. Le suelto tres tiros limpios: por la empresa, la familia y el Estado.

Me siento en la silla y reviso la libreta: llamadas telefónicas, reportes de ventas, sumas, dibujos. Barro con la mano lo que queda en el escritorio. Dejo la pistola a un lado. El escritorio es de madera, destartalado. Hay que empujar y sacar para abrir las gavetas. Papeles y papeles. Tiro todo al piso. Recuesto la cabeza. Mi respiración empaña el vidrio. La pistola está a unos centímetros. La levanto y la pongo en mi cabeza. Cierro los ojos y toco el gatillo. Antes de hacerlo quiero hablar con Ana. Marco el número. Contesta Angelita.

—Aló... aló...

La voz se me atraganta. Alguien habla al fondo. No puedo distinguir la voz. Pasa Ana.

—Aló... aló... ¿Quién es? Aló...

Vuelven las voces. Tapo la bocina. Ana dice:

—No es él, amor. Le hubiera hablado a la niña.

Cuelgo. Me levanto y guardo la pistola en la maleta. Apago la luz. Ellas me esperan.

2
Ciudad

El retorno a casa

Estaba sentada en el patio bajo el sol de mediodía, rodeada por docenas de perros gozques y gatos famélicos. Los perros, algunos, levantaron la cabeza y lo miraron con ojos melancólicos, pero fuera de esto no hicieron nada; no parecían perros normales; no se hincaron, no le gruñeron, no le ladraron. Los gatos, al igual que ella, permanecieron sumidos en el profundo sopor que debía de ser su estado natural, una situación de la que nunca habían salido o un sortilegio bajo el que se encontraban por algún accidente o extraña mutación. Uno, que dormía con un ojo abierto, siguió así, impávido, contemplándolo irónicamente, sin molestarse en abrir el otro. Su presencia no había despertado ni el más mínimo interés en el insólito grupo regido por su madre, intemporal en su inmovilidad estatuaria, aislado del resto del mundo por el patio silencioso, camuflado por la desordenada y polvorienta vegetación, herido de muerte por la luz a través de la cual lo observaba él con incredulidad. Acababa de llegar. Un taxi lo había traído del aeropuerto a través de la ciudad cuyo eco retumbaba aún en sus oídos.

Llevaba casi once años sin verla y el trayecto, recorrido aceleradamente, no le había dado tiempo para reconocerla. Había identificado uno que otro punto, pero la profusión de nuevas avenidas y construcciones lo había confundido. El calor era excesivo, el destartalado taxi estaba hirviendo, no pudo abrir las ventanillas. Tuvo que buscar un pañuelo para secarse el sudor en la frente. Tuvo que cerrar los ojos. Había esperado encontrar la sabana encapotada, los perfiles desdibujados de la casa, el frío que recordaba. Antes de bajar del avión se había puesto un chaleco de lana. Y, de golpe, se había encontrado en una especie de horno que hacía un ruido ensordecedor y una luz despiadada le había impedido tomar nota de los cambios que se habían llevado a cabo durante su ausencia.

La casa estaba en el mismo sitio, solo que la vio más pequeña. A su lado se levantaba un edificio de cuatro pisos que no recordaba. Ya no tenía la blancura que su memoria le atribuía y el verde de los balcones de madera había desaparecido. Los barrotes estaban completamente escarapelados. La madera se pudría. Hilos de agua habían trazado sobre el muro caprichosos surcos verticales y deshecho la argamasa. Los pocos trozos sanos que quedaban estaban grises. Las hojas de las ventanas habían perdido casi todos los vidrios. Papeles y cartones en flecos impedían, por lo visto muy rudimentariamente, la entrada del viento. Sin embargo, esta defensa, más simbólica que real, contra los elementos, era el único indicio de que la casa estaba habitada. Porque todo lo demás, las canales rotas, las matas que caían del tejado, la puerta sin aldabón, hacía pensar que estaba abandonada.

Después de golpear con las palmas hasta que se le habían entumecido las manos, cuando estaba a punto de marcharse con sus dos pesadas maletas, le abrió la puerta una mujer sucia, tal vez muda y sorda, porque no había podido articular palabra ni parecía haber entendido nada. Se había contentado con emitir unos pocos ruidos guturales, casi gruñidos, mientras lo miraba con desconfianza de pies a cabeza. Cuando él comprendió que no llegaría a nada hablando, tomó sus maletas, la empujó y se abrió paso. Dejó las maletas en el zaguán, cruzó el primer patio, abrió una puerta desvencijada, pasó por el corredor y, al final de éste, se detuvo.

La miró con detenimiento, sin atreverse a hablarle, tratando de reconocerla. Estaba encogida, reseca, parecía jorobada. Tenía la cabeza gris. Debía de tener frío. Estaba envuelta hasta las orejas en un grueso pañolón de lana negro, y sus pies nadaban en un par de medias de hombre grises, también de lana, una de las cuales dejaba al descubierto la pantorrilla surcada por venas azuladas. Nada coincidía con el recuerdo que conservaba de una mujer erguida, de cabellera negra y sedosa, y ojos oscuros, brillantes.

Un buen día se había despertado. Había empezado a hablar lo que nunca había hablado. Todo su silencio anterior, su sumisión, habían desembocado en una furia tremenda contra todo. El gobierno era una asociación para delinquir impunemente; la iglesia, un antro de ladrones hipócritas; la gente, toda la gente, peor que animales, una inmensa piara de cerdos que se metía por todas partes y no pensaba sino en comer y dormir y acostarse con la primera hembra o el primer macho que se les cruzara en el camino. Había habido que encerrarla en la pieza más escondida de la casa porque todo eso, y cosas peores, lo decía a grito pelado desde la ventana de la alcoba, una de las dos que daba a la calle. A los años que tenía, había descubierto que su verdadera vocación no era la de madre de familia sino la de tribuno popular, la de arengar al pueblo, de incitarlo a que arrasara con todo para empezar de nuevo; pero el pueblo, los vecinos y los extraños que pasaban, cuando más se paraban ante ella para reírse un rato, como si estuviera en el teatro mirando una comedia y no en una calle de verdad ante una persona muy real y cuerda, tal vez, que se estaba jugando el todo por el todo. Si le había dado por desgañitarse en la ventana ante el mundo entero era porque no tenía otro medio de conservar su cordura. Todo era demasiado injusto, demasiado arbitrario para que ella pudiera seguir contemplándolo sin hacer algo. Si no gritaba, si no protestaba, podía reventarse de tanta furia que llevaba por dentro. Él, el único, lo había entendido así, mientras que todos los demás, su padre y todos los parientes, no comprendían nada y habían resuelto encerrarla.

Y en la pieza del fondo, encerrada con candado, arengaba, arengó siempre desde cuando él estaba chiquito, desde que se acuerda, y él, acostado en su cama, tras la puerta entrecerrada, la escuchaba atentamente y después se quedaba alucinado, horas y horas, sin poder estudiar ni leer ni hacer nada. Por eso, encontrarla así, dormida, tan tranquilamente como sus perros, lo hizo sentirse como si no fuera su hijo, como si alguien, otra mujer, hubiera tomado su lugar. Y tuvo la sensación de que nunca podría comprobar si era ella en realidad, con la criada, por ejemplo, que no podría decirle nada, o con ella misma, que le podría mentir, que seguramente le mentiría. Por eso se quedó sin moverse, inseguro, casi sin respirar, durante una eternidad, mientras la idiota le miraba la espalda con la intención de partirla en dos con un hacha y el ojo del gato negro, pelado en las ancas y el lomo y medio calvo, trataba, no sin un cierto éxito, de hipnotizarlo. No la llamaba, pero tampoco se decidía a irse. Tenía tanto miedo de que no fuera ella como de lo que podía pasar si era ella, y despertaba. Le aterraba la posibilidad de las terribles revelaciones, de los reproches seguramente justificados que podría hacerle.

De pronto, el gato que dormía sobre su canto pegó un salto y pudo ver sus manos, no las manos blancas que recordaba, sino unas manos resecas, largas, añosas, unos garfios de bruja de cuento de hadas que el mismo diablo parecía haber hecho a su imagen.

Pero, a pesar del pavor repentino que sintió en ese momento, oscuramente, aumentó la sospecha de que era ella, de que al despertar iba a empezar a desbarrar sin descanso, de que iba a rejuvenecer, a tornarse en la imagen que guardaba con ese afecto, mezcla de envidia y admiración, que le infundiera siempre ella, ella que hacía a diario lo que él nunca se atrevía a hacer, él que nunca pudo gritar contra nada ni a favor de nada.

En esos años, cuando la escuchaba alelado desde su pieza, fuera de sus libros y las cuatro paredes, ese corral donde se debatían sus bestias imaginarias y muros del jardín donde le hacían perder la cabeza sus bellas damas sin piedad, el mundo no existía. Pero cuando salía a la calle, disfrazado de dandy, dejando tras de sí una estela de loción Mennen y poco baño, era como para probar que no existía ningún peligro, que nada podía hacerle daño, que era invulnerable. Sí, salía para exhibirse, con una caña de puño de cobre que había sido de su abuelo y una bufanda de seda que le había regalado un hermano a su papá después de años de uso y abuso, y con un pisacorbata de perla, y el pelo engominado y las uñas pintadas. Salía sobre todo los domingos o de noche. Los domingos, se paraba en una esquina de la séptima a mirar caminar la gente con paso dominguero o hacer cola en los teatros dos horas antes de la función; y a esperar que una mujer bella, seducida por su elegancia, se le acercara, le hablara, le rogara que se fuera con ella, lo que no sucedió nunca a pesar de sus miradas, a veces altaneras, a veces deplorablemente menesterosas.

Y ahora, en ese momento, no podía soportar la idea de que siguiera siendo el mismo, un fracasado galán de medio pelo, un dandy cobarde y vulgar, tras su nueva fachada, recién adoptada, de profesor asistente de literatura Iberoamericana en la Universidad de Heidelberg. Tal vez por eso también esperaba y quería que fuera tal y cual esa imagen de abandono y desorden que tenía ante sus ojos, que hubiera cambiado realmente, que fuera como se sentía él, amilanado, escéptico.

Todas esas ideas contradictorias, esos deseos que se anulaban entre sí, le estaban pasando por la cabeza cuando ella se sobresaltó y abrió los ojos. Lo miró de pies a cabeza, sin reconocerlo, sin comprender. Como hiriéndolo a propósito. Porque era imposible que no lo reconociera. Era su hijo, no importaba que estuviera vestido a la última moda y con una elegancia desacostumbrada, ni que se hubiera cambiado de peinado para disimular la calvicie. Este último detalle, inclusive, hacía resaltar su parecido con su abuelo, que había descubierto durante sus largas horas de aburrimiento en Heidelberg, otorgándole un aire de familia más marcado que cualquier particularidad de sus facciones. ¿Por qué no se abalanzó sobre él cuando despertó? ¿Por qué esperó tanto tiempo para decir: "¿Y eso, mijo? ¿Cuando llegó?", exactamente como si acabara de llegar de un fin de semana en Girardot?

Pero no le hizo ningún reclamo. Simplemente le contestó que acababa de llegar y añadió, pérfidamente, que estaba muy contento de verla tan bien conservada.

Ella le dijo que estaba cansada, que se sentía débil, como mal, pero que hacía lo que podía.

Y se dijeron tonterías durante mucho rato. Ella hablaba del tiempo. Él le hacía preguntas precisas que ella eludía hábilmente. Como si estuviera tratando de ocultar algo.

En esas, la idiota, que ya hacía un tiempo que había dejado de contemplar su espalda y se había ido, volvió y le hizo una seña a ella. El almuerzo estaba servido. Él no quería quedarse, pero ella insistió. Lo tomó del brazo y lo llevó, lentamente, arrastrando los pies, enredándose con los perros y los gatos, hasta el comedor, en el primer patio. Era la misma pieza, pero ningún mueble —si muebles se podían llamar los asientos rotos, la mesa y la enorme caja de madera que hacía las veces de aparador— coincidía con los que recordaba, no muy finos pero siempre relucientes, limpios.

La mesa se tenía en pie gracias a un baúl en el que se apoyaba una de sus patas, rota en la mitad. En su superficie, a lo largo de los bordes, había una infinidad de huellas superpuestas dejadas por las planchas calientes, algunas por tanto tiempo, que habían logrado perforar la gruesa tabla de madera. Había dos asientos, un viejo *tonné* desportillado y desfondado y otro, del juego de la sala, con una pata floja y el forro de seda lleno de manchas donde todavía no se había deshilachado del todo. Tuvo que sentarse en una de las cajas de madera que había por todas partes, algunas vacías, otras llenas de frascos y tarros que nadie había tocado en muchos años. Todo estaba cubierto por una espesa capa de polvo. En los rincones y en la lámpara sin bombillos que colgaba del techo proliferaban telarañas. Por el suelo se encontraban restos de comida, y un olor insoportable de excrementos animales invadía la pieza.

No pudo pasar bocado, pero tampoco había mucho qué comer: un caldo por donde no había pasado una onza de carne, un pan que se hacía harina al partirlo, un par de papas mal peladas, llenas de ojos negros. Todo servido en platos desportillados de diferentes tamaños y modelos. Era un almuerzo hipotético, retórico, especie de ceremonia que oficiaba ella con una solemnidad que infundía respeto y que a él, aunque no logró abrir su apetito, le hizo olvidar el olor, el deterioro y la suciedad de la pieza.

Cuando se dio cuenta de que él ni probaba la sopa, le dijo —lo cual lo hizo retroceder muchos años— que tenía que tomársela, que era de mucho alimento. Ya no cabía duda. Era ella. Se sintió de nuevo como el niño que se imaginaba haber sido, que nunca cumplía una orden y se escapaba de noche, aun cuando no tuviera nada que hacer en la calle, fuera de caminar rápidamente, casi corriendo, por calles vacías en cuyos rincones oscuros se escondían enemigos peligrosos que querían matarlo pero que él eliminaba o eludía con pasmosa agilidad.

Sin embargo, antes que respondiera, igual que entonces, con una excusa tonta, que dijera, por ejemplo, que ya había comido en el avión o que le dolía el estómago, ella ya había perdido todo interés y se había dedicado a repartir trozos de pan mojados en el caldo, entre los gatos que se habían trepado a la mesa y los perros que giraban entre sus piernas. Lo hacía con una sonrisa de satisfacción y una majestad tal en el quiebre de sus manos, que se la imaginó una reina repartiendo recompensas entre sus súbditos fieles al regreso de una guerra.

No habló ni una sola palabra hasta que todo, hasta lo que había en el plato de él, se terminó. Ni lo volvió a mirar. Pero ya con los animales satisfechos, le preguntó por sus maletas y le dijo que iba a preparar su pieza. Ni siquiera le había preguntado si se iba a quedar o cómo le había ido en Europa, o qué planes tenía. Había aceptado su presencia, nada más, y probablemente ni le había pasado por la cabeza que solo pensaba quedarse un par de meses.

Le contestó que había dejado las maletas en el zaguán, pero que había pensado quedarse en un hotel para no molestarla. Tuvo que repetirlo varias veces. Cuando ella entendió, le respondió, herida, que no era ningún problema tenerlo en la casa. Desde que había muerto su papá, tenía mucho menos que hacer y sería un placer consentirlo un poco. No pudo decirle que no, y ni siquiera se hizo rogar. Tenía deseos de quedarse ahora. De todos modos, sería por poco tiempo. Le contó y le dijo que había venido no solamente a verla sino a completar un trabajo que estaba haciendo sobre la influencia de Goethe en la literatura colombiana. Ella le preguntó que quién era Goethe. Él le explicó que era el hombre más universal que había existido, que era su modelo.

Mientras le contaba a grandes rasgos la historia del gran hombre, ella fruncía el ceño. Parecía que se estuviera preguntando: "Yo lo conocí, pero dónde, ¿Dios mío? ¿En Melgar, en Fusagasugá, en el 29, en Madrid?". Y después murmuró algo entre dientes, algo como "bellaco", nada, en todo caso, que tuviera que ver con su personaje, y olvidando el asunto alzó un cachorro que dormitaba sobre sus pies. Se puso a acariciarlo y a mecerlo con los ojos entrecerrados, como si estuviera arrullando un bebé, tal vez él mismo cuando estaba de meses y ella lo tomaba entre sus brazos. De pronto, él sintió celos del perro y trató de quitárselo. Que él también quería acariciarlo, le dijo. Pero ella lo dejó con las manos vacías, tendidas en el aire, implorando. Lo había mirado en los ojos, había adivinado sus intenciones perversas y se había corrido, con asiento y todo, fuera de su alcance.

Siguieron hablando y él, cambiando de táctica, con aire de preocupación, le dijo que se veía muy acabada, que casi no la había reconocido; y ella le explicó que tenía mucho que hacer con esa casa tan grande para ella sola y la idiota y los animalitos que lidiar.

Después, ambos guardaron silencio y cuando ella empezó a dormitar —parecía que se le iba a caer la cabeza—, él se levantó sigilosamente tratando de no despertarla; pero los crujidos de las tablas del piso resonaban contra el techo, los perros se sobresaltaron y empezaron a gruñir, se tropezó con una de las latas que andaban por el suelo.

—¿Vas a ver la pieza? —le preguntó ella.

No. No iba a ver la pieza. No soportaba la idea de pasar otra noche en su prisión juvenil con sus pinturas abstractas dibujadas por la humedad sobre el cielo raso y las paredes, con el bombillo amarillento colgando del centro, sin nada que atenuara su luz y el recuerdo aún punzante de sus pesadillas. Pero no tuvo tiempo de decírselo; ya se había levantado y lo había tomado del brazo.

Lo llevó hasta la pieza sin quitarle los ojos de encima, como si estuviera tratando de comprobar que era él realmente, su hijo, y no un intruso que lo había sustituido con intenciones criminales.

Estaba lo mismo, solo que el olor a la humedad que salió cuando abrió la puerta era insoportable, y que estaba llena de cosas. La cama no había cambiado de lugar. El colchón, el mismo que usaba él, estaba extendido y encima había montones de cobijas y de ropa sucia, en jirones la mayor parte, de él y de su papá, y otra de la que no se acordaba. Había dos mesas de noche, una de su papá y otra que no logró identificar; y la mesita redonda que usó toda la vida, escarapelada y con las cicatrices negras de innumerables cigarrillos. También estaba su mesa grande, que debía de haber estado a la intemperie porque había perdido el barniz que hacía resaltar las hermosas venas de la madera que él se solazaba contemplando cuando se cansaba de leer o cuando, fatigado de estar tirado en la cama, se sentaba ahí sin ningún propósito fijo, fuera del de cambiar la posición de su cuerpo.

Algunos de los perros que los habían precedido se echaron sobre la cama, mientras otros husmeaban los rincones dejando sus huellas, muy nítidas, sobre el piso cubierto de polvo. Ellos apenas entraron. Era imposible moverse sin tropezar con algo: un montón de libros, de revistas, una banca, el pie de una lámpara, un coche de niños, un triciclo. Nadie, era evidente, había dormido allí; nadie tocado nada, fuera de la mesa. Solo la habían abierto para depositar algo inservible –y todo lo era– lo mismo que el comedor o la sala, que vio después y donde encontró baúles que no se atrevió a abrir, mesas, asientos, trapos, canastas y una infinidad de cajas de cartón llenas de papeles, juguetes, ropa y frascos de todos los tamaños y formas; fuera del espejo de cuerpo entero, ante el cual se sacó la lengua por primera vez y se fumó el primer cigarrillo, y del paisaje de la sabana con el sol poniente tiñendo de rojo los lomos de dos vacas y las copas de unos sauces llorones al borde de un arroyo.

Cuando estaba en la sala y vio que era imposible sentarse a hablar, que era para lo que pensaba que lo había llevado, ella le dijo que tenía que ver su alcoba y lo llevó en la misma forma, lenta y parsimoniosamente, como lo había llevado del comedor a su pieza. Sus gestos impositivos, sus órdenes, le hacían recordar la época cuando lo llevaban y traían envuelto en tibias, suaves ropas, tan lejana que casi se había perdido en su memoria, como una luz que se iba alejando, dejándolo en medio de un terreno desconocido, oscuro.

En la alcoba tampoco era fácil sentarse a hablar. No había sino un asiento cubierto de ropa sucia, y la cama, colocada al sesgo para evitar la catarata que debía caer, en días de lluvia, por la tronera del techo, estaba destendida, con las sábanas grises de mugre y una gata lamiendo su cría en el pie. Era obvio que ella nunca permanecía allí, como tampoco en el comedor o la sala; tan espeso era el polvo en todas partes, tan accidentado cualquier recorrido, con esa fabulosa excrecencia de objetos y animales. Debía de quedarse todo el día en el patio o mirando caer la lluvia desde el corredor. Además, debía de acostarse muy temprano, con la caída del sol —no había bombillos en ninguna lámpara o, si los había, estaban rotos o fundidos—. Era increíble que pudiera llevar esa vida, que no tuviera luz, que se hubiera encerrado —era evidente que nadie la visitaba—, que se moviera como un felino sin disturbar la selva de trastos que la rodeaba, que hubiera cedido sin luchar, hasta ese punto. Se propuso preguntarle qué hacía con los giros que le enviaba todos los meses y que había ido aumentando de año en año.

Ya en la alcoba, tiró al suelo las ropas que estaban sobre el asiento y le ordenó, en un tono áspero, de regaño, que se sentara. Ella se sentó en la cama. No se molestó en arreglarla o en poner nada en su sitio. Él tuvo la impresión de que tenía miedo de cambiar las cosas de lugar, como si temiera romper con ello la armonía que se desprendía del silencio animal, vegetal de la casa. No sabía de qué más hablarle. Estaba seguro, temía, que nada de lo que pudiera decirle o contarle le interesaría y quería dejar lo de los giros para más tarde, cuando ya supiera exactamente cómo hablarle. Pero no teniendo más tema, ante su silencio interrogante, perturbador, decidió preguntarle de una vez si le estaban llegando con regularidad.

Le contestó que sí, que tenía un montón de plata ahí debajo de la almohada, que estaba ahorrando para su vejez. Le contó que mandaba a la sirvienta al correo, que ella no iba nunca. Casi no salía. Ni siquiera oía el radio. Se había dañado hacía tiempo. Nadie venía a verla, tampoco. Todas sus amigas, sus conocidas, habían muerto —lo que no podía ser cierto—, y la familia se había olvidado de ella. Pero estaba muy contenta así. No había nada como el silencio. La paz. No quería visitas. No quería salir.

No le dijo nada de lo que estaba pensando mientras le hablaba: que se iba a volver igual a la idiota, que iba a perder la voz y el oído por falta de práctica, que ya se notaba una extraña discontinuidad en lo que decía, una angustiosa búsqueda de cada palabra, hasta la más sencilla; que parecía, en fin, loca, loca de remate. Nadie cuerdo podía vivir en esa forma. Pero no se lo dijo porque, al mismo tiempo, no creía en ello. Tal vez todo eso no tenía ninguna importancia. Después de todo, era imposible rechazar la impresión de que era una persona tan superior a su medio que ejercía una influencia eficaz y extraña sobre las cosas y los animales que la rodeaban y, ante todo, sobre él mismo. ¿Cómo podía él reprocharle nada, enseñarle algo? ¿Él, que se sentía tan identificado con ella y tan inferior?

Además, aquel desorden, aquella acumulación de cosas, ese silencio y encerramiento, lo atraían profundamente. El disgusto era superficial; una defensa contra lo que ya debía sospechar que iba a ser su propia vida, pero que horrorizaba al asistente de profesor que ahora, otra vez, para evitar que le hiciera preguntas personales, comenzó a hablar de la tesis, de sus proyectos académicos, de la biblioteca de la universidad, mientras ella musitaba comentarios ininteligibles, acariciaba un gato recién parido o se frotaba las manos. Hacía frío en la pieza. Por las dos puertas, la del corredor y la del patio, ambas abiertas, corría un ventarrón helado, que hacía irreal y fantástica la luz del sol que aplastaba las matas del patio.

Estaba muy nervioso. Su charla se hizo cada vez más incoherente. Tenía frío. Le hubiera gustado que se le echaran encima unos cuantos gatos, pero había notado que lo miraban con recelo, igual que la idiota, a quien descubrió espiándolos, tratando de adivinar por el movimiento de sus labios el significado de la compleja clase que había comenzado a dictar sin cuidarse de que ningún alumno, ningún oyente, fuera de un gato atigrado, siguiera sus palabras. Era ridículo. Su discurso empezó a flaquear. No se le ocurría nada. Por fin se calló y le dijo que iba a salir un rato. Quería ver la ciudad, dijo.

Durante todo el viaje había estado tratando de recordar cómo era exactamente Bogotá y de imaginarse en qué forma había cambiado, pero como no llegaba a un recuerdo preciso que la abarcara toda sino apenas unos fragmentos de unas pocas calles, una ventana solamente o una puerta, un árbol de esos que parecen brotar de los tejados del centro o la silueta de los cerros enmarcado por dos hileras de casas que se pierden en sus faldas, había llegado a la conclusión de que la iba a ver por primera vez. Se había hecho el propósito de examinarla toda, en conjunto, y de conservarla en la memoria, ya que iba a partir de nuevo, tal vez para siempre.

Pero cuando salió a la calle se dio cuenta de que todo aquello no pasaba de ser un deseo gratuito. En realidad, no tenía la menor intención de observar nada. Lo tenía sin cuidado que la ciudad donde había nacido estuviera lo mismo o hubiera cambiado; bastaba que se sintiera en ella. No se le ocurrió montarse en un bus o tomar un taxi o caminar sin rumbo. Anduvo unas pocas cuadras, comprobando con placer que por allí, al menos, aparte de uno que otro edificio nuevo y algún lote vacío donde había estado una casa, todo permanecía exactamente igual. Se quedó un buen rato en la esquina de la Candelaria, mirando entrar beatas a la iglesia y estudiantes a la biblioteca, al otro lado de la calle.

Cuando se cansó, bajó hasta la Plaza de Bolívar y se sentó ante la mesa de un café de la carrera octava. Estuvo ahí hasta que oscureció, amodorrado por la marea de conversación que iba y venía a un ritmo regular. Estaba lloviendo duro cuando decidió salir, pero iba muy cerca, al Restaurante Internacional, que encontró exactamente lo mismo, con su ambiente de los años treinta y hasta con una mesera que siempre lo atendía antes de irse a Europa y que seguía en la misma sección, al fondo, de antes. Lo reconoció inmediatamente. Casi se abalanzó sobre él y cuando se sentó empezó a cepillar nerviosamente el mantel blanco que acababa de poner y a dar vueltas en torno mientras le hacía toda clase de preguntas, algunas indiscretas. Como ha debido hacer su madre, pensó él.

Pidió una botella de vino chileno. Comió abundantemente, una pasta, carne, postre. No estaba buena la comida. La cocina había decaído visiblemente, pero tenía mucha hambre. Había muy poca gente. Preguntó si siempre estaba tan solo el restaurante. La mujer le dijo que todavía iba mucha gente al mediodía, pero que debían cerrarlo por la noche porque ya no iba nadie, nadie vivía en el centro. Era injusto que la obligaran a venir a perder el tiempo por la noche. Llevaba tanto tiempo trabajando y nunca tenía un momento libre para nada; apenas unas horas, para la siesta, por la tarde. Le dio toda la razón. Uno de los meseros, el más gordo, tuvo tiempo de dormir su buena hora despatarrado sobre un asiento. El silencio y la luz blanca de las lámparas de luz fluorescente terminaron por deprimirlo.

Miró un periódico para ver si había algún cine, pero no encontró nada que le llamara la atención. Resolvió irse a la casa. Ya era hora, pensó, como si de verdad tuviera o hubiera dicho que iba a llegar a una hora precisa. Pagó la cuenta y dejó una propina muy generosa. La mujer le pidió que volviera. Él dijo que sí, pensando que nunca más iba a ir. Salió y caminó lentamente entre los charcos que reflejaban aquí y allá los escasos bombillos que colgaban del centro de las calles. Duró un buen rato parado en una esquina. Eran apenas un poco más de las diez y no había casi nadie en la calle. Anotó que la gente salía menos ahora. Pensó que iba a tener que golpear más que al mediodía, pero la idiota le abrió inmediatamente. Lo sorprendió. No podía haberlo oído, no había golpeado sino una vez. Debía de haber estado espiando por la ventana, esperándolo. Sus intenciones libidinosas no se le habían escapado.

Recordó que cuando le abrió la puerta por primera vez se había pasado la lengua por los labios. Ahora entendía. Era una señal obscena, por eso estaba al acecho, quien sabe desde qué hora, para abrirle la puerta. No podía ser de otro modo, a no ser de que no fuera ni muda ni sorda, de que oyera bien y fuera simplemente una viva que se estaba aprovechando de su mamá.

Estaba ahí, entre las hojas de la antigua puerta, con el blanco de los ojos reluciendo en la penumbra. Lo examinaba de pies a cabeza, como si no lo reconociera. Se estaba burlando. Parecía que no quería dejarlo entrar o que, para permitírselo, tuviera que llenar ciertas condiciones, tal vez besarla ardientemente en la boca, acariciar sus senos, sus piernas varicosas, o arrodillarse para besarle los pies. Sin embargo, debía ser idea suya; en realidad no se demoró tanto en dejarlo pasar. Había podido darle miedo. Su cara estaba en la sombra, podía no haberlo reconocido. Dos mujeres solas en una casa tan grande, sin luz, tenían que ser precavidas. Cualquier extraño hubiera podido abalanzarse sobre ella antes de que aullara, clavarle un cuchillo en el estómago y entrar hasta la alcoba de su mamá.

Era curioso. Sus pies recordaban el camino hasta su pieza. Se movieron con una sorprendente pericia, sin tropezar con nada. Abrió la puerta y prendió un fósforo para encender la esperma que estaba sobre la mesa de noche. Le habían arreglado la cama con unas sábanas limpias, bordadas, sacadas de quién sabe qué baúl, y habían retirado algunas cosas. Había sido la idiota, sin duda. Estaba mirándolo desde la puerta con una sonrisa de satisfacción, esperando que la felicitara por su diligencia o, ¿por qué no?, que la invitara a entrar. Que era exactamente lo que él estaba deseando. Había algo que lo atraía en su monstruosidad; su giba o el sigilo de sus movimientos, su crítpica sonrisa. Pero se le ocurrió que su mamá no debía estar dormida y podía venir en cualquier momento para cerciorarse de que estaba durmiendo. Así que le dio las gracias a la idiota –¿por qué idiota? ¿De dónde le había venido esa idea?–, y cerró la puerta. Abrió la maleta y sacó la piyama y un suéter porque estaba haciendo un frío de los demonios, húmedo y desagradable. Y el olor a humedad le calaba en los huesos más que el frío mismo.

Para darse calor se dobló lo más que pudo, con las rodillas contra el pecho y las manos atadas bajo el mentón. Cerró los ojos para forzarse a dormir, pero no tenía sueño, y los ruidos de la casa, misteriosos rumores y crujidos, lo distraían. La casa se imponía ahora a todo lo exterior, extraño a ella. Dejaba de ser el pozo silencioso y profundo del día. Ahora se podía escuchar su respiración propia, inconfundible.

Un ruido más cercano, el de una puerta, la puerta de su pieza que se abría, lo hizo sobresaltar. Su corazón empezó a batir como un tambor ensordecedor a un ritmo frenético, vertiginoso, insoportable. Sudaba a mares, estaba rígido, incapaz de moverse un milímetro. Así durante mucho tiempo, minutos que le parecieron horas, hasta que comprobó que el ruido continuaba y la puerta permanecía cerrada. Espero más, tratando de localizar el ruido, pero como se interrumpía, no estaba seguro. Podía ser ella que, no atreviéndose a entrar del todo, abría un poco y volvía a cerrar. Quería levantarse, pero no podía. Cuando lo hizo, al fin, y se sentó en la cama para buscar los zapatos, algo suave y tibio rozó uno de sus pies. Una rata. De un salto, se refugió entre las cobijas. Casi llorando, gimiendo, dijo "¡Mamá!" entre dientes, y esperó a que entrara. Su presencia ahuyentaría las ratas, y quería estrecharla, pegarle, ahogarla. Pero nadie entró. Y de golpe, el ruido cambió. Se había vuelto sincopado, irregular a veces. Se dio cuenta de su error. No podía ser la puerta. Tenía que ser una mariposa pegada al techo o a la pared. Una de esas enormes mariposas nocturnas que tanto lo aterrorizaban.

Prendió la vela, no supo cómo, y la vio, gigantesca, en el techo, cerca de la puerta.

No hizo nada para ahuyentarla. Apagó la vela y salió precipitadamente al patio. Quería orinar y tomar agua. El vino le había dejado la boca reseca. Afuera hacía un frío helado. Respiró profundo varias veces. Le llevó un tiempo orinar. Tenía el sexo erecto. Quería bordear el sardinel. Ahora podía hacerlo impunemente. Nadie iba a venir a regañarlo porque estaba haciendo pipí en el patio.

Pero ya no había sardinel. La vegetación lo había vuelto pedazos. Así que se contentó con apuntar hacia el centro del patio.

Después tanteó en la oscuridad hasta que encontró la llave del agua, de la que brotó un enorme chorro que le salpicó todas las piernas. Y cuando logró que saliera menos agua, puso sus dos manos y bebió una y otra vez y después se mojó la cara, como si acabara de llegar a un oasis en medio de un desierto ardiente con una horda de tuaregs sanguinarios a la espalda. Pero él no les tenía miedo.

Volvió a la pieza y cerró la puerta ruidosamente. Buscó la vela y la encendió. La mariposa no estaba en el mismo sitio. No se veía por ninguna parte. Se había ido.

Cerró los ojos. La vela se consumiría sola. Estaba exhausto. Cuando ya estaba a punto de dormirse, apenas unos minutos más tarde, tal vez ya dormido, sintió, esta vez con seguridad, que la puerta se abría lentamente. Apretó los ojos lo más fuerte que pudo. Dejó de respirar. No se movió.

Tenía el sexo erecto antes de que llegara al borde la cama. Pero no se movió tampoco cuando sintió que se sentaba y comenzaba a levantar las cobijas.

No hizo nada, fuera de buscar una de sus manos y de tomarla entre las suyas.

Empezó a llorar.

No era la idiota como había creído: era su mamá, llorando, lloriqueando a su lado, en la oscuridad, sentada en la misma posición como cuando no quería acostarse solo y ella venía a acariciarlo hasta que se dormía, llorando como nunca –¿por qué?–, igual que una joven abandonada por su marido, aullando de pura tristeza, sin parar, hora tras hora, su cara tersa surcada por lágrimas saladas, sufriendo, incapaz de otra cosa que llorar y él ahí, impotente para consolarla, para decirle que se quedaba con ella toda la vida, hasta la muerte, que se sentaría con ella, en el patio, en el corredor, cuando lloviera, que haría lo mismo que ella, que esperaría como ella, con una paciencia infinita, con indiferencia, que la casa se desplomara sobre ellos, que el mundo se acabara, que saldría con ella, muy de vez en cuando, sin ver nada, a nadie, enfrascados en su amor...

...Y durante muchos años se les vio, muy de vez en cuando, salir a la calle, ella adelante y él, a una prudente distancia, buscando inútilmente las huellas que sus pies no dejaban, una altiva reina rubia –se había pintado el pelo–, seguida por su eunuco favorito.

Y después no se volvió a saber nada de ellos. La casa ya no está en pie. Ahora pasa una avenida por allí. Ancha y con mucho tráfico.

El lento olvido de tus sueños

> En lo real como en tu propia casa
> El secreto reside en olvidar los sueños
> Enrique Lihn

...ENTONCES NO había día en que no soñara, en que el sueño no fuera el acoso de gentes como fantasmas, de rostros asediándome, de manos buscando agarrarse a mi cuerpo para estrangularlo en ese instante que no llegaba, milagrosamente, que no llegaba jamás. "Son cuentos suyos", decía mamá. Y no eran cuentos míos: eran mis sueños, sueños que al día siguiente elaboraba y reelaboraba para poder decir por las mañanas algo, para poder insistir ("volví a soñar con el negro"), aunque siempre hallaba la misma respuesta ("son cuentos suyos, déjese de historias, quién diablos se las estará metiendo en la cabeza"), esa respuesta desconsoladora de siempre.

Desconsoladora porque quería que me creyeran, porque alguna vez tampoco me creyeron cuando fui a ver *Sansón y Dalila* y llegué pasadas las nueve y media de la noche, "que usted ya anda por ahí vagabundeando carajo que sí que me dijeron que lo habían visto saliendo de una cantina", era necesario que me creyeran, pues jamás me habían creído. Cuando venía de la escuela y decía: "mire, mamá, que vi a un hombre tragándose una culebra así de grande" (y estiraba los brazos que alcanzaban a dar el tamaño de la culebra), tal como lo había visto al pasar por la plaza, entonces mamá volvía a repetirme: "tráguese su culebra, mocoso mentiroso", y yo tenía que irme al cuarto en donde estaba Alberto, el mayor de mis hermanos, y tenía que contarle lo sucedido. Él sí me paraba bolas, pero sonreía y yo pensaba que se burlaba de mí, que jamás me había tratado como gente seria. "Qué serio vas a ser", me decía, "si tienes sólo doce años", y volvía a mirar la revista de mujeres desnudas que se levantaba en las bodegas del muelle.

Jamás me quisieron creer y eso era lo que dolía, lo que después de todo me iba dando rabia hasta que decidí no volver a abrir la boca para nada, tragarme mis sueños, mis visiones, todas esas cosas que se me iban presentando, un hombre tragándose una culebra, metiéndosela por las narices, por las orejas, acariciándole los ojos, enroscada en sus brazos, perdiéndose en su vientre y resurgiendo en su espalda. Siempre recordaré a ese hombre; todo el mundo lo recordará porque él siempre estaba en el centro de la placita con una cantidad de gente viendo sus juegos con la culebra, oyendo sus palabras, cuando después empezaba a vender el ungüento (*llévenlo señoras y señores que éste es el milagroso ungüentico contra todas las dolencias y contiene un secreto que si no fuera secreto señoras y señores como el secreto de esta culebra que se enrosca en mi cuello ya se los habría dicho pero tengo sostenido aquí en mi mano contra todo mordeduras rasguños quemaduras escaldaduras calenturas travesuras de sus niños el gran remedio que ha curado a infinidad de pacientes en infinidad de enfermedades y sólo lo pueden llevar por la suma módica que no hará menos rico a los ricos ni más pobres a los pobres pero sí más felices a pobres y ricos porque ya ustedes han de saber que la enfermedad no mira esas cosas de los abolengos llévenlo llévenlo ya mismo, señoras y señores...*) y todo el mundo se quedaba entonces con la boca abierta y luego iba metiendo la mano a los bolsillos, tome, deme uno, oiga, deme dos, señor quiero tres, metiendo la mano a los bolsillos mientras la culebra seguía en la misma boca del hombre como jadeando y jugaba luego por su cuerpo.

Recuerdo que un día, al despertarme, sólo quedaba la idea de una mano que quería agarrarse de algo, y era mi mano, cuando frente a mí había un abismo en el que tenía que arrojarme pues el negro me perseguía, el negro me había perseguido con su linterna durante muchas cuadras y yo sentía miedo, tenía pavor, pensaba que me agarraría en un instante, sentía que el cuerpo se me ponía blando, blando blando, que las piernas me temblaban, que se me ponían húmedas las piernas y bajaba la humedad hasta las rodillas, que me mojaba, que en el vacío la lluvia era más recia, me lavaba y, ya precipitado en ese vacío, el grito se hacía más largo. Al despertar –recuerdo– estaba realmente mojado. Al llevar la mano al pantalón del piyama me di cuenta de lo mojado que estaba, me había orinado, sí, me había orinado en los pantalones, seguramente por el miedo al negro que en sueños me había perseguido; el rostro de un negro que jamás olvidaré porque siempre era el mismo rostro en cada sueño.

Recuerdo que la primera vez, al soñar con él, yo iba hacia la casa y ya estaba doblando la esquina para coger Pueblo Nuevo (¡qué nuevo ni qué pueblo!), con harta lluvia, cuando sentí una linterna en la cara: ahí mismo se me heló la sangre, se me enfrió el cuerpo y me dieron ganas de orinar (no sé por qué siempre que tengo sustos me dan ganas de orinar; mis amigos dicen que es el puro culillo). Me quedé parado y mudo. Detrás de mí quedaba un silencio de miedo. Miré al negro y vi que estaba con una capa brillante que dejaba escurrir el agua a montones y su cara estaba brillante y grasosa. Sus ojos se veían bien blancos, a veces amarillos, dos pepas enormes, blancas-amarillas. Cuando habló ("hola, muchacho, ¿qué son estas horas de andar en la calle?"), yo sentí que la piel se me encogió, que el cuerpo todo se me iba poniendo pequeño. El primer impulso, la primera ocurrencia, fue la de correr. Corrí: todo el sueño fue-un-estar-corriendo sintiendo que el negro venía detrás de mí, que la luz de su linterna estaba a mis espaldas y el chorro de luz traspasaba mis hombros y se proyectaba más allá marcando el camino que debía seguir. Sentía perder las fuerzas. Esa noche, cuando estaba para caerme el negro, para caer encima de mí con su cuerpote y sus botas de gigante y su capa brillante y mojada, desperté. Estaba asustado. Me quedé sentado en la cama, restregándome los ojos, encogido, tratando de saber si estaba despierto o no. Fue cuando vi a mamá que entraba al cuarto y me decía: "¿qué le pasa ahora? No me diga que soñó con el duende". (Ella había cogido la costumbre de burlarse de mis sueños y eso también me molestaba). Yo le dije que había soñado con un negro que me perseguía. Ella dijo que, seguramente, me había perseguido de veras cuando venía de la escuela, que recordara lo dicho por papá. Recordé lo que él había dicho cuando llegamos al puerto, yo apenas con ocho años. "No se meta con esos negros", dijo. "Ande con cuidado, sepa con quién juega". En esos días entré a la escuela. Las palabras de papá me seguían sonando.

El primer día de clases pensaba que papá tenía razón, que no debía mezclarme con "esos negros", como decía él. Pero no pude obedecerle: en la escuela casi todos eran negros. También me daba miedo desobedecerlo, así que hice solo el recreo y escogí en la clase una banca, sentado al lado del único mulatico que tenía fama de pendejo. "Mariquita", le decían. "Vean un blanquito al lado del Mariquita", dijo ese día un muchacho, señalándome. Todos los demás rieron. "Un blanquito, véanlo", decía. "Bien flojo que debe ser, o seguro muy amigo de Mariquita". Todos se echaron a reír. En el recreo estuve con rabia. Pensé que papá tenía razón, que no debía mezclarme con ellos, que eran verdaderamente malos.

Ese primer sueño fue algo muy pero muy desagradable. Pero lo más feo fue cuando se repitió. Volví a casa después del primer día de clases y papá estaba sentado, viendo su periódico, echándole viento a la barriga descubierta, espantando moscas, las malditas moscas que se metían en todas partes, hasta en las comidas: una quería acomodarse en su nariz y hacer allí, con seguridad, sus porquerías. Papá las espantó. Apenas se calmó le dije lo que me había pasado. Le dio furia, tiró el periódico al suelo y me dijo: "Vea pendejo, el día que le hagan algo me lo cuenta, entonces yo ahí mismo lo zurro por pendejo". (Estaba tan disgustado que se paró de la silla y prendió un cigarrillo y se metió a su cuarto). Yo también me metí al mío. No quería que viéndome se irritara más y empezara a tirarlo todo por el suelo. "Vean un blanquito", me habían repetido y lo que me hacía poner rojo eran esas risas de burla y todos esos dedos negros con uñas amarillas señalándome mientras el maestro parecía no oírlos: más bien hasta se sonreía, muy socarronamente.

La segunda vez del sueño, decía, tuve que tratar de recordarla: sólo sabía al día siguiente que había vuelto a aparecer la misma cara del negro con la misma capa y la linterna esta vez enceguecedora. No dije nada. Me desperté asustado y comí sin ganas. "Cuando llegue a la escuela se van a dar cuenta del miedo que tengo", pensé. "¿Qué le pasa que no come?", preguntó mamá. "Nada, ¿qué me va a pasar?", dije, nerviosamente. "¡Jum! Algo debe pasarle, a usted con lo tragón que es...", dijo ella. Y no respondí nada. Prefería tragarme difícilmente las cosas del sueño así como me tragaba los pedazos de pan.

—¿Qué hubo que no peleas? —dijo el muchacho.

—No voy a pelear —le dije. Los demás estaban haciendo barra gritando.

—Pues si no peleas eres un marica —dijo el muchacho que estaba cuadrado con pose de boxeador, los puños apretados, un brazo cubriendo la cara y el otro el estómago, bien matón él.

—Que no voy a pelear —le repetí.

—Pues voy a tener que fajarte ya mismo —dijo y me tiró un puño en el ojo. Yo sentí que se me iba la luz, que, como en las películas de gangsters, también veía estrellas.

El cuerpo se me puso caliente, tan caliente que parecía estar prendiéndose por todas partes. Oía a los demás muchachos que gritaban diciendo: "¡Pelea, pelea, no seas marica!" y yo –entonces– sentí que algo me empujaba. Vi al muchacho que estaba sudando y riéndose y tiré, sin que lo esperara, un puño en la cara y una patada en el estómago. Oí que alguien decía después: "Lo privaste, qué bruto, lo privaste", y verdaderamente el muchacho se estaba encogiendo, llevándose las manos al estómago. "Lo privé de verdad", pensé. El muchacho estaba ahí, quieto, antes de que los demás lo cogieran y empezaran a echarle aire, a levantarle los brazos como cuando en los partidos de fútbol privan a alguien. Estaba pálido. Me dio susto y luego lástima. Era la primera vez que veía la cara de un negro poniéndose pálida. "Ganaste, ganaste, lo dejaste privado", decían los demás. Al sonar la campana (se había terminado el recreo), el maestro me llamó a su oficina (¡qué oficina ni qué oficina!). "Sepa —dijo— que aquí no se aguantan camorras, de nadie" (y me quedé en silencio pero luego me fue entrando la calentura de hablar). "Fue él quien buscó", dije. "Silencio", dijo el maestro (y los oídos parecían estallar con tanto grito). "Pero...", traté de decir. "Venga mañana con su padre o acudiente o si no pierde el tiempo presentándose solo", dijo, señalándome la puerta de salida.

Al llegar a la casa fue el lío: tenía que decirle a papá que me había fajado con uno, que era negro y que lo había privado. "Vaya y se toma una kola", dijo. "Mañana voy a ver qué pasó", me dijo al salir. Oí que le decía a mamá: "Voy a ver cómo fue la vaina, si el negro le pegó, por mi madre santa que lo muelo a garrote por dejarse joder de esos mugrosos". Mamá se quedó callada, como siempre. En la calle pensé que al día siguiente todos me iban a preguntar que cómo había sido y que, seguramente, empezarían a respetarme.

Papá, abanicándose con el periódico, me miraba, serio él, mientras yo trataba de coordinar el momento de mi pelea y de reproducir la voz de los muchachos cuando me rodeaban y felicitaban. Ahí sentado recordaba que papá, al regreso de la escuela, en donde el maestro le contó lo de mi fajada, me había dicho: "Esta vez se salvó; el maestro me contó todo, no se olvide de lo que siempre le he dicho: no se deje de ningún negro". Luego, sonriendo para sí, me había mandado a estudiar. Yo pensaba siempre en las cosas que papá me decía, sobre todo las que repetía al comienzo, en los primeros días de nuestra llegada al puerto. También me acordaba de las cajas de cartón en que venían envueltas nuestras cosas, del pito del primer tren y del sudor de la gente por todas partes, de los brazos desnudos de los estibadores y de los niños que andaban con sus barrigas infladas, también desnudos, sentados o parados en las puertas de las casas de madera. Me gustaba comprar helados, los mordía. "¿Cómo es que muerdes los helados? ¿No se te destemplan los dientes?", me preguntaban, pero yo decía que así era como me gustaba comerlos. "Mira a ese hombre", les dije a todos: era un payaso montado en unos zancos gigantescos, anunciando la llegada de un circo.

Pensaba que mamá pensaba muchas veces cosas que no se atrevía a decir por miedo a papá. Me fastidiaba que dijera sí o no para todo. Sólo se limitaba a hacer observaciones ("creo que va a llover") o a sugerir cuidados a sus hijos ("lleva la camisa salida por detrás") o a recomendar a papá ("no olvide traer lo que falta en la despensa"), recomendaciones que papá solía recibir con un silencio o con respuestas generalmente secas ("ya sé") que mamá aceptaba sumisamente. No hubo día en que papá no insistiera en lo de los negros ("juntos pero no revueltos") y su insistencia era una cantaleta de todas las horas, del regreso a casa, del-antes-de-acostarse, del-antes-de levantarse, del-irse, del-venirse, del-quedarse, su cantaleta de siempre, yo viendo cómo los muchachos de la escuela querían acercarse a mí y ser mis amigos, no sabía qué hacer. En una ocasión —hacía mucho sol y después de la clase todos queríamos mandar al diablo las camisas— me invitaron a jugar: debíamos irnos sin permiso, llegar, al menos en grupo, tirarnos en la cancha de arena que dejaba ver pozos de agua salada, desnudarnos y empezar el partido de fútbol. Me dio miedo, entonces. Tenía siempre la certeza de que papá estallaría de un momento a otro, temía sus frases, sus insistencias, sus recomendaciones, sus palabras que eran como frenos puestos en mis manos y pies.

Yo sería el único blanco entre ellos y me daba miedo que me cogieran todos y me dieran garrote por venganza. Iniciaron la pedida del juego. Wilfrido, el muchacho al que había privado, insistió en que jugara para su equipo. "Puedes ser portero", dijo. "Eres el más largo". Todos insistieron. "¿Qué pensarán hacer?", reflexioné. "Vamos", dije y agarré el balón, pasándoselo luego para que me entrenaran con tiritos de corta distancia. Diez minutos después todos estábamos en el centro de la cancha: empezaron a desnudarse, a mirarse como diciendo: "¿qué hubo que no te desnudas, eh?", mientras yo empezaba a desabrocharme la camisa. "Desnúdate rápido que aquí siempre se juega sin ropa", dijo Wilfrido. Me dio pena. Me imaginaba desnudo ante los demás, con mi cuerpo pálido y las manchas que me había dejado la viruela. Pero tuve que hacerlo. Ellos se rieron cuando me vieron sin pantalones. "Cabrones, se están riendo de mí". Claro, se reían del color. "Bueno, colócate tú allá en la portería", dijo Wil, que parecía el jefe. "La tiene torcida", dijo riéndose uno de los muchachos, señalándome. Me reí nerviosamente pero con rabia, y me tapé con las manos. "Torcida la tendrá tu padre", dije a los demás, que seguían riéndose. Jugamos toda la tarde, hasta que se vino la lluvia y la marea empezó a subir más, a inundar el campo de juego, a penetrar por los manglares cercanos, a soplar una brisa húmeda. Mi equipo ganó el partido. Wilfrido vino a mi arco y dijo, con palmaditas: "Tapaste bien, parecías un Chonto Gaviria". Apenas pude reír. "Jugaste bien", dijeron los otros. "Consigue el uniforme y te metemos al equipo", propuso Wil.

Al regreso, entrada la noche, Wil dijo: "Cuidado con chivatiar". Los demás prometieron, "qué de chivatos, qué de nada", y yo, aparte, le dije: "Tranquilo: palito en boca". Llegando a la casa volvió a darme miedo, que si me coge mi papá y me da una cueriza, que si se da cuenta que estuve jugando con los negros y entonces saca su correa o coge el primer palo que encuentre y me mata, que si alguien chivatea y, "¿dónde estuvo?", y mis respuestas, cuando imaginaba que no podría mentir, que cualquier mentira sería peor, que sería descubierto. Papá estaría, ya no sentado en su silla con el periódico, sino de pie, mirándome, con el pelo en la frente y la cara arrugada. "¿Y con qué mugres fue?", pensaba viéndolo frente a mí. "A ver, ¿dónde estuvo?", preguntó cuando llegué y dije que venía de jugar fútbol. "Con los de la escuela", dije. "Claro, con esos jediondos", dijo. No podía hablar, sabía que si abría la boca sería peor, estallaría inmediatamente. "Pues va a saber lo que es obedecer", dijo amenazándome. Vi que su mano se dirigía al cinturón, que sus dedos accionaban sin poder dar con el broche, que se atropellaba buscando la manera de desatar la correa, que luego, al lograrlo, se escurría por entre los pasadores, haciendo un ruido raro y que –finalmente–, ya libre del pantalón, papá enroscaba una punta en su mano y la correa se agitaba en el aire. Cerré los ojos. Todavía seguía, como suspendida, una escena del partido. Cuando había agarrado un penalti. No recuerdo sino la impresión física de su primer fustazo y su voz cuando repetía ("para que siga andando con esos negros jediondos") y –muy ligeramente– la presencia de mamá en la puerta, con unos platos en la mano. "Déjelo ya, eso basta", gritaba mamá. "Que lo va a desollejar", siguió gritando. "¿No ve que va a echar sangre?". (Y yo contenía el llanto, no quería llorar aunque me matara, aunque empezara a echar sangre por todas partes y todo el sueño y el cuarto y la casa y la calle y la ciudad se inundaran con mi sangre. No lloraría, me decía, *no llores no llores no puedes llorar los que lloran son los maricones y no los hombrecitos que han tapado un penalti y privado a alguien de una patada y te respetan no llores no llorarás estate quieto quieto que tu papá se cansará de darte fustazos recuerda a Boy el amigo de Tarzán lo valiente que es y a Flash Gordon y a Superman que ninguno de ellos llora a Chonto Gaviria que seguramente no llora ni a Wilfrido puedes desconocerlo ya se está cansando el viejo ya está respirando como con ganas de estallar y dejará de darte darte ya está cansado estate quieto y no llores como llores de pronto va y te jodes Boy Superman Tarzán Sansón viva Sansón y mueran los filisteos Dalila y Sansón Boy sube por una cuerda y baja de la copa del árbol-casa hasta el suelo y las fieras y no llora y nadie que es guapo pero lo que se dice guapo va a llorar nadie nadie...*, pensaba sin poder ordenar una idea clara, viendo que mamá estaba sentada en la banca de la cocina pelando unas papas y viendo, muerta de rabia, todo lo que papá me había hecho. Me hizo quitar la ropa ("vea esos calzoncillos cómo están de mugrosos") y se quedó mirando mi cuerpo como buscando cicatrices o huellas que seguramente pensaba encontrar él. "Ahora se mete en su cuarto y no sale ni esta noche ni mañana", dijo.

Mañana sería domingo y la idea de no salir me ponía triste, recuerdo. "Ojalá se muera", pensé cuando me encerré en el cuarto. Oí que papá trancaba la puerta por fuera. "Para que aprenda a obedecer", dijo a mamá. Solo, sentado en la cama, sin poder contener el llanto que se vino secamente, lo maldije una y mil veces, pensando que lo que me había hecho no se lo perdonaría nunca. Al rato fue pasando el llanto. Oí que sintonizaba el noticiero: pasaban los pronósticos de las carreras de caballo y me imaginaba a papá sentado junto al radio, con un lápiz en la mano y la atención puesta en la voz del locutor que daba nombres que papá iba poniendo en el formulario. "Ojalá no le salga ni uno", pensé. "Es un comemierda". Y arañaba las paredes, raspando la cal y escribiendo unas letras que se venían sin pensar, unas letras que iba ordenando en desorden, hi-ju-e-hi-jue-pu-ta-ta-ta-ta-ta-ta", y luego al escribir las últimas sílabas se me antojaba como un ruido de algo, tal vez de una metralleta disparando hacia una colina de enemigos, y pensaba en "Paralelo 48", una de guerra que había visto, pero volvía inmediatamente a repintar las letras y sílabas, fuerte, con rabia, como si quisiera atravesar la pared de un lado a otro con la presión de mis uñas que empezaban a deshacerse, llenas de cal.

"Le digo que soñé de nuevo con el negro ese", dije a mi hermano mayor. "¿Qué fue lo que hiciste ayer para que te dieran esa cueriza?", preguntó. "Nada; porque me fui a jugar fútbol", respondí. "¡Ah! —exclamó— mañana jugamos un partido con los de tu clase", dijo. "¿Mañana lunes?". "¡Claro!". (Entonces pensé: *Yo seré el portero*). Salió de mi cuarto mirándome y riéndose, pensé que estaría diciéndose: *ahí te jodés encerrado todo el día*.

Me dio envidia de Alberto. Sabía que había buen cine, que darían una con Johnny Weismuller y que a la salida se meterían a la tienda a comentarla. Miré las paredes y vi las palabras (¿palabras?) y traté de borrarlas con la mano: era inútil. Eché saliva a la punta de la camisa y traté de quitarlas presionando fuerte. Mientras accionaba en la pared se me vino la imagen del sueño. El negro estaba con su linterna, alumbrándome a la cara, dejando ver lo brillante de su rostro y luego un movimiento de su cuerpo. Yo, luego, corría y sentía que sus pasos estaban próximos, que su mano ya estaba sobre mi espalda, que su brazo negro me daba un golpe y que, corriendo, no aguantaría más y acercándose a mí caería desfallecido. Los momentos de la persecución eran silenciosos, pero estaban en mi sueño afiebradamente presentados. Al final hallaba un barranco y sentía que mi cuerpo volvía a precipitarse en él, con mi grito, mientras la voz de papá repetía con insistencia: "No se meta con esos negros", pausadamente, y luego, distorsionada y rápida, "nosemetaconesosnegros". Al despertar me sentía caliente. Tenía fiebre. Me daba fiebre siempre.

Mamá se acercó y me preguntó: "¿Qué le pasa?". "Como que tengo fiebre", le dije. "Muéstreme a ver ese cuerpo", pidió y miró los fuetazos en la espalda. "Qué feo que está eso", dijo, lastimeramente. Al rato volvió con agua tibia y empezó a ponerme paños, de la espalda hacia abajo, de la espalda por todos los lados. No dejaba de pensar en lo del sueño: resultaba que la cara del negro era la misma cara de Wilfrido.

—Su papá me dijo que si quería salir que saliera.

—No, no quiero salir (¡No salgo y no salgo!)

—¿Con quiénes estuvo ayer?

—Pues con los del curso.

—Ah —dijo mamá. Y suspiró hondo. Seguramente quería llenar de aire sus pulmones para poder alentarme. *Mañana jugaré el partido –pensé– tal como está programado y estaré en la delantera pues no voy a dejar que me pongan en el arco como una pelota me dirán que claro que no puedo hacer lo que me dé la gana que cómo no claro cómo íbamos a colocarte en la delantera qué quieres interior izquierdo y entonces estaré en el partido jugando contra mi hermano Alberto que es también interior izquierdo lo voy a marcar como una estampilla no lo dejará hacer ni media ni media ni med...* y veía el desarrollo del partido con emoción, ahora con una fiebre distinta.

Mamá insistió, "¿por qué no va al cine?", y yo: "no quiero ir, es que no quiero ir, mamá", y ella, disimuladamente, dejó dos billetes sobre el nochero y dijo que en el armario había ropa planchada. No volví a acordarme del sueño. A veces, por un rato volvía algún recuerdo de los años anteriores. Ahora lo que más me molestaba era recordar a papá, saber que me zurraba, que todos los días decía alguna cosa de los negros asquerosos que me pedían primero para todo, que me sacaban de apuro en los exámenes. Después de dar vueltas por la casa (papá había salido), decidí meterme en el cine. En la calle se me iba la rabia y la tristeza del día y sentía una alegría rara, como si el aire trajera un extraño roce, como si la marea que subía trajera esta deliciosa frescura que me producía ganas de reír. Parado frente a la cartelera del "Morales", con las manos en los bolsillos, vi una foto grande de una pareja abrazada. Había pasado el matinal y era hora de la vespertina. La mujer tenía al hombre abrazado y él parecía estar mordiéndole una oreja. Como que era Marylin Monroe. "Vea el letrero", dijo la de la taquilla. MAYORES DE DIECIOCHO. Empecé a dar vueltas, con las manos en los bolsillos. "Se la vendo, pero si lo sacan es cosa suya", dijo la taquillera después de tanto insistirle. Me miró de arriba-a-abajo y sonrió. Cuando entré al teatro ya habían apagado las luces y estaba muy oscuro. Al sentarme, muy al rato, se iba poniendo más claro. Acomodado en mi banca vi que pasaban los cortos de la próxima semana. Al volver la vista al puesto de enseguida vi a don José Francisco Sánchez, *aquí está don Pacho Sánchez*, y sin pensarlo fui a sentarme a otra fila. Al mirar hacia atrás, don Pacho seguía tranquilo en su sitio; alcancé a ver a Julián, uno de mi clase, sentado a su lado. *No pierde una este viejo maricón*, pensé. Y recordé que un día, cuando pasaba para el colegio, me había llamado y mostrado unas postales con mujeres desnudas.

Me escurrí en la butaca, estirando los pies y colocándolos en el espaldar del asiento siguiente. *Los inadaptados*, vi, y esperé ver, dentro de poco, el tremendo cuerpo de la Monroe en un baño.

1965

Un pequeño café
al bajar la calle

CARLOS DESPERTÓ cerca del mediodía. Igual que todas las mañanas buscó en el asiento los cigarrillos y encendió uno mientras sentía crecer toda la rabia y la impotencia que de varios meses atrás lo acosaban. Igual que todos los días, expulsó el humo con fuerza, haciéndolo pasar por el agujero del toldillo, tratando de memorizar con exactitud los detalles de la borrachera de la noche anterior, los sitios visitados, comprobando simultáneamente los estragos del alcohol en su organismo, sopesando la intensidad de su dolor de cabeza y finalmente adivinando desesperanzado ese nuevo día por el cual se hacía necesario atravesar lentamente, hasta la madrugada, cuando regresaría —con seguridad— otra vez borracho a tenderse en la cama cubierta por sucias sábanas, descolgando absurdamente el inútil toldillo, dejando los cigarrillos en el asiento para continuar mañana arrastrado por el engranaje que lo había conducido, inexorablemente, a esa situación y que también hoy sentía cómo empezaba a empujarlo, en medio del calor que cobraba ya toda su rutinaria pesadez.

En el patio, de paso para el baño, vio a Teresa ocupada en lavar unos platos en la cocina. Al regresar, desconsolado porque tampoco ese día había agua, Teresa cruzaba hacia el comedor. Caminaba rápidamente, llevando los platos, e intentó recordar su cuerpo pero sólo pudo captar una vaga imagen que lo desconcertó al comprobar que aquello era todo lo que podía obtener ahora de ella.

—Hola —dijo—. ¿Y papá?

—No ha llegado. Seguramente anoche también se emborrachó.

El almuerzo era el mismo que insistentemente se repetía varios días al mes y que infaliblemente anunciaba el final del dinero. Sin embargo, comió todo, en un obstinado esfuerzo por borrar el efecto de los tragos.

Después, comprobó alarmado que otra vez no tenía nada que hacer. Se vistió sin prisa y fue a sentarse ante el escritorio metálico de la sala-oficina, donde encendió un nuevo cigarrillo para quedarse mirando a la calle, dejando rodar su aburrida imaginación, en la esperanza de encontrar algún programa fácilmente realizable que lo ayudara a demoler las horas que aún faltaban para la noche, cuando su padre llegaría del trabajo, a la hora de comida (?), y luego de fumar un cigarrillo le diría:

—¿Vamos, mijo?

Y él adivinaría de inmediato cómo sucedería todo. Caminarían bajo la brisa nocturna a través del amplio parque lleno de monumentos hasta llegar al Paseo de los Mártires. Se sentarían en una de las bancas, quizás se harían embolar, recorrerían varias veces de extremo a extremo las grandes baldosas del Paseo, exornado con los bustos de los próceres que hizo fusilar allí don Pablo Morillo, o irían hasta el mercado para tomar un refresco, entrarían a un cine de segunda y al salir, cuando no hay ya mucha gente caminando por el Paseo, su padre lo invitaría a una cerveza, como quien piensa sólo en retardar unos minutos el momento de tener que acostarse, y además diría que en realidad no podía trasnochar, porque mañana hay que trabajar, de modo que entrarían al restaurante chino de enfrente al parque y pedirían dos cervezas, luego otras dos, encenderían cigarrillos y le contaría acerca de algún problema con el turco en la oficina, hasta que ya en la quinta cerveza la conversación giraría en torno a Teresa, lo aburrido que estaba, porque ella no se preocupaba por arreglarse debidamente, andaba siempre descalza, desgreñada, sucia, imposible poder soportar una mujer así, además de que lo pasa envenenada todo el santo día y la plata que le doy la malgasta, y claro, soy yo quien tiene que pagar los platos rotos, el mismo disco de todas las noches, recitado con la misma expresión –sincera en el momento– de preocupación y tristeza, hasta que en la séptima cerveza buscaría en los bolsillos de su ajado pantalón de dacrón para comprobar con cuánto dinero contaba, pediría la cuenta, se levantaría, saldrían del restaurante chino, caminarían por las ahora solitarias calles y no doblarían en la esquina de la casa sino que pasarían de largo hasta el night-club

"La Marina", donde Chucho y Lasprilla estarían esperándolos con las únicas dos o cuatro cervezas que cada noche podían pagarse y que bebían lentamente, seguros de que más tarde o más temprano él llegaría, y entonces se pedirían cuatro cervezas, empezarían a discutir, entusiasmados, toda clase de temas, tal vez jugarían un chico de billar, hasta que finalmente lo vería dormirse. Chucho y Lasprilla se despedirían y él lo cargaría difícilmente hasta la casa, tambaleando durante las dos cuadras que hay de distancia, para entregárselo a Teresa que lo desnudaría y acomodaría en la cama perfectamente borracho, mientras que él saldría a la calle y buscaría en los cafés algunos amigos con quienes continuar bebiendo.

Teresa vino a buscarlo para pedirle un cigarrillo. Cuando la miró, advirtió que aquella mañana lucía más desgreñada que de costumbre, no porque estuviera como siempre descalza, vestida con el eterno traje a rayas grises, descolorido, con el cabello revuelto, sino porque su mirada resultaba acorde con su porte, una mirada turbia y dolorida, llena del rencor, el sufrimiento y la frustración que otras veces le había conocido.

—La niña amaneció peor hoy —dijo ella—. Está maluca desde anoche y no sé qué tiene ni con qué llevarla al médico. Vete a buscar a Manuel, ¿sí?

—No debe demorar.

—¡No, no! Ve, por favor. Ese se queda por ahí con la parranda de amigos y se pone a beber desde ya.

Su voz tenía un tono apremiante, y comprendió que estaba a punto de empezar a llorar. La pereza de tener que soportar una escena pudo más que el cansancio que lo obligaba a permanecer allí, fumando su cigarrillo, y se levantó, incómodo.

Hacía un sol brillante en la calle, y caminaba lentamente bajo los amplios balcones de las casonas del barrio vecino, no muy seguro de la utilidad de su esfuerzo. Siguió el mismo itinerario de tantas otras veces, cuando en las tardes o en las noches buscaba a su padre de café en café, sea para beber con él o porque Teresa lo enviaba, ya que no había almorzado en la casa, y, claro está, las niñas podrían empezar a alborotar.

Conocía los sitios que frecuentaba su padre, pero éste había adquirido la prevenida costumbre de cambiar inusitadamente de bares, para desconcertarlo, y así el juego consistía en adivinar la estrategia seguida en cada nueva ocasión por su progenitor, de modo que se veía obligado a visitar prácticamente la mayoría de cafés, restaurantes, bares, heladerías y casas de cita. Incluso se había trazado ya el mapa ideal para abarcar más lugares en menos tiempo, y recorría primero la parte vieja de la ciudad, atiborrada de oscuros restaurantes chinos y sórdidos cafetines; luego las fuentes de soda y refresquerías del sector comercial y por último las apartadas tiendas de cerca a las murallas. Si fracasaba en la búsqueda se aventuraba a pie hasta Marbella, donde en algún quiosco del balneario podría encontrarlo, y si tampoco allí tenía éxito se devolvía sin prisa por la playa, subía a las murallas y entretenido con la sola visión del mar, de grupos de bañistas, del paisaje, salía a la parte nueva, moderna, para deambular por las boites y suntuosos bares de los grandes hoteles del sector, si bien sólo rara vez le sucedió encontrarlo en alguno de estos sitios. Casi siempre, no obstante, logró hallarlo, y en las pocas ocasiones en que cubrió inútilmente todo el trayecto, pudo finalmente verlo en el café de la esquina de la casa, al bajar la calle, donde solía tomar las últimas cervezas de la noche, todavía acompañado por Chucho y Lasprilla.

—¡Carajo! —decía entonces su padre, riendo—. No puede uno librarse de los hijos. ¿Tomas una cerveza?

Y él siempre asentía, porque sabía que era el mejor modo de conseguir luego el dinero, y hasta se fingía interesado en la partida de billar, mientras miraba con disimulo bajo las bandas, en busca de los billetes de cincuenta y cien pesos que acostumbraban apostar y que siempre perdía su padre porque inexplicablemente los otros descontaban en dos o tres tacadas toda la ventaja acumulada inicialmente.

Inexplicablemente tal vez para su padre, porque él sabía ya de qué se trataba, e incluso en una ocasión, borrachos ambos, se lo dijo: "Pero papá, si te dejan coger ventaja a propósito y luego te alcanzan. Te explotan pendejamente". Pero sólo consiguió irritarlo y le había gritado que no interfiriera en su vida.

(Hasta que al día siguiente, de súbito, porque no estaban hablando del asunto, mientras caminaban por el Paseo de los Mártires, su padre mintió:

—Lo que sucede es que casualmente he perdido siempre que tú estás. Pero en balance yo les he ganado más veces).

Era realmente brillante el sol que iluminaba el parque Centenario cuando cruzó en dirección a las murallas, y seguía siendo brillante una hora más tarde, cuando entró al octavo café a buscarlo y lo vio sentado con Chucho y Lasprilla bebiendo cerveza en una apartada mesa del rincón.

Los tres lo vieron acercarse, inexpresivamente porque ya estaban acostumbrados a sus apariciones repentinas. Comprobó que hasta ahora bebían las primeras cervezas.

—Bueno, ¿y esta vez qué es? —dijo su padre, siempre riendo.

Se sentó sin responder, despreocupado. Pidió una cerveza. "Nada", dijo.

Media hora después, lo oyó acometer de nuevo el eterno tema, al principio la contabilidad, problemas de oficina, y luego, lo imposible que resultaba la vida con Teresa, siempre desarreglada, siempre de mal genio, así ningún hombre puede resistir, y fíjate que no le falta nada, porque para eso él se mataba trabajando, pero las mujeres son así, sólo que ahora sí estaba cansándose realmente, de modo que ya no te provoca llegar a la casa y es mejor tomarse unos tragos en cualquier parte.

Del café salieron cerca de las cinco de la tarde. El sol no era ya tan claro sobre la ciudad, que empezaba a bañarse en un tinte rojizo. Ni siquiera le había comunicado la razón de Teresa, porque Chucho y Lasprilla no se apartaron un momento y sabía que resultaba perjudicial explicar la situación delante de ellos. Su padre le dijo, al salir del café, que iba a la oficina para atender un asunto urgente del turco, y él insistió en acompañarlo, pues imaginó que se trataba de un truco para librarse de su presencia. Pero cuando lo vio despedirse de sus amigos se dio cuenta de que esta vez era cierto. Esa noche –lo escuchó decir a Chucho y Lasprilla– se encontrarían en "La Marina". Tan pronto se fueron, preguntó.

—Dime ahora sí. ¿Qué pasa?

—Nada. Que la niña menor está enferma y no hay para el médico.

Lo vio adquirir esa expresión de molestia que lo distinguía siempre que algún problema se presentaba.

—Pero, ¿qué puedo hacer yo? No tengo un centavo.

Media cuadra más adelante, porque continuaron caminando en silencio, explotó:

—¡Qué carajo! Eso no son más que ganas de joder. Además, si está enferma es por culpa de ella, que las deja andar por ahí medio desnudas y claro, pueden agarrar cualquier infección.

Él esperaba la próxima frase, mirándolo caminar apresuradamente hacia la oficina del turco, por las calles estrechas abarrotadas de gente a aquella hora, el eterno cigarrillo colgando de los labios, el rostro inquieto, preocupado, hasta que dijo:

—Está bien. Voy a pedirle al turco que me adelante algo. Ve y dile eso a Teresa. Yo caigo más tarde.

Carlos pensó que la espera sería larga, y se acordó de la cita en el night-club.

—Okay —dijo sin embargo.

Dio media vuelta y emprendió el regreso a casa, pero el deseo de seguir bebiendo lo acorralaba. Calculó que de todos modos su padre demoraría un buen rato en la oficina, así que bien podía beber unas cervezas. Fue a un bar donde acostumbraban jugar billar algunos amigos, pero no vio a nadie. Entonces se dirigió a un café donde podía firmar y su padre pagaba después.

Mientras bebía la cerveza comprendió que había iniciado ya la borrachera de ese día. Mañana otra vez dolor de cabeza, el mismo despertar con el humo del cigarrillo ascendiendo por el orificio del toldillo, sin poder bañarse, en su estrecha, sucia y calurosa pieza, oyendo el rezongar de Teresa por toda la casa, los gritos estrepitosos de las niñas jugando con los hijos de la vecina, y al mediodía aquel plato que había comido también hoy y que sin embargo constituía una salvación si se tenía en cuenta que en ocasiones transcurrían hasta cinco días sin que hubiera nada para comer, y entonces las quejas de Teresa se redoblaban, llegaban hasta el techo y rebotaban por las dos habitaciones encementadas, el pequeño patio lleno de desperdicios, la sala con su escritorio y los ridículos y diminutos muebles de forro rasgado.

No pudo evitar recordar la alcoba en que vivía en casa de su madre, pulcra, ordenada, dotada de lo necesario, con la ropa siempre lista en el closet, comidas bien preparadas, abundantes, al regresar al mediodía y en las tardes del colegio, los amigos, los bailes que en compañía de sus novias hacían los sábados en elegantes residencias de un barrio amable, provisto de antejardines y parques con fuentes, algo que ahora le resultaba valiosísimo pero que entonces se le antojó burgués, rutinario, y que se terminó pocos días después de la noche en que su madre lo echara de la casa al comprobar que le habían contagiado una enfermedad venérea.

—Cuando aprenda a trabajar puede andar con mujeres —había dicho su madre—. Pero ahora está es estudiando, y si no, lárguese con su papá, que con él va a tener suficiente de esas porquerías.

Entonces, no tenía idea de la vida que llevaba su padre. Poco se hablaba de él en la casa, e imaginó que encontraría a su lado un modo de vivir diferente en todo, acompañado por muchachas bonitas en la playa, bebiendo en bares de marineros y putas negras, la vida de un hombre, no la del estudiante de bachillerato a quien entregaban todos los días tres pesos para gaseosas y que debía fumar a escondidas.

Pero la misma noche de su llegada, cuando al fin dio con la dirección y entró al sucio barrio de largas y estrechas calles, de altos andenes y casas idénticas, como un inmenso pesebre de cemento, empezó a sospechar lo acertado de algunas advertencias familiares, y cuando finalmente descubrió la casa golpeó varias veces, sosteniendo en su mano derecha una pequeña maleta, sudando lastimosamente por el pesado calor que aumentaba el traje de paño negro, hasta que vino a abrirle una mujer, el cuerpo escondido tras la puerta, de modo que sólo pudo ver su rostro moreno y joven, rústico, de trazos gruesos y vulgares que continuaban recorriéndolo con extrañeza mientras él preguntaba con voz cansada:

—¿Es esta la casa de Manuel Clavijo?

En espera de que la mujer saliera de la alcoba, donde se había refugiado para evitar que él pudiera verla en levantadora, comprobó desolado la pobreza en que vivía su padre. Tuvo que encender un cigarrillo para aliviar su desencanto y preocupación, pero entonces la mujer apareció en la puerta, ahora calzada y reluciente en su traje gris, arreglando desprevenidamente el enmarañado cabello. Sólo hasta ese momento se dio cuenta de que tenía por lo menos siete meses de embarazo.

—¿Demorará mucho papá?

—Sin saberse. Hace ya dos días anda perdido.

Entonces se inició una larga espera, salpicada de frases triviales con la mujer, sin resolverse a salir porque su padre podía llegar de un momento a otro, fumando cigarrillo tras cigarrillo, midiendo todas las posibilidades de rescatar aquella noche para lo que había imaginado: unos tragos en compañía del padre, en un exótico bar, tal vez una mujer –¿por qué no?– o un paseo por las calles de la desconocida ciudad, en los coches tirados por caballos de que había oído hablar y que pudo ver en la plaza cuando descendió del bus y empezó a preguntar por la dirección que cuidadosamente había notado en su libreta. En cambio, sólo tenía aquella tediosa, interminable espera, mirando a la mujer mecerse mecánicamente en una vieja mecedora de mimbre, medio adormilada, pensando a cada momento en salir a dar una vuelta, pero negándose a ello por la ausencia del padre y el escaso dinero que lo acompañaba, así hasta cuando la mujer se incorporó y diciendo que tenía mucho sueño fue a acostarse tras desearle con una cortesía elemental las buenas noches.

Media hora más tarde, cuando comprobó que sólo quedaban tres cigarrillos, se resignó a acostarse.

Pero no pudo dormirse. Una aguda sensación de frustración lo hizo permanecer despierto horas enteras, espiando el posible regreso de su padre, recordando la vida en casa de su madre, intentando averiguar cómo se las arreglaría para vivir aquí, optimista a ratos, casi desesperado en otros, hasta que se levantó a apagar la luz, resuelto a dormirse a todo trance para evitar continuar pensando.

Al disponerse a maniobrar el interruptor, parado sobre la cama, descubrió una pequeña ventana de barrotes, oculta hasta entonces por el toldillo. Miró a través de la ventanilla y vio a Teresa –porque ya sabía que no podía tratarse sino de ella– profundamente dormida. La levantadora se había subido y los muslos aparecían macizos bajo el grueso vientre, y más arriba la escasa transparencia de la tela permitía adivinar las líneas firmes y suaves del cuerpo, la sombra de los senos, el largo cabello caído sobre el rostro, dejando apenas entrever una complacida sonrisa que hacía pensar en quién sabe qué extraños sueños, una expresión tal de frescura y castidad que contrastaba profundamente con la actitud de su cuerpo en reposo, aquel cuerpo inquietante desparramado en la cama y del cual no podía despegar la mirada. Imaginó intempestivamente, por un instante apenas, a su padre haciéndole el amor y lo invadió de inmediato una oleada de tenue envidia. Inconscientemente, involuntariamente, pero al tiempo con una firme decisión, mientras los ojos continuaban recorriendo toda la extensión del cuerpo semidesnudo de la mujer, deteniéndose en cada una de sus partes, regresando a cada momento a los muslos, empezó a masturbarse.

Al día siguiente, en la tarde, cuando despertó de la borrachera en que había llegado a la madrugada, su padre le preguntó la razón de su viaje. Le dijo la verdad, y entonces lo vio permanecer serio, pensativo, como si tuviera que adoptar alguna grave determinación.

—Hay que tener cuidado con eso —había dicho—. Después te salen los hijos jodidos. ¿Te hiciste ver de un médico?

—Sí, mamá me costeó el tratamiento. Ya estoy bien.

Y eso fue todo. Después se dedicó a disfrutar su libertad. Pasaba días enteros en la playa, nadando, recogiendo conchas, estrellas de mar, pescando jaibas en las mañanas, las solitarias playas de entre semana, que recorrió hasta el cansancio, llenándose ansiosamente del paisaje, recibiendo el sol sobre su cuerpo joven, bajo un cielo claro salpicado de escasas nubes, aventurándose cada vez más dentro del mar para regresar en las tardes a la casa, extenuado pero dueño de una libertad hasta entonces insospechada.

Pero tres semanas después el mar no le ofrecía ya ningún atractivo, y apenas si volvió los domingos, cuando las playas se llenaban de muchachas en bikini, parasoles, turistas, y aún así no tardaba dentro del agua sino que prefería sentarse con amigos en una de las heladerías cercanas a beber cerveza para el calor.

De modo que ahora sólo podía concluir que había perdido ocho meses, se encontraba algo enfermo y tendría que repetir el año escolar si quería terminar su bachillerato. Pesaba en todo esto mientras bebía a grandes sorbos su cerveza, dispuesto a emborracharse hasta el fin porque ya no quedaba otra alternativa, y continuó bebiendo varias horas más, escudriñando la manera de desenredar el ovillo que sentía anudarse cada vez más fuertemente en torno suyo.

Cerca de las diez de la noche recordó la razón para Teresa y pensó fríamente en la niña. A esa hora su padre debía estar ya en "La Marina", con Chucho y Lasprilla. De paso podía llegar a la casa. Así que recorrió las estrechas calles del centro de la ciudad casi corriendo, cruzó el parque y dobló en la esquina de la calle de la Media Luna para entrar en su barrio.

Teresa y algunas vecinas se movían precipitadamente de la alcoba a la cocina, calentando agua e improvisando toda suerte de remedios, mientras la niña se quejaba débilmente en mitad de la amplia y destendida cama. Por un momento la miró. Todo su cuerpo estaba empapado en sudor, y resultaba evidente que sufría. Cuando él entró, las mujeres se dieron cuenta de su estado y un sordo silencio de reproche llenó el cuarto. Fingió no advertirlo y dijo, tratando de elevar su voz por sobre los entrecortados sollozos de Teresa.

—¿No ha venido aún papá? Lo encontré y me dijo que vendría con plata.

—Para lo que sirve ese viejo sinvergüenza —barbotó una de las vecinas—. Para beber será que tiene plata, porque la hija puede morírsele sin que se le importe una mierda.

—Vaya búsquelo, Carlos —dijo Teresa—. La niña está muy mala.

—¡Qué carajo! —continuó la vecina—. Si el hijo es igualito al padre. Seguramente que va y se queda bebiendo con el degenerado del taita.

Prefirió salir, y sin replicar se retiró del cuarto. En el comedor, Teresa lo alcanzó corriendo.

—Carlos, por Dios, no hagas caso. Tú sí puedes sacarle algo a Manuel. ¡Búscalo!, ¿sí? Esa pelada se me va a morir.

—Sí, Teresa, sí. Voy a buscarlo.

Ella se aferraba aún a su camisa, llorando.

—Pero Carlos, por favor. O consigue con algún amigo, cualquier cosa, pero hay que traerle el médico esta noche. ¿No ves cómo está de mal?

Él se desprendió suavemente, y antes de cerrar la puerta, prometió:

—No te preocupes. Conseguiré lo necesario.

La niña debía continuar sudando copiosamente, rodeada por las mujeres. Le admiró la solidaridad que en su miseria guardaban unas con otras. En repetidas ocasiones, un mismo almuerzo había servido para varias familias de la cuadra, o al menos para los niños, que abundaban en el barrio, y se les veía a diario correr desnudos por las mugrientas callejuelas, despreocupados, mientras mujeres gordas, mulatas, negras, casi todas abandonadas de sus hombres los miraban jugar con expresión oscilante entre el afecto y la rabia. Pensaba en esto mientras caminaba hacia el night-club sintiendo despejarse el efecto de las cervezas. Entonces era cierto. La niña estaba realmente enferma. Hasta ese momento no había otorgado mayor validez a las preocupaciones de Teresa, creyendo que se trataba de una de sus falsas e intencionadas alarmas. Pero el cuerpo sudoroso de la niña y la expresión contraída de su rostro, no admitían dudas. Se reprochó por haber bebido aquella tarde, y de pronto, inmediatamente, pensó con ira en su padre. Alguna vez su madre comentó con él acerca de las causas que determinaron la separación definitiva, diez años atrás, y era todo igual que ahora. "Es un alcoholizado y un irresponsable", había dicho su madre entonces, y sólo hoy le dio la razón. "Sí, ciertamente, debe resultar duro vivir con él".

Cuando entró al night-club los vio en una de las mesas del fondo. Sólo advirtieron su presencia cuando acomodó la cuarta silla para sentarse. Los tres hombres alzaron la vista, sonrieron resignadamente y la voz de su padre se elevó sobre el barullo del bar en tono cordial y entusiasta.

—Ya creímos que no venía, pero nunca falta, ¿ah Chucho?

Y entonces todos rieron, mientras él ordenaba por señas una cerveza a una de las meseras recostadas contra la barra.

—¿Fuiste a la casa? —preguntó el padre.

—Sí, la niña está muy mala —y lo dijo a conciencia de la presencia de los amigos, porque continuaba recordando la escena en la alcoba y los afligidos movimientos de la niña en la cama.

—Bueno, pero hay que esperar a mañana. El turco está sobregirado en el banco. Tampoco creo que vaya a pasarle algo si se espera a mañana. Eso es puro bochinche de Teresa.

Sabía que él esperaba su complicidad en el juego, como había sucedido en muchas oportunidades, pero la rabia contra su padre, ahora una ira profunda, oscura, que nada tenía que ver con Teresa ni con la niña, sino con todas las cosas y la frustración de esos ocho meses, o las palabras de su madre aquella noche, algo que no entendía claramente pero que sentía sin explicación alguna, sin necesidad de ella también, dijo:

—No, no es puro bochinche. Está mala de verdad.

Chucho y Lasprilla callaban. También ellos sabían la verdad, pero hacían igualmente el juego todos los días, y además se les pagaba en cerveza por prestarse a ello. Pero ahora había roto las reglas acostumbradas, y la consecuencia era el pesado silencio de los amigos de su padre y la perpleja y áspera mirada de éste hacia él. Resistió el embate y vio luego descender los ojos hacia la botella, para escucharlo decir, ahora en un tono forzadamente calmado.

—Bueno, mijo. Pero es que por el momento no se puede hacer nada. Mañana a primera hora consigo con el turco, o prestado.

La mesera llegó con la cerveza y el sorbo que bebió le infundió fuerzas suficientes para decir, mientras encendía un cigarrillo:

—Entonces, ¿con qué vas a pagar aquí?

Tal como lo esperaba, la ira ensombreció la voz de su padre, y en un grito que hizo volverse a mirar a varios de los clientes, dijo:

—¡Qué carajo, eso es problema mío, y usted no se meta! Después de todo se trata es de mi mujer y mi hija, no de las suyas, y si no le gusta pues lárguese para donde su mamá, que aquí nadie lo estaba llamando.

Pero él sabía también cómo manejar tales situaciones, nada nuevas. Así que bebió otro sorbo de cerveza, se levantó sin pronunciar palabra, sin mirar a ninguno de los tres, y echó a caminar por entre las mesas hacia la salida del bar, confiado en que resultaría, tratando de escuchar los precipitados pasos detrás, lo que no había sucedido aún cuando se vio en la calle, y todavía esperó a que el hecho se produjera en la primera media cuadra de camino, que recorrió pausadamente, hasta que sintió la mano sobre su hombro.

—Disculpa, Carlos. Pero es que he tenido demasiados problemas hoy. ¿Cuánto necesita Teresa?

—No sé. Lo de un médico. Unos trescientos pesos.

—Bueno, toma y llévaselos —y sacó del bolsillo del pantalón varios billetes entre los que pudo reconocer algunos de mil y uno de quinientos.

—Dale ya esa plata y vuelves a beber con nosotros. Pero la próxima vez las cosas las hablamos únicamente entre tú y yo, ¿entendido?

—Sí, papá.

—Entonces desocúpate de eso y regresas, ¿okay?

—Okay, papá, está okay.

Teresa lloraba sobre la tosca mesa de comedor, la cara oculta entre los brazos. Sólo una de las vecinas continuaba acompañándola. Ella no levantó el rostro al escuchar a la vecina decir:

—¿Qué hubo, Carlos, conseguiste algo?

En cambio, vio cómo el abundante cabello trazaba una rápida curva hacia atrás seguido por el rostro lloroso cuando respondió:

—Sí, claro. Aquí está —y extendió los billetes a Teresa, quien no se movió, como si aquello le resultara increíble, mirando asombrada el dinero, hasta que de pronto sus movimientos se descongelaron, sin transición alguna, y corrió a la alcoba para salir segundos después arreglándose el cabello, ahora calzada, mientras musitaba precipitadamente:

—Échemele un vistazo, doña Esther. Voy por el médico en una carrerita.

***

De regreso en el night-club, visiblemente molesto durante el camino pero sin encontrar otro modo de poder continuar bebiendo, su padre preguntó:

—¿Entregaste la plata? —ahora su voz era recia y autoritaria.

—Sí. Teresa ya fue por el médico.

—Carajo, y que no fuera. Se mata uno trabajando para atender las necesidades de la casa y seguro que no se preocupan lo suficiente, ¿no es así, Lasprilla?

—Así es, Manuel, así es —con voz tímida por la presencia de Carlos.

—Y además —continuó su padre—, seguro que la niña no tiene mayor cosa. Se jode uno para conseguir ochocientos pesos que tuve que mandar, y a lo mejor se lo gastan en chucherías.

Esta vez siguió el juego propuesto, permaneciendo en silencio. No tenía ya objeto, se dijo, hacerlo quedar mal. Lo escuchaba hablar con un fastidio no exento de simpatía y comprensión. Ahora decía:

—Porque claro que si uno tuviera un aliciente en una mujer, las cosas son distintas, pero Teresa, ella no hace nada para estimularte, hacerte la vida agradable, nada, no hace más que cantaletear todo el santo día, y como no cuida a las niñas pues claro que tienen que enfermarse, y uno es el que paga los platos rotos.

—Esa es la verdad —dijo Chucho, ahora más animado por el silencio de Carlos, y él comprendió de inmediato que había recuperado su conversación, el ritmo de sus mentiras compensadas con una nueva tanda, y bebió de su cerveza pensando que también él recibía el mismo pago en licor que ellos por alimentar los sueños, fanfarronadas y justificaciones de su padre.

2

Dos meses después de su llegada, cuando ya las noches de trago y de mujeres en compañía de su padre eran cada vez más frecuentes, Teresa amaneció con los dolores. Él estaba acostado, fumando bajo el toldillo, cuando la vio entrar a su alcoba, el rostro congestionado y las manos sobre el descomunal vientre.

—Ya empezaron, Carlos, busca a Manuel.

—¿Y la señorita? —preguntó, alarmado por la grotesca expresión que le afeaba el rostro.

—Doña Esther ya fue por ella, pero no hay nada para recibir el niño. Ve y consigue a Manuel, por caridad —y regresó corriendo a su alcoba.

Su padre no había ido a quedarse la noche anterior, de modo que lo aburrió la certeza de tener que realizar otra vez el eterno recorrido. Al salir vio a Teresa revolcándose en la cama, sudando despiadadamente, los muslos abiertos.

También ese día era brillante el sol que caía sobre la ciudad, y lo sintió iluminar mágicamente los veleros anclados en la rada, sobre un mar quieto y en el cual flotaban los desperdicios del populoso mercado. Y era igualmente brillante el sol que lo calentaba cuando cruzó bajo la arcada central de la Torre del Reloj, que marcaba exactamente las nueve y cuarto de la mañana, para salir a la Plaza de los Coches, iniciando su peregrinación por todas las heladerías, restaurantes, cafés, bares, y luego vio desde las murallas cómo el sol pegaba sobre el mar, rielando brillantemente en las tranquilas olas e imprimiendo un tinte pálidamente amarillo a una canoa en la que tres negros pescaban, justo en el momento en que el negro del centro lanzó con elástico movimiento la red que se abrió a la luz solar como Teresa durante varias noches después del alumbramiento se había abierto a sus deseos.

Lo encontró en un quiosco de Marbella. Desde lejos pudo reconocerlo, y avanzó lentamente por la playa, tratando de captar los rostros de las tres mujeres vestidas con faldas vaporosas de colores encendidos que los acompañaban y con una de las cuales su padre bailaba en ese momento. Las otras dos mujeres estaban sentadas sobre una especie de barbacoa, riendo a carcajadas de algo que Chucho contaba.

Ellos lo vieron acercarse y Lasprilla debió haber llamado a su padre, porque inmediatamente éste dejó de bailar y miró hacia donde él caminaba, dibujando una amplia sonrisa que más que vio adivinó en su rostro y en sus dientes amarillos de nicotina, para escucharlo exclamar enseguida:

—Mira, Chucho, quién viene. La próxima vez nos vamos a beber al fondo del mar, pero de pronto también ahí nos encuentra.

Su padre abrazaba por el talle a la mujer, y continuó caminando decididamente, sintiendo encima la mirada de todo el grupo, ahora silencioso.

—Hola, mijo. ¿Se te perdió algo?

Se sintió observado por las mujeres.

—Es mi hijo —informó, orgullosamente, a las tres mujeres, que sonrieron estúpidamente. Sobre la barbacoa vio una botella de whisky recientemente iniciada.

—Tómate un trago —dijo su padre, desocupando el vaso de un sorbo y llenándolo otra vez hasta la mitad.

—Conózcase con las señoritas —agregó.

—Bueno, pero ahora estamos incompletos —dijo Chucho—, la próxima, Carlos, tráete una mujer —y todos estallaron en risotadas, que aumentaron cuando él replicó, burlón:

—¿Para qué, si puedo quitarles las de ustedes?

El whisky tenía un sabor agradable, tomado allí bajo los rayos de ese sol meridiano que iluminaba la playa. Sentado sobre la barbacoa, fumaba un cigarrillo viendo bailar a las parejas y pensó en Teresa sin inmutarse, sin preguntarse nada, únicamente una imagen en su mente que desapareció cuando, por tercera vez, la mujer que bailaba con Chucho le sonrió en forma inequívoca.

En el altoparlante instalado en el quiosco empezó a sonar ahora un merecumbé. Mariela vino a sentarse a su lado.

—Carajo, Chucho —exclamó Lasprilla—, parece que es de veras lo de quitarnos las hembras, ¿ah Manuel?

—Pues claro, si por eso es hijo mío.

Bailó varias piezas con ella, sintiéndola apretar el vientre contra el suyo, rozando deliberadamente los muslos, rítmica, algo ebria ya.

Cerca de las tres de la tarde el recuerdo de Teresa lo invadió. Pero ya habían pedido una nueva botella y ordenado preparar pescado. El licor empezaba a aturdirlo. "Teresa ya debió tener el niño", pensó.

Chucho y Lasprilla bailaban y la mujer que acompañaba a su padre había ido al baño. Su padre se sentó al lado, en la barbacoa.

—A Teresa le empezaron los dolores esta mañana —dijo.

Lo vio volverse velozmente. Luego su mirada se llenó de un resplandor triste, antes de decir, con cansancio:

—¿Y por qué lo cuentas hasta ahora?

—No te habrías ido de ningún modo.

Ambos guardaron silencio, sin mirarse. Esperó la próxima frase de su padre, bebiendo un trago, pensando en Teresa, imaginando que ya todo habría pasado y no existía entonces ninguna razón para dejar de beber y bailar unas piezas más con Mariela. Por fin, lo escuchó decir:

—No importa, Carlos. En esos casos siempre es mejor urgir las cosas.

Él sabía que con aquello el asunto quedaba archivado por el momento. Lo vio beber un largo trago. Después, la preocupación marcada en la manera de fumar. Pero ya Chucho y Lasprilla venían hacia ellos, llamándolos, hasta que se sentaron también en la barbacoa.

Poco después llegó Alicia. Su padre la hizo sentarse al lado, aún preocupado, y ella no inadvirtió el gesto de fastidio con que la tomó por el talle.

—Ajá, viejo, ¿qué pasa?

—Nada, nada —ahora sonriendo ampliamente, forzadamente—, ¿qué va a pasar?

Chucho y Mariela conversaban en voz baja. De pronto se levantaron y salieron del quiosco, en dirección a la casa.

Tan sólo él les prestó atención, y los vio desaparecer tras la verja de guadua de la vieja casona, caminando muy juntos. Después, la imagen de Teresa revolcándose en la cama, los morenos y macizos muslos descubiertos, cruzó rápidamente sobre las olas.

Empezaba a atardecer y Carlos miraba sumergirse el sol calculando que nada podría remediarse. "He debido decírselo desde que llegué, así ahora no estaría intranquilo". Su padre estaba completamente borracho. También él había ido con Alicia a la casa, y regresado más pronto aún que Chucho. Carlos sabía que no tardaría en quedarse profundamente dormido. No obstante, alcanzó a musitar:

—¡Carajo! Si para las mujeres parir es como para uno toser. Pero seguro que quieren que uno esté con ellas, y lave toallas, y todo eso, ¿ah Chucho?

—Sí, Manuel, es una vaina.

Pero ya él se había dormido.

Al anochecer, cuando Chucho y Lasprilla se habían marchado con las mujeres, él tomó un taxi y llevó a su padre a la casa. Lo preocupaba pensar en la reacción de Teresa y las vecinas. Durante el trayecto, mientras el automóvil se deslizaba suavemente por la playa, buscó en los bolsillos del pantalón de su padre y sacó un fajo de billetes. Se quedó con más de mil pesos. Con aquello, calculó, contentaría a Teresa.

Doña Esther acompañaba aún a Teresa, que estaba acostada con la niña al lado. Pudo verlas cuando cruzó llevándolo hacia la pieza, y lo acomodó en su cama. Luego entró a la alcoba de ella. Ambas se quedaron mirándolo, precisando el grado de embriaguez en que se hallaba, casi sin reproche, más bien con una suerte de confianza burlada, de tristeza y desengaño.

Se quedó observando a la niña, diminuta, envuelta en una manta. Siempre le habían parecido feos los recién nacidos, y aquel no era la excepción. Tratando de mantenerse lo más lúcido posible, preguntó:

—¿Niño o niña?

—Una mujercita —respondió doña Esther.

Teresa lucía exhausta, pero dueña otra vez de aquella belleza agreste que él conocería después en toda su desatada violencia. "Es como si se hubiera desinflado", pensó. Continuaba mirando a la niña para disimular su embarazo, su sentimiento de culpa. "¿Todo fue bien?", dijo.

—Gracias a las vecinas y a la virgen —replicó Teresa, con una voz que era apenas un murmullo.

—Es una desconsideración —dijo doña Esther—. Tener una criatura sin ninguna atención, peor que una vaca, mientras ustedes se ajuman.

—Pero... yo no podía obligar a papá a venirse. Tuve que quedarme para levantar la moneda. Al fin de cuentas, esto es lo importante.

Y difícilmente entregó el dinero a Teresa, que lo tomó con indiferencia para guardarlo bajo la almohada.

—¿Manuel está en tu pieza? —preguntó.

—Sí. Dormido.

—Borracho —dijo ella.

—Sí, borracho.

—Tan pronto como pueda pararme —musitó después de un pro-longado e incómodo silencio— cojo mis trapos y me voy a cualquier parte, si no me reciben en mi casa. Ya no aguanto más esta vida.

—Es lo mejor —agregó doña Esther—. Ese hombre puede dejarte morir sin importársele nada.

Pero ya ella se había ocultado dentro de una concha de silencio, mi-rando estúpidamente a la entornada puerta de la alcoba.

3

Cuando despertó —dolor de cabeza, falta de agua, encender cigarri-llos, lanzar el humo por el agujero del toldillo, finalmente levantarse— pasó a la alcoba de Teresa. La niña dormía, mientras Teresa se arreglaba el cabello frente a la luna quebrada del espejo, en un acto desprovisto por completo de coquetería, lo mismo que hubiera podido estar lavan-do platos o planchando. Ella lo vio avanzar por el espejo, en bata, el rostro sucio por la incipiente barba. Se sentó en la cama para quedarse mirando a la niña.

—¿Qué hubo, vino el médico?

—Sí, el doctor Emiliani. Pero ahora no hay con qué comprar los remedios. Está algo mejor porque el doctor me regaló una inyección que tenía, pero hay que comprarle las drogas. El médico dijo que era grave.

—¿Y papá?

—En la oficina, seguramente. No hace mucho salió.

—¿No le pediste plata?

—Dijo que la traía al mediodía. Que hoy le pagaban.

—Malo. Hoy es sábado.

Ella continuaba pasando la gruesa peinilla por el cabello, la cabeza ladeada, el rostro apacible, calmado.

—Deberías ir a esperarlo. Seguro que el Chucho y el Lasprilla están en la puerta desde el amanecer.

Él rio.

—No sería raro.

De súbito, mientras la miraba indiferentemente alisarse el cabello, descalza, vestida con el viejo traje gris, recordó claramente su cuerpo. La memoria de esa cálida tarde de junio en que ella estaba reclinada en la cama, al lado de la niña dormida, de dos meses, mientras él fumaba un cigarrillo, sentado como ahora, en el borde del amplio lecho, conversando de los problemas que se presentaban a diario en la casa. Pero ella, inesperadamente, empezó a reír, sin motivo aparente, mirándolo igual que una colegiala, y su risa fue una respuesta acorde a su pausada solicitud, mirándose fijamente a los ojos, al tiempo que el cuerpo inclinado descendía lentamente, hasta quedar acostado del todo, los ojos hacia él, la risa franca, infantil, que los unía como un puente, y que se transformó en sudoroso y violento ritmo cuando él, aún sin saber si podía hacerlo, adelantó una mano para subir la arrugada falda gris sin que la risa desapareciera, apareciendo en cambio los gruesos y duros muslos que viera la noche de su llegada desde la ventanilla, y aún continuó largo rato recorriendo la enceguecedora extensión de los muslos desnudos, cuando ya él no reía y ella apenas si fingía seguir haciéndolo, hasta que arrojó el cigarrillo y dejando caer el toldillo la penetró impacientemente.

—Pobre Manuel —susurró ella después, mientras descansaban el uno del otro, mutuamente agradecidos.

Estas palabras lo aterraron. Se incorporó y salió de la pieza con cualquier pretexto.

Pero a partir de esa tarde, y hasta cuando, más de un mes después, ella ya no quiso volver a recibirlo, no acompañó a su padre cuando todas las noches, después de comer, le decía:

—¿Vamos, mijo? —Y él, invariablemente, respondía.

—No, papá, hoy no. Prefiero leer un poco —O si no: "Espero a un amigo". —O también: "Voy a una fiesta con Jaime y Heriberto".

Se amaron con furia todas las noches, y en ocasiones en las tardes, en las mañanas, a cualquier hora en que la oportunidad fuera propicia, en todas las formas, descubriendo sus cuerpos, sintiéndose compensados de lo que les faltaba en la casa, acorralados por la zozobra y el temor de que él pudiera regresar intempestivamente, de que sospechara algo. Casi siempre, cuando descansaban, sudorosos, la veía adquirir un aire melancólico que lo irritaba, y alguna vez volvió a repetir aquella frase de la primera vez, "Pobre Manuel", sólo que entonces estas palabras no lo inquietaron para nada.

Podía comprender claramente, además, las causas de su desbocado arrebato cada vez que él la amaba. Una noche, mientras fumaba un cigarrillo, sintiéndola a su lado, desnuda, abrazada a él con una especie de desamparo total, había de pronto exclamado, como si pensara en voz alta:

—Manuel no sabe hacerlo. Se queda todo el tiempo quieto.

Duró hasta la noche en que, inexplicablemente para él, la puerta estaba trancada, y no se abrió a pesar de sus insistentes llamados. Al día siguiente, le había preguntado la razón.

—Ya no más, Carlos, olvidemos eso —y lo dijo en tal forma que era imposible volver a hablar del asunto, por lo que reanudó las salidas con su padre, ahora con más ímpetus, porque le ocurría recordarla en medio de una borrachera, apreciarla en el recuerdo, dulce mujer, salvaje, tierna, en fin, Teresa, adorable y perdida Teresa.

***

Su padre explicó al mediodía, mientras almorzaban, que sólo hasta la tarde habría dinero. Se interesó por la niña y dijo algo acerca de las infecciones que pueden contraerse por andar corriendo medio desnudas por ahí.

—Pasa a las seis por la oficina, Carlos. A esa hora ya habrán pagado.

—Okay, father, okay.

—Tal vez es mejor que lleves la fórmula, así puedes traer de una vez los remedios, ¿verdad, Teresa?

—Para antier es tarde —dijo ella.

—A las seis no es tarde.

***

Esa tarde fue a la playa, porque había decidido regresar a su casa y pensó que debía aprovechar aún más aquel mar que tanto lo había cautivado en sus primeras semanas en la ciudad. Tendido sobre la arena, hacía un balance de su permanencia y apenas si encontraba pequeñas miserias, numerosas frustraciones, innumerables problemas. "Tiempo perdido", pensó. Únicamente las semanas con Teresa se desprendían de aquella sensación de vicio que le dejaba el resto de sus recuerdos. Sin embargo, se sentía puro ahora, tendido en la playa, escuchando el romper de las olas sobre las rocas que en filas ordenadas habían colocado en el balneario.

Cuando regresó a la casa, al atardecer, la niña estaba nuevamente enferma. La fiebre había vuelto, y se quejaba débilmente en la cama, mientras Teresa iba y venía de un lado a otro, la angustia esculpida firmemente en el rostro.

—¡Dónde estabas, Carlos! —casi gritó cuando lo vio entrar—. Esa niña está mala otra vez. Toma la fórmula y ve pronto donde Manuel —mientras buscaba confusamente en la mesa de noche.

—Aún no son las seis —dijo él.

—No importa, es mejor que vayas ya. Tampoco falta mucho.

Tomó el papel que ella le extendía y salió a la calle. Cuando cruzó frente al monumento de los zapatos viejos, recordó a Mariela. No había vuelto a verla. "Papá debe saber donde puedo encontrarla".

—Tu papá se fue hace más de una hora, muchacho —le dijo el turco cuando él entró a la oficina a buscarlo.

"¡Claro!", pensó, y de inmediato supo que lo esperaba otra vez un largo deambular por las calles de la ciudad. "No he debido ir a la playa. He debido venirme desde las tres y sentarme a esperar. He debido venirme temprano".

Salió de la oficina y empezó a caminar.

***

Fresca tarde de diciembre. Las manos en los bolsillos del blue-jeans, la vista clavada en los sucios zapatos de gamuza, harás cuentas y concluirás que es esta por lo menos la quincuagésima vez que lo buscas de sitio en sitio. Pero aún así continuarás caminando, pensando en la niña y en Teresa. No lo encontrarás en los cafés y heladerías del centro, y ya al anochecer irás por los quioscos del mercado, pero tampoco allí podrás verlo, de modo que empezarás a recorrer los oscuros cafetines y restaurantes chinos de cerca a tu casa, mas fracasarás también en tu intento. A esa hora estarás ya algo cansado y en uno de tantos bares tomarás una cerveza para la sed, luego encenderás un cigarrillo y continuarás buscando, buscando, la vista recorriendo todas las mesas desde la puerta, buscando entre los jugadores de billar. Cerca de la medianoche esperarás encontrarlo en "La Marina", e irás allí e incluso beberás otra cerveza, por si él llega, pero el tiempo pasará sin que tal cosa suceda, de modo que irás a las barriadas cercanas a las murallas y luego, porque es día de pago, a los elegantes bares de los hoteles con playa propia, aunque sabes muy bien que allí no lo encontrarás y lo único que persigues es dejar que sus para ti ignorados movimientos puedan coincidir con los tuyos cuando regreses buscando en los mismos cafés, bares, burdeles, restaurantes y casas de cita que ya has recorrido, una posibilidad entre mil, dos mil, quinientas, quién sabe, de todos modos continuarás caminando, con la obsesión de encontrarlo, fatigado, furioso contra él, contra todo, mientras la noche cubre cada vez más los ruidos de la ciudad, que tú percibes siempre que entras a un lugar, paseas la vista y no lo encuentras. De pronto advertirás que has recorrido todos los sitios imaginables, que son cerca de las tres de la mañana y no hay muchos bares abiertos, a pesar de ser sábado, y recordarás a la niña y a Teresa nuevamente, desesperanzado, sin saber qué ha sucedido, sin dudar por un momento que está bebiendo con Chucho y Lasprilla, que desde luego no está en la casa, pero ya no puedes seguir buscando a pesar de que vas una vez más, y en vano, al night-club. Sólo entonces te das por vencido y emprendes el recorrido de las dos cuadras que te separan de la casa. Una sensación de derrota te invadirá mientras caminas esas dos cuadras que marcan tu fracaso no sólo en la búsqueda esa noche de tu padre sino en toda tu búsqueda de aquellos ocho meses. Al doblar la esquina de la calle de la Media Luna para entrar a la estrecha cuadra encementada donde queda tu casa, verás en la otra esquina el neón del pequeño café que hasta ese momento, por obvio, habías olvidado, y entonces comprenderás que no puede estar en otra parte sino allí, hacia donde te dirigirás sintiendo resurgir tu rabia, llenarte, colmarte, y empujarás la puerta de batiente para que en seguida el bolero de Olimpo Cárdenas hiera tu oído. Pasearás la vista por las mesas de billar, sin encontrarlo, luego en las sillas con igual resultado, hasta que, de pronto, en medio de la poca visibilidad que dejan las luces de colores que iluminan los retratos de mujeres desnudas en las paredes, lo verás, solo, totalmente borracho, durmiendo con la cabeza oculta entre los brazos, sentado frente a la barra, ante una última vacía botella de cerveza, y entonces recordarás otra vez a la niña y a Teresa, recordarás también, sin quererlo, una frase que él te dijo alguna vez, cuando lo encontraste en un cafetucho de negros que lo habían despojado del dinero y del reloj, aprovechando su sueño, esa frase que entonces te dijo y a la que no atribuiste mayor importancia, una simple frase de borrachín, cuando lo despertaste y al volverse a mirarte te reconoció y dijo a manera de disculpa esa frase que ahora, inexplicablemente, salta a tu memoria: "Lo que pasa, Carlos, es que nunca he podido querer a nadie", y hoy recuerdas esas palabras y te inquietan un poco, pero tu rabia puede más porque ya adivinas que se ha gastado todo el dinero, que no habrá para comprar las drogas de la niña, que tal vez no haya nunca con qué comprar tu pasaje de regreso, y además te preguntarás alarmado qué habrá ocurrido en la casa, mientras caminas hacia él e intentas despertarlo sacudiéndolo fuertemente por los hombros, hasta que después de varios intentos él levantará la cabeza, la mirada vidriosa por el alcohol, los ojos como dos rendijas, y ante esa expresión resignadamente desesperanzada del rostro de tu padre, aventurarás una frase que se te escapará sin saber por qué, posiblemente impulsada por la sorda e incomprensible ira que te domina, de modo que la frase se disparará sola, como movida por un fuerte resorte desconocido, y mientras él continúa mirándote en forma estúpida, te escucharás decir, secamente, todo el rencor en tu voz:

—Vámonos ya, papá, la niña ha muerto.

Drick era de nombre Genovevo Palomo

DRICK USABA la cabeza de lado, como un ganso, en el tiempo de siempre. Llevaba una cachucha negra guardadora de harto yodo y de inmensa sal con la que se podía condimentar la vasija de toda la tripulación en un hervor no muy duradero. Una cortada que le remendaron en un costurero de nucas de Valparaíso le frunció la barba del lado derecho, y el que lo conoció pudo pensar que usase la cabeza torcida, por esa razón de la costura. Necesitaba dos metros de anchura para caminar cuando era reciente el arribo y el antiguo paquebote se quedaba con esa amarradura fresca en el atracadero, pues andaba como cogiendo barandas y cables imaginarios por las calles del puerto. Siempre le salía humo por las narices y por la boca, porque le hubo de colgar a los dientes de su persona, para siempre jamás, una pipa de hechura nórdica que le quemó la lengua en los humos iniciales y que después sirvió para la resignación. Por eso guardaba, para la risa y para el caso de la rabia, algo así como unas raíces amarillas pintadas de tabaco vuelto humo y tiempo antiguo.

Muchos años atrás, cuando Drick se encaramó a un barco por primera vez y para siempre jamás, era de nombre Genovevo Palomo. En aquel tiempo no usaba la cabeza atracada al lado derecho, llevaba sombrero de asuntos de la tierra mas no cachucha de individuo de mar, no humeaba su silencio o sus decires con el venteo de la pipa hacia adentro o hacia afuera, ni tenía organizada esa cortada en el pliegue de su cuello. Era, sin más cosas, el joven Genovevo asustado, pero, eso sí, añoranzado de las gentes del mar y sus andanzas.

Un día que el año cursaba en tiempo octubre, Genovevo vio por primera vez al viejo y mentado capitán Hoover Yostak, quien según los decires había llegado de muchas inmensidades y se iba a largar hacia muchas otras. Entonces tomó la determinación de asustarle el polvo de las botas mediante los vuelos de un trapo limpiador, durante doce días y once noches que duró el pontón amarrado al atracadero; espantó los arroces y las espinas de pescado que figuraban de pura ruina sobre el mantel de la mesa del rincón, durante doce alimentaciones; le atinó muchas sonrisas a la colocación de los platos que enviaba su madre Menandra desde los espacios de la cocina, cuando Hoover Yostak se amontonaba a hacer bulla con sonidos de sopa y de chuparse los dedos, eructando el vino o la cerveza, según, como si estuviera alumbrado en contar una historia amarga que se le fuera escapando a los trancazos desde el oscuro fondo de sus tripas o de sus noches perdidas, o ganadas, según; le admiró, con esos ojos enyerbados de muchacho de tierra firme que tenía, el tatuaje que le habían apuntado en la región del antebrazo con tintas de colores, y hasta sintió envidia de no ostentar en las apariencias de su rostro esa lejanía que suele dar el desaparecimiento de la tierra, cuando acontece el altamar, que le había puesto al capitán Hoover los ojos como con un cierto apagamiento. Así, un día de aquellos, Genovevo se puso de manos en la cintura, y decidido al definitivo juego de su suerte resolvió decir:

—Capitán: ¿cómo le parezco yo para servir la comida en el barco?

Despabiló los ojos, y agregó:

—Yo puedo lavar la ropa, yo puedo llevar y traer los bultos del correo y hacer todo lo que se ofrezca.

Hoover Yostak recaudó la mirada y colocándola encima de Genovevo le habló así:

—Me gusta mucho más tu madre Menandra y todavía no le he dicho que se largue conmigo.

Estaba borracho el Hoover Yostak. Enseguida desgajó la cabeza sobre los bordes de la mesa empleando un cuidado de años, y se quedó envuelto en un sólo silbido, como si las jaibas que acababa de merendarse estuvieran aullando dentro de su barriga.

Colocado delante de un espejo de muchas suertes se la pasó toda aquella noche Genovevo Palomo, imaginando la alegría de una cachucha harto de capitán acurrucada sobre su cabeza, y entre su boca anhelando el cuerpo de una pipa de nuca torcida como la que llevaba el hombrón de Hoover Yostak, y hasta se dibujó en el antebrazo, con saliva y con carbón de hornilla, una línea con punta de escoba, afirmando de mero pensamiento que se trataba de una palmera de playa abierta y que le habían dolido mucho las puntas del dibujo. Y en esas anduvo, hablando voces hasta las últimas horas de la noche.

Cuando Hoover Yostak se volvió a configurar sobre su asiento mostrando a diestra y siniestra la despertazón de sus ojos esclarecidos, Genovevo se encontraba distraído de mente, dedicado a barrer la telaraña que había dejado atrás el ajetreo de los comensales de aquella noche, cantando además y diciéndole asuntos de cariño a la basura y precaviendo cuidado de no ir a faltarle al respeto a los asientos de madera y a las antiguas mesas de tablones sin lustre. Y en presencia de aquel rumor de oficios, el viejo capitán Hoover Yostak dijo, arrugando los ojos para recoger el alma que se encontraba desparramada aún por entre los muebles y las fotografías de las paredes, utilizando esta vez una voz de secreto que sólo él escuchó:

—Este muchacho sabe vivir con cariño.

Se limpió la espuma de la boca y terminó así.

Desde ese entonces, ocurrido en vísperas de la gran partida, Hoover Yostak tomó la determinación de que Genovevo Palomo estaba facultado de espíritu para colocar sus manos sobre el jabón de las ropas sucias, en alta mar, y el cepillo para trajinar el piso y el sanitario con costas hacia el mar azul. Así, el hijo de la dueña del bar y restaurante "La Vuelta al Mundo" acomodó sus párpados para mirar a la manera distanciada de los capitanes, se hizo una cachucha de cartón, se amarró las puntas de la camisa a la altura del roto del ombligo y, finalmente se largó con Hoover Yostak el día que desamarraron el mediano carcamán, dejando a Menandra Palomo agarrada al barandal del muelle, como si la que se estuviera yendo fuese ella, montada sobre los andamiajes de un vapor de tierra. Al verlo partir, Menandra se apresuró a atar dentro de su pensamiento lo que eran los cabos de su memoria, y recordó a su hijo jugando con barquitos de papel en las charcas negras de la avenida Trafalgar, cuando las fiestas de la lluvia sobre la tierra, en compañía de su amigo Cheo Morón. También lo vio, muy niño aún en la infancia de otros episodios, tocando el juego de las cornetas, encaramado sobre los asientos o corretreando por entre las mesas del establecimiento. Después lo recordó apoyado a las barandillas del muelle, como en apariencias de estar soñando alguna lejanía, y pensó que esas debían ser las cosas de la adolescencia que se le estaban comenzando. Finalmente imaginó la certidumbre de que el tiempo solía venirse encima de los mortales pintarrajeado de viajes, como una untura de mil cosas parpadeando por delante. Entonces permaneció prendida a las barandas, sintiendo en los ojos el revoloteo de la cachucha que agitaba el capitán Hoover Yostak desde la profundidad de la bahía, con la otra mano puesta sobre el hombro de Genovevo, quien no movía sombrero de ninguna naturaleza, pero tenía, en cambio, las dos manos en alto y una mirada que por no verse se presentía. Luego, cuando el crujiente barco ya no cabía en los ojos por la distancia, Menandra sintió que sus pensamientos se iban volviendo amargos, porque ya sabía con plena certeza que el mar ahuecaba el corazón de los hombres y le organizaban a cada quien una gran viajadera en el alma, para convertirlo, en últimas, en un objeto sin regreso. Y una vez que Genovevo se hubo perdido, siguiendo la ruta de las arrugas del mar adentro, metido en aquel cajón de madera que llevaba al capitán Hoover por capitán, Menandra resolvió decir:

—Se fue a tener hijos de él, como él, nacidos de marinero desconocido... Y retornó a sus oficios limpiándose el último llanto.

Cantor está de viaje

S<small>E LLAMABA</small> Cantor y no tenía adónde ir. Tenía atezada la piel por el calor y el viento, tenía veinte años y a pesar de los trabajos duros su rostro conservaba una expresión infantil y su mirada era tranquila. Tenía el pelo negro, revuelto y abundante. Llevaba unos zapatos pardos que no se ajustaban bien a sus pies, desgastados pantalones de dril, camisa que un tiempo tuvo muchos colores y saco de paño azul oscuro, manchado y raído por todos sus bordes. Tenía, además, un padre y una madre a los cuales había abandonado para lanzarse a la búsqueda de un mejor destino. Fue una larga y difícil decisión, una lucha sin tregua que libró para abordar la empresa. Tuvo que meditarlo varias veces, porque pensaba al mismo tiempo que amaba demasiado a los padres y se reprocharía siempre y hasta el último momento el haberlos dejado desamparados. Las reflexiones eran angustiosas, durante todo el día en el taller y toda la noche tendido boca arriba en la cama, sin manifestarle a nadie sus inquietudes. Los padres, tal vez por la edad, no advirtieron ningún cambio en el hijo. Él procuraba mantenerse siempre inalterable, ajeno a cualquier preocupación. Sin embargo, el dueño del taller le preguntó en alguna ocasión por el objeto de su ansiedad. Él se limitó a guardar silencio y continuó subiendo el carro con el gato. Pensó sobre lo que le habían dicho de las oportunidades de cada día en la ciudad y empezó a aflojar las tuercas de una llanta trasera mientras el dueño sabía que algo le sucedía aunque no le dijera nada. Él pensaba en lo imposible de progresar en el pueblo así se trabajara como un burro, en tanto una tuerca salió resistiéndose un poco y el dueño murmuraba "caray, si no te conociera después de tanto tiempo". "En Bogotá puede conseguir empleo todo el mundo", le había dicho, luego aflojó las demás tuercas con más vigor y oyó que el dueño decía que seguramente algo lo tenía así, de modo que había que decidirse de una vez y la llanta se desprendió del eje, cayó y rebotó en el suelo.

Después de casi un mes, cuando le era imposible continuar viviendo con la incertidumbre que le arrebataba el sueño y lo hacía sentirse culpable ante los padres, les informó con pormenores sus planes, y entre el llanto quedo de la madre y la mirada grave pero resignada del padre les prometió ayudarlos desde la capital tan pronto empezara a trabajar. Encerrados en la humilde pieza donde vivían, los tres cayeron en un silencio largo y adormecedor que exigían las circunstancias, como si soñaran a un tiempo la misma pesadilla.

Así, una mañana que aún no empezaba a clarear salió de la pieza con un pequeño maletín, no obstante grande para lo que contenía, y se dirigió al bus que debería partir en pocos minutos. Cuando éste abandonó el pueblo, lanzando un estrépito como para anunciar el nuevo día, aún estaba oscuro. Cantor miró con atención a su alrededor para apropiarse de todo y cada instante se convirtiera en un recuerdo imborrable, con la nostalgia o la felicidad de quien parte con la seguridad de que no regresará. Sólo una hora después empezó a clarear. A pesar de no haber dormido la noche anterior, pues estuvo ensayando posiciones sin lograr atraer el sueño, no se sentía fatigado. Al contrario, se había apoderado de él una energía motivada por el optimismo: miraba por la ventanilla casi sin parpadear, con una permanente sonrisa en los labios. Asistía plácidamente a este nuevo amanecer como si fuera el primero en su vida, pensando en los consejos de los que habían estado en la capital, cuando se acercó el ayudante del bus pidiendo los tiquetes, pero él estaba demasiado ocupado mirando por la ventanilla y repitiéndose que en Bogotá se progresaba cada día más. "Muestre su tiquete", dijo el hombre. La ciudad era tan distinta que podía sentirse en otro mundo. "Oiga, que deje ver el tiquete", el que trabaja duro se llena las manos en un momento, así que el ayudante lo cogió por un brazo y lo zarandeó: "¿usted hasta dónde va?". Él se volvió azorado y el ayudante lo miró con ganas de darle un golpe y tuvo que repetir la pregunta. Entonces Cantor contestó con un grito de victoria:

—¡A Bogotá!

—Su tiquete —se limitó a decir el hombre sin mirarlo, ocupado en buscar la varilla para sostenerse.

Él sacó el tiquete y el hombre le dio una rápida mirada sin tomarlo y continuó al fondo del bus. Cantor volvió otra vez la cabeza hacia la ventanilla: lo que veía afuera no cambiaba mucho, constantemente pasaban por su lado casitas de bahareque, a veces aparecía un abismo o una montaña rocosa, un paisaje abrupto que se volcaba para presentar súbitamente una planicie que se extendía cambiando de color, y después venían de nuevo los abismos de los Andes, profundos y más constantes. A lo lejos, confusamente, alcanzó a divisar las torres de una iglesia, vio cómo se acercaban poco a poco, se iban haciendo cada vez más nítidas, en ocasiones se perdían tras los montes o se ocultaban con algún árbol, luego volvían a aparecer y las distinguía mejor creyéndolas enormes y hermosa la iglesia que las sostenía, hasta que por fin se perdieron totalmente porque el bus empezó a entrar al pueblo, y ya en la plaza comprobó que las torres no eran tan grandes y que la iglesia estaba deteriorada. No se demoraron mucho. Algunas personas bajaron, otras subieron y el bus reanudó su marcha mientras Cantor pensaba que el calor era el mismo de su pueblo y se preguntaba cuándo empezaría el frío de la capital con el que tanto lo habían atemorizado. Cruzaron por varios pueblos similares. El calor iba desapareciendo paulatinamente, de manera que se dio cuenta de la llegada del frío sólo cuando los demás pasajeros empezaron a abrigarse. Se puso el saco, que llevaba listo sobre las piernas según el consejo de los expertos, y se frotó las manos para imitar a los demás pues consideró que era lo mejor ante su falta de experiencia. Ahora veía a lado y lado las enormes canteras formadas en los cerros, la tierra cultivada desordenadamente y cubierta de maleza, y sin darse cuenta lo envolvió un intenso frío que lo hizo estremecerse y lo obligó a esconder las manos entre las piernas.

El bus entró en la ciudad por el costado sur. Eran los barrios bajos, las calles hechas barrizales y las casas semidestruidas que en nada se diferenciaban a las de su pueblo. Por todas partes se veía correr niños, husmear perros entre las canecas, ropa tendida en el quicio de las ventanas abiertas, y a través de éstas pudo comprobar la existencia de esteras parecidas a las que él utilizaba para dormir y camastros semejantes a los que utilizaban sus padres. Entonces experimentó una gran desilusión. A medida que avanzaban algunos sitios mejoraban, y era incomprensible para Cantor ver elevarse entre dos casas a punto de venirse a tierra un edificio de cinco pisos que a él le parecía monumental. A pesar de las revistas que le facilitaron para instruirlo y de las desmedidas advertencias que le hicieron para amenguar su estupor, no fue pequeño el asombro al encontrarse con las anchas calles, ver varios edificios reunidos en un mismo lugar, no alcanzar a contar los hombres que como accionados por un resorte descargaban y cargaban bultos en distintos camiones, o comprobar con enorme júbilo que los almacenes de una cuadra entera comerciaban exclusivamente con repuestos para automotores. Estaba apenas pasando del asombro a una sensación de temor y fascinación cuando llegaron a la estación de los buses. La gente empezó a bajarse precipitadamente, atropellándose en la puerta. Cantor se levantó con parsimonia, vacilante, se aferró a su pequeño maletín para asegurarlo, tal vez para asegurarse él mismo, se dirigió a la puerta con una lentitud que hizo exasperar a los que lo seguían y descendió del bus con los movimientos de un autómata, como si el aire le sirviera de soporte.

No tenía adónde ir. Sólo entonces se dio cuenta de que no había pensado un solo instante en esto. Una nube se le había instalado en los ojos, las letras del bus se movían cambiando de colores y sentía que todos se le quedaban mirando y se reían. Las caras se deformaban, empezaban a bailar sin que lograra detenerlas y alguien lo empujaba por detrás y lo afanaba para que se quitara de en medio, pero él no podía moverse pues tenía que pensar primero. "Dé paso ahí, carajo", le dijeron. Entonces consiguió retirarse, dio algunos pasos y quedó contra la pared. La nube se fue retirando y los rostros se aclararon. A pesar de no estar despejado del todo podía reflexionar de nuevo, pero dejó una pausa para experimentar ese frío helado contra el que tanto lo habían prevenido. Su desilusión fue total: si en el bus se había hecho presente en un momento, ahora parecía huir para acrecentar su desconcierto. Volvió pues a concentrarse y se dijo que en vez de narrarle tantas historias han debido aconsejarlo sobre qué hacer luego de bajarse del bus. Eran las once de la mañana en el reloj de la iglesia que le quedaba enfrente. Cuando volvió a mirar eran las doce, y al comprobar que permanecía en el mismo lugar, sin moverse un solo centímetro, no pudo menos de evocar nuevamente a sus amigos. Observó para ambos lados y entró por una puerta que había a su derecha. Era un café. Se respiraba una mezcla de desinfectante y suciedad, y el estado corroído de todas las cosas aumentaba el desorden. Atendían dos muchachas que en ese momento estaban sentadas, y detrás del mostrador, al fondo, un hombre en mangas de camisa contemplaba la puerta distraídamente. Cantor se sentó ante la primera mesa que vio libre, y sin detallar el lugar fijó los ojos, como huyendo, en los dos grandes espejos situados en las paredes laterales y compuestos por otros pequeños en forma de rombo. Las dos mujeres lo miraban esperando su llamado para atenderlo, pero en vista de que él parecía no tener intención de hacer el menor movimiento una de ellas se le acercó. Cantor la observó un rato y después dirigió la vista hacia el hombre del mostrador.

—¿Qué va a tomar? —preguntó la mujer, impaciente.

—Nada —dijo él mirándola apenas.

Ella se retiró con un gesto de disgusto aunque el caso era corriente a diario, que cualquiera se sentara sin pedir nada, simplemente a descansar. El hombre del mostrador no se inmutó, continuaba mirando hacia la puerta, ahora como si esperara a alguien, en tanto Cantor lo miraba a él sin decidirse a preguntarle. El hombre del mostrador no se daba cuenta de que era observado y seguía impasible mientras Cantor, en medio de los tangos y las rancheras que salían del traganíquel, se decía que preguntarle era lo único que podía hacer por el momento ya que nadie lo había instruido al respecto antes de salir del pueblo. Ahora el hombre sintió la mirada y volteó un poco la cabeza para situarla frente a los ojos insistentes. Cantor pensó que por fin le había puesto atención y que era la ocasión de dirigirle la palabra. Pero los ojos del hombre eran severos y desdeñosos, entonces Cantor bajó un poco la cabeza y luego sólo lanzaba miradas fugaces hacia el mostrador.

El café empezó a llenarse. A esa hora del almuerzo los hombres dedicaban un rato a tomarse un café antes de buscar un restaurante o de irse para sus casas, de manera que Cantor tuvo que dejar libre la mesa y fue a pararse junto a la puerta. Cuando quedaron algunas mesas desocupadas volvió a entrar, pero luego vino la hora del descanso, después el momento de los negocios y más tarde otros ideados para tomar café, así que ante la mirada curiosa y los comentarios de burla de las empleadas, que iban aumentando en número, Cantor se pasó el resto de la tarde entrando y saliendo, aferrado al maletín, prometiéndose en sus idas y venidas que cada una sería la última porque ahora sí iría hasta el fondo del café. El hombre del mostrador parecía haberse decidido por una rigurosa indiferencia, dispuesto, eso sí, a sacarlo a la calle si no se limitaba a quedarse sentado, y esto mientras no se necesitara la mesa. Se aproximaban las siete de la noche cuando Cantor se dio cuenta de que el café no volvería a quedar vacío, pues llevaba más de media hora recostado contra el marco de la puerta. Entonces se irguió con parsimonia y se dirigió al mostrador imitando una larga ceremonia. El hombre hizo un gesto seco, apenas mirándolo, ostentando una expresión díscola e interrogante. Cantor esperó un momento, preparándose para hablar.

—Perdone, señor —la voz salió carrasposa por falta de uso, de modo que Cantor tuvo que toser. El hombre lo miró sin mucho detenimiento.

—Perdone, ¿sabe usted quién necesita un mecánico?

Tampoco esta vez el hombre le dedicó una mirada atenta al joven, hasta el punto que le hubiera sido imposible reconocerlo si lo viera por segunda vez. Cantor insistió con los ojos, pero luego se dio cuenta de que era una actitud inútil. Tomó fuerzas y repitió la pregunta.

—¡Un mecánico! —exclamó el hombre. Su tono era apenas tolerable. Se agachó y se dio a la tarea de colocar una gran cantidad de botellas en sus respectivas canastas. Cantor persistió, dejó pasar un momento y volvió con la pregunta. El ruido de las botellas, cada vez más fuerte, revelaba que eran colocadas por una persona que empezaba a impacientarse. Cantor subió el tono, suponiendo que el hombre no alcanzaba a oírlo. El hombre volvió junto al mostrador, sacudiéndose una contra otra las manos y golpeándose el pantalón para desempolvarlo. Guardó un silencio calculado, esperó a que Cantor hablara y lo interrumpió con una mirada fulminante que hizo imposible una nueva tentativa. La mirada se lanzaba contra su cara y las palabras fueron decididas: "usted sabe por dónde queda la puerta", y la señalaba con el dedo sin dejar de moverlo, de modo que no cupiera duda de que debía retirarse. "La puerta queda por allá", le dijeron, pero como él necesitaba un poco de tiempo para reponerse vio que el hombre en lugar de señalar la puerta golpeó el mostrador. "Conmigo no se haga el gracioso", le dijo levantando los brazos, y si él alcanzó a retroceder un paso no fue suficiente pues dos prensas cayeron sobre sus hombros y a pesar de estar el mostrador de por medio empezaron a zarandearlo en tanto el maletín rodaba por el suelo y los clientes se levantaban y hacían corrillo, agarrándolo de la camisa sin riesgo de soltarlo lo empujaban y lo acercaban y todo hubiera terminado aún más lamentable para Cantor si no interviene esa voz firme cuyo tono decidido revelaba a una persona acostumbrada a mandar. Un silencio de cinco segundos aminoró la confusión y sirvió como preámbulo para que se elevaran los murmullos y los clientes se retiraran a sus mesas comentando risueños el incidente. El hombre del mostrador continuaba resoplando, mientras Cantor se reponía y miraba ahora a la mujer que había hablado. Corpulenta, de unos 45 años, Matilde llevaba el pelo descuidado debajo de los hombros y los labios del mismo rojo deslumbrante del vestido.

—¿Qué pasa? —le repitió a Ricardo, el hombre del mostrador.

—Este que vino a joder la vida.

Cantor se defendió: —sólo le pregunté si sabía dónde necesitaban un mecánico.

—Y a usted quién le dijo que aquí conseguíamos empleos —dijo la mujer.

Cantor no replicó. Recogió el maletín, sin ninguna prisa, los miró a ambos ligeramente y se encaminó a la puerta. Había avanzado apenas unos pasos cuando lo detuvo un "hola" áspero de la mujer. Se volvió y antes de encontrarse con ella se encontró con una pregunta:

—¿Qué más sabe hacer?

Cantor se turbó al principio y luego levantó un poco los hombros.

—¿Ni siquiera sabe si sabe hacer algo más? —la mujer tenía los brazos en jarra.

—Cualquier cosa.

Sólo el hombre los miraba. Tenues bombillos de varios colores iluminaban el establecimiento produciendo débiles sombras, mientras las empleadas revoloteaban sin descanso, el humo de los cigarrillos formaba contra el techo una nube que se iba ensanchando hasta convertirse en una capa asfixiante y el traganíquel no dejaba pausas para lanzar ruidosamente canciones sentimentales. Se hizo un silencio entre la mujer y Cantor, como un vacío, entonces él pensó que era prudente retirarse, pero la mujer, con un cigarrillo entre los labios, lo detuvo con una pregunta:

—¿Entonces trabajaría en cualquier cosa?

Cantor contestó asintiendo con la cabeza, sin hablar, pues ya había perdido la esperanza de que sus palabras lo condujeran a alguna parte.

—Está bien, venga.

La mujer fue hasta detrás del mostrador y volvió la cabeza para asegurarse de que el joven la seguía. Entraron por una pequeña puerta, incrustada prácticamente en la estantería, que para atravesar tuvieron que encorvarse, y quedaron en un cuarto semioscuro, con una gran cantidad de canastas de cerveza acomodadas en columnas que dejaban un espacio por donde cabía apenas una persona. Pasaron por otra puerta y llegaron a un segundo cuarto un poco más iluminado. Había sólo dos camas y una mesita con una jarra, un vaso, un cenicero y un radio. De las paredes —blanqueadas descuidadamente con cal— colgaban seis almanaques, dos crucifijos, tres estampas de la Virgen del Carmen, una de Carlos Gardel, dos del Sagrado Corazón de Jesús y una de Jorge Negrete. Al fondo había una tercera puerta, pero Cantor comprendió que la mujer no tenía intenciones de continuar porque se detuvo y se volteó. La mujer esperó un momento, suficiente sin embargo para que él se mareara con un olor penetrante (no supo de qué), y luego le preguntó si había comido. Cantor no respondió pues se puso a pensar que era el único día en su vida que sin comer nada durante más de veinticuatro horas no sentía hambre. La mujer supuso que la vergüenza le impedía contestar.

—Siéntese ahí un momento —dijo señalando una de las camas y dirigiéndose a la puerta. Se detuvo y nuevamente le preguntó si estaba seguro de que trabajaría en cualquier cosa. Cantor asintió otra vez. Ya se había sentado y tenía el maletín sobre las piernas. La mujer abandonó el cuarto y regresó a los cinco minutos con un plato de arroz, papas y carne, una gaseosa y una taza de café.

—Coma de una vez porque después se le enfría —dijo.

Cantor dejó la botella en el suelo y colocó el plato sobre el maletín. La mujer le preguntó el nombre y sin esperar respuesta dijo que hasta eso se le había olvidado y mientras lo veía comer recordó que algunas veces había conversado horas seguidas con alguien y que al despedirse no se habían preguntado cómo se llamaban. Empezó a contarle un episodio, pero enseguida le hizo de nuevo la pregunta. Cantor respondió sin levantar la mirada del plato y continuó comiendo con lentitud, dejando que la mujer adivinara la timidez en sus movimientos. Ella esperó en silencio a que Cantor terminara de comer, y luego le averiguó con un rápido interrogatorio todo lo referente a su vida. Lo miró por largo rato pensando con curiosidad en su viaje y en sus propósitos.

—Pues está de buenas —dijo por fin, sentenciosa, como amonestándolo, sin dejar de lanzar humo—, porque aquí la cosa no es sólo llegar y decir que quiere trabajar, así es de que dé gracias por haberme encontrado o le hubiera tocado aguantar hambre y frío de los buenos.

—Gracias —dijo Cantor.

La mujer se levantó y le dijo que era mejor que se fuera a dormir de una vez porque debía estar rendido. Se acercó a la tercera puerta, la abrió e invitó a Cantor a seguir. Él entró y la mujer cerró la puerta dejándolo en la más completa oscuridad. Pasada la sorpresa cogió el maletín con una mano y con la otra inspeccionó el cuarto: era muy pequeño, húmedo, y un gran vacío que sintió a su alrededor y que le produjo temor le hizo deducir que el cielo raso estaba a considerable altura. Sólo había un colchón tirado en el suelo con dos cobijas revueltas. Dejó el maletín a un lado y pensó que casi no habiendo dormido la noche anterior era recomendable hacerlo ahora para levantarse con ánimos de trabajar. De manera que hizo a un lado los interrogantes que empezaban a llegarle, se quitó el saco, los pantalones y los zapatos, los colocó sobre el maletín, ordenó como pudo las cobijas y se acostó. Sin embargo no logró acomodarse un solo instante, se recriminó no haber sentido nostalgia durante todo el día por sus padres, a quienes no recordó en ningún momento, y en el transcurso de la noche no alcanzó a tener conciencia de cuándo estaba dormido o despierto.

Se despertó antes de que aclarara. La oscuridad era total, y en ella sintió frío y miedo. Escasamente recordaba a sus padres (quizá más porque sabía que debía recordarlos) y algunos detalles del viaje. Entonces se alegró cuando al volverse se dio cuenta de que su cuerpo estaba maltratado: podía distraerse dándose masajes y dejar de esforzarse en recordar lo que había olvidado. Advirtió que empezaba a clarear por la luz que entraba por el resquicio de la puerta situada al fondo del cuarto, y que había descubierto la noche anterior en sus tanteos. Pasó algún tiempo más distrayéndose con los masajes, y luego oyó un gran ruido de carros y buses, de pitos y voces, percibió un fuerte olor a comida, escuchó a los anunciadores de periódicos y loterías, y sintió cada cosa dentro de sí como si le perteneciera de tiempo atrás, como si la ciudad le perteneciera de tiempo atrás, como si la ciudad lo esperara, lo hubiera estado esperando desde siempre. Entonces empezó a reconfortarse.

Matilde abrió la puerta con una delicadeza que contrastaba con su figura. En la leve claridad que había ahora Cantor logró descubrir apenas un bulto. Matilde se encontró en tinieblas y tuvo que esperar un momento mientras sus ojos se acostumbraban al cambio. Vio a Cantor pero debió agacharse para comprobar que estaba despierto.

—¿Durmió bien? —preguntó irguiéndose.

Cantor asintió con la cabeza.

—Es temprano todavía —dijo la mujer—. Cuando quiera puede levantarse. Aquí hay un baño —señaló hacia atrás con el pulgar por encima del hombro y se quedó esperando a que Cantor dijera algo. Pero como supo que por el momento él no iba a hablar se retiró.

—Aquí no hay agua caliente —dijo desde el otro cuarto—, si no se quiere bañar no se bañe.

Cantor permaneció otro rato en la cama. Distinguía ahora perfectamente el cuarto: aparte del colchón no había ningún otro objeto, y la puerta por donde había entrado la primera luz daba a la calle. Se levantó y se vistió enjuagándose apenas la cara y humedeciéndose el pelo. Cuando estuvo listo no salió del cuarto. Extendió lentamente las cobijas sobre el colchón con la minuciosidad de quien se ocupa en algo sólo para soportar la espera, colocó el maletín al lado de la almohada y se sentó sin resolverse a salir. Más tarde llegó Matilde, que lo observó por un segundo.

—¿Qué le pasa? —dijo.

Cantor se levantó. Sus movimientos revelaban que estaba esperando que lo dirigiera. Matilde hizo un gesto para que la siguiera, y atravesaron el cuarto de las dos camas, pasaron por el de las canastas y llegaron al establecimiento. En el mostrador había otro hombre que no era Ricardo. La mujer le explicó que ese era Roberto, que reemplazaba a Ricardo desde las doce de la noche hasta parte de la mañana. Luego le dijo que por ahora su trabajo consistía en ayudar en el mostrador, y Roberto ya debía estar enterado de todo, pues apenas lo había saludado cuando empezó a ordenarle que recogiera las botellas y pocillos dispersos sobre las mesas (a esa hora atendía sólo una muchacha) y que colocara en fila las canastas de cerveza y gaseosa. Los quehaceres aumentaban mientras transcurría el día y se multiplicaron para Cantor cuando Roberto fue reemplazado por Ricardo, quien lo mandaba con voz hosca y movimientos rudos, y que a veces le ordenaba algo sólo para alejarlo de su lado.

Esperó hasta el día siguiente a que Matilde le dijera de alguna parte donde necesitaran un mecánico, o por lo menos cuál iba a ser su trabajo definitivo, pero debió esperar durante todo el día y luego una semana más sin que la mujer le manifestara nada. A los ocho días osó preguntarle, y ella le recomendó paciencia, le recordó la dificultad del momento y le pidió las gracias por haberla encontrado a ella, una persona sin ningún interés. A Cantor no le quedó otra alternativa que resignarse a esperar. Pero como transcurrieron los días y la mujer continuaba guardando silencio sobre el asunto, decidió salir él mismo a hacer sus averiguaciones. Primero fue a los almacenes cercanos donde vendían repuestos buscando que lo orientaran, y después decidió ir directamente a los talleres de mecánica. Recorrió sin ningún resultado muchos sitios aprovechando las salidas que hacía cuando lo enviaban a algún encargo. Entonces Matilde empezó a notar las largas ausencias, y sospechando lo interrogó hasta sacarle la verdad. Le dijo que por lo menos había conocido parte de la ciudad, pero que era mejor que confiara en ella, que en ningún momento había descuidado su recomendación. Cantor otorgó satisfecho diciéndose que Matilde tenía razón y que al fin de cuentas debía agradecerle que se preocupara por él sin tener ninguna obligación.

De nuevo esperó un tiempo considerable, soportando a Ricardo, quien continuaba hostilizándolo, tal vez porque no podía olvidar la inoportuna intervención de Matilde a su favor la primera vez que llegó al café, y ya estaba a punto de inquirir nuevamente por su empleo cuando reparó en que la mujer entraba a veces a su cuarto y cerraba la puerta. Dedujo que lo vigilaba y registraba maliciando que él podía ocultarle algo respecto al empleo que deseaba, y para aclarar su sospecha acomodó el maletín sobre la almohada de tal forma que si fuera movido un solo milímetro él se daría cuenta. Tuvo que hacer la misma operación tres veces, pues sólo a los tres días Matilde se encerró en el cuarto. Cuando salió, Cantor aguardó cautelosamente unos minutos y luego corrió a cerciorarse de la postura del maletín: estaba tal como lo había dejado. Suponiendo que quizá Matilde tuviera cuidado en esto ideó una nueva celada: colocó un diminuto papel (invisible para cualquiera) en una esquina del maletín, de manera que si desaparecía quedaban corroboradas sus sospechas. El papel resistió tres pruebas sin ningún cambio. Entonces Cantor intentó lo que consideró una osadía: si la mujer abría el maletín se encontraría con un papel que decía: "Matilde es gorda como una vaca". A cualquier reclamo él alegaría que el único propósito era confirmar sus temores. Al pasar varios días sin que la mujer reaccionara, Cantor descartó la posibilidad de que con los encierros vigilara sus movimientos, pero la causa quedaba en el misterio. De manera que decidió escuchar a través de la puerta en esas ocasiones. Primero que todo debía contabilizar cuánto se demoraba Matilde dentro del cuarto, y con una tarea que le llevó algunos días pudo precisar que él alcanzaba a contar hasta quinientos o seiscientos antes de que ella saliera. También debía buscar el día en que pudiera pararse ante la puerta sin que Ricardo lo viera. Fue difícil, pues cuando la mujer se encerraba el café se encontraba casi desocupado y Ricardo se convertía en un vigilante eficiente. La oportunidad llegó en un momento en que Ricardo salió del mostrador a arreglar unas mesas descompuestas, así que Cantor pudo acercarse a la puerta, y entre el temor de que lo descubriera Ricardo y la angustia de que saliera Matilde oyó susurros, pero cuando intentó concentrarse para descifrarlos olvidó iniciar el conteo, y como no sabía si iba antes de quinientos o más no quiso arriesgarse y se retiró. Si Ricardo hubiera estado en su camino habría notado su rostro congestionado y sus manos inquietas. Cuando logró calmarse, con dificultad, y a ésta sumada la de tratar de ocultar su exaltación, se recriminó no haberse comportado serenamente e hizo un juramento para una nueva ocasión. Lo difícil era dar con ella, y como así lo comprendió dejó pasar los días sin buscarla, confiado en que llegaría en cualquier momento, tal vez cuando Ricardo tuviera que componer otras mesas.

En tanto, acompañar a Matilde a hacer varias diligencias lo ayudó a continuar escudriñando la ciudad. Poco a poco participó en todo de ella hasta que se hizo a la idea de que nunca había vivido en otro lugar. Sin embargo no podía olvidar los encierros periódicos de Matilde en su cuarto y no dejaba a un lado su interés por conocer el motivo. En una de las salidas que hizo con la mujer le dijo:

—Quiero poner un bombillo en mi cuarto. A veces oigo voces cuando no estoy adentro.

Caminaban rápido. Iban de afán y Matilde disminuyó el paso: sabía que si Cantor quería un bombillo lo hubiera puesto él mismo, y no como la vez pasada cuando se dañó el primero. Cantor esperaba que por lo menos la mujer lo mirara, pero ella se detuvo un momento para mirar distraídamente una vitrina: comprendió que el niño que había llegado por primera vez al café no era el mismo: empezaba a tomar trago, a fumar, a acostarse con mujeres e intentaba hablar irónicamente y hacer preguntas insidiosas. Se dio cuenta entonces de los efectos del tiempo. Caminaban lentamente y parecía que se dedicaran sólo a contemplar el alboroto de los carros y la gente. Matilde lo miró a los ojos y él sostuvo la mirada: sabía que tenía que decirle algo, pero ella volvió la cara y continuó en silencio. Luego lo miró nuevamente.

—¿Y con el bombillo no oye voces? —dijo.

Cantor no respondió. Matilde aceleró el paso y él tuvo que apresurarse para alcanzarla. Ahora parecía que era Cantor el que debía dar explicaciones, y para sostener la situación Matilde continuaba rápido, sin mirarlo.

La vida del café seguía cambiando para Cantor y empezaba a parecerle menos soportable. No demasiado, pero sentía que el trajín inesperado que llevaba a cabo desde que entró a la ciudad lo había hecho olvidarse en gran parte de los propósitos que tenía antes de partir. Un día, en contra de la voluntad de Ricardo, tuvo que hacer el turno del hombre que permanecía en el mostrador de doce de la noche a doce del día, porque, según le dijo Matilde, empezaba a desconfiar del hombre y había decidido reemplazarlo. A los ocho días volvió a desempeñar esta labor, y desde entonces continuó haciéndolo, pero en el turno de doce del día a doce de la noche. Ricardo no quedó muy conforme y dijo que de esta manera se vería obligado a hacer gran parte del turno de Cantor para no descuidar el negocio. Con el nuevo cargo Cantor se acercó más a los secretos del café, y se dio cuenta de que así lo había comprendido la mujer porque una vez le dijo en un tono más familiar que el de costumbre, guardando, como siempre, su posición de propietaria y su acento de autoridad:

—Las voces que oye a veces en su cuarto no son de ningún fantasma.

Cantor no supo si sorprenderse o agradecer la confidencia de la mujer. Además, el interés por conocer lo que sucedía en su cuarto cuando ella entraba había decaído. Matilde le recomendó que no le dijera nada a Ricardo, pues a él no le gustaba que se enteraran de la existencia del otro tipo. Luego, contestando la pregunta que en silencio se hacía Cantor, dijo:

—Después le cuento.

El trasiego de las botellas, las riñas que todos los días y a veces con heridos sucedían en el establecimiento, las instrucciones que sobre organización le daba Matilde, fijarse que las empleadas sirvieran sin demora, estar atento para cada vez que pudiera cobrarles más a los clientes, pelear con ellos cuando se negaran a cancelar las cuentas, hacer llamadas y visitas solicitando el surtido, resanar paredes, atender muy bien a los agentes de policía para que fueran tolerantes si infringían una ley, ajustar muebles y otros quehaceres más se convirtieron en las diarias labores de Cantor, en la rutina sin horario que lo obligaba a distribuir con precisión el tiempo y que paulatinamente fue terminando con los turnos exactos de doce a doce. Sólo una que otra vez salía a la calle, siempre de afán, y si le quedaba un rato libre Matilde lo ocupaba en ampliar sus instrucciones. En medio de estas charlas la mujer empezó a manifestar interés por ir informándolo sobre los murmullos que él oía en su cuarto.

—El tipo que habla conmigo viene a hacer negocios. Entra por la puerta que da a la calle.

Pero Cantor mostró ahora indiferencia, ajeno a las palabras de Matilde como si hubiera olvidado por completo el asunto. Ella dejó pasar inadvertido el silencio y en otra oportunidad insistió:

—El tipo del que le he contado me vende cosas —y para no soportar la larga pausa de siempre aclaró—: son cosas robadas y me las vende baratas.

Esta vez pareció que Cantor le dedicó más atención: la miró como queriendo informarse y luego de la pausa que faltó antes hizo "ah". Matilde se dio cuenta de que estaba logrando interesarlo o por lo menos sorprenderlo un poco, pero comprendió que él no iba a decir nada, que la exclamación era como una disculpa a lo que había supuesto del tipo y de ella.

—Yo vendo las cosas más caras —dijo Matilde—, a veces al doble.

—Es un buen negocio —comentó él, un poco turbado.

Luego Matilde le dijo que al día siguiente saldrían a hacer una diligencia, que estuviera listo a las tres de la tarde. A esa hora abandonaron el café, doblaron la esquina y Matilde se detuvo cuando llegaron a la puerta que comunicaba con el cuarto de Cantor. La abrió y sin decir nada lo invitó a seguir. Ya adentro, Cantor observó el candado en el suelo.

—Yo lo puse ahí antes de salir —explicó Matilde cerrando la puerta. Se quedaron en silencio mientras Cantor la miraba sin entender, y luego ella se le acercó dejando que su aliento se confundiera con el de él descaradamente. Apretó ligeramente su mano, se aproximó al colchón y mostró una sonrisa preparada, dejó ver la punta de la lengua, una sonrisa apenas húmeda por el colorete, áspera y envejecida por el uso. Cantor quiso ver muchas cosas tras ella, logró marcarle una larga trayectoria y la llenó de episodios. Luego la sonrisa desapareció para que en un esfuerzo supremo los labios intentaran en vano conservarse húmedos. Cantor sabía que la mujer no tendría que pronunciar palabra y que a él le tocaría sentir sus labios ahora totalmente secos y arrugados, acariciar el pelo enmarañado, despojar las ropas transpiradas y soportar las manos callosas que no dejarían adivinar la habilidad de otros tiempos.

Cantor se distrajo un buen rato fumándose un cigarrillo y mirando las sombras que pasaban por el resquicio de la puerta, lanzando el humo contra esa luz intermitente, formando coronitas, y se levantó y se vistió cuando no toleró por más tiempo los dedos de Matilde jugando entre su pelo. También la mujer empezó a vestirse, más despacio, casi con parsimonia, lanzándole continuas miradas como buscando su complicidad.

—¿Quiere trabajar conmigo? —le preguntó.

Cantor se confundió.

—Yo trabajo con usted —dijo.

—No digo en el café —dijo Matilde—. En el otro negocio.

Cantor se acercó a la puerta. No ocultaba su deseo de salir a la calle.

—¿Qué dice? —dijo ella.

—Estoy bien en el café.

—Puede estar mejor.

—Puede hacer las dos cosas.

—No me queda tiempo.

—Trabaja menos en el café.

—Me gusta más este trabajo.

—Con el otro gana más.

—No me gustan los riesgos.

—Usted no corre peligro.

—Quiero seguir siendo honrado.

—En estos tiempos no se puede ser honrado.

Cantor retiró los ojos temiendo no encontrar una objeción.

Salieron a la calle y doblaron hacia el café. Ricardo parecía más eno-jado que de costumbre, a punto de estallar: les dijo que el trajín de hoy era enorme, que lo ayudaran a destapar botellas, que por qué se habían ido, a servir tragos de aguardiente y ron, que en días así era mejor que-darse todos, a afanar a las empleadas, que había llegado el recibo de la luz, a vigilar a los clientes, que las ratas los estaban invadiendo, a traer más cerveza del depósito, que esa vaina así no funcionaba, carajo.

Matilde se retiró y Cantor debió soportar otro rato el mal genio de Ricardo, hasta el momento en que súbitamente el hombre lo asió con brusquedad y quiso zarandearlo, pero Cantor reaccionó sin esperar y lo detuvo aprehendiéndolo de las muñecas, y en ese pequeño forcejeo que duró sólo unos segundos entendió que de alguna forma Ricardo sabía que él había estado con Matilde. Se apartó un poco, sin agresividad, dándose cuenta de que era la primera vez que se encaraba con Ricardo y que también esto lo sabía el hombre.

Los disgustos injustificados de Ricardo fueron menguando desde entonces, hasta que desaparecieron para convertirse en una violencia pacífica que no interesaba a Cantor y que los llevó a los dos a comuni-carse menos de lo necesario. También desde aquel momento la proposi-ción de Matilde para que Cantor trabajara con ella en el otro negocio se transformó en una insistencia que a veces era mandato, ruego o consejo, y que podría ser, imaginaba Cantor, un cambio de favores cuando esta-ba con la mujer en la cama, pues en verdad nunca supo si Matilde lo hacía sólo para convencerlo, para lograr en ese proceso de paciencia que apartara los escrúpulos y se preocupara más por su comodidad. Al comienzo la oposición de Cantor era tenaz: exponía argumentos, levantaba la voz e ideaba sucesos ocurridos a amigos suyos que andaban por esos caminos. Luego la resistencia fue decreciendo y fue menos dignificada y convincente su posición de trabajador, hasta que por aburrimiento, por cansancio o porque ya dudaba de sus propios principios, empezó a guardar silencio cuando Matilde volvía al tema. Era el momento que la mujer estaba esperando: una mañana le dio un paquete y un papel.

—Llévelo a esta dirección —ordenó.

Luego vino otro encargo, con el tiempo uno más y después fueron menos espaciados y más comprometedores. Ya no se trataba sólo de llevar paquetes, sino que a esto se adicionó hacer llamadas telefónicas, concertar citas, discutir precios, rechazar propuestas o aceptarlas. A medida que aumentaba su responsabilidad crecía su interés por conocer al tipo que hablaba con la mujer en el cuarto y por saber de las otras personas que como él desempeñaban labores similares en asocio de Matilde. En cuanto al tipo, Matilde le dijo que era muy quisquilloso, que no le gustaba que lo viera nadie, y de los otros que no tenía objeto conocerlos, pues él mismo estaba adquiriendo en el negocio más importancia que ellos.

—Usted hace citas y decide muchas cosas —dijo la mujer—. De los otros son pocos los que hacen eso.

Luego le reveló que si bien era cierto que se había acostado con algunos al comienzo fue sólo para convencerlos de trabajar en el negocio, y que toda la confianza que le brindaba a él era un excepción.

—La prueba está en que usted sigue viviendo en el café.

Cantor no quedó muy convencido ni satisfecho con la explicación. Dejó transcurrir unos días como si agradeciera tanta deferencia, y luego insistió. Esta vez Matilde le contestó sin hablar, mirándolo de medio lado como si sólo quisiera comprobar que también él la estaba mirando. Pero Cantor no se dejó intimidar e inmediatamente volvió sobre lo mismo. La mujer puso una cara malhumorada.

—¿Es que no entiende lo que le digo?

Cantor dijo que entendía perfectamente, pero que se le hacía lógico que quisiera saber de los demás.

—No tiene nada de lógico —dijo Matilde—. Si a los demás no les interesa saber de usted.

Por un tiempo Cantor tuvo que evitar las referencias sobre sus invisibles compañeros, pero cuando volvió, si bien no con la misma frecuencia, a inquirir sobre la existencia aunque fuera de algunos, ella estuvo tolerante unos días pero a pesar del esfuerzo gritó que lo único conveniente era que él dejara la vaina, que de cuándo acá no entendía, y terminó, amainando el tono, diciéndole que ya que estaban hablando le iba a dar un consejo que tenía pendiente desde hacía mucho tiempo, algo que en realidad le convenía. Él debía trastearse del café a algún hotel barato o a alguna pieza de pensión, todo con el propósito de no hacerse sospechoso, pues uno nunca sabía quién lo estaba acechando.

Las dudas atormentaron a Cantor. Quizá poco a poco no iba siendo sino uno más entre los otros, o se había excedido al pedir casi exigiendo que lo informaran sobre gente que a él no le interesaba, o todo correspondía a un proceso manejado desde siempre por Matilde en busca de resultados similares y él era sólo una parte de ese proceso. Lo cierto fue que la confianza de Matilde se enfrió paulatinamente y aparecieron de nuevo los disgustos injustificados de Ricardo. Los trabajos que desempeñaba disminuyeron en responsabilidad, muchos de los acuerdos por él efectuados eran rechazados por Matilde y se le dijo que suprimiera las llamadas telefónicas para no correr riesgos.

—Eso se debe —aclaró la mujer— a que creo que le falta un poco de experiencia.

La explicación pasó inadvertida para Cantor, quien se sentía cada vez más como cualquier extraño en el café. Más aún cuando Matilde, no contrariada pero decidida, lo estaba esperando en una ocasión a que regresara de la calle.

—Era en serio que debía buscar pieza —le dijo—. Usted puede seguir trabajando conmigo, pero no viviendo aquí.

Entonces Cantor aprovechó las salidas que hacía para demorarse notoriamente, alegando que estaba buscando adónde irse y que no le resultaba fácil: en los hoteles no confiaban que pudiera pagar cumplidamente y en las casas de pensión no lo creía acertado, pues luego de la familiaridad vendrían las sospechas. En tanto sentía con más convicción que ya no tenía nada que hacer en el café, no porque Matilde lo acosara con la pieza, pero le había ido suprimiendo trabajo hasta el punto que haciendo un gran esfuerzo ganaba apenas lo necesario. Además, Ricardo no dejaba escapar la menor oportunidad para referirse a su incompetencia en el manejo del negocio y por cualquier falta lo increpaba amenazándolo con el puño cerrado. De manera que Cantor se vio ante una sola alternativa: dijo que ya había encontrado pieza, que dentro de dos o tres días se marchaba y que inmediatamente le avisaría a Matilde su nuevo paradero. Así, ordenó su pequeño maletín y buscó la ocasión. Fue Ricardo quien encontró la caja vacía y en reemplazo del dinero una nota: Ahí les dejo su café de mierda.

Soprano

A Patricia por su amor

Estoy casi aterrorizada –dijo la princesa–
de comenzar un viaje del que no
puedo ver el final.
Samuel Johnson
Historia de Rasselas, príncipe de Abisinia

Cuando bajé del taxi colectivo me sentí aplastado. El viaje había resultado incómodo, el estrecho automóvil guiado, durante más de cinco horas, por un malencarado chofer de osadía estúpida y temeraria, a quien lo tenían sin cuidado las curvas cerradas y los abismos y, sobre todo, la imprudencia repetida de los que pasaban zumbando a su lado en sentido contrario. A lo largo de la última hora de trayecto no creí que llegaríamos sanos y salvos hasta las laderas de ese lugar llamado Las Margaritas y concluí que esa falta de razón práctica, padecida por todos como una invalidez ancestral, encajaba y se correspondía con el desafortunado incidente que había cerrado el último día de nuestro largo itinerario por la cordillera. Miré a Sonia y sonreí sin ganas.

Dejé las maletas sobre el andén y pensé que me estallaba la cabeza. Quise encender un cigarrillo pero sólo la idea me dio náuseas. Necesitaba comer algo antes, y pronto. No podía recordar otra oportunidad en la que hubiera estado tan fatigado. El dolor en el costado aumentaba como una fiebre. Estiré los brazos y moví la cabeza en círculos. El esfuerzo también me despertó un viejo dolor a la altura del cuello.

—¿Y ahora? —preguntó Sonia.

Eché una rápida mirada alrededor y, como si acabara de bajar a una alucinación, me estremecí con la altura excesiva de las lomas que rodeaban, como un muro desigual, las calles del sitio. Sabía que Sonia guardaba una aversión particular e intensa por las ciudades de montaña. En los últimos días del recorrido su sospecha de estar avanzando por un territorio duro y brutal se había intensificado. El silencioso presentimiento parecía confirmarse con la agresión que habíamos sufrido la tarde anterior. La conclusión, después de cinco años de un viaje constante, no era alegre. A pesar del aspecto apacible y sano de la geografía por la que avanzábamos, no había sido difícil descubrir que todo se guiaba por una inercia enrarecida y peligrosa.

Sonia repitió la pregunta, molesta.

—Comamos algo —propuse y empezamos a caminar.

No alcancé a entender lo que Sonia balbuceó mientras terminaba de arreglarse los mechones de la frente, componiéndose el perdido maquillaje frente a un espejito rectangular y rojo. Después de un par de calles entramos a una cafetería. Ordené un caldo de costilla, una arepa y un plato de arroz con tomate. Sonia apenas probó el sándwich que le sirvieron. Después cada uno bebió, en silencio, dos tazas de un café que resultó dulce y espeso.

La tarde estaba por acabarse y el débil viento que soplaba era casi frío. En la plaza que había al otro lado de la calle pude ver, por entre las primeras sombras, varios grupos de hombres, casi todos con sombrero blanco y machete al cinto. Muchos fumaban tabaco y conversaban en calma. Algunos simplemente miraban hacia los lados, sentados y con las manos entrelazadas, las piernas abiertas y firmes sobre el piso.

—Bárbaros —soltó de pronto Sonia.

No supe si se refería a los habitantes del sitio, a los hombres que teníamos al frente o a los tipos que nos habían atacado. Moví la cabeza para secundar el comentario y pasé la punta de los dedos por el pómulo derecho, donde aún sentía un bulto doloroso y caliente a pesar del hielo que me había aplicado durante toda la noche. Sospechaba, además, que tenía una costilla rota.

Aunque la comida me dejó un efecto reconfortante, no pude evitar la idea de que, con todo lo sucedido el día anterior, regresaba una vez

más a la pobre y muda sumisión con la que decidí seguir al lado de
Sonia. Ninguno calificaría mis condiciones en ese arreglo, unilateral por
parte de Sonia, como satisfactorias o por lo menos tentadoras. Tuve ganas de tomar una de sus manos pero no quise molestarla. Miré su perfil,
el pronunciado hueso de la mandíbula, el pecho redondo y vigoroso bajo
el buzo verde claro, la ceja gruesa y oscura, el arco acentuado por la
línea del lápiz. En esos momentos parecía una mujer despreocupada,
sin tristezas notorias en la mirada o en los gestos de la boca. Con seguridad un testigo casual sólo alcanzaría a pensar que miraba a una mujer
cansada.

—Ojalá la gente de por aquí sea un poco más civilizada —comentó
Sonia mirando hacia la calle.

—Trata de pensar en otra cosa —propuse y tomé aire con fuerza.

El dolor me obligó a doblar el cuerpo sobre la mesa pero cuando
Sonia propuso que buscáramos un médico alegué de inmediato que no
era nada grave. Sin embargo, sólo conseguí dar dos chupadas débiles al
cigarrillo que acaba de encender, acosado de nuevo, como en el carro,
por una tos seca.

Antes de salir preguntamos a la mujer que nos atendió por la Pensión Fortuna, recomendada por el dueño del último hotel donde dormimos. Encontramos poca gente afuera. No era difícil adivinar que todo
el mundo se acostaría antes de las ocho. Madrugarían al día siguiente.
Dudé que yo pudiera por fin dormir bien esa noche. Tal vez, pensé, de
nuevo tendría que esperar, sentado contra la cabecera de la cama, a que
amaneciera. Caminamos despacio. Sonia se había echado sobre los hombros un suéter de lana. Yo avanzaba unos pasos más atrás, cargando con
dificultad las maletas. El esfuerzo me recordó las noches en las que tenía que espantar gente de las puertas del camerino o cuando después,
tarde en la noche, tenía que soportar fatigosas reuniones rodeado de
imbéciles con poses eruditas y comentarios siempre interesantes. Tipos
que podían llegar a ser aburridos hasta la irritación, pero, aún así, con
ninguno había tenido que entenderme a golpes.

El sitio quedaba a unas cuatro calles de la plaza central. Era una
construcción blanca que hacía esquina, con una puerta altísima y un
balcón de madera pintado de azul pálido bordeando todo el segundo
piso. Ingresamos por un largo zaguán que nos llevó hasta un pequeño

patio rectangular iluminado por varios bombillos y adornado con hele-
chos y plantas de hojas grandes.

Sonia decidió esperar en uno de los dos sillones que formaban la reducida sala de visitas mientras yo llenaba el registro. Me atendió un tipo
flaco, con una sonrisa que no cambió y que dejaba ver una dentadura
simétrica. Una línea delgada y negra sobre el labio superior formaba un
bigotico arreglado con diligencia. Tenía la cara macilenta, las manos
largas y huesudas. Inventé los nombres sin pensarlo mucho y pedí habitaciones separadas.

El hombre nos acomodó en el primer piso, dos cuartos contiguos y
con ventana hacia la calle.

—Aquí es tranquilo y silencioso —aseguró con voz gruesa. Me entregó el par de llaves y se retiró por el corredor.

Al entrar, Sonia se echó de inmediato sobre la cama y empezó a ja-
dear, la cara enterrada en una almohada apenas rellena de un algodón
ya endeble. Me acerqué despacio y traté de no respirar demasiado profundo, cuidando de no despertar el espasmo sobre el pulmón presiona-
do. Sin embargo cuando estuve a su lado el corazón me latió con fuerza,
como si me asomara al borde de un abismo resbaloso. Tragué saliva y
pasé con suavidad la palma de la mano sobre el cabello grueso y ondula-
do. Creí entonces, con un terror que aumentaba rápidamente, que si
bajaba la mano con decisión y acariciaba su pecho se iniciaría por fin la
esperada noche en la que, sin recurrir a grandes palabras, podría confirmar mi amor y besar con felicidad sus brazos desnudos. Creí, también,
que Sonia se dejaría llevar por un entusiasmo idéntico y tal vez acepta-
ría mi deseo como algo verdadero y valioso para compartir después de
varios años juntos. Parecía fácil empezar aunque el plan sonara confuso. Alcancé a imaginar, el pulso cada vez más acelerado, que, después
del combate amoroso, contento como nunca, le contaría al oído alguna
historia inocente, un recuerdo infantil o algo así.

Sin embargo una breve pero aguda punzada sobre el costado me detuvo. Levanté los ojos y eché una rápida mirada por el cuarto. Todo
parecía llevar mucho tiempo inmóvil, dispuesto para siempre con un
afán moderado y elemental. La silla de mimbre contra un rincón, el
pequeño tocador, el armario de dos puertas, los inevitables cuadros con
paisajes bajo un cielo azul y un sol brillante. Escuché el murmullo lento

y acompasado que salía de Sonia y traté entonces de construir una frase oportuna para ofrecerle. Una afirmación cariñosa que le restituyera la confianza en recuperar de nuevo el esplendor pasado de su voz intacta.

No habían transcurrido más de tres años desde la infeliz noche en que, en mitad de un circuito por algunas ciudades de la costa, una inadmisible nota hiciera estallar su voz, la hermosa vibración que, por años, se había abandonado a cualquier repertorio y que, a pesar de las breves giras, despertara alabanzas de críticos en lugares como Río y Buenos Aires. Desde la primera vez que la escuché, supe con certeza que Sonia conseguía desplegar una especie de milagro que nunca antes había incursionado en el mundo, con el tenaz desafío de reproducir sin aparente esfuerzo y sin desalientos cualquier aria de *La Sonnambula* o interpretar algún pequeño papel como el de Sofía en *El caballero de la rosa*.

Observé de nuevo y durante un rato largo ese perfil donde se habían encarnado tantas miserias e ímpetus amorosos. A veces creía escuchar, como en un sueño, su voz de nuevo viva, sin cortes; el recuperado temperamento de soprano dramática, elaborando con decisión y fogosidad temerarios *portamentos*, apoyando como pocas sus desconcertantes agudos en el fondo del diafragma. Con un candor asumido sin vergüenza, yo aún sospechaba que la resolución de mi amor resucitaría los últimos residuos de ese don infalsificable. Quise insinuar, con un repentino calor a la altura del pómulo herido, que acabáramos de inmediato con ese viaje en círculos, con la especie de expiación sorda a la que se había lanzado Sonia, arrastrándome. Sería un alivio iniciar una nueva vida desde cero, se me ocurrió pensar como frase propicia para proponer un diálogo, pero sabía que antes de que terminara de hablar Sonia me interrumpiría y pediría, sin mostrarse molesta, que no me apropiara de sus padecimientos. El precio de mi silenciosa devoción era, como la de todo fiel, un poco vil e indigno y, sobre todo, insensato.

De pronto Sonia volteó la cara y me mostró, bajo la luz de la lámpara de la mesita de noche, los párpados húmedos y los ojos brillantes, entrecerrados. Sus personificaciones habían sido tan conmovedoras que creí verla de nuevo en el escenario.

—Quiero dormir un rato —dijo besándome la mano.

—Claro —contesté y le ayudé a taparse con las cobijas. Puse sus zapatos a un lado de la cama, apagué la luz y salí.

Entré al otro cuarto. Dejé la maleta sobre la cama, sin abrir, y pasé al baño. Oriné sin muchas ganas y durante unos segundos revisé el pómulo en el espejo. Seguía hinchado, levemente azul, la piel tensa y a punto de cerrarme el ojo. No pude recordar cuál de los tipos había lanzado el golpe. Tal vez, pensé, cada uno contribuyó, a pesar de la borrachera que llevaban encima, con un puñetazo. Me había defendido en desorden, sin nada en la cabeza, y pude confirmar, antes de que alguien nos separara, que uno de los otros quedaba con la nariz ensangrentada. No podía recordar si Sonia había gritado o no, como tampoco sabía si en realidad había vislumbrado la sombra fugaz de un revólver en la mitad del forcejeo.

Mientras me cambiaba de camisa volví a sorprenderme, aunque no se tratara de un episodio insólito, de la violencia con la que cualquiera respondía a la menor estupidez. Todo se había convertido en un acto peligroso, casi mortal. No resultaba difícil convencerse, sin mucho desconcierto, de que en este territorio la razón empezaba a escasear, resecándose como lodo bajo un sol implacable. Faltaba poco para que a todos nos quedara sólo una sustancia mezquina y fofa como cerebro. Me reí con la exageración y salí.

Me detuve un par de segundos frente a la puerta de Sonia. No escuché sollozos. Me separé sin hacer ruido y busqué el comedor.

El salón era rectangular, con unas cinco o seis mesas dispuestas en dos líneas paralelas, cubiertas con manteles idénticos de cuadros rojos y blancos. Si me aburría y no me llegaba el sueño fácil, pensé, podría inventar una partida ajedrez. Busqué una silla contra la pared. Había un fuerte olor a comida, carne asada y algún guiso con cebolla y ajo. Segundos después apareció, por la puerta que conducía a la cocina, el mismo tipo de la recepción. Supuse que se trataba del dueño de la casa. Le pedí un tinto doble.

Esperaba que Sonia pudiera dormir sin interrupciones. Después, en la mañana, tendríamos tiempo de buscar al tipo del que me había hablado Sánchez por teléfono desde Bogotá dos días atrás. Según Sánchez, el hombre, con apellido de prócer, era una especie de reconocido empresario dedicado a organizar espectáculos en las ciudades intermedias de la región. Circos, recitales, conciertos, obras de teatro, concursos de baile, cualquier cosa. Sin embargo temí, aunque Sánchez aseguró una paga más o menos decente, que Sonia no estuviera en disposición de hacer de nuevo y con verdadero entusiasmo el número.

Nadie hasta ese día había rechazado su delicada y enigmática imitación de pájaros. Todos absortos ante las simulaciones. Cantos que habían alcanzado una asombrosa precisión, como si el particular sacrificio que Sonia se había impuesto de olvidar para siempre los grandes escenarios contemplara además, al estilo de los trabajos de algún protagonista mítico, la búsqueda de la matriz de todas las parodias. La prodigiosa garganta de Sonia, perdida definitivamente para la ópera, había adquirido con esa nueva práctica una textura que a pesar de todo me conmovía como ninguno de sus papeles anteriores.

El número nunca era el mismo. Algunas noches Sonia pasaba, sin avisos previos, de gimoteos nerviosos y frágiles a complicados y agotadores trinos que parecían reproducir fugas, contrapuntos y réplicas de una música compuesta por un artista de origen fantasmal. Desde jilgueros a oropéndolas, su voz giraba en el aire llenando cualquier recinto, desplegándose como un afortunado manto de plomo sobre los estragos del pasado. Entonces era fácil percibir la dicha renovada de Sonia, entregada a un público que nunca escucharía hablar de Monteverdi o Rossini, pero siempre capaz de responder, a pesar de algunas burlas esporádicas y malignas como las del día anterior, a su canto con una especie de agradecido estupor. Tal vez muchos, como yo, ya no imaginarían el mundo sin ella y sus cantos.

Ojalá Sonia durmiera profundamente y soñara algo feliz, rogué en silencio.

—¿El caballero es boxeador? —preguntó el tipo mientras recogía el pocillo.

Me dolió el costado con la risa y no supe si la pregunta del otro llevaba una burla escondida. Negué con la cabeza y conté sin mucha emoción que tres borrachos nos habían atacado la noche anterior. El tipo movió la cabeza y quiso saber si me importaría que se sentara conmigo un rato.

—No. Para nada —contesté y me puse de pie.

—Norberto Gutiérrez —se presentó y me tendió la mano.

No pude recordar el nombre que había inventado en la recepción y simplemente sonreí.

—Me gusta conversar con los clientes cuando llegan —explicó y cruzó las manos sobre la mesa.

Agradecí su amabilidad con otra sonrisa y busqué los cigarrillos. Como no vi ceniceros pregunté si podía fumar.

—Claro —contestó y enseguida añadió—: Aquí no hay ese tipo de restricciones. Lo que pasa es que ustedes son los únicos esta noche. Un momento le consigo el cenicero.

Se levantó solícito y salió.

Cuando regresó traía además del cenicero una botella de aguardiente empezada y dos copitas. No me negué al trago y le ofrecí un cigarrillo.

—Está bien —dijo después de dudarlo por unos segundos—. Fumo muy poco —aclaró mientras botaba el humo—. Tampoco bebo mucho. Sólo un par de copitas para acompañarme un rato cuando hace frío o me da la pensadera.

—Lo entiendo —comenté con esfuerzo.

Siguió una pausa y bebimos, después de brindar, con sorbos cortos.

—¿Cómo supieron del lugar? —preguntó de repente.

Expliqué que la dirección nos la había facilitado el dueño del último sitio donde dormimos.

—¿Cuál hotel?

—Las Cuatro Estaciones.

—Claro. No sólo conozco al dueño sino que somos muy buenos amigos. Colegas desde hace mucho en este ingrato negocio —dijo emocionado y apagó el cigarrillo.

Yo también apagué el mío y observé durante un rato la copita. No sabía cómo continuar con el diálogo. Por fortuna mi acompañante tenía otra pregunta:

—¿Y a la señora también la atacaron?

—No pudieron —contesté y sonreí.

—¿Cuántos eran?

Escuchó la respuesta con el brazo un poco levantado, la copita sostenida en el aire como si brindara ante un auditorio invisible. Entonces alzó los ojos y sacudió levemente la cabeza, incrédulo. Bebió otro sorbo y coincidió conmigo en que esta era una tierra de nadie, sin rumbo. No era difícil perder el entusiasmo, comentó. Veía, además, en toda la parafernalia política una historia con protagonistas de temperamento viciado, casi todos aburridos y bastante ridículos. Le parecía inaudito, añadió sin separar los ojos de mi pómulo hinchado, que la vida de cualquiera se viera sometida por tanto miserable armado, sin descontar el fanatismo injustificado y la impunidad vergonzosa que regían como leyes. Y aunque, concluyó levantando la voz, amaba la vida y el lugar donde vivía, de unos años para acá reflexionaba en todo eso con bastante rabia.

Aunque me divertía, me sorprendí con la repentina euforia del otro y como no la esperaba sentí que perdía la orientación de sus palabras. Supuse que el tipo llevaba mucho tiempo sin hablar, incubando su prolongado disgusto para, ya casi fermentado, compartirlo con el primer huésped dispuesto a escuchar. Me mostré de acuerdo con todo y entonces, tal vez espoleado por los tres aguardientes que llevábamos, relaté lo sucedido. Empecé por describir rápidamente el número de Sonia. Por la mirada atenta y seria del otro descubrí que mis palabras iniciales lo impresionaron.

—¿Oropéndolas? —preguntó extrañado cuando hice una pausa y levantó los ojos como si buscara un invisible ejemplar revoloteando en algún rincón del comedor.

—Ayer —continué—, cuando regresamos al tal café-teatro para la presentación, descubrimos un ambiente cargado y sospeché un desenlace fatídico. Quise prestarle poca atención a los gritos y silbidos de los borrachos y en el improvisado camerino le insistí a Sonia para que saliera al escenario. No era la primera vez que enfrentábamos un público hostil, intolerable en su desorden o ignorancia. Tampoco sería la última, le dije a Sonia tratando de mostrarme tranquilo. Era un consuelo tonto y aunque, en silencio, estaba de acuerdo en que nos largáramos, alegué que cualquier malestar sería pasajero.

Me detuve y bebí un sorbo. Encendí otro cigarrillo, que apagué casi de inmediato después de dos largas chupadas. Volví a sentir la punzada en el costado y tomé aire para continuar. El tipo me observaba con cierta gravedad, los rasgos de la cara totalmente inmóviles.

—No pudo ni siquiera empezar. Tres tipos, probablemente los más borrachos de todo el sitio, quisieron, con sus burlas ignorantes, imitar la delicada voz de Sonia. No pasaron más de dos minutos para que exigieran, de pie y gritando, un strip-tease. Fue un disturbio contagioso y cuando descubrí la sonrisa amarga de Sonia como su única defensa me coloqué de inmediato a su lado e intenté conducirla a la parte de atrás. Siguió un forcejeo con los otros y me sentí arrastrado hacia un lado. Ahí empezaron los golpes...

Iba a contar algo más pero no se me ocurrió nada. El desenlace me pareció evidente.

—Eso fue todo —concluí.

—Lo dice como si no fuera gran cosa, pero mire cómo lo dejaron —comentó el otro después de una nueva pausa.

—Sólo necesito un poco más de hielo —dije.

—Recuérdeme de darle una bolsa —ofreció el hombre y añadió, sirviendo otra copa—: Y la señora no se siente muy bien, ¿cierto?

—Está cansada, un poco aterrada —contesté hablando despacio.

Agregué, consciente de que en realidad se trataba de un deseo mío, que Sonia necesitaba un lugar donde pudiera moldear, sin muchos afanes, los registros que aún le podía otorgar a su voz. Un lugar a salvo del peligro y las burlas.

—Por lo que me contó todavía tiene una voz extraordinaria —comentó el tipo con tono amable.

—*Ma non troppo* —dije sin proponérmelo, como si la expresión me hubiera salido en la charla de un sueño.

—¿Cómo? —preguntó el hombre, el rostro confundido y sosteniendo como antes y casi la misma cantidad de segundos la copa en el aire.

—No se imagina lo que fue esa voz. Amplia, encendida como un extraño sopor en la sangre que parecía hacer tambalear el corazón... —dejé la frase sin terminar y lo miré. El otro movió el bigotico y me ofreció una sonrisa tímida.

Entonces sentí que la confesión que estaba por hacer terminaría siendo apresurada y, como algunas infelicidades secretas, aburrida.

El tipo pareció acompañarme en la decisión y propuso:

—Dígale a su mujer que aquí va a tener un sitio donde cantar sin peligros. Además, usted también necesita que alguien le palpe esa costilla.

Agradecí no sólo su interés sino que me hubiera otorgado, como natural, una posesión conyugal sobre Sonia. Le pregunté entonces si conocía a un tipo de apellido Ricaurte.

—Se trata de un empresario —aclaré.

—No —dijo el tipo después de una corta reflexión—, pero sé dónde está la casa cultural. No tengo mucho tiempo para salir y divertirme, pero también sé que allá declaman poemas por las noches y a veces presentan películas. Mi mujer ha visto unas cuantas —concluyó y soltó una risita.

Descubrí que disfrutaba con la compañía cordial del otro. Hacía mucho tiempo que no me sentaba a conversar con un tipo amable y reservado. Alcancé a creer que con un par de días más podría revelar, sin pudor y totalmente relajado, mis secretos más preciosos, dejando que creciera y avanzara la camaradería entre los dos. Tal vez, pensé ante la mirada atenta del amigo recién nacido, podría mentir un poco, adicionar una falsa pasión de Sonia por mí, inventar la noche, años atrás, cuando ella revelaba por fin que el mío era el único afecto por el que daría la vida, o recurrir a la descripción del particular rito amoroso al que nos habíamos aficionado y que propiciaría, en ese sueño, una rara y hermosa combinación de notas en la voz de Sonia, una escala reservada sólo para la intimidad de nuestros encuentros.

Fumamos otro cigarrillo en silencio y cuando desocupamos la última copa comprendí que la breve entrevista había terminado.

—¿Quiere comer algo? —preguntó el hombre, poniéndose de pie.

Confesé no tener hambre y le agradecí otro tinto.

Miré el reloj y esperé. Me sentí repentinamente contento y un desconocido calor me recorrió el pecho. Creí poder darle buenas noticias a Sonia cuando despertara. Recibí el tinto con una sonrisa amable. El aroma del café me reconfortó y entonces, después de responder tímidamente a la despedida del otro, volví a entender que, a pesar de cargar durante años con un corazón oculto y dominado a la fuerza, semejante al espectro de otra voz perdida, la dicha que hasta ese día había conseguido resultaba consoladora, suficiente para mi enamoramiento sin esperanza. Era un abandono que aún merecía la pena. Ninguna paliza importaba. Además, no podía ser de otro modo. Sabía, con una claridad temprana y serena, desde cuando renuncié a la orquesta, a la casa en Bogotá, al violín, a todo para enlazarme definitivamente a Sonia, que el mundo no me prometía demasiado, ni más ni menos de lo que sería capaz de recibir en cualquier tiempo futuro.

Dejé pasar otra hora sin moverme, apenas atento a los ruidos de la cocina y el corredor. Apagué el último cigarrillo y regresé al cuarto. No me crucé con nadie y decidí no molestar con lo de la bolsa de hielo.

En la cama, con una línea de dirección que imaginariamente caería perpendicular a la de Sonia al otro lado de la pared, no supe si lamentar que haber descubierto como propias todas esas certezas explícitas y contundentes no era ni mucho menos una labor extraordinaria. Se trataba de un orgullo pueril, concluí palpando con suavidad la piel hinchada del pómulo. Como la osadía irrisoria de creer que, con mi aturdido combate de la noche pasada, no sólo había roto la nariz de un borracho sino que liberaba por fin a Sonia de la tiniebla de un viaje que no prometía final.

3
Erotismo

Noticias de un convento frente al mar

A Helen Hitzig

Eʟ único recuerdo grato que me queda del monasterio de San Simón es el del patio de ciruelos y limoneros, tras cuyo muro posterior el mar rompía contra un terraplén de rocas dispares y agujereadas, recorridas por jaibas errantes. También, por supuesto, guardo memoria de la hermana Nicolasa, vieja y entumecida por el reumatismo, fregando con jabón de pino, en una batea, los hábitos, túnicas y capas de coro de nuestra comunidad, un convento de monjas carmelitanas extraviado en el litoral atlántico, en algún sitio equidistante de Punta Arboletes y el golfo de Morrosquillo. Las dos evocaciones son, en realidad, una sola. Porque la hermana Nicolasa lavaba siempre allí y se había convertido en otro elemento, en otro sarmentoso árbol del patio poblado por aromas de peces muertos o de limoneros floridos. Del patio donde yo me refugiaba por las tardes, entre las horas de lección del Oficio Divino, para tratar de fijar en la mente cosas definitivamente idas o trozos todavía calientes de mi vida pasada, aun unos meses antes de que la hermana Helga me los hiciese, por fin, precipitar en el olvido, trocándolos por la delicia y el horror infinitos de hacer en un claustro de carmelitas lo que no se hizo desde la conminoración del Monte Carmelo.

Mi presencia en el convento de San Simón no duraba todavía un semestre, o sea, que era yo apenas una novicia, la tarde en que la hermana Nicolasa, desembrollando un poco la madeja de sus delirios habituales, reparó en mí y se quedó mirándome como atrapada por una punzante iluminación. No tardó aquello más de dos o tres minutos, pero la vieja se fue poniendo muy colorada, con los ojos muy fijos en mí, y de pronto soltó una frase que no comprendí del todo, algo así como si me alertara sobre un peligro cercanísimo, sobre una especie de profanación que estuviese a punto de cometer, pero no en sus manos evitar, esa alegre muchacha provinciana que era yo: una suerte de ocurrencia medio fatal y medio diabólica. Yo acababa de morder una ciruela y me hallé en un tris de arrojársela cuando la vi congestionada y mirándome con aquella fijeza, de una manera tan impertinente y desvergonzada. Hacía, después de todo, varias semanas que frecuentaba el patio por las tardes y ella nunca parecía verme, siempre inclinada sobre la batea y tratando de blanquear hasta la pureza las piezas de márfaga y de telas pobrísimas con que cubrían las hermanas sus cuerpos macilentos. Pero comprendí que si la agredía, si lanzaba la fruta al suyo como piedra al ojo de Filipo, habría incurrido en grave culpa y, en el capítulo, la prelada me leería el *Benedicte*, lo cual hasta el momento no me había ocurrido. De modo que volví a morder la ciruela, esta vez con furia, y me hice la que no oía sus palabras, que por lo demás no fueron nada claras. Tuve más tarde ocasión de aprender a amar a esta ancianita artrítica y medio loca, cuyo recuerdo es lo único bueno que me queda de mi estancia en el monasterio.

Se veneraba con su nombre la memoria de San Simón Stock, el ermitaño a quien la Virgen María entregó el escapulario del Carmen, con la promesa de que todo aquél que lo vistiese se salvaría. Dicen que hacia el siglo XII un cruzado calabrés creó en el Monte Carmelo, al norte de Samaria, el eremitorio de donde luego derivaría la orden religiosa de las carmelitas, a la cual ingresé contra mi voluntad, no obstante haber sido educada en los rigores del dogma católico, pues con mi unción no sólo se contrariaba mi natural sensual y mundano, sino que se pretendía despojarme de la herencia de mis padres, muertos durante las depredaciones que Aristides Fernández desató, en el primer año del siglo, contra todos aquéllos que mostrasen desafección hacia el régimen del gramático José Manuel Marroquín. Fue el caso que mis tíos, por ser hija única y deseosos de acaparar la herencia, ofrecieron a las carmelitas de San Simón un concupiscible donativo a cambio de recibirme en su seno. Y así, un día de julio de 1905, a poco de haber cumplido diecisiete años, me vi a las puertas del convento, magullada durante cinco jornadas por el viento del mar, sucia de sal y de vaho de bestias, ignorante de lo que pudiera esperarme bajo aquellas cúpulas arcaicas y entre aquellos muros recubiertos de musgo y verdín, que me recordaban las sombrías locuras medievales, erizadas de botareles y de arbotantes, que vi en los textos de historia cuando estudiaba en el Colegio de la Merced.

Yo había pasado mi niñez en una finca bolivarense, rodeada de colinas donde se asoleaban acacias y naranjos, que frecuentaban mirlos y tordos atizonados. Recuerdo en particular las mañanitas de ordeño, cuando a lomo de burdégano llevábamos los cántaros de leche al pueblo y los lugareños se quitaban el sombrero para darnos los buenos días. Todo en mi infancia había sido, salvo la muerte de mis padres, claridad y gozo. ¿Cómo entender que, de aquí en adelante, fuera a vivir en este convento de fríos muros de piedra, perforados por ajimeces que nos asustaban, de súbito, con la visión espeluznante del mar? Me erizaba la piel oír el tañido de las campanas en la torre o el simple errar sin rumbo, con las cuentas del rosario escurriéndose de entre mis dedos, junto a las infinitas balaustradas de los corredores o entre hornacinas de arcos sepulcrales rehundidos en las paredes, donde reposaban nuestras predecesoras. Al descubrir que las monjas muertas eran sepultadas allí mismo, el edificio se me antojó no ya un despojo sombrío, sino un gigantesco mausoleo lleno de presencias vituperables. Una noche creí ver un fantasma entre las sombras de la capilla y luego descubrí que se trataba de un heraldo marmóreo, arrodillado al fondo de una tumba. Durante semanas, viví acosada por visiones de espectros errabundos y pensé que moriría de tristeza bajo el lujo marchito de las bóvedas y los rosetones de crestería entreverada.

Pero cualquier imagen que nos forjemos del universo, y de los objetos y seres que lo componen, es susceptible de ser modificada casi en forma absoluta por una mera alteración de nuestro estado de alma. Pronto la hermana Helga lograría sutilmente esa alteración, al introducirme en su mundo de quimeras manifiestas y de sensoriales éxtasis. Pronto la voluptuosa monja me haría olvidar aquellos cuidados y no sorprenda si, por los días en que hiciera profesión y formulara mis votos de castidad y pobreza, el monasterio se me hubiese de convertir en una mansión principesca, de la cual, acaso por la exaltación de los sentidos de que fui presa por largos meses, me sentiría dueña y soberana. Y no sería sólo el viejo edificio el que habría de sufrir esa transfiguración. Mi imaginación transformaría el rumor del mar en una especie de instrumentación sinfónica de mi propia sensualidad, que creería próxima al arrebato místico. De suerte que aunque no pudiese, pues me lo impedía la norma de Santa Teresa, sumergirme desnuda en las aguas para dejarme poseer por el vaivén de la marea, su música y sus gemidos nocturnos acompasarían mi sueño y sus ariscos perfumes serían para mí tan acogedores como el calor del seno materno o el de las manos de mi padre balanceándome por las piernas cuando era yo una criaturita feroz y dichosa. Mi físico, para entonces, empezaría a traslucir todas esas emociones, pero a los ojos de las hermanas y de la madre superiora, que al comienzo se preocupaban por mi salud, éstas se manifestarían tan sólo como un necesario desbordamiento de vitalidad, que haría aflorar la frescura a mi rostro, la suavidad a mi piel y el rubor a todo mi cuerpo robustecido por aquella alborada de mi sensualidad.

Se me dificulta, pasado tanto tiempo, discernir los procedimientos que empleó la bella Helga para convencerme de que me rindiera a su amor. Me parece que le bastaba con la negrura de sus ojos, que eran como dos esmerilados cristales de azabache, en cuyas profundidades vagaban promesas y espejismos. Las hermanas me habían dicho que era boliviana y que había nacido de la violación de su madre por uno de los *colorados* del general Hilarión Daza. Ingresó a la comunidad en un convento de su patria y nunca quiso confiarme cómo recaló en este litoral olvidado, aunque aseguraban las malas lenguas del convento que fue trasladada en castigo por algún pecado que ella misma ignoraba. De cualquier manera, era una mujer de temperamento muy vivaz y en sus ojos se leía a las claras la voracidad sensual que la consumía. Estábamos en el patio, y nos observaba la hermana Nicolasa, la tarde en que me dijo que mi rostro cantaba la gloria del Señor. No le hice caso. Hacía días había comprendido que me espiaba y, de dos semanas a esta parte, no faltaba entre los ciruelos y los limoneros cuando sabía que me encontraba allí. Estoy segura de que la hermana Nicolasa oyó perfectamente el requiebro, pero se abstuvo de gruñir, como era su costumbre cuando algo la desagradaba. Se limitó a enfrascarse como nunca en su lavado de ropa y hasta creo que canturreó una cancioncilla tonta. Siempre supe, sin embargo, que sólo se había hecho la desentendida. Creo que intuyó la presencia de Satanás en el aire azufrado y salino, entre los ramos mochos del ciruelo y el limpio perfume del limón y, sabiéndose débil para enfrentarlo en circunstancias tan desventajosas, quiso reservar sus fuerzas para ocasión más propicia.

Siguió siendo impotente, no obstante, cuando las ocasiones se multiplicaron. Hubiese podido, es verdad, ir con el chisme donde la superiora. Pienso que, si se abstuvo de hacerlo, fue porque observaba demasiado al pie de la letra las constituciones que la madre Teresa de Jesús dio a las carmelitas descalzas y no deseaba entremeterse en las faltas de las demás, o tal vez porque creía poder actuar ella misma en un momento determinado. Lo cierto es que no pareció inmutarse, y más bien nos dio la espalda, el día en que trepé a uno de los ciruelos para bajar unas frutas y, cuando me ayudaba a descender, la hermana Helga dejó ir el brazo por debajo de mi hábito y me sostuvo, haciendo que de lleno apoyara mi sexo sobre la palma de su mano. Tuve, en aquel instante, una impresión de plenitud, de comunión con el alma del universo. Me sentí, por segundos, una divinidad en andas de la gloria. Cuando por fin pisé tierra, Helga aún hacía presión en mis entrepiernas y percibí cómo, a través de la fina tela de hilo de mis interiores, introducía firmemente uno de sus dedos por la hendidura de mi cuerpo, mientras clavaba en los míos sus ojos negros como indagando mi aquiescencia. Creo que mis miradas le dieron un sí desaforado. Al fin y al cabo, se trataba de la más pura conmoción por mí experimentada hasta aquel momento y por razón de la edad, mi ser era ya como agua que anhela ser bebida. Vi entonces el suave dibujo de los labios de aquella monja que tan feliz me hacía y, casi sin quererlo, avancé hacia su rostro en ademán de besarlos. Helga, en rapto de lucidez, me detuvo. Sus ojos me dijeron que ya buscaríamos oportunidad de hacer a solas lo que quisiéramos. Nuestro pacto, de todas formas, estaba sellado. Y en las horas que siguieron, durante las preces y maitines del Oficio Divino, en que sólo podía verla de espaldas, dibujada a contraluz su silueta en el reclinatorio, sentí que un gozo y una melancolía entremezclados me horadaban a puntillazos el espíritu, en tanto la prelada entonaba el invitatorio responsorial o el himno sagrado, y me sentí también por encima de todas mis hermanas, pues me sabía inflamada por el amor y algo me decía que es la más alta de las inspiraciones.

Alma cándida, me hice ilusiones aquella noche suponiendo que en las primeras horas de la mañana, luego de rezar el *Officium Capituli* para la consagración de los trabajos del día, Helga y yo podríamos vernos a solas unos minutos en el refectorio, como había ocurrido otras veces, mientras se disponía la vajilla del desayuno. Pasé en vela toda la noche, estrechando contra el pecho mi flaca almohada de plumas e imaginando el arrobo que había de experimentar en el momento de besar por fin en los labios a la bella profesa, cuyo rostro acosaba mi fantasía y cuya ágil figura, sugerida bajo las telas bastas del hábito, erró durante horas por los recovecos de mi alma. Ignoraba yo entonces que el destino conspira incesantemente contra el amor. Rezadas las horas prima y tercia, apenas si aquella mañana pude ver de lejos a la boliviana, y eso en visajes muy fugaces y justamente durante las faenas comunes, cuando había monjas por todas partes y la superiora se ocupaba en persona de que las cosas anduvieran en orden y de que el convento marchara con precisión de reloj. Comencé a angustiarme. A cada minuto sentía agitarse dentro de mí la necesidad de hallarme sola con ella para vaciarle mi espíritu y sincerarme hasta la vergüenza diciéndole cuánto la amaba y cuánto deseaba encerrarme en su única compañía y que nos desnudáramos y nos entregáramos la una a la otra. De pronto, cuando en hilera nos dirigíamos a rezar la hora sexta, una duda empezó a martillarme. Pensaba si en realidad la hermana Helga querría encerrarse conmigo y si la escena del patio no habría sido una broma cruel. Era absurdo, pero creí odiarla por instantes. Recordé lo que me dijeron algunas hermanas acerca del carácter tornadizo y zumbón de la boliviana, y se me afligió el corazón. Me sentí vejada y ridícula, sensación que me acompañó hasta la hora de la cena, cuando por fin el destino condescendió a mirarme con lástima y quiso que, en la caprichosa distribución que la superiora hacía de las comensales para evitar tratos demasiado asiduos y cumplir, según ella, los rescriptos de Santa Teresa, se me asignara el lugar inmediato al de Helga. Al cruzarse nuestras miradas, la suya enviaba una luz tan insinuante que casi me provocó un desmadejamiento. Varias veces, entre plato y plato, se rozaron nuestras piernas y manos por debajo de la mesa. A hurtadillas nos mirábamos y, en alguna oportunidad, me picó un ojo. La desesperación empezó a hacer presa de mi organismo y los muslos me temblaban o se atirantaban, según las circunstancias. Hacia los postres, Helga deslizó la mano hacia mi sexo y lo presionó furtivamente. Fue cosa de un segundo. La sangre me afloró a la cara y creí que me asfixiaba. Una oleada de placer inundó mi cuerpo, humedeció imprevistamente mis interiores y fue haciéndose tan intensa que acabó por semejar un toque de clarín. Entonces me envolvió una gran laxitud, todo se nubló en torno mío y debí verme muy mal, pues la prelada ordenó que me sirvieran una copa de vino.

Al abandonar el refectorio, pensé con íntimo gozo que situaciones como aquélla habrían de presentarse a menudo y que sería yo la beneficiaria impune y dichosa de tan inexplorados éxtasis, no obstante la cuota de miedo que su delicia traía aparejada. Pero me equivocaba de parte a parte. La priora tenía bien dispuesto el funcionamiento de la comunidad, de forma que rara vez coincidiéramos por dos veces consecutivas, en cualquier parte, dos mismas hermanas. De resto, ya la regla de Santa Teresa prohibía, desde el siglo XVI, que se sostuviese amistad en particular con cualquiera de las monjas y a todas nos encarecía amarnos en una forma ecuménica y abstenernos de abrazar, tocar en el rostro y mucho menos en las manos a ninguna de las profesas. De noche, una vez cerradas las celdas, quedaba prohibido salir a los corredores, salvo por urgencias físicas que sólo podían satisfacerse al aire libre, tras una de las enramadas del patio. Para velar por el cumplimiento de este último precepto, una monja entre las más ancianas era destacada cada noche en la galería superior del claustro, desde donde se dominaban a simple vista los accesos a las celdas individuales. Qué de historias –pensaba yo– debieron desenvolverse tras aquellos muros para que se llegase a adoptar una disciplina tan rígida. Ignoraba, por cierto, que la de las carmelitas no es la más rigurosa de las órdenes. Que las hay como aquélla que pinta Víctor Hugo, la de las bernardinas-benedictinas del Petit-Picpus Saint-Antoine, que observaban la inhumana obediencia de Martín Verga y para quienes hasta la higiene más elemental entrañaba pecado. Pero no era preciso llegar a tales extremos, por aquel entonces, para hacerme desdichada. Bastaba la monotonía de esas horas, que parecían contadas con gotero, de esos largos días durante los cuales sólo pude ver a la hermana Helga unos cuantos minutos, por las tardes, en el patio de los ciruelos, para aplanarme por completo y hundirme en la tristeza. Minutos muy efímeros que apenas si me depararon un roce de manos, una ardiente mirada, unas palabras entrecortadas... ¡A mí, que deseaba, con todas las fuerzas de mi alma, estrechar mi sexo durante horas con el de Helga, consustanciar nuestros cuerpos desnudos hasta el límite del placer y de la plenitud!

Más sólo hasta febrero o marzo de 1907 (y llevábamos ya tres o cuatro meses en ese juego de tira y afloja impuesto por las circunstancias) acertamos a planear, a fin de saciar aquel anhelo de una vez por todas, algo lo bastante descabellado como para que su realización no fuese totalmente imposible en este ambiente de suspicacias y restricciones. Debo confesar que, en vísperas de cumplir los diecinueve años, yo no era todavía capaz de asumir la iniciativa en estas materias, de suerte que fue Helga quien propuso la idea y lo hizo aprovechando que la brisa marina arrastraba nuestras palabras hacia el extremo opuesto al que ocupaba, junto a su batea, la hermana Nicolasa. El alma empezó a girarme como un carrusel. Vi la luz del verano detenida sobre los limoneros y sentí el corazón henchírseme de valor. Helga había hablado rápido y en susurros. Todo debería hacerse de la manera más natural. Ella saldría primero, a eso de la una de la madrugada, como quien va a satisfacer alguna necesidad orgánica, y me esperaría en este mismo sitio, oculta por el follaje. Yo me le uniría unos veinte minutos más tarde, pero utilizaría para salir una de las puertas del otro extremo, de modo que resultara difícil a la anciana y soñolienta cuidandera relacionar nuestras incursiones. Ni siquiera me detuve a pensar si el plan era bueno: iba a permitirme llenar mi más caro deseo y eso me parecía suficiente. Asentí con la cabeza y también, acaso, con la ansiedad de mi semblante. Sin agregar palabra, la boliviana me dio la espalda y volvió al claustro. Entonces miré de soslayo a la madre Nicolasa y advertí con sobresalto que tenía colocada en mí una mirada inquietante, casi feral.

El plan fue puesto en práctica con minucia. La hora escogida por Helga era muy apropiada, ya que, a pesar de recogerse la comunidad desde las nueve, muchas hermanas permanecían orando hasta la medianoche. Ninguna disponía de reloj, pero habíamos aprendido a navegar por la incertidumbre nocturna gracias al toque de ánimas y a la mansa respiración de la quietud, llena de pulsaciones minúsculas y de zumbidos reveladores. Al aislarme en la celda, me sentí exhausta. Al fin y al cabo, había pasado el resto del día tratando de imaginar el piélago de delicias en que esa noche había de sumirme y mi cuerpo empezó a debilitarse en forma progresiva, hasta caer en una dulce extenuación. Debí sobreponerme con mucho esfuerzo, para conservar la lucidez y poder contar aquellos minutos que se deslizaban perezosamente, como filtraciones en un muro poroso. Mis orejas acogían graznidos de cuervos y vuelos de gaviotas sobre el tumbo obstinado del mar. A eso de las doce, dio comienzo la ceremonia del abre y cierra puertas, pues las monjitas, recogidas hacía tres horas, empezaban a ser asediadas por las urgencias corporales. Pero, a medida que se acercaba la una de la madrugada, el convento volvió a hundirse en el silencio y recuerdo que me sobresaltó, de improviso, la sirena de un barco camaronero que debía hallarse mucho más próximo a la costa de lo que sus tripulantes imaginaban. Cuando calculé que Helga tendría más de un cuarto de hora de estar esperándome afuera, salí con cautela y me refugié tras una pilastra para atisbar a la vigilante. Estaba demasiado oscuro, sin embargo, y no pude establecer en aquel momento cuál de las monjas consabidas era la destacada aquella noche. Temía que pudiera tratarse de la madre Nicolasa, en cuyo caso no me atrevería a seguir adelante con el plan. Pero lo único que podía ver era una sombra perfilada en la galería superior y decidí arriesgarme.

Helga salió a mi encuentro no bien me hallé en el patio. La vi muy pálida a la luz de la luna y tuve la impresión de que su susto era mayor que el mío. Se oía tan fuerte el tumbo del mar a aquella hora, que daba la sensación de estar avanzando hacia nosotras por entre los árboles. Lo relacioné con el latido acelerado de nuestros corazones y creí desfallecer otra vez. La boliviana me tomó de la mano y me condujo hasta un pequeño prado de brezos silvestres, donde sin mediar palabra satisficimos el apetito que cada una sentía por los labios de la otra, en un beso tan largo que me produjo mareo y exasperación. Vestíamos sendos camisones, y yo metí la mano bajo el suyo hasta comprobar la suave dureza de sus nalgas, cuya superficie era como la de un durazno fresco. Busqué luego el vellotado del sexo y sus delicados labios, que acaricié con mis dedos. Helga empezaba a desvariar de placer y palpaba todo mi cuerpo, al tiempo que susurraba en mis oídos palabras de legítimo amor. Entonces nos sacamos los camisones y permanecimos unos segundos como petrificadas, contemplando nuestras desnudeces como si por primera vez se nos revelara el esplendor del cuerpo humano.

Pasados tantos años, pienso que si otra vez tuviese que hacer el amor con una persona de mi propio sexo, quedaría frustrada y en modo alguno podría ofrecer tampoco un mínimo disfrute. Pero en aquellos comienzos de 1907 yo no sabía lo que era sentir la anchura de un miembro viril, de modo que, con aquellos frotamientos idiotas y someros, creí beber hasta las heces la copa del placer. Pienso también si Helga habría tenido experiencias similares en el pasado. Debo confesar que encontraba cierta maestría en sus manipulaciones para el rito carnal, pero asimismo que la sabía sobrecogida de terror. No fuimos descubiertas, sin embargo, al menos en aquella ocasión. La vigilante no relacionó nuestras salidas; después de todo, ninguna razón había para albergar, todavía, sospechas sobre nuestra conducta. Sólo a la madre Nicolasa debíamos temer, de ello éramos perfectamente conscientes, aunque por aquellos días nos tranquilizáramos pensando que se trataba de un alma sencilla y que jamás se atrevería a alborotar el convento con un escándalo de tamaña magnitud. En parte, no andábamos equivocadas. La anciana lavandera no quiso nunca perjudicarnos, es cierto, pero también lo es que, para ella, Satanás había entrado en el monasterio y acaso sobrestimaba sus fuerzas para la lucha con el demonio. Aquella noche no pude dormir. Memoraba, palmo a palmo, los minutos de arrobo en compañía de Helga y tuve que masturbarme varias veces antes del amanecer. Mas, al iniciarse las horas canónicas, cuando entramos en la capilla hundida todavía en retales de sombras nocturnas, mi semblante estaba lejos de exhibir las huellas de una velada. Por el contrario, mi tez mostraba tonalidades de rosa y mis ojos parecían cantar. A partir de aquel día, y por espacio de varios meses, el decrépito y verdinegro edificio de San Simón hubo de transformarse para mí en una especie de alcázar encantado, batido por las olas y arrullado por los vientos del mar.

Las citas con Helga en el prado de brezos siguieron efectuándose casi todas las noches, sin mayores inquietudes. Ahora, una vez logrado el orgasmo en sus brazos, yo dormía beatíficamente, sin que me atormentaran visiones sexuales. Durante el día, nos dirigíamos mensajes con los ojos o intentábamos algún roce de manos, si bien nos abstuvimos de volver a vernos por las tardes en el patio. Concluidos nuestros arrebatos nocturnos, pactábamos el siguiente encuentro y tratábamos de guardar la una el recuerdo de la otra en un cofre sellado. Llegó así el día en que debí ligarme por votos solemnes a la orden y asegurar mi sujeción perpetua a la clausura. Fue hacia junio de aquel mismo año y, con la llegada de las lluvias, el calor era como un homogéneo maleficio que atizaba la imaginación y devastaba el cuerpo, encendiéndolo en afanes sensuales. La noche anterior, Helga y yo habíamos logrado tal paroxismo en nuestros enlaces, que nos atacamos a mordiscos y nos llenamos los hombros de pequeñas equimosis. Nadie, sin embargo, recelaba aún de nosotras. A lo largo de nuestras tareas, de las comidas, del Oficio Divino, era tal la indiferencia que simulábamos la una hacia la otra, que cualquier sospecha no hubiese tenido otro fundamento que la temeridad. Me creía, pues, con derecho a pensar que mi ingreso definitivo a la orden, del sentido de cuya disciplina no tenía formada una idea muy clara, iba a realizarse bajo mimosos auspicios, esto es, bajo la égida del amor y del alegre libertinaje. Pero las cosas empezaron a cambiar desde el día en que hice profesión y todo comenzó precisamente en aquellas témporas de Pentecostés, en el solemne instante de las preces de intercesión, cuando se leía el *Hanc igitur*. Entonces una horrible salamanqueja, de piel viscosa y llena de enormes pápulas, se desprendió del techo de la capilla y me latigueó el rostro con su comprimido cuerpo, para meterse luego por entre las telas de mi hábito y empezar a recorrerme el pecho sin que yo pudiera hacer otra cosa que lanzar alaridos de espanto en plena celebración de la misa.

Las hermanas me asistieron sin saber de qué se trataba, temerosas de que súbitamente me hubiese poseído el diablo. Al tratar de sobarme el pecho, figurándose que me dolía, no hacían sino exasperar el animalito, enloquecido por la imposibilidad de salir de la prisión de mis vestiduras. Fue así como, en aquella mañana de mis votos solemnes, debí quitarme a empellones de encima a mis hermanas de congregación, abandonar a toda prisa la capilla y despojarme del hábito junto a las balaustradas de la galería inferior. Las monjas que me siguieron vieron al saurio saltar al piso. Mientras me ayudaban a reponer mi indumentaria, una de ellas aseguró que no era una salamanqueja común y corriente, sino que, a la manera de la salamandra de los cabalistas, estaba tejida con hilos de cárdeno fuego. Acaso el diablo hubiese querido asistir en persona a mi recepción como carmelita. De cualquier forma, bajo las equimosis dejadas por los mordiscos de Helga, descubrí luego una especie de tarascada, como hecha por una dentadura candente, en la que mi fantasía me simulaba, mientras duró, algo así como una cara tornasolada que lloraba con seis ojos.

Curiosamente, y tal vez por lo pagada que me sentía ahora de mi nueva investidura, el incidente dejó de inquietarme en cuestión de pocos días. No estoy segura de haber imaginado –hace tanto de aquello– que con los prometimientos que configuraban para siempre mi estado religioso, había llegado a la cúspide de mis posibilidades y de allí en adelante podría hacer lo que me viniera en gana. Mi espíritu se hallaba predispuesto a la frivolidad, a todo lo que supusiera una irresponsabilidad desenvuelta y desenfrenada. De allí que no me preocupase ni siquiera por cumplir con los deberes de mi regla. Todo ello agravado por la indiferencia de la priora, a quien el donativo de mis tíos parecía bastar para no ocuparse de mi progreso espiritual y permitirme haraganear todo el tiempo. No sé si la juzgo mal, pero era evidente que yo incumplía con las obligaciones más elementales y que nadie me reprendía por ello, salvo, claro está, la madre Nicolasa, cuando por fin se decidió a tomar cartas en el asunto. Es éste uno de los recuerdos que en mí perduran más vívidamente. La anciana me señaló un montón de madera que había cortado con sus propias manos y apilado en un extremo del patio, y me dijo que con ese material, entre las dos, construiríamos la ermita o santuario que yo necesitaba para apartarme a oración y observar los preceptos de Santa Teresa, conforme a lo que hacían nuestros padres santos. Le respondí que sí, que otro día emprenderíamos el trabajo, pero ella leyó en mi rostro la desgana y entonces, para mayor sorpresa mía, sin agregar palabra se consagró por sí sola a edificar aquella ermita únicamente destinada a la salvación de mi alma, a arrebatarme de las zarpas de Satanás que estaban a punto de asfixiarme. Desmañadamente fingí ayudarla, dejándole siempre el trabajo más pesado, mas una vez erigido el tosco santuario lo utilicé apenas para canturrear a media tarde canciones de mi niñez y para entretenerme imaginando si el sexo de los varones sería tan notable como el de las caballerías. De noche, Helga y yo nos refugiábamos en él para hurtarnos a las miradas de posibles monjas insomnes. Hasta cuando —abramos de una vez, en esa página de vergüenza, el libro de mi vida— el día llegó que vio colmada la paciencia de la madre Nicolasa.

Fue en una de esas noches calurosas de agosto, cuando se acalla el rumor del mar y el aire se hace estático, como si el paso de un arcángel hubiera silenciado los elementos. Helga y yo nos habíamos acurrucado en un recodo de mi santuario y estábamos abandonadas al deliquio amoroso, al cual había dotado la imaginación de nuevos y muy recursivos instrumentos, pues acabábamos de descubrir las posibilidades afrodíticas de la lengua. Oímos, de pronto, crujir unas ramas y quedamos *rari nantes in gurgite vasto*. Quisimos suponer que alguna profesa había ido, con pacíficos designios estomacales, tras la enramada; mas no tardó en recortarse, en el umbral de la ermita, el perfil inconfundible de un sayal carmelitano, rematado por una toca. No tuve que hacer ningún esfuerzo para comprender que se trataba de la madre Nicolasa. Me incorporé de un salto, cubrí mi desnudez con el camisón y avancé, medrosa, hacia ella. Acaricié la posibilidad de que no hubiese visto a Helga; de que pensara que, a solas, me dedicaba a la oración. Al discernir sus facciones en la oscuridad, advertí en ellas una rara mansedumbre. Cuando me tuvo a su lado, se limitó a decirme, ignorando por completo la presencia de la boliviana, que la siguiera y que ella sabría librarme del pecado de Safo, aunque yo de Safo no tenía noticia por entonces y, aun más tarde, cuando un escritor toludeño accedió a prestarme sus fragmentos, sólo saqué de todos ellos en limpio que lo que es hermoso es bueno y que lo que es bueno pronto será también hermoso. La seguí sin rechistar, segura de que armaría la gorda ante la superiora. Pero avanzamos en silencio bajo las bóvedas siniestras de la galería y cuál no sería mi asombro al ver que nos deteníamos frente a la puerta de mi celda y que la buena anciana me invitaba a entrar, no sin notificarme que permanecería ante esa puerta, de ahora en adelante, todas las noches necesarias para que nunca volviera a acordarme de Helga Pontegrosa ni de las prácticas aprendidas en su compañía.

En lugar de conmoverme, la actitud de la monja lavandera, por uno de esos míseros estados de alma a que nos conduce la juventud, me envalentonó. La presumía débil e incapaz de elevar una denuncia en regla delante de la priora. Razón por la cual no me preocupé mucho aquella noche y, en vez de meditar sobre los acontecimientos que cobraban carácter francamente perturbador, me quedé profundamente dormida. La alarma me sobrecogió cuando sonó el toque del alba y vi allí todavía a la madre Nicolasa, a cuyo lado debí hacer todo el camino hasta la capilla para rezar las avemarías aurorales. Sin duda alguna, la anciana había iniciado su lucha contra el demonio y parecía muy segura de sus fuerzas. Aun así, pasé la mayor parte del día dirigiendo a Helga solapados guiños para indicarle que no se inquietara, que todo iría a pedir de boca no bien sor Nicolasa comprendiese que el sueño era más saludable que la intromisión en los asuntos del prójimo. Me sorprendió, sin embargo, el rostro grave de mi amante, que no correspondía a mis gesticulaciones sino con un ceño sombrío y unos labios apretados y trágicos. Después de tantos años, pienso cómo estrujaría la vergüenza el alma de Helga Pontegrosa, en tanto que a mí parecía no alcanzárseme la gravedad de lo que ocurría. ¿En qué cabeza podía caberme, entonces, que la madre Nicolasa hubiera de cumplir al pie de la letra su promesa de velar noche tras noche frente a mi puerta, renunciando al sueño, si fuera necesario, por el resto de su vida? Aquello de que creemos capaces a otras personas, da la medida de nuestra propia capacidad. Nunca pensé que alguien quisiera hacer por mí lo que yo no me sentía dispuesta a hacer por nadie. Pero las subsiguientes noches habrían de sacarme de aquel error. Porque la bondadosa lavandera, que debía de sol a sol descaderarse en el patio con toda la ropa de la congregación, se prohibió a sí misma en lo sucesivo cualquier género de reposo y se convirtió en un pilar frente a la puerta de mi celda. En un inconmovible pilar cuya cansada respiración, tras la hoja de madera, me atormentaba durante todas aquellas horas que hubiese debido consagrar al sueño y que, en cambio, dedicaba a pensar desesperadamente en Helga y a hostigar mi sexo masturbándome casi sin solución de continuidad, como una bestia idiota, mientras mordía de rabia las sábanas y me maceraba con cilicios invisibles el espíritu irremediablemente encadenado al amor de la boliviana.

Por una de esas fijaciones ingenuas que la pasión incuba, le hacía verdugones a mi conciencia haciéndome la ilusión de que Helga me esperaba todas las noches en mi rústica ermita y que lloraba sin consuelo al comprobar que aquella vez tampoco acudiría la amante suspirada. Fue este pensamiento el que me impulsó, cuando llevaba ya sor Nicolasa cuatro largas noches haciendo guardia frente a mi celda, a tratar de salir contra su voluntad para ir al patio y arrojarme en brazos de la tentadora. Nunca hubiera creído que una persona con setenta años a cuestas y casi ochenta horas de vigilia pudiera hacer tal alarde energía, pero lo cierto fue que la mujer, a pesar de la inflamación de sus articulaciones, me sujetó firmemente y me mantuvo a raya todo el tiempo que me duró el berrinchín. Estaba resuelta a no tolerar que continuaran nuestras relaciones pecaminosas y la tenacidad de su propósito le permitía sacar fuerzas de la nada. No sé si fue a partir de aquella escena, cuya violencia se desenvolvió en el más imperioso silencio, que el odio que sentía por la anciana empezó a trocarse en una paulatina pero floreciente gratitud, pues en alguna parte de mi corazón había de comprender la piadosa intención de aquella insólita custodia a que me sometía.

Sucedió entonces lo que era de esperarse. Hubiéramos debido suponerlo, porque aquella mañana un abejorro penetró en la capilla y danzó sobre nuestras cabezas una danza caprichosa y ciega. Una hora antes del almuerzo, yo había entrado al refectorio por ver si era posible cruzar unas rápidas palabras con Helga, para trazarnos un plan de acción. Mas, para mi asombro y mi despecho, encontré a la boliviana doblando las servilletas con ayuda de alguna de las novicias más recientes, una muchacha de ojos color de uva y bucles de oro que haría dos semanas había llegado en un carruaje negro, lleno de borlas fúnebres y tirado por caballos cenizos. Realizaban la labor sumidas en una plática queda y sus manos se rozaban al fijar los pliegues y disponer el servicio. Lo peor de todo es que, cuando traté de hablarle, Helga se mostró lejana y poco interesada. Sus ojos miraban embelesados a la novicia, que tampoco me hizo ningún caso y siguió hablando de hadas y de genios prisioneros en botellas. Tuve, pues, que preservar mi dignidad batiéndome en retirada y toda la hora de la siesta la pasé rumiando mi congoja y mi rabia. Helga, maldita Helga, ¿cómo unos pocos días de separación podían transformarte a ese punto? ¿Qué clase de verdugo eras para con tu pobre ovejita huérfana? A eso de las tres, bajé al patio de los ciruelos y los limoneros, donde sor Nicolasa fregaba sin cesar las márfagas curtidas de los sayales. Ahora comprendía que ella era mi único refugio, la sola persona que me amaba en aquel caserón de muros cariados y de recintos espectrales que apenas unos días antes tomé por un alcázar encantado. La anciana fingió no hacerme caso, mas yo conocía bien el sexto sentido que la orientaba en las cosas de mi corazón. Segura estoy de que vio la desesperación y los celos pintados en mi cara y que debió hacerse cargo de lo que pasaba. Tampoco le dirigí la palabra; prefería estarme allí tumbando ciruelas y saberla mi fiel y vigilante madrina. Tenía ultrajado el rostro por las noches en vela y su saco de huesos ya para nada abultaba en el hábito. Pensé al principio que era la luz de la media tarde, juguetona y diáfana, que me la simulaba en trance oblicuo. Luego la vi caer como un costal y arrastrar la batea en su caída, que la aplastó sobre un zarzal de escaramujos y me la dejó vuelta un nazareno. Cuando a mis gritos acudieron varias hermanas, la pobre anciana, vencida por el trabajo y la vigilia, trataba de apartar ya de su vista las telarañas de la agonía.

En vilo la transportamos hasta su celda. Deliraba y se debatía en convulsiones y vómitos. La superiora ordenó a tres o cuatro monjas hacer a pie el camino hasta el pueblo y traer al vuelo al doctor Castrillón, un vejete medio sabio que ejercía una medicina casi primitiva en los alrededores desde los tiempos en que fue expulsado, por sospecha de inclinaciones místicas, de la Sociedad Democrática de Cartagena. Mientras volvían, tratamos de ayudar de algún modo a la enferma aplicando en su cuerpo viejas pomadas de crémor tártaro que estaban archivadas hacía casi un siglo en el botiquín de la priora. Su efecto fue, más bien, contraproducente. La piel de la madre Nicolasa se fue cubriendo, en la espalda y en las extremidades, de focos supurantes que recordaban las pústulas de la viruela. Anochecía cuando se oyó un estropicio en el locutorio y supimos que las emisarias habían regresado. La superiora bajó a toda prisa, pero montó en cólera al enterarse de que no venía con ellas el anciano médico –único cuya presencia era tolerada en el claustro, por la imposibilidad de que, a su edad, el examen de las monjas pudiese inspirarle arrebatos lascivos–, sino un joven facultativo de la nueva hornada que acababa de reemplazar al doctor Castrillón, pues, aunque no lo supiéramos en el convento, el sabio vejete había muerto hacía siete meses al caer de la cabalgadura en alguna provincia ignota. Tardamos largos minutos en convencer a la priora de que debía dar al doctor Regueros licencia para entrar en la clausura. Al fin y al cabo, la madre Nicolasa era un carcamal y no podía alentar ya en varón alguno apetitos carnales. El apuesto médico fue advertido de que debería abstenerse de entablar con ninguna profesa conversaciones sobre tópicos del siglo y, finalmente, recuerdo la elegancia de su figura cuando subía las escaleras, con su negra levita ceñida y el maletín colgado de una mano, para llegar a la celda donde la enferma deliraba con hagiografías imaginarias.

Regueros se plantó frente al lecho, bajo la mirada providente de las monjas, y aplicó su oído a la pared torácica de la paciente para iniciar una serie de minuciosas auscultaciones. Yo presenciaba la escena desde la puerta y, de súbito, por primera vez desde que trajéramos a sor Nicolasa a la celda, mi pensamiento se clavó en Helga, a quien no había visto desde la hora del almuerzo, y en la muñeca de rubios bucles que la acompañaba en el refectorio. El estómago se me ensortijó y estuve a punto de caer redonda al piso. Pensé entonces que aquella noche no habría guardián delante de mi puerta y una malsana alegría me colmó la mente. Sentí lástima por la anciana herida de muerte, pero júbilo también porque otra vez me sabía libre de hacer con mi cuerpo lo que me diera la gana. Mi voluntad pareció revigorarse y me hice el propósito de hacer de lado toda aprensión: Helga era mía y por ley natural debía corresponder a mi amor. Su conversación con la novicia blonda de los cuentos de hadas no tenía por qué inspirarme recelos ni cobardías. Una acariciante onda envolvió mi cuerpo, pero sólo por segundos, porque al instante volví a deprimirme y a pensar en la ocupación que Helga habría dado aquel día a su tiempo. Para nada se la había visto en la celda de la madre Nicolasa, que hoy era el punto forzoso de confluencia de las habitantes del caserón. ¿Qué tarea misteriosa ejecutaba y en qué lugar del monasterio? En aquel momento, el médico dio comienzo a una sangría por el brazo derecho de la enferma, utilizando para la succión ventosas escarificadas. Me dio la impresión de que el joven doctor titubeaba al practicar la operación y de que había en sus manos un ligero temblor. Su semblante trataba de aparentar una desenvoltura que estaba lejos de poseer. Esto me llamó la atención y me acerqué unos pasos para compenetrarme con aquella labor arcana. Un año atrás, el doctor Castrillón había practicado a otra monja una sangría por debajo de la lengua y no advertí en él estos síntomas de inseguridad. Su actitud era más bien fría y mecánica. Acaso el doctor Regueros no fuese todo lo hábil que suponíamos ni sus conocimientos tan vastos como su empaque de recién graduado hubiera permitido creer.

Me inquietó el examen que, ahora de cerca, hice del rostro del facultativo. El rubor arrebolaba sus mejillas hasta la raíz de la barba y el sudor corría a mares desde la frente hasta el cuello, donde las venas, hinchadas y en tensión, parecían repujadas a martillo. Sin proponérmelo, sentí piedad por este muchacho, cuyos nervios sabía destrozados, y que debía ganarse la vida a expensas de su propio terror. Deseé, de alguna manera, infundirle ánimo, pero sus ojos permanecían fijos en la bacía de peltre donde se espesaba la sangre de sor Nicolasa. Apelé entonces a un truco que me enseñó mi nodriza cuando jugaba con mis primos bajo los naranjos y las agobiantes acacias de mi solar. Hinqué la mirada en su rostro, resuelta a no moverla de allí hasta tanto él volviese la suya. Lentos minutos se necesitaron para que a mi triquiñuela le soplase la fortuna, pero cuando el médico giró la cara en dirección a mis ojos, lo hizo parsimoniosamente y seguro de que hallaría en aquel lugar el milagroso consuelo que le era preciso. Le respondí con una sonrisa y él, como al descuido, sonrió a su turno. La congestión de sus mejillas cedió un poco y se me antojó, por instantes, soberbiamente hermoso. Volvió a poner la vista en el líquido gelatinoso de la bacía, pero segundos después la retornó hacia mí, para encontrarse de nuevo con mi sonrisa y dejar ver su momentáneo desconcierto. Le dediqué entonces un gesto de aprobación, a fin de que recobrase la confianza en su oficio. Me lo agradeció con otra sonrisa, pero ahora sus ojos brillaban y parecían irradiar algún tierno mensaje. Le sostuve la mirada y algo mágico se manifestó entre los dos, como el establecimiento de una corriente de simpatía o el nacimiento de un vínculo que se agrava poco a poco. Sin poder evitarlo, pensé en Helga y traté de fundar una comparación entre la mujer que me hizo conocer los secretos de la sensualidad y este joven caballero que luchaba con unas ventosas contra los secretos de la muerte. Comprendí que, en mi espíritu, nacía una dualidad de sentimientos. Pero recordé las caricias de la boliviana, las horas pasadas a su lado y comprendí también que mi sentimiento hacia ella era mucho más fuerte.

Salí de la habitación, furiosa y conturbada. La difícil respiración de sor Nicolasa me perseguía como un remordimiento. Por mi culpa agonizaba y era desangrada en un catre, y no obstante yo no encontraba fuerzas para honrar su sacrificio, renunciando a Helga, sino que por el contrario me lastimaba el solo pensar que no conocía el paradero de la boliviana y que, hallándose tan cerca de mí, en algún lugar del monasterio, no podía verla ni estrecharla ni besarla ni comprimir mi cuerpo contra el suyo como en las noches de nuestra unión sexual, que ahora se me antojaban lejanísimas. Una ventolina suave traía hasta la galería superior del claustro, sobre cuyas balaustradas me acodé para pensar, el aliento espermático del océano; y caí en la cuenta de repente de que había luna nueva y era la noche profunda y aterciopelada sobre el convento de San Simón. Pasó por encima de mí, casi rozando el alero, una bandada de golondrinas de mar y me taladró el corazón la sirena de un barco camaronero que avanzaba, al noroeste, por entre la espuma y la sombra. Debía ser, pensé, el mismo que me sobresaltó —hacía tanto y ningún tiempo— cuando exploraba en la incertidumbre nocturna la llegada de la una de la madrugada, para reunir por primera vez nuestros cuerpos en el holocausto carnal. Helga, Helga... Su nombre me obsedía, me martirizaba, se unía a la música de las esferas. En él se compendiaba el universo, con los nombres de sus bestezuelas, de sus flores y de sus estrellas. Las lágrimas se desataron de mis ojos y rodaron abriendo surcos por mis mejillas. Los sollozos me ahogaron y no resistí de pronto, sobre mi vista, el peso de los astros que se arracimaban en las alturas. Tuve que dar media vuelta, para no ver más ese cielo lleno de lucecillas urticantes... Y advertí entonces, con vergüenza, que él estaba allí observándome desde quién sabe cuánto tiempo. Se había recostado contra una pilastra, parecía exhausto, fumaba un delgado tabaco extranjero. Su mirada, en la oscuridad, era triste pero sosegada, como la de la bestia que reposa. Le pregunté, todavía con sollozos, si había muerto sor Nicolasa. Se tomó todo el tiempo para contestar. Imaginaba, claro está, que era el estado de la anciana lo que me colocaba al borde la desesperación. Debí inspirarle lástima y ternura. Acaso amor. Exhaló por fin un *no* largo, pero desencantado. Dijo que las esperanzas eran ahora muy pocas, porque algo parecía haber sustraído las fuerzas de la enferma, dejándola incapacitada para luchar contra la muerte. Agaché la cabeza. Era curioso, pero por primera vez desde mi llegada al monasterio hablaba a solas con un hombre. No me di cuenta en qué momento se fue aproximando, hasta colocarse delante mío. De habernos sorprendido en estas circunstancias la priora o la prelada, de seguro nos habría amonestado. La regla prohibía que hablásemos con varones sin la presencia de testigos.

Pero la gravedad de la madre Nicolasa absorbía la atención de las hermanas y nadie pensaba ahora en constituciones ni en rescriptos. Ni siquiera la monja cuidandera había acudido a su deber, aunque pienso que eran más de las nueve de la noche, y la verdad es que el claustro no se parecía a sí mismo y a mí me daba la impresión de que se fundía por instantes con la presencia de aquel médico apuesto y nervioso que de improviso estrechó entre las suyas mis manos y me dijo que yo era bella como la estrella de la tarde.

Sentí que aquello me halagaba y que, por consiguiente, traicionaba a Helga en mis fibras secretas. El aliento del doctor Regueros cayó como un vaho de horno sobre la frialdad de mi tez y, por una milésima de segundo, me creí en el deber de ofrendarle mis labios. Pero Helga, Helga, tu nombre compendia el universo, yo no era dueña de entregarme a nadie, reaccioné, me desembaracé del asedio que ya me ponía, atravesé como loca los corredores, bajé, crucé diagonalmente el claustro, salí al patio... La soledad encendía más, allí, el fuego de los astros, que en enjambres ardían sobre mi cabeza, tratando de enloquecerme. Quise acoger en mis débiles oídos la polifonía del mar y supe, con asombro, que el suyo era un rugido hostil, oculto, ajeno por completo a los hombres y sólo accesible a las crueles divinidades. Decidí esperar. Conocedora de la enfermedad de la madre Nicolasa, Helga no vacilaría en acudir aquella noche a nuestro santuario. Quería albergar aquella seguridad aun a costa de mi razón. De pronto, la lejanía me trajo los aullidos de agonía de la moribunda, que mi mente mezcló con el susurro de las hojas y con el silbido de la brisa para no oírlos. Ignoro cuánto tiempo duré allí aletargada, en un duermevela por el cual desfilaron, como espectros sin consistencia, el toque de ánimas, las quejumbres de sor Nicolasa, la voz del doctor Regueros diciéndome que era bella como la estrella de la tarde, el zumbido que alzó el viento en repentino desfogue de medianoche, las pisadas de los cangrejos en la arena, los estruendos del silencio y, por último, las risas de Helga y de la muñeca de blondos bucles que, sin verme, entraron en la ermita y se trenzaron en furias de amor cuya vista me horrorizó, porque se me antojaron una caricatura de nuestros frenesíes de otros días, tan próximos y tan lejanos y tan deshechos por esta misma punzada horrible que acababa de romperme el alma.

Me invadió una laxitud semejante a la que sucede al acto amoroso. Anduve lentamente hasta el claustro y volví, madurando un propósito indefinido, a la galería superior, ahora sumida en silencio de cripta. En alguna parte tropecé con una hermana que me dijo que a la madre Nicolasa le hacían una nueva sangría, pero que la cosa no pasaría de una o dos horas, todo fuera por Dios. Avancé a paso tan inválido, que tardé todavía diez o quince minutos en llegar al lugar donde vi por última vez al doctor Regueros. Desde la celda de la agonizante llegaba el murmullo de las monjas que oraban. Por un momento, creí que retrocedía el tiempo, porque el joven médico estaba allí de nuevo, apoyado en la pilastra y fumando su delgado tabaco. Sin una palabra, lo tomé de la mano y lo arrastré conmigo. No opuso resistencia; parecía idiotizado por el cansancio y no creo que supiera lo que hacía, porque lo encaminé hacia la escalera de caracol que conducía al campanario y seguí remolcándolo escalón por escalón hasta llegar a la cúbica torre, azotada por la brisa, desde donde la extensión marina semejaba una oscura llanura de cristal de berilo rizada aquí y allá por mechones de blanca espuma. Había olor a excrementos de pájaros y yodo de algas en aquella cueva aérea de vampiros y de vencejos. Separé el tabaco de sus labios y lo aventé desde la torre. Luego empecé a sacarme el hábito y advertí que el cansancio de sus ojos se trocaba en perplejidad. Trató de decir algo y presioné su boca con mi dedo índice. Vi en su rostro angustia, pero no deseos de abandonar el lugar. Cuando estaba a punto de quedar desnuda ante su vista, la expectación lo hizo palidecer. Después de todo, no creo que hubiese soñado jamás con ver desnudarse a una monja. Luego, al verme sin ropas, quiso acariciarme, pero le hice seña de que se contuviera y comencé a desnudarlo con mis propias manos. Oía su corazón acelerarse bajo la camisa. Al bajarle los calzoncillos, trató de ocultar el falo entre las manos. No sólo se lo impedí, sino que lo abrigué con las mías y me puse a frotarlo, con lo cual vi gradualmente, y por vez primera, la erección de un hombre. Entonces, con rápido movimiento, tomé sus ropas y las mías y las arrojé desde el campanario, tal como hice con el tabaco. Luego me colgué de la cuerda del badajo y me puse a tocar a rebato como se hacía en Castilla cuando atacaban los jinetes moros o en las iglesias cuando se avisa incendio. Las monjas, que buscaban al médico por todo el convento para que certificara el fallecimiento de la madre Nicolasa, creyeron que Satanás se había adueñado de la torre y subieron alarmadas. Al doctor Regueros lo encontraron cubriendo su virilidad con las manos y tiritando de miedo en un rincón, mientras yo seguía batiendo las campanas.

No sé si haya debido recordar estas cosas, ahora que han pasado setenta años y que hace medio siglo el convento está vacío y lo frecuentan, según se dice, espíritus malignos. Pero me aburren estos jóvenes que vienen a ver a mis muchachas y desbarran siempre sobre la necesidad de tumbar el gobierno, porque es deshonesto, y después se van, a veces sin pagar el trago ni las caricias. Al menos en aquellos tiempos, había gentes dispuestas, como sor Nicolasa, a vérselas cara a cara con el diablo. Tengo casi noventa años y jamás volví a conocer a nadie tan denodado ni tan generoso. A veces, como arrastrado por la marea, llega hasta estas afueras del pueblo el son de las campanas de San Simón, tañidas a rebato por el espectro loco del viento o, acaso, por el fantasma de mis remordimientos. Porque sé muy bien que el caserón sólo es frecuentado ahora por iguanas y salamanquejas, que se alojan en las grietas de las tumbas monacales como alguna se alojó una vez en mi hábito, alguna que bien pudo ser una hipóstasis de mi demonio interior. No sé por qué pienso en esto, si tengo tanto Zola y tanto Flaubert arrumado en mi cuartucho y tanto poeta sicalíptico con qué entretenerme, y hay tanto guapo jovencito que viene a ver a mis pupilas. Pero no está mal que a veces quiera acabar de comprender lo que realmente le ocurrió a mi vida, ya que los años al pasar me han demostrado que a los rebeldes y a los soñadores, una vez cumplidos nuestros más caros sueños, sólo nos quedan el desamparo y la resignación.

1976

Autocrítica

A Carlos Franqui

LA PLAYA es el único lugar donde no tengo miedo. Con Alicia y papá venía a la playa cada atardecer y corría descalza espantando a las garzas negras que se paraban junto a la orilla. Me gustaba verlas alzar el vuelo mientras mis pies se hundían en la espuma, blanca al mediodía, pero a esa hora rosada porque la noche aparecía por la derecha cubriendo el cielo y el sol tenía el color de una naranja. Yo corría hasta la loma de arena envuelta ya en la oscuridad, trepaba a lo más alto y me dejaba rodar dando vueltas y vueltas hasta que papá me recogía. Papá se moría de risa y Alicia se hacía la seria, mira que el pelo se te ensucia y soy yo quien te lo lava.

A lo mejor un día, aquí en la playa, tropiezo el fantasma de papá. Los fantasmas existen, dice mi abuela, aunque tu padre, ese incrédulo, te haya enseñado lo contrario. A mí me gustaría que fuera cierto: volvería a ver su pelo gris y su sonrisa, iríamos de la mano a la loma y riendo nos hundiríamos en la arena, por fantasma que fuera no me haría daño. Los otros sí, los que están en cada rincón de la casa. No sé si son de verdad o de mentira, pero me parecen escondidos bajo las camas, encerrados en los armarios, reflejados en los espejos. Me asusta tanto cruzar los cuartos que tengo que llamar a mi abuela para que me acompañe. Gracias a Dios, mi abuela, que por todo me regaña, acepta mi miedo sin historias: dice que a mi edad ella también era así.

El miedo empezó con los cuadros. Antes, en las paredes, había guindadas otras cosas, dibujos que papá trajo de Europa y que mi abuela encontró inmorales cuando vino a vivir a la casa. Los quitó, los quemó en el patio como hizo con los libros de papá, y luego puso los suyos con corazones alfilereados y hombres ardiendo entre diablos y llamas. Yo ni en sueños los miro: delante de ellos paso de largo conteniendo la respiración para que el mal que encierran no me entre al cuerpo. A Alicia, en cambio, la tenían sin cuidado, se burlaba de ellos, les hacía muecas. Un día, me acuerdo, me cogió de la mano, fíjate que eres tonta, dijo, y con un lápiz de labio dibujó sobre el vidrio de cada cuadro la cara de un payaso. Para qué fue aquello: la cantaleta de mi abuela duró más de tres días. Hasta hizo venir al cura del pueblo con agua bendita dizque a lavar el sacrilegio. Esa misma tarde, mientras el cura y mi abuela tomaban chicha de níspero en el salón, Alicia me hizo un gesto y nos encontramos aquí, en esta playa. Yo había traído mi balón por si mi abuela se asomaba a la ventana: viendo a Alicia tirar la bola al cielo y a mí tratando de atraparla, pensaría que jugábamos en lugar de estar hablando. Pero Alicia parecía seria, tan seria que apenas si reparaba en mí. La vi caminar hacia la loma y la seguí en silencio.

—Quítate las sandalias —dijo de pronto.

—Pero mi abuela —empezaba yo a decir cuando ella me interrumpió.

—Quítatelas —repitió sin mirarme—. Nueve años has caminado descalza por esta playa y si las amebas te entran te tomas un purgante.

Hablaba tranquilamente (me recordó a papá) como si todo fuera lo mismo que antes. Recuerdo que puse mis sandalias junto al viejo tronco, ese que desde aquí estoy ahora mirando, y corrí entre la espuma azuzándola para que me persiguiera. Pero ella no tenía ganas de jugar y yo me fui a lo alto de la loma, me puse boca abajo y dando vueltas y más vueltas rodé sobre la arena. No sentí nada, lo hice una y otra vez y no sentí nada.

—¿Por qué tienes esa cara? —me preguntó Alicia.

—Ya no es lo mismo —dije yo.

—¿Qué cosa?

—Rodar sobre la arena.

—¿Cuál es la diferencia?

—Antes me daba cosquillas en el estómago y ahora no me da nada.

—Debe de ser porque llevas esas trenzas —dijo Alicia. Ven y te suelto el cabello.

Sin darme tiempo a protestar empezó a destrenzarme el pelo asegurándome que volvería a peinarme antes de regresar a casa.

Yo había preferido siempre llevarlo así, lacio y largo hasta la cintura. Cuando soplaba la brisa me cosquilleaba la espalda y de noche lo cepillaba frente al espejo para que soltara reflejos a la luz de la lámpara. Me ponía una cinta del color del pijama y dejaba la luz encendida esperando a que papá subiera a darme las buenas noches. Decía que era linda, qué lindo pelo tienes, decía.

También a Jorge le gustaba mi pelo. Con las conchitas rosadas que en noches revueltas el mar deja en la arena, Jorge hacía cintillos para envolverme la cola de caballo. Él mismo me hacía la cola si había mucho viento, cuando nos íbamos en su yate a aquella playa, desierta como ésta, donde el hueco del mar se abre apenas termina la tierra y el agua es transparente. Fue él quien me enseñó a hundirme con los ojos abiertos hasta la gruta que habitan los peces de colores.

En realidad, Jorge sabía hacerlo todo: reparar el yate y pescar, tocar la guitarra, inventar boleros. Además se olía las cosas, papá lo decía. Lo dijo el día que Jorge sacó del agua al hombre que se había ahogado. Me acuerdo bien: fue en Miramar: y fue como el cuento del pastor que gritaba, me coge el lobo, me coge el lobo. Porque el hombre había gritado varias veces que se estaba ahogando, y cada vez que nadaban a buscarlo empezaba a reírse. Habíamos ido a esa playa a encontrar amigos de papá y Jorge y Alicia conversaban aparte formando con un palito figuras sobre la arena. Nadie puso atención cuando el hombre volvió a gritar, pero Jorge se dio cuenta de que la cosa iba en serio y entró corriendo al mar.

Después todo fue confusión y algarabía. Yo logré escabullirme de Alicia y abrirme paso entre las piernas de la gente. Vi a Jorge sobre el hombre, sacando con su boca de la boca del hombre un montón de agua sucia que después escupía. Lástima que no pudo salvarlo. Me pareció que se ponía triste cuando cubrieron al hombre con una sábana y le dejaron al aire unos pies color de cirio.

En vacaciones, Jorge iba siempre a la casa a cenar. Después hablaba con papá en la terraza mientras Alicia me desenredaba el pelo. Alicia tenía las manos suaves y se encaprichaba con cada nudito hasta que lo deshacía sin mortificarme con trenzas y tirones porque sabía que me gustaba llevar el pelo suelto, suelto y que la brisa lo empujara, lo llevara y lo trajera como hace el mar con las algas.

Pero ahora todo es distinto, digo, desde los funerales de papá. Aquella mañana, mi abuela, a quien sólo había conocido la víspera, entró a mi cuarto trayendo un vestido y un par de cintas. Todo negro. Yo casi no entendí lo que decía, atontada como estaba por el jarabe que me había dado por la noche para dormir. Además, ella se había colocado frente a la ventana y el sol ya había salido, así que yo a duras penas veía su cara, dos ojos de calavera y en lugar de boca una línea por donde salían palabras que nunca había oído. Sólo comprendí que de allí en adelante debía obedecerla porque ella se había propuesto salvar mi inocencia (todavía no sé muy bien lo que eso significa), y luego, que una niña decente llevaba trenzado el pelo. Siempre he odiado la forma como me estira los cabellos al peinarme cada mañana: sobre todo los pelitos de la frente y los de la nuca que me los hala hasta sacarme lágrimas; después debo ahuecarme mechón por mechón, lo suficiente para que deje de dolerme, pero sin que ella se dé cuenta.

La verdad es que todo cambió desde que mi abuela llegó a la casa: me quitó del colegio de los gringos y me metió donde las monjas, y en tres meses tuve que aprenderme de memoria el catecismo: no pude volver a montarme en el burro del lechero, ni volver a deslizarme sobre la cuerda que papá había colgado del guanábano, ni volver a jugar con los muchachos de la calle. A papá le importaba un pito que andara con ellos, pero mi abuela dice que van a enseñarme malas cosas y sobre todo, que si me mezclo a la plebe la gente decente no querrá después salir conmigo.

Yo creo que Alicia sabía que todo cambiaría la tarde aquella que hablamos al pie de la loma. Me parece verla todavía, sentada en un tronco cubierto de caracoles diminutos, los brazos cruzados sobre las rodillas. Miraba fijamente la bola de sol que huía de la noche mientras la oscuridad iba avanzando hacia nosotras y yo, con miedo de que mi abuela saliera a buscarnos, me entretenía arrancando los caracolitos del tronco. Nada más divertido que un caracolito asustado, el cuerpo rosado y húmedo replegándose en el cucurucho. Pero Alicia me dijo aquello que siempre decía papá, que mejor dejar en su sitio lo que la naturaleza ha colocado. Así que cambié de juego y me puse a tirar mi balón al mar para que las olas me lo devolvieran, pero todavía tenía la impresión de haber perdido algo porque ya nada sentía al rodar loma abajo.

—No hay más remedio —dijo de pronto Alicia.

Yo la miré sin decir una palabra.

—Tendré que partir —dijo.

—¿Partir? —pregunté yo—. ¿Y adónde iremos?

—No, tú deberás quedarte —dijo ella—. Esa bruja piensa que ejerzo mala influencia sobre ti. Otra razón de más para obligarme a ir.

Yo sentí una especie de zumbido en los oídos. Me agarré a sus piernas y le dije:

—Tú no te irás, tú no puedes dejarme sola.

Ella empezó a sobarme el pelo y a hablarme, pero el zumbido no me dejaba oír. Era como si todo el ruido del mundo, el de las olas chocando contra las rocas, el de la lluvia cuando viene empujada por el viento, todo eso entrara por mis orejas y me impidiera oír. Creo que hablaba de la ley (que hay leyes lo sabía yo porque papá me lo había explicado). Lo demás lo entendí después que dejé de llorar y se lo hice repetir tres veces, con la cara pegada a sus piernas, hasta que se me hizo claro el asunto de la mayoría de edad.

—Por fortuna —dijo Alicia—, papá dejó bien arregladas las cosas. Ella no puede tocar nuestra herencia sino una parte de la renta. Y sólo hasta que yo cumpla veintiún años.

Eso lo comprendí menos, aunque se me quedó grabado en la memoria. De todos modos mi abuela sólo gasta dinero cuando va a la iglesia y prende cirios frente a cada santo y echa monedas en una cajita de madera que hay debajo del cuadro de las ánimas del purgatorio. Por lo demás, es tan ahorradora que apenas me da cincuenta centavos para mis onces y tengo que esperar dos días si quiero beberme en el recreo una Coca-Cola.

Es verdad que mi abuela se ocupa de mis cosas: más que papá que andaba siempre con la cabeza metida dentro de un libro y aquellas revistas que le llegaban de Francia. Con mi abuela tengo todos los lápices y cuadernos que necesito y un buen maletín para ir al colegio. Cada día me cambia de uniforme y lustra mis zapatos, y si no fuera por la historia de las trenzas no hallaría razón para quejarme.

Las trenzas y su preocupación por el diablo. También las monjas dicen que el diablo quiere quitarme mi inocencia y que si no lo ha hecho hasta ahora es porque me defiende el Ángel de la Guarda. Quizás Alicia pensaba en todo eso la tarde que destrenzó mis cabellos: por algo dijo que no creyera en nada de lo que mi abuela me contara.

—Por lo menos, al irme, no veré cómo te llena de gusanos la cabeza —dijo.

—Pero tampoco verás a Jorge —dije yo con un nudo en la garganta.

Ya entonces teníamos que valernos de mil trucos para que ella se viera de noche con Jorge: si mi abuela resolvía quedarse leyendo aquel libro de Constancio Vigil (a mí me había comprado otros y la historia de *Marta y Jorge* me hacía llorar), yo entraba corriendo al salón y le daba cuerda a mi abuela mientras Alicia se deslizaba por la escalera con los zapatos en la mano: si por el contrario, mi abuela se acostaba temprano, yo debía esperar a que estuviera bien dormida para abrir la ventana del salón por donde Alicia entraría.

En vida de papá Jorge venía a buscar a Alicia después de la cena. Papá les permitía salir siempre y cuando Alicia hubiera terminado sus deberes y regresara antes de las once. Desde la ventana yo los veía caminar juntos por la playa, sus sombras confundidas en una sola, una larga sombra sobre la arena azul si había luna llena que pudiera sacarle al mar el azul tapado por la noche. Y en vacaciones era todavía mejor: Jorge pasaba el día entero con nosotros. Del Canadá venía el pino que papá compraba, con un olor diferente al de los árboles de por aquí, y Jorge perdía más de una tarde guindándole bolas, estrellas y serpentinas de plata, y unas velitas con un agua coloreada que bajaba y subía y formaba burbujas. Era verde el pino y olía bien. Olía a diciembre.

Este año las bolas y guirnaldas se quedaron en sus cajas: mi abuela armó un pesebre. Con piedras cubiertas de arena formó montañas, con mis tacos de madera los caminos y las gradas por donde subían los reyes magos. Puso algodón y animalitos por todas partes: era bonito el pesebre, pero no brillaba ni olía a nada. Lo peor era que había que arrodillarse frente a él cada noche y rezarle una novena: de rodillas sólo veía las cuatro patas de la mesa y los alambres que mi abuela había colocado para alumbrar el bombillito de la estrella.

Ahora vivo rezando: en el colegio, antes de entrar y salir de cada clase, en casa, con mi abuela, sigo las letanías que pasa el radio al atardecer. Y si me despierto de noche y tengo mucho miedo, digo una avemaría conteniendo la respiración. Es horrible el miedo. A veces ni siquiera me atrevo a llamar a mi abuela que duerme a mi lado temiendo que antes de abrir la boca me salte encima lo que se esconde detrás del armario.

Por esa manía de las oraciones fue que mi abuela supo lo de Jorge. No le bastaba rezarle al gran niño Dios con ojos de vidrio, metido en un closet frente a su reclinatorio. Ni con persignarse cada vez que pasa delante de sus cuadros. Ni con ir a la iglesia los domingos. No. Un buen día resolvió asistir a la misa todos los días, a la de las seis de la mañana. Y claro, allí se hizo amiga de otra rezandera como ella, la doña Inés que se conoce de memoria la vida y milagros del pueblo.

No le hagas caso, decía papá a Alicia cuando se quejaba de que doña Inés la espiaba detrás de las rendijas de sus persianas, la gente que no tiene vida propia vive la ajena. Ahora es su culpa: no sólo se le ocurrió morirse haciéndonos caer en manos de mi abuela, sino que por dejar que doña Inés nos vigilara, Alicia no volverá nunca más a la casa. Así lo dijo mi abuela, que no volvería jamás, ni en vacaciones, hasta que cumpliera veintiún años. Y que cuando Alicia cumpla esa edad, yo seguramente ya la habré olvidado.

Mi abuela está ahora en casa de doña Inés, quién sabe qué nuevo chisme traerá. De todos modos no regresará antes de las cinco: podría destrenzarme el pelo y quitarme las sandalias. Me gusta hundir los pies en la arena y sentir el sol con los ojos cerrados. Volveré a hacerme las trenzas cuando la luz me indique que mi abuela está llegando. Que traiga otro chisme no me importa: dije ya todo lo que sabía. Me duele en el alma haber traicionado a Alicia, pero me daba mucho miedo dormir sola.

Esa cosa horrible pasó ayer, o hace tres días, el tiempo se me ha vuelto un revoltillo. Recuerdo, sí, que mi abuela me esperaba en la puerta cuando el chofer me trajo del colegio y por su cara, por la forma como me miraba, supe que iba a tener problemas. Al principio guardó un silencio extraño mientras me daba la merienda y arreglaba la mesita donde hago mis deberes. Ni una palabra y yo pensando con inquietud si habría encontrado los recuerdos que guardo de papá y Alicia. De pronto, de un golpe, me anunció que esa noche dormiría sola. El bollo de mazorca se me atoró en la garganta y tuve ganas de devolver. Pero mastiqué despacio y tragué como pude porque la saliva se me había ido de la boca. Sólo de acordarme siento un peso en el estómago. Lloré, supliqué: nada, no hubo manera de sacarle una palabra. El tiempo corría y yo, con la boca cada vez más reseca, advertía que la oscuridad se iba llevando el cielo.

—Cría cuervos y te sacarán los ojos —dijo mi abuela al fin—. Pero no importa, vete a hacer tus tareas.

—¿Por qué dices eso, abuela?

—Yo creí que me querías.

—Pero yo te quiero —le aseguré—. Nadie te quiere más que yo.

—Y nadie me ha engañado tanto.

Así fue como supe que doña Inés, esa bruja, la había enterado de todo: de que Alicia y Jorge eran novios, de que salían juntos.

—¿Qué tiene de malo? —pregunté yo.

—No puedo responderte. No puedo atentar contra tu inocencia.

—Entonces, ¿por qué estás brava conmigo?

Mi abuela inclinó la cabeza y se puso a llorar. La verdad es que yo nunca había visto llorar a una persona grande. Me pidió perdón, dijo que sentía mucho haberme amenazado, pobrecita, finalmente no eres más que una niña.

Yo sabía que Alicia no hacía nada malo, pero que eso que hacía le parecía malo a mi abuela, puesto que la propia Alicia me lo había explicado. La tarde que fuimos a la loma le pregunté a Alicia:

—¿Por qué ves a Jorge a escondidas de la abuela?

Entonces Alicia me contó que la gente cambia, tú ves, dijo, no somos ahora como hace tres mil años (y yo me acordé del libro que me había comprado papá para explicarme la evolución de los seres humanos y que también fue a parar al fuego). Pero los viejos, dijo Alicia, no quieren que los jóvenes tengan una vida diferente a la que ellos llevaron.

—Por eso, lo que es bueno para mí, es malo para mi abuela —me explicó.

De todos modos el hecho de mentirle a mi abuela, que seguía llorando, me dio lástima. Y miedo. Pensé que a partir de aquel momento, ni con avemarías, ni conteniendo la respiración me salvaría de esas cosas que se esconden detrás de las puertas y los armarios. Por eso, cuando le oí jurar que Alicia no volvería más, resolví contarle la verdad.

—Y preferiste dejarme en el engaño —dijo mi abuela toda resentida.

—Si me hubieras preguntado te lo habría dicho.

—No vuelvas a mentir —gritó. Y yo noté que su cara había cambiado: no había ni rastros de lágrima, sino dos ojos entrecerrados brillando como brillan los ojos de un perro frente a un extraño.

—Mientes —repitió—. ¿Cómo puede haber tanta perversidad en una criatura?

—Pero, yo, ¿qué he hecho yo? —Y ya las rodillas empezaban a temblarme.

—Pregúntaselo a tu conciencia —dijo ella caminando hacia mí—. A ese Ángel de la Guarda que te abandonó apenas aceptaste alcahuetear a tu hermana.

Yo creí que me iba a pegar, tan cerca estaba y tanta rabia tenía. Retrocedí y encontré la pared.

—Alcahuetearle —repetía ella siempre caminando—. Hacerte cómplice de un engaño destinado a engañarme a mí, a la moral misma.

—Alicia tenía un novio —volví a decir yo—. Todo el mundo lo sabía, yo creía que tú también lo sabías.

—¡Ah!, no, no. —Y se puso a reír lo mismo que la bruja de Blanca Nieves—. Te crees más viva que yo, ¿verdad? Vamos a ver qué pasa —dijo.

Repitió eso, vamos a ver qué pasa, mientras me arrastraba por la galería, una y otra vez hasta que llegamos al cuarto donde está su reclinatorio. Yo lloraba y pedía perdón, aterrada de que fuera a dejarme sola entre aquellos cuadros, frente a aquel niño Dios con ojos de vidrio.

No sé cuánto tiempo estuve arrodillada, la cara tapada con las manos esperando que todos los fantasmas cayeran sobre mí. Muy quieta, pensando, a lo mejor, si no me muevo, no se dan cuenta de que estoy aquí. No me movía ni siquiera cuando las gotas de sudor, al resbalar entre mis piernas, me hacían cosquillas. Ni siquiera cuando me empezaron los calambres y la boca me quedó tan reseca que mi lengua, contra mis manos, era carrasposa como la lengua de un gato.

Sólo me puse a temblar en el momento de oír sus pasos por el pasillo y la llave girando en la cerradura. Y no porque lo quisiera, sino porque no podía evitarlo. Seguí temblando —incluso después de haber vomitado en el baño— sentada frente a ella en una butaca del salón, con las gotas de sudor convertidas en hormigas de frío.

Ella parecía tranquila. Me explicó que no quería hacerme daño, ni producirme miedo, ni nada por el estilo. Tampoco quería obligarme a enterarla de algo que ya sabía, sino que yo confesara mi falta, creo que eso fue lo que entendí.

—Tú has cometido un pecado —dijo—, lo comprendes, ¿verdad?

Yo a duras penas podía hablar. Pensé confusamente que más pecado habría sido delatar a Alicia.

—Mírame a los ojos —ordenó mi abuela.

La miré, pero sus ojos, no los veía.

—Reflexiona —oí que me decía—. Ponte en mi lugar: yo tenía una hija por la que me sacrifiqué veinte años. Veinte años, ¿sabes lo que es eso?

Y volvió a contarme lo que me había dicho después del entierro de mi papá y tantas veces: la historia de mi madre, una ingrata que se casó con el primer extranjero que puso los pies en aquella Cartagena donde vivían, dejándola, yéndose a Francia, sin regresar nunca, sin pensar en ella. Sólo cuando mi madre murió al darme a luz, el extranjero, el hombre que la había alejado de su hija resolvió instalarse aquí, en esta playa de Puerto Colombia donde no hay más que gaviotas y garzas negras y el sonido de las olas.

Yo me puse a pensar en todo lo que mi abuela hacía por mí. Bien podría haberme dejado sola, o meterme interna como hizo con mi hermana. Recordé cuántas veces le había dado cuerda mientras Alicia bajaba la escalera con los zapatos en la mano, a ella, que había sufrido tanto al perder a mamá, y después, al no poder ni siquiera visitarnos porque papá se lo impedía.

—En Cartagena tienes una abuela —decía papá—, pero no quiero que te enferme de miedo como hizo con tu madre.

En todo caso papá murió en su automóvil por andar de loco por esa carretera de Barranquilla, sin pensar que de tanto acelerar iba a estrellarse y dejarme para siempre en manos de ella.

Pensé en eso, en el entierro de papá, en las veces que me había enfermado después de su muerte. A fin de cuentas era mi abuela la única persona que me había cuidado, día y noche al pie de mi cama, poniéndome termómetros y dándome jarabes, viendo que no me faltara nada. Sólo con ella contaba en la vida, tantas veces me lo había dicho y yo sin prestarle atención, pero en el fondo era verdad. Como era verdad que yo la había traicionado: no porque fuera malo lo que Alicia y Jorge hacían —de lo contrario papá no lo habría permitido— sino por ocultárselo a ella. Y a lo mejor era malo, no para papá, sino para ella, y entonces algo de malo debía de haber.

La verdad es que ahora no sé nada, pero en aquel momento, sentada frente a ella con una rodilla que de repente me brincaba sola, tuve la impresión de estar ante un peligro, de que sólo confesando la verdad me salvaría. Y cuando ella dijo que Alicia y Jorge llevaban un mal propósito desde que para verse buscaban la noche, yo dije que sí, que por eso me asustaba tanto la oscuridad.

—Alicia hubiera debido confesarme lo de Jorge y no esconderse en la playa como cualquier sirvienta —dijo mi abuela con un aire tan simple que sentí alivio.

Después se inclinó y sacó de su costurero el vestido que me estaba tejiendo. Vi que se ponía los lentes, enredaba el hilo entre sus dedos y la aguja comenzaba a moverse.

—¿Por qué no decirlo? —preguntó.

—Creía que tú ibas a impedírselo —dije yo.

—¿Impedirle qué?

—Ver a Jorge.

—Pero tú me conocías más que ella. Habrías podido explicarle que no soy la bruja que ella imagina.

—No se me ocurrió —dije cada vez más tranquila.

Ella me miró arqueando las cejas. A través de los lentes sus ojos parecían oscuros y hundidos.

—En realidad no hablamos nunca de eso —dije yo.

—¿Y entonces?

—No sé, no me acuerdo... Una noche, después del entierro de papá, algo así.

Sin hacer comentarios siguió tejiendo rítmicamente.

Yo guardé silencio durante un rato y de repente, sin saber por qué, confesé que ayudaba a Alicia a escaparse cada noche de la casa.

—Te mentí esos tres meses —dije—. Entraba al salón y te hablaba para que Alicia pudiera salir sin que la vieras.

Mi abuela dejó de tejer y yo corrí y hundí la cabeza entre sus piernas. Llorando le pedí perdón, no me moveré de aquí hasta que me perdones, dije.

—Está bien, está bien —murmuró mi abuela—. Pero termina de contármelo todo.

—¿Qué cosa? —pregunté yo soplándome las narices con el pañuelo que había sacado de su bolsillo.

—Lo que veías... Se besaban, ¿verdad? Se acostaban juntos en la playa.

Yo dije que sí a todo. Hasta conté mentiras: que Jorge dormía en el cuarto de Alicia y salía al amanecer, que los había visto bañándose en el mar, desnudos (sabía que eso iba a gustarle porque mi abuela tiene horror de que uno se vea el cuerpo y me hace bañar con una bata). Y después, cuando le oí decir que me habían quitado mi inocencia y yo me había dejado corromper, sentí asco, un asco que me produjo bascas y casi tengo que correr otra vez al baño. La verdad es que también sentí asco de su olor, no me ha gustado nunca el olor que sale del cuerpo de mi abuela. Pero estaba arrepentida, no sé, ella dijo que debía estarlo, y yo quería realmente borrar mi culpa. Así que fuimos juntas al cuarto donde está el niño Dios entre un montón de cirios y yo le besé los pies pidiéndole que me perdonara.

Al final todo salió bien. Mi abuela le ordenó a la cocinera preparar una gran torta de chocolate y yo comí hasta donde quise. Y hoy, por primera vez desde que se fue Alicia, me dejó venir sola a la playa mientras ella visita a doña Inés.

Sola puedo hacer lo que quiera, todo se vuelve diferente. Me paro detrás de la brisa y mis cabellos me envuelven, hago huecos con las manos y el mar los llena. Es como si caminara junto a papá viendo a Jorge y Alicia subidos en la loma. No quiero preguntarme por qué hablé tan mal de Alicia y de mí misma, no quiero recordarlo. Mejor tirar mi balón al mar para que las olas lo devuelvan y si una corriente se lo lleva, si ahora una corriente se lo lleva, desnudarme ya que nadie me ve, entrar al agua tibia y buscar la corriente. Nado hasta encontrar bajo las olas un halo frío, dejarse ir, flotar un poco. Voy de espaldas con el sol en la cara, los ojos cerrados para que no se me quemen. A mi lado se agitan las aguas que formarán olas al llegar a la playa, blancas, rosadas cuando el sol se aleje. Giro y veo mi balón que sube y baja como una media luna. Lo persigo segura de atraparlo, braceo una, dos veces, controlando la respiración para que el mar me empuje, como decía Jorge, si no le ofreces resistencia al agua, el agua te lleva. Me llevará lejos de la casa que cada vez se hace más pequeña, lejos del miedo que ya no tengo. Ni siquiera regresando volvería a sentirlo, podría atravesar sola los cuartos, pintar caras de payaso sobre el vidrio de los cuadros. Y reírme. Pero río persiguiendo mi balón, con este olor a yodo, en esta corriente fría. Muevo un brazo, luego el otro, ladeo la cabeza, a la derecha, a la izquierda, corto el agua, la abro en dos. Y nado y nado mientras que sobre el agua azul, azul y negra, mi balón se va alejando.

Último informe Kinsey

Y cuando llegó a la edad de doce años, los sacerdotes se congregaron y dijeron: "¿Qué medida tomaremos con ella, para que no mancille el santuario?".

Y el gran sacerdote, poniéndose su traje de doce campanillas, entró en el Sancta Sanctorum *y rogó por ella. Y he aquí que un ángel del Señor se le apareció, diciéndole: "Sal y reúne a todos los viudos del pueblo, y que éstos vengan cada cual con una vara...".*

El protoevangelio de Santiago
Capítulo VIII

ULTRAJADA DE amor por todas partes, era tan perturbadora y hermosa que parecía hija de madre soltera. Y así la vi por última vez, reacio a admitir el gélido silencio que rodeaba su cuerpo, inerte entre las desordenadas sábanas, doblegado mas no vencido pues algo en el ambiente nos decía que si hubo derrota ésta había sido quizá gozosamente compartida. Al socaire del frío dictamen del forense y llevado tal vez por eso que llaman deformación profesional o, a lo mejor, por una oscura y descarada *delectatio*, concentré toda mi atención en las partes mancilladas de quien hasta la víspera se llamaba Victoria Devereaux. Pese a que mi sobrina contaba sólo trece años y algunos meses, su cuerpo parecía el de una espléndida muchacha que ya hubiera cumplido los dieciocho. Y si había algún contraste era el que ofrecía la feliz contundencia de ese cuerpo con los breves pies, enfundados en sus blancas medias tobilleras de colegiala. Milagros de la adrenarquia, me dije. Aunque pequeños, sus senos esgrimían unos pezones golosos y altaneros, y recuerdo las tardes de invierno en que, con el menor pretexto, se hacían ostensibles bajo su blusa. Igualmente firmes parecían la piel de los glúteos y la pared interna de los muslos, que sobresalían entre los pliegues desgarrados de la falda. Así mismo me llamó la atención la densa maraña de vello púbico, inquietante y precoz floresta de la que destacaban como corolas púrpura los labios menores de la vulva y cuyos bordes aparecían estriados de negro como las alas de ciertas mariposas. Y entonces pensé en el doctor Kinsey y su inicial afición entomológica y en su homólogo, el húngaro de Columbus. En una de las visitas que nos hizo a Bloomington, el húngaro había dicho algo que no pude olvidar y sus palabras me producen ahora inequívoca inquietud. Dijo, si mal no recuerdo, que cuando a Victoria la comenzaran a azotar sus lunas perdería todos sus encantos e ingresaría sin remedio en la tercera edad. Y habló luego de la transición de la ninfa a mariposa y algunas otras cosas que sólo él y el doctor Kinsey parecían comprender.

Cuando el forense se detuvo ante el cuerpo de mi sobrina yo me acerqué también y con tácita aquiescencia centramos nuestro interés en algunas escoriaciones en la región lumbar, aunque si algo nos apesadumbró fue ratificar nuestro inicial dictamen: el ano aparecía con despulimiento en sus pliegues, a lo que había que agregar una sustancia blanquecina de carácter granuloso en el introito vaginal y en el saco rectal. No cabía duda alguna sobre la naturaleza de semejante emulsión y por eso, sin mirarnos siquiera, proseguimos nuestra desolada inspección. Y como si lamentáramos estar una vez más de acuerdo, el forense y yo nos alejamos unos centímetros del cuerpo para observarlo por última vez, tendido boca abajo, con la eminente grupa al aire, inundando con su color rosa el día y el mundo. *Rosa mundis ora pro nobis.*

—Se la persignaron por ambos lados —dijo en voz alta el doctor, quien aún no salía de su sorpresa al admirar el bello cuerpo adolescente de Victoria Devereaux, tan lleno de enigmas como el de una virgen al día siguiente de sus bodas.

No sé por qué le cuento a usted estas cosas, sobre todo después de haber viajado desde tan lejos a Indiana y con propósitos tan distintos. Pero antes de abordar el asunto que lo trajo hasta aquí, déjeme explicarle las razones de mi súbita evocación. Me resulta imposible recordar el cuerpo exánime de mi sobrina y no asociarlo con la tragedia que en sus últimos días conmovió al doctor Kinsey y que lo sumió en un doloroso abatimiento. Está claro que la visión del cuerpo de mi sobrina me remite a otros hechos y que tal recuerdo multiplica otros recuerdos: los cuerpos tendidos, destrozados, fulminados en la mitad de sus sueños, de todas aquellas niñas que prestaban su feliz pubescencia al análisis de los investigadores del Instituto de Ginecopatía Precoz, y que tanto nos habían enseñado al doctor Kinsey y a mí durante nuestra visita a Santiago de Cali. Nadie podía imaginar que apenas algunos meses después, creo recordar que fue en agosto del cincuenta y seis, todo voló hecho pedazos, incluido, por supuesto, el Instituto, con todas sus niñas a bordo. ¿Que por qué centramos nuestra investigación en sujetos de esa edad? Porque allí donde la gente común y corriente dice adolescencia nosotros decimos adrenarquia. O anarquía de la pubertad, como glosó nuestras explicaciones el húngaro del que le hablé hace un momento, quien, con expresiones como ésa, se refería a la feliz hembramorfosis de esas niñas que, al morir tan jóvenes, no tuvieron la desgracia de ver cómo sus períodos, mes tras mes, las desgastaban sin remedio. Y algo parecido me dijo el doctor Kinsey poco antes de morir: esas niñas se ahorraron el horror de contemplarse en los espejos a sus veinte años. Murieron en medio del sueño de una edad que las volvió eternas. Y así las recordaremos nosotros, dijo finalmente. Y es verdad, pienso yo, aunque entonces no imaginaba que el destino habría de reservarme la fúnebre exclusividad de ver cómo la tragedia se cebaba en el cuerpo ultrajado de Victoria Devereaux. Por eso le digo a usted que pensar en mi sobrina es tanto como pensar en el doctor Kinsey y en el último de sus trabajos, en el que tan involucrado me encontraba yo. Y antes de dialogar sobre los resultados de la cooperación entre el Ninfarium —así llamábamos al Instituto por comodidad— y las últimas investigaciones de nuestro equipo, que es la razón de su visita, permítame contarle las circunstancias gracias a las cuales me vinculé al grupo.

Conocí al doctor Alfred Kinsey en Bloomington, por la época en que fue nombrado profesor asistente en la Universidad de Indiana. Era un hombre retraído y endeble y antes de responder una pregunta se encerraba en un obstinado y casi agresivo silencio durante un par de minutos que parecían horas. Pero aún así despertaba en sus próximos una extraña simpatía, aunque debo confesarle que esto podía obedecer a su creciente prestigio como investigador. Había estudiado biología y psicología en Maine y después amplió sus estudios en la célebre Bussey Institution de Harvard donde, bajo la dirección del eminente William Morton Wheeler, escribió su tesis sobre la *Taxonomía de las picaduras de abeja*.

Las abejas, los pájaros y las mariposas constituían para él un mundo propio, en el que se encerraba durante días enteros, allá en South Orange, donde se había radicado con su familia tras abandonar Hoboken, su pueblo natal. Y ojalá no me suceda con usted lo mismo que con James Jones, un periodista que, sin mencionarme siquiera, publicó mi versión en una revista de Nueva York llevándose todos los créditos. Decía que la temprana afición de Kinsey por la entomología podía obedecer a una forma de escape del rígido sistema de vida impuesto por sus padres, unos metodistas furibundos que habían desterrado de su casa costumbres tan inocuas como la música de moda, el baile, el tabaco y las bebidas. Y si no desterraron a las mujeres fue porque Alfred era muy pequeño y de suyo apático para considerar cualquier peligro al respecto. Lo único que ahora puedo sugerir acerca de su modo de ser es remitirlo a usted a su primer trabajo, escrito cuando contaba apenas quince años de edad y al que tituló *¿Qué hacen los pájaros cuando llueve?*

Por eso, pese a su retraimiento y su apatía hacia las cosas que despertaban el interés de la mayoría de estudiantes avanzados y profesores jóvenes, como era nuestro caso, me sorprendió el súbito interés que manifestó la tarde en que en una cafetería de Bloomington le presenté a Clara Bracken McMillen, una estudiante de química. Nada parecía ser más contradictorio que la robusta Clara y el apagado profesor Kinsey. Parecían Laurel y Hardy, que por esos días hacían explotar de risa las pantallas de los cinematógrafos del mundo entero. Es verdad, créame: parecían el gordo y el flaco en pleno romance, pues a pesar de su tamaño Clara tenía la costumbre de vestir ropa masculina, corbata, chaleco y sombrero incluidos, y por si fuera poco llevaba la voz cantante en la pareja. Alfred iba siempre detrás suyo como un caniche constipado. Pero no perdieron el tiempo, pues cuatro años después eran padres de cuatro hijos.

No sé en qué momento esta familia tan ejemplar abandonó los misterios de la química y la vida de las abejas para crear su propia colonia.

El antes retraído profesor Kinsey se convirtió en el más parlanchín de los miembros de los campamentos de verano. Sólo hablaba de sexo e incluso contaba, sin ningún pudor, sus intimidades conyugales, sin que Clara se molestara en absoluto. Al contrario, ella misma asentía y precisaba o ampliaba la información que a los cálidos aires estivales divulgaba su marido. Muy pocos sabíamos que Kinsey se había adentrado en el tortuoso y, en nuestro medio, casi inexplorado mundo de la sexualidad. Pero los estudiantes y buena parte de los profesores sólo teníamos una certeza: que a los Kinsey los había corrompido el matrimonio. Y como dos personas eran insuficientes para la satisfacción de sus fantasías, decidieron ampliar el círculo de sus prácticas involucrando a través de las confidencias a la mayoría de los miembros de la colonia.

En cualquier caso, nadie podía imaginar la extraordinaria transformación de la pareja en su intimidad y todos —también yo, lo confieso— creíamos que la sucia franqueza de las conversaciones obedecía a un patrón fijado como método de trabajo. Por eso, cuando se publicó el resultado de las primeras investigaciones realizadas, muchos comprobamos que nuestras infidencias y fantasías aparecían reproducidas con absoluta literalidad aunque, por supuesto, sin el nombre, pues en plena Guerra Fría y con la censura a la vuelta de la esquina los tiempos no estaban como para pavonear patronímicos.

Pese al escándalo que rodeó y cubrió de ludibrio a la editorial W. B. Saunders cuando publicó en Filadelfia el libro *Sexual Behavior in the Human Male*, muchos de los atónitos lectores se inhibieron de tomar medidas contra la publicación, pues todos nos vimos reflejados en ella como en un espejo. Yo mismo no supe qué hacer cuando leí en una prosa de color marrón lo que sentía cada vez que sorprendía a papá montando por detrás a mi primo Billy, que gemía como una gata en el mismo trance. Lo cierto es que el éxito fue tal que el libro perdió incluso su título y pasó a ser conocido a partir de entonces como el lacónico Informe Kinsey. Salvo algunas reacciones académicas en contra, el único que estuvo a punto de mandar al autor y al libro a la hoguera fue el obsceno policía Jota Edgar Hoover, quien investigó a Kinsey y a nuestro equipo a través de la feroz y bien amaestrada jauría del FBI. Y si la investigación no pudo llegar hasta los tribunales ni frenar la ascendente carrera del Informe fue porque el propio Hoover se encontró proyectado en sus páginas. Y ya sabemos las cochinadas que le gustaba hacer. También el intratable senador Joseph McCarthy decidió seguir la pista de Kinsey e incluso se preguntó en voz alta hasta qué punto ese Informe ayudaba al comunismo a exasperar lo más oscuro de la libido y por esta vía socavar los fundamentos de la familia norteamericana, pues no debe usted olvidar que gran parte de la gigantesca encuesta que alimentó el Informe se había hecho en la colonia fundada por el doctor Kinsey, en las calles y hasta en las peores cárceles de algunos estados de la Unión donde purgaban condena los criminales más aberrantes. Tampoco pudo el senador atrapar a Kinsey, pues la verdad es que, pese a la salacidad de muchas de las preguntas de este singular catecismo, se buscaba llenar un hueco científico, minuciosamente apoyado en una historia clínica y un método. Una vez establecidas sus metas, Kinsey se dedicó a estudiar los factores que afectan la sexualidad, para lo cual cotejó la edad, aspectos del matrimonio o celibato, religión y clase social de cada uno de los entrevistados. Y por último centró toda su energía en lo que llamó "fuentes de descarga sexual", rótulo bajo el cual trazó el catálogo de las diversas prácticas que llevan al orgasmo. Ya había precisado que entre la adolescencia y los treinta años de edad, el hombre norteamericano tenía exactamente dos orgasmos y algunas gotas sueltas por semana. Ni un calambre más pero tampoco uno menos.

Sobre el escándalo que desató el Informe se han escrito toneladas de literatura clínica y de la otra y por eso le ruego me ahorre usted mayores explicaciones al respecto. Es cierto que en ese entonces muy pocos estábamos al tanto del exótico e inaudito jardín de suplicios en que, día tras día, se había convertido la vida íntima del matrimonio Kinsey. Por eso me indigna lo que, a nombre de una falsa exclusividad y que en el fondo no logra ocultar algo de sensacionalismo, reveló en *The New Yorker* el mencionado periodista Jones, pues lo cierto es que la mayor parte de lo que expuso era de común recibo en las charlas que manteníamos los miembros de la colonia, desde décadas atrás. En esta colonia sexual era frecuente que los hombres mantuvieran relaciones entre sí y las mujeres elegían las parejas que quisieran, conducta que anticipa las comunas que pulularon en los años sesenta y setenta. Todos sabíamos que Kinsey se acostaba con estudiantes y colegas y que Clara hacía lo mismo. Pero la retina es efímera, créame, y a menudo engañosa. Por eso el doctor optó por filmarlo todo. Filmó sus actos sexuales con su mujer. Filmó a Clara masturbándose y copulando con otros hombres del equipo. Incluso me filmó en pleno trance oral con una muchachita de Minnesota, pues Kinsey era un comprensivo y tolerante promotor de la satisfacción del deseo con *partenaires* de edad temprana. Y es por esto que creo que, antes de la publicación de su primer Informe sobre la conducta sexual de los hombres y del segundo sobre las mujeres, el tema del tercer Informe ya había sido concebido y, modestia aparte, pienso que mis particulares gustos fueron el pretexto. La sexualidad de las niñas, de lo que luego hablaremos, ocupó toda su atención en los últimos años de su vida, hasta el punto de que, al morir, dejó un legajo de aproximadamente ochocientas páginas y ése es el material sobre el cual la doctora Ruth Rosenfeld y yo hemos trabajado durante todo este tiempo. Quiero reiterarle que buena parte de ese material es fruto de las investigaciones que Kinsey y yo llevamos a cabo con la ayuda de los colegas del Ninfarium de su ciudad, durante una escala que hicimos en el viaje al Perú, un año antes de la muerte del doctor. Dicha escala —así como algunas consideraciones sobre la naturaleza de nuestra cooperación científica— fue incluso registrada por la prensa de su país.

Pero le decía que, tras su primer Informe, Kinsey se dejó llevar por su intuición y también por sus fantasías, por lo cual yo no podía entender cómo ese apático metodista que en público se comportaba como un científico aplicado, marido excelente y padre ejemplar, en privado era un adúltero redomado, que además frecuentaba homosexuales, *voyeurs*, exhibicionistas, pedófilos, transexuales, fetichistas, sadomasoquistas, coprófagos y otras gentes de la alta sociedad.

De buena fe, su pretexto era indagar con pulso firme acerca de las prácticas secretas del hombre norteamericano aunque pronto iba a vivir en carne propia las fantasías y los hábitos ajenos. Por eso me costó trabajo comprender lo que mis ojos me mostraban y que parece ser lo único que ahora le interesa a la prensa. ¿Para qué negarlo? El doctor Kinsey se hacía filmar mientras se masturbaba ayudándose con técnicas que resultaban poco compadecidas consigo mismo. Se introducía en la uretra palillos de bambú o mondadientes y, como bien se lo recordé a Jones, se ataba una cuerda alrededor del escroto y luego halaba con fuerza sin proferir un sólo grito. Por toda explicación, hablaba y pontificaba sobre anatomía, y uno creía que toda esa garladera le servía de afrodisíaco o anestesia. Una práctica similar empleó después de la publicación de su libro sobre la sexualidad femenina, obra que fue muy mal recibida por la comunidad científica y el público en general. Y la verdad es que en esta ocasión pecó de optimista, pues ¿qué podía enseñarle el doctor Kinsey a la gente sobre las cochinadas físicas y mentales a que son tan adictas las señoras? Por eso no dejó de sorprenderme su abatimiento, pues aunque en 1953 el rostro del doctor Kinsey recorrió el mundo como portada de la revista *Time*, meses después se sometería a la más espantosa de las torturas. Deprimido, decepcionado, amargado, Kinsey se trepó a una silla en el laboratorio, ató una cuerda a los tubos de la calefacción y anudó uno de los extremos alrededor de su escroto y saltó. Lo encontré inconsciente, tendido en el suelo y con los testículos tan inflamados que parecían un par de cocos. Lo levanté y trasladé inmediatamente al Hospital de Bloomington. Nunca mencionó el asunto. Meses después, con mejor ánimo, viajamos juntos al Perú, atraídos por una extraña y riquísima colección de cerámicas que ponían de manifiesto la versatilidad erótica del período Chimú-Inca, y que filmó minuciosamente. Fue entonces cuando hicimos una escala durante un par de semanas en su hermosa ciudad, donde fuimos muy bien acogidos por los colegas del Instituto de Ginecopatía Precoz, especializado en estudios avanzados sobre la pubertad femenina y con quienes estábamos en comunicación desde tres años atrás. Suspendimos la estadía porque súbitamente el doctor fue víctima de una infección en la región pélvica y se le dictaminó orquitis, por lo que se hizo imperativo el regreso a nuestro país.

Y creo que ya es hora de hablar sobre los intereses que unieron las investigaciones del Ninfarium con nuestro equipo. Tras la publicación de su *Sexual Behavior in the Human Female*, Kinsey abordó el tema de la tortuosa libido de los criminales y entrevistó a más de tres mil sujetos condenados por delitos sexuales de la más diversa naturaleza. Pero un día algo llamó su atención e hizo que diera un giro totalmente diferente a sus análisis. Al entrevistar a un preso en una cárcel de Queens, éste le contó que sus problemas comenzaron cuando por azar mantuvo relaciones con una muchacha de apenas trece años. Consumado el coito, el individuo comenzó a advertir cambios insólitos en su comportamiento sexual y al cabo de unas semanas descubrió que nada lo excitaba y que había perdido todo el interés por las mujeres. Dispuesto a recuperar su virilidad, se echó a la calle y atacó a cuanta hembra encontró en su camino pero todo fue inútil. Fue detenido en el curso de uno de estos tristes y fallidos estupros, juzgado con acritud y condenado al amor de una sola mano.

La confesión de este hombre transformó el interés del doctor Kinsey, pues el reo insistía en que la primera adolescente lo había sumido en el desgano y la impotencia. Otros presos condenados por violación de menores y algunos pedófilos incorregibles se quejaban con argumentos más o menos similares y también la inapetencia era el pálido resultado de sus violentos asaltos. Como poseído de un súbito frenesí, Kinsey nos puso al tanto de sus sospechas, nos hizo consumir bibliotecas enteras, al tiempo que él personalmente estableció contacto con institutos de sexología de América y Europa. Y una de las primeras respuestas provino precisamente del Ninfarium de su país.

Un tal doctor Villaveces llevaba cerca de diez años investigando la misma cuestión e incluso, inspirándose en la conducta de una hermosa mujer del valle de Sorec, y de quien se habla en el *Libro de los Jueces*, había patentado un nombre para tan extraña dolencia, a la que, por eliminar la fuerza y la virilidad del hombre en la coyunda, llamó dalilamicosis. Y la gran pregunta por resolver era: ¿qué desencadena en el hombre la dalilamicosis, esto es, ese extraño hongo que mina la potencia y sume al paciente en el tedio y la rabia asesina? El doctor Villaveces había detectado algo excesivo en los estrógenos, la hormona sexual femenina, al extremo de agotar en la intumescencia el vigor del hombre, dejándolo inerte por semanas y hasta meses. Kinsey recordó que en su anterior Informe había comprobado que las mujeres casadas se masturban más que sus maridos y que tal conducta no obedece a que éstos fallen en sus relaciones sino a que, en realidad, a la hembra la anima siempre un ansia de orgasmo superior. Y es tal vez por eso –concluyó– que ante un estrógeno airado no hay testosterona que resista.

El interés del doctor Kinsey se centró, pues, en la dalilamicosis y echando mano de su inicial actividad como entomólogo comparó a la niña en tránsito hacia la pubertad con la abeja reina, pues –como a todos nos han enseñado desde la escuela– ésta es la fase de un ritual muy apasionante que tiene lugar en las alturas. El coito aéreo entre la reina y el zángano se cumple en la hora de plenitud solar, sobre el vasto azul del mediodía. Tras soportar la persecución y el cortejo de veinte o treinta tribus, de miles y miles de pretendientes, la virgen sólo elige uno y éste por fin la coge y la penetra y así, ambos enlazados, se entregan a lo que Maeterlinck, en su biblia sobre este asunto, llama "el delirio hostil del amor". Una vez consumada la unión, el vientre del macho se entreabre, el órgano reproductor se desprende, arrastrando la masa de las entrañas, las alas del zángano se pliegan y, fulminado por el éxtasis nupcial, el cuerpo vaciado da vueltas y cae en el abismo. Después, la reina se libera de los órganos ya inútiles de su amante y guarda en su espermateca el líquido seminal del que, un día y huevos mediante, nacerán las obreras. Lo que quiere decir que, pese a las ideologías más extremistas, el proletariado no es más que el fruto de un rapidísimo polvo entre una reina cachonda y un zángano bien dotado, que paga cara su osadía. Ésta es, querido amigo, la más sabia lección política que nos enseñan las abejas. Lo demás es demagogia. Y volviendo a lo nuestro, cabe señalar que la abeja reina sabe muy bien que, arrancándole el órgano al macho, no se pierde ningún espermatozoario. Por algo himenóptero viene de himen y de ala, lo que quiere decir que, una vez rota la membrana, las cosas no vuelven a levantar vuelo. Y eso era lo que les pasaba a los presos.

Gracias, pues, a los aportes del doctor Villaveces, Kinsey intuyó las razones por las cuales los condenados por violación de niñas rogaban ser castrados para evitar reincidir en sus crímenes. Como la abeja reina, la *bobby-soxer* —la muchachita de media tobillera que va por el mundo haciendo justicia— usa a conciencia los músculos pubococcígeos, esos músculos de la vagina humedecida, que se aferran como tenazas al pene intruso. Y es ahí donde la dalilamicosis se abre paso con tan trágicos resultados. Pero al analizar a las *bobby-soxer* de Indiana el doctor Kinsey descubrió algo más. Pese a lo que algunos colegas afirmaban sobre las cuatro fases del proceso sexual, Kinsey entrevió una quinta fase, entre las llamadas *excitación* y *meseta*, previas a las conocidas como *orgasmo* y *resolución*. Esta fase, hasta entonces inadvertida, confundida en los límites de las dos primeras, esto es, entre la lubricación vaginal y la elevación del útero y la retracción del clítoris, era la que secretaba un humor que Villaveces denominó dalilaxina. El doctor Kinsey llamó fase de *intromisión* a esa *terra* incógnita que, superadas las iniciales reservas, pronto comenzó a crear muchas expectativas en los círculos científicos. Ese punto, el segundo de cinco, tenía una gran importancia a la hora del desenlace, es decir, cuando se producen las contracciones del útero, del esfínter anal y del músculo pubococcígeo, estadio que pronto se confunde con el clímax.

Otro de los hallazgos que alertaron a los estudiosos fue el olor que desprendía la secreción y que, al mezclarse con el líquido preseminal del varón, despedía una emanación característica, completamente desconocida. En efecto, al mezclarse las leches y ya en pleno orgasmo, un marcado olor a fósforo encendido se apodera del lecho, y éste fue el gran aporte que algunas de las muchachas analizadas en el laboratorio confirmaron. Sustancia y olor ya eran pruebas fehacientes de que algo nuevo se filtraba entre las tres primeras fases del proceso coital. La literatura civil vino entonces en ayuda de los científicos cuando alguien recordó un curioso fragmento de un relato, escrito por uno de los mejores autores aborígenes, en el cual se hablaba sobre un proceso similar que, en lenguaje poético, era conocido como el Ángel de los Orgasmos. Se hablaba, en efecto, de una sustancia diferente, más densa en las niñas que en las demás mujeres, y con un fuerte olor a combustión ácida. La cuestión que llamó la atención, primero de Villaveces y luego de Kinsey, fue el olor, más acre y abrupto que de costumbre, como si una bestia guarecida allá dentro bostezara y arrojara sus miasmas.

La dalilaxina no era nada agradable pero al conjugar sus flujos con los del varón el olor cambiaba y adquiría el ya dicho de fósforo encendido. Cierto profesor que en el Ninfarium estudiaba las relaciones entre sexo y lenguaje recordó entonces la expresión popular "la dicha en la picha", expresión que tenía su verdadero sentido en el olor, pues aquí "picha" —subrayó el facultativo— no era el vulgar apelativo con que la chusma se refiere al pene, sino una forma verbal de lo podrido. Por ejemplo, la frase "la comida está picha" quiere decir que las viandas hieden y están en estado de putrefacción. Lo curioso, y de ahí la importancia del hallazgo, es que algo de eso se advertía ya de forma tan precoz en el tibio regazo de las preadolescentes. Y, si ello era así, ¿cómo serían tales olores macerados por la edad madura, tras las reiteradas catamenias, las infecciones y los partos? Eso lo registró Kinsey en sus cuadernos, en los que, como usted mismo puede comprobar, subrayó que los genitales de las *bobby-soxer* expelen humores más acentuados que los del resto de sus congéneres. Algo nefando se escondía tras sus flujos y algo de verdad había en el lastimado testimonio de los presos que purgaban condena por ataque carnal a las menores. Y recordó el doctor, a propósito de tan controvertidas emanaciones, que ya en *El jardín perfumado* se daban instrucciones para eliminar o por lo menos menguar esos hedores, algunas tan radicales como la de fumigarse la veneranda con humo de excrementos de vaca. Pero pocas cosas pueden hacerse ante un sistema endocrino que desde edad tan temprana segrega tufos inciviles y antipáticos. Sin embargo, y pese a lo ofensivo que todo esto resulta para el buen olfato, lo único cierto es que nada hay tan eficaz como el almizcle y otras recias y femeninas secreciones para excitar el ardor del macherío.

Puesto sobre la pista, el doctor Kinsey tomó buena nota de todo lo aprendido del doctor Villaveces y de sus colegas del Instituto de Ginecopatía Precoz y centró sus estudios en la dalilaxina a través de la función de las feromonas, esos mensajes del cuerpo que penetran por el órgano vomeronasal y despiertan en el hipotálamo los instintos sexuales. Debo admitir que, poco después de la muerte del doctor Kinsey, un colega del Instituto de Investigación Olfativa de la Universidad de Stanford prosiguió las búsquedas en este sentido. Tal como hicieron Villaveces y Kinsey con la dalilaxina, el doctor Georges Spark centró su atención en el olor del *lactobacillus acidophilus*, presente en los flujos venéreos de todas las mujeres y que tiene el agrio sabor de la leche de yegua o el de la deyección descompuesta.

Pero volvamos con Kinsey. Otra de las peculiaridades que descubrió, llevado por la cada vez más creciente atracción hacia el mundo íntimo de las *bobby-soxer* que secretaban dalilaxina, fue la confirmación de que esas jovencitas tenían el himen más raro de la especie, el llamado *fimbriatus*, para lo cual se asesoró de un reputado himenauta. Y era verdad: el himen *fimbriatus* tenía la abertura dentada o como en zigzag y —coligieron— eso era tal vez lo que explicaba el enorme temor y la ulterior impotencia de los reos. Pero ahí no paró todo y lo que viene a continuación yo sé por qué se lo digo.

Con algo de estupor los entendidos advirtieron que el tentigo o panículo o pudendum —nombres deliciosos que el hombre ha inventado para el clítoris– era más sensible y cosquilleante en las niñas que en las muchachas de mayor edad. No obstante la riqueza nominativa, debo aclarar que el doctor Kinsey siempre llamó *nymphe* al clítoris por dos razones: primera, porque, como decía un clásico –y los clásicos siempre les quitan a estos asuntos su mal sabor de boca–, "ese trocito de carne se oculta como una novia". Y segunda, porque nada es más atinado, incluso fonética y semánticamente, que el lugar donde la ninfa descubre por primera vez el placer: la ninfa lo es más por el placer que la yema de sus dedos le otorgan que por el nombre que se le da a la edad por la que atraviesa. Además, su forma física, como de cresta, responde a la acepción mitológica de la divinidad de los bosques, los promontorios y los ríos. ¿Y qué otra cosa sino eso, se preguntaba Kinsey, es un clítoris? ¿Acaso no es el paniculo que se guarece entre el boscaje, las anfractuosidades y la húmeda raja? Agotado físicamente por el esfuerzo de sus disquisiciones, el doctor Kinsey hacía algunas últimas recomendaciones, como la de aprender algo de latín para no confundir *nymphe* (clítoris) con *nymphae* (labios menores), pues una equivocación en la fricción suele traer desagradables sorpresas.

Recuerdo en especial la intervención de un joven ginecólogo del Ninfarium con aspecto de seminarista que, a propósito de la autocomplacencia de las niñas, describió la forma más eficaz de sacarle todo el partido a la solitaria fiesta. La niña sabia se coloca una ortiga sobre el clítoris y al cabo de algún tiempo, hinchado y bien gordo, es tan fácil de atrapar y frotar que hasta se le puede hacer un moñito. Por último, este mismo doctor nos contó algo muy extraño, frecuente causa de enfermedades entre las *bobby-soxer* de su ciudad. Primero, se friccionan el tentigo con una fruta llamada chontaduro, propia de esa región de los trópicos y a la que se le atribuyen facultades afrodisíacas. Después, a lo largo de tres días se introducen la pulpa de la fruta en la raja y en la noche de la cuarta jornada se entregan a sus hombres. Éstos no son conscientes del fermento que se les unta y se ponen como locos, por lo cual no es de extrañar que, una vez superada esta ceremonia, salgan a la calle a violar niñas. Y es en este punto donde volvemos a encontrarnos, pues no debe usted olvidar que fue uno de estos monstruos quien primero le dio al doctor Kinsey la pista sobre los jugos íntimos que acabaron con su virilidad. Las bases del último Informe estaban dadas y por eso el manuscrito que me legó el maestro se titula *Sexual Behavior in the Bobby-Soxer.*

El doctor Alfred Kinsey murió el 25 de agosto de 1956 en el Hospital de Bloomington pero su mayor pena la sufrió dieciocho días antes, al enterarse de una tragedia que conmovió al mundo entero. Una flotilla de camiones del ejército, aparcada junto a la antigua estación del ferrocarril del Pacífico, y que transportaba cuarenta y dos mil kilos de explosivos en forma de gelatina, hizo explosión a la una de la madrugada del día 7 de agosto. La conflagración destruyó treinta y seis manzanas de Santiago de Cali, causó la muerte de mil quinientas personas e hirió a otras dos mil quinientas. Pero ¿qué puedo yo contarle a usted sobre la desgracia de su ciudad? La cuestión es que el Instituto de Ginecopatía Precoz, que albergaba a una veintena de niñas sometidas a investigaciones fisiológicas a causa de la llamada dalilamicosis, saltó hecho trizas, con sus laboratorios e historias clínicas, con sus archivos repletos de valiosos hallazgos. El Ninfarium estaba situado frente a la sede de la Tercera Brigada, lo que es tanto como decir que se encontraba justo en el epicentro de la terrible explosión. El doctor Kinsey, aquejado de neumonía, al recibir la noticia se deprimió de tal forma que su salud se deterioró a la par que su estado anímico, y creo que no era para menos, pues aparte de las vidas se sacrificó una documentación capital. Menos mal que Villaveces y otros colegas nos remitían puntualmente algunos de los resultados de sus análisis y aquí en Bloomington guardábamos las copias, que son aquéllas con las cuales la doctora Rosenfeld y yo trabajamos. Pero si algo llamó mi atención fue la profunda depresión del doctor, acompañada de llanto, y juro que nunca antes lo había visto tan condolido y gimoteante, ni siquiera cuando se calzaba el prepucio con una corona de espinas y se sometía a otras espantosas torturas que le dejaban los genitales lacerados y sangrantes, la imagen viva de un pobre Ecce Homo.

Porque usted debe saber que la meta de todas sus investigaciones fue siempre determinar hasta qué punto las fantasías y la práctica —coito o masturbación— llevaban al hombre norteamericano al placer máximo. De ahí el éxito de su primer libro, edificado sobre datos fehacientes que ni siquiera la célebre hipocresía ni el fariseísmo de la Unión americana pudieron ocultar. La conmoción pública no podía negar la evidencia de lo que se hacía en privado y cuyos resultados proclamaron que el gringo se masturba más que los simios, que es tan infiel como un turco y que a menudo alterna estas prácticas con sujetos de su propio gremio, lo cual lo hace más marica que un político joven. ¿Para qué negarlo? En resumen, los datos son elocuentes y ya estoy cansado de repetirlos. ¿Por qué los interesados no los leen directamente en el Informe? El noventa por ciento de los hombres blancos que fueron entrevistados confesaron haberse masturbado alguna vez, incluso los episcopalianos y los cristianos menonitas. Entre el treinta y el cuarenta y cinco porcentual había frecuentado a prostitutas y el treinta y siete por ciento –preste usted atención a este dato–, o sea más de la tercera parte de los encuestados, confesó haber experimentado prácticas homosexuales con orgasmo incluido. Como ve usted, casi la mitad de los machos de este país son en realidad más locas que el director del FBI. ¿Y qué de los negros? Los negros no contaban en ese entonces y menos para las encuestas. Además, como decía el senador McCarthy, su sexualidad roza la zoofilia. En todo caso, y sea cual sea la actitud que se asuma ante el Informe, uno de los mayores logros que consiguió el doctor Kinsey fue descartar la relación hasta entonces admitida entre la homosexualidad y el desequilibrio endocrinológico y, por lo tanto, eliminó de un tajo las explicaciones psicológicas convencionales. Todo obedece, pues, a hábitos aprendidos y gozados en la infancia, hábitos que el sujeto repetirá en su vida adulta, haciendo de ello un patrón gozoso.

Esta conclusión no por novedosa resulta menos sorprendente, sobre todo si tenemos en cuenta la reservada infancia de Kinsey, entre las abejas y las mariposas de South Orange. ¿En qué fantaseaba mientras se preguntaba qué hacían los pájaros cuando comenzaba a llover? ¿Llegó a intuir en aquella lejana época, cuando observaba los hábitos de las abejas y la metamorfosis de las crisálidas, la extraordinaria y misteriosa transformación sexual de las niñas? ¿Pensó alguna vez que esos cuerpos apenas sin forma encerraban más plácemes y cálidas gratificaciones sexuales que las cortesanas más resabiadas? ¿Cuál fue –me he preguntado muchas veces– el aporte de la hombruna Clara en la transmutación del silencioso y rígido metodista de antaño? Ya le conté a usted que cuando lo conocí era un ser retraído y como pateado por una yegua, y que además daba la impresión de haberse salvado por un pelo del autismo más cerrado. Por eso no dejó de sorprenderme, tras su noviazgo con Clara, un cambio tan abrupto. Sus preguntas sobre aspectos sexuales escabrosos eran directas, despojadas de la menor intención metafórica, y lo mismo cabe decir de su comportamiento en la colonia, donde era frecuente verlo deambular desnudo entre los estudiantes sin mostrar inhibición alguna con sus funciones corporales, lo que quiere decir que meaba y cagaba sin recato alguno y donde lo sorprendiera la emergencia. Pero esto no era nada nuevo. Ante la sorpresa, a veces indignada de algunos, y entre ellos yo mismo, nos ilustraba con abnegación casi socrática sobre estas cuestiones. Fue así como nos enteramos de la sorprendente vida íntima del colega Havelock Ellis, quien puso patas arriba la sexualidad inglesa en la sociedad victoriana. Créame, pero después de escuchar al doctor Kinsey hablar sobre su antecesor, el ilustre autor de los inapreciables *Studies in Psychology of Sex*, llegué al convencimiento de que todos los investigadores en este campo son —somos, perdone usted— unos pervertidos. Creo que el verdadero origen del interés del doctor Kinsey por las niñas prepubertales no fue tanto la dalilamicosis del doctor Villaveces sino las revelaciones de Havelock Ellis. Éste confesó en su *Autobiografía* que había descubierto el misterio más profundo de la mujer al ver, de niño, orinar a su niñera. Y narraba, además, que cuando sólo contaba nueve años de edad su madre lo sorprendió oliendo las bragas meadas de una niña de diez. No tuvo escrúpulo alguno al contar que era feliz acompañando a su madre al baño de las damas, donde se retorcía de placer al oír el ruido y atrapar el olor de la micción de las matronas. Pero su obsesión fueron las niñas y ya adulto reivindicaba la lectura de *Child Love*, una novela de finales del siglo xix en la que la protagonista es una niña de doce años que le narra las peripecias de su agitada vida sexual a otra niña de su edad. Y aunque se desvirgó con su primo, esta precursora de las más perversas libélulas sexuales, ahora tan de moda, gustaba de envilecerse de todas las formas sólo con adultos, a quienes, una vez saciados sus apetitos, abandonaba como trastos inservibles. Se llamaba Phyllis Norroy y si hubiera salido de noche habría sido presa suculenta en el versátil menú de Jack el Destripador. No quiero fatigarlo con mis erudiciones, amigo mío, pero no puedo dejar de mencionarle una auténtica joya escrita especialmente para ese doctor Ellis y que, bajo el pretexto científico, le envió un paciente. Me refiero a la legendaria *Confesión sexual de un anónimo ruso*, donde el insaciable corresponsal se desabotona la bragueta para narrar con minuciosidad envidiable sus decenas de aventuras con muchachitas rusas y napolitanas, nunca mayores de doce años y que eran auténticas enciclopedias de perversión sexual. Pero volvamos con los colegas. Si el doctor Kinsey se metía astillas de cedro por la uretra y sacacorchos por el agujero del culo, el doctor Havelock Ellis era más audaz con su manía: iba a los mingitorios públicos y furtivamente humedecía trozos de pan en los restos de orina huérfana y al borde del éxtasis comulgaba, devorando con fruición tales manjares.

Y fue por allá en el cincuenta y tres, poco antes de la publicación del Informe sobre la sexualidad femenina, cuando recibimos en Indiana la visita del húngaro. Era un tipo de aspecto y comportamiento danubianos, un aristócrata que había seguido la carrera del doctor Kinsey, pero no la del sexólogo sino la del entomólogo. Conocía muy bien su trabajo con las abejas, los pájaros y las mariposas, y su viejo profesor en Harvard, William Morton Wheeler, le había facilitado su dirección en Bloomington. El húngaro viajaba siempre con su mujer, tan distinguida como él, y aparte su interés por la entomología dominaba varias lenguas y era un genio del ajedrez. A todas partes llevaba consigo un magnífico juego en el que las dieciséis piezas de un lado eran de marfil y las similares del otro de ébano, piezas que habían sido traducidas —eran sus palabras— al lenguaje de la floresta gozosa. Así, el rey era un sátiro, los peones ocho silvanos, las dos torres tenían forma de colmena, los caballos eran machos cabríos y los alfiles dos faunos. La más hermosa e inquietante figura era la reina, una ninfa de perfiles tan finamente delineados que el sólo hecho de moverla sobre los escaques desataba no sé qué clase de escalofríos, desde el cogote hasta las ingles y lo más abscóndito de la entrepierna. Jugamos varias partidas pero en los iniciales movimientos me dio invariablemente jaque mate. No recuerdo sobre qué hablaba con el doctor Kinsey pero yo gané su interés cuando lo puse al tanto del énfasis de nuestro equipo en las investigaciones sobre la pubertad femenina.

Debo decirle a usted que ése fue el momento de mi carrera en que comencé a sospechar que la pubertad se inicia mucho antes de lo que se había creído hasta la víspera del *Sexual Behavior in the Human Female*.

Ahora, estoy convencido de que las hormonas que desencadenan la pubertad en las niñas no proceden de los ovarios sino de las glándulas suprarrenales y que por lo general liberan hormonas de estrés. De la jeta del húngaro chorreaba la baba cuando lo puse al tanto de estos dones. Además, cuando le presenté a Victoria, la hija de mi desaparecido hermano, una niña que por aquel entonces ya había cumplido once años, se volvió habitual de la casa y allí se la pasaba horas y horas, goloso y con un rictus procaz en la boca durante dos veranos seguidos. Como usted sabe, ya no es un misterio reconocer que los esteroides sexuales suprarrenales cumplen la misma función que las hormonas sexuales y que, por ende, afectan tanto el comportamiento como el cuerpo. Y estas hormonas son, a edad más temprana que la admitida, las responsables de la atracción sexual. Atracción que, contra lo previsto hasta esa época de la que le hablo, se manifiesta entre los nueve y los diez años. Pero una cosa es la atracción y otra la acción, me dirá usted. Razón no le falta. De la atracción se pasa al deseo y luego al acto real. Y aquí interviene cierto andrógeno suprarrenal que se manifiesta críticamente alrededor de los diez años. A propósito, debo reconocer que gracias a las investigaciones del Instituto de Ginecopatía Precoz se descubrió algo que puede parecer insólito pero que un minucioso seguimiento de las prácticas de autocomplacencia de las niñas puso de presente y sobre lo cual hoy no hay duda alguna. Se trata del único dogma sexual femenino y es el de que no hay sobre el planeta dos niñas que se masturben de forma similar. Ése es un universo misterioso y profundo y por esos días leí algo que me dejó pasmado pero que confirma la profundidad de dicho dogma. La sabiduría sexual de una niña sólo se alcanza —leí en el documento— cuando ella es capaz de distinguir entre masturbar a su hombre y hacerle la paja. ¿Se imagina usted la cara del húngaro cuando le conté todo esto?

Y entre confidencia y confidencia, el tipo me hablaba de su vida allá en Columbus y entre los salvajes, a orillas del White river, sin quitarle la mirada a mi sobrina, sobre todo el día en que le expliqué lo que significaba la adrenarquia, que como se sabe no es otra cosa que la activación de la función andrógena suprarrenal y que convierte a las niñas en precoces e insaciables depravadas. El húngaro me escuchaba con atención infinita y una tarde creí que incluso tomaba apuntes de mis confidencias. ¿Sabía usted que es alrededor de los seis años cuando comienzan los cambios físicos en las niñas, cuyas glándulas sebáceas tienden a manifestar sus efectos sobre su fina piel? Y esto quiere decir que la pubertad no está lejos, y es cierto, pues apenas tres años después el deseo sexual se hace evidente. Pero como usted dice, una cosa es el deseo y otra la acción, que por lo general se precipita hacia los doce o trece años. Dije "por lo general", pues en el caso de Victoria Devereaux se manifestó alrededor de los once. Y la verdad es que mientras las otras niñas de su misma edad parecían renacuajos, entes informes y desabridos, Victoria ya exhibía un par de tetas, breves pero con pezón y aréola al ataque, que se traslucían en su ceñido traje de baño cuando se tendía bajo el sol en la piscina pública de Bloomington. Su grupa era airosa y firme y la ranura interglútea devoraba la mínima tela de la sisa haciendo que las nalgas aparecieran más esféricas y apetecibles. No medía más de metro y medio pero parecía una aventurera como de dieciocho años. A los nueve se le habían comenzado a desarrollar sus atributos y a esa misma edad, o antes, incluso, es casi seguro que sus hormonas pituitarias hicieron su aparición y podría jurarle que sus ovarios ya producían secreciones. Sé por qué se lo digo.

Por la época en que acompañé al doctor Kinsey al Perú y luego a su país, mi sobrina me sometió a la más perversa de las pruebas. Por las tardes, cuando regresaba del colegio, todavía enfundada en su uniforme –suéter azul, falda escocesa y medias tobilleras blancas–, solía montar en bicicleta en compañía de sus amigos durante una hora más o menos. Pero un día en que yo podaba las plantas del jardín comenzó a dar vueltas, sola, haciendo toda clase de cabriolas. Y en cierto momento, cuando advirtió que había ganado toda mi atención, comenzó a pedalear furiosamente en dirección hacia donde yo me encontraba. Perplejo, vi cómo la distancia se agotaba y supe que en cuestión de segundos se estrellaría contra mí. Entonces, a escasos cuatro o cinco metros, con los ojos ferozmente clavados en los míos, liberó sus pies de los pedales y colocó sus piernas sobre los manubrios dejando que la bicicleta avanzara sin control alguno. Alcancé a hacerme a un lado y logré esquivar el golpe por escasos centímetros, y fue entonces cuando me fue dado observar con toda minuciosidad la más inquietante de las revelaciones. Con las piernas completamente abiertas y desnudas, apoyadas sobre los manubrios, la falda subida hasta la cintura a causa de la velocidad y el viento, pude ver el negro vértice del pubis, liberado de su prenda íntima, que pasaba ante mis ojos con la contundencia de una bofetada. Todavía no me he recuperado de semejante visión y creo que con los años, en lugar de haber borrado los detalles los he precisado, haciéndolos más propios e inmediatos.

Por eso creo que si las hormonas suprarrenales hicieron física, anatómica, biológicamente precoz a mi sobrina, algo similar ocurrió con sus habilidades de razonamiento abstracto, pues a esa edad, como lo demuestra lo que acabo de contarle, Victoria era más recursiva que un filósofo epicúreo en épocas de abstinencia. Y todo esto gracias a lo que llamamos adrenarquia. ¿Que por qué se han retrasado tanto las investigaciones en este sentido? Porque la psicología insiste en negar esos cambios prematuros y sus defensores creen que a esa edad sólo hay lugar para la fantasía latente.

Mi sobrina demostró que ella ya se había instalado en la práctica gozosa y que si había fantasía era la de quienes se empeñaban en verla y considerarla sólo como una niña. Hasta que se le atravesó en su salvaje pubescencia ese malnacido que la dejó como le conté al comienzo, derrotada pero feliz y pasto de forenses. Todavía la veo enredada en el espléndido desorden de su falda de colegiala, semicubierta por unos edredones que no pudieron ocultar un alfil de ébano con forma de fauno ni su perturbadora desnudez, inerte, silenciosa, y con los párpados entreabiertos, como si sus ojos hubieran alcanzado a vislumbrar esa tierra prometida de la que nosotros los adultos ya no guardamos memoria.

La noche
de Aquiles y Virgen

Amor mío, mi boca será un ejército contra ti.
Apollinaire

AQUILES QUIERE todas las noches, antes de dormirse, un polvito no muy elaborado, apenas para dar fin a las reservas de vigilia que el trabajo en la oficina, las rutinas del café, los amigos y el periódico, no logran agotar. Su esposa, tres de cada cuatro noches, cansada e inapetente, derrotada por los afanes hogareños, la ansiedad de la espera y la tensión que suscitan en ella las telenovelas caprichosas e interminables, se derrumba sobre la cama, no sin haber cumplido con los rituales que el terco *Mamuma* se empeña en repetir antes de conciliar el sueño. Vestida a veces o con el piyama a medio camino, su cuerpo hecho una bella e inútil madeja, enternece y molesta, despierta el deseo y lo apaga con la inocencia de los indefensos. Lo que tiene de niña le salta entonces como un duende al rostro, allí se instala e ilumina la expresión sosegada y risueña de sus labios, los rasgos de muñeca vagamente oriental, las largas y densas pestañas, el pelo negrísimo felizmente desordenado en contraste con la palidez rosácea de las mejillas. La muy puta, piensa cariñosamente Aquiles, sabe desarmarme con su mejor pose. Pero no. No es esa la mejor. Basta que abra los ojos para que la obra de arte de su rostro alcance la plenitud, el equilibrio magnífico, la turbadora belleza que no han logrado opacar los años ni soslayar la costumbre.

Una vez que coloca la cabeza en la almohada, basta contar hasta diez para saber que ya con Virgen no se puede tratar ningún asunto, menos que cualquier otro, el de aliviar a su esposo de las urgencias que le quitan el sueño. Y no es que a ella no le guste; al contrario, le apasiona, le divierte, es su mejor recuerdo y su más socorrida expectativa, la mantiene en movimiento y risueña en el tráfago sin fin del día: la radio a todo volumen, Virgen cantando sin respiro y sin público (no lo hace mal, imita asombrosamente bien a dos o tres baladistas, tiene un alto sentido del ritmo y un instinto diríase visceral para inventar coreografías de las que sólo el espejo, las paredes y los muebles son testigos), barre, arregla la casa, tiende las camas, va al mercado, regresa, mira el reloj, cocina, lava, revisa el guisado, plancha, todo ello sin olvidar por un instante lo que le tiene reservada la noche (si el sueño no la vence, si *Mamuma* cae antes de las nueve, si el espíritu o el humor o las ganas o el deseo son propicios). Virgen recuerda, planea, inventa, sonríe, gira sobre las puntas de los pies y sigue adelante: recoger los juguetes del brujo *Mamuma*, ordenar la ropa planchada, sacudir los muebles, entablar una lucha campal contra las pelusas que invaden la alfombra.

Y no sólo le apasiona como actividad romántica –para ella lo del polvito es únicamente subproducto del cariño, una parte prescindible e incluso antihigiénica del amor– sino que está dotada de las virtudes indispensables o acaso sólo del entusiasmo de la amante perfecta: hay en ella un extrañísimo equilibrio entre una ausencia de malicia, algo como una inocencia sin grietas, y una morbosidad minuciosa, extremista (Aquiles entiende que tal maridaje es absurdo, pero no tiene otra forma de explicar los comportamientos de su mujer), que la incita a pedir a su marido que prenda la luz de la lamparita y la obliga a querer rebasar todos los límites: siempre quiere esperar otro ratito, aplazar la solución inapelable y somera del alivio, y en sus transportes termina por echarlo a veces todo a perder. Aquiles, que no se concentra más allá de cierto umbral de tolerancia, comienza a pensar que debe levantarse temprano y llegar lúcido a la oficina para evitar confusiones, disputas, vergüenzas, y sin querer pero deseándolo grita con fingida pesadumbre su derrota, que ya viene el polvito, mija, y un gemido, apúrate, y el veloz negocio del amor termina con un enfurruñamiento de Virgen, quien afortunadamente se duerme pronto, no tiene tiempo para protestar y al día siguiente perdona y olvida.

Nunca, nunca, ni en los tiempos del febril noviazgo (la conoció en la oficina, le gustaron sus ojos y el mohín de chiquilla con el que respondió a su sonrisa de cuarentón con debilidades, la invitó al cine, la besó en una esquina oscura, la llevó a su casa, se hicieron polvito y un mes más tarde se casaron), cuando Virgen se escapaba de su casa para pasar los fines de semana encerrada en el desastroso apartamento de Aquiles, ha quedado satisfecha. Sus proyectos eróticos son alocados, sin medida y todas las noches en que está dispuesta al goce, descansada y hecha un alboroto de perfumes y perifollos, dice que quiere ver la aurora después de haberse hecho polvito diez o doce veces. Ella supone que tal empresa es posible y estaría dispuesta a jurar que en los fecundos días previos al matrimonio, más que una hazaña, fue un hábito devastador y feliz.

Aquiles se dirige al baño, se lava los dientes –lo que es casi un vicio por la frecuencia y el cuidado con que lo hace–, se mira de frente y de perfil, menos movido por la vanidad que por el deseo de verificar los efectos del tiempo sobre un cutis que nunca ha sido benévolo; se da un duchazo de pájaro en la fuente, se aplica desodorante antes de secarse, hace ejercicios respiratorios y suspira.

Ya terminó la telenovela, *Mamuma* cayó con los primeros comerciales. Aquiles escucha allá a lo lejos –la estancia es una inexplicable sucesión de cuartos todos semejantes, separados por puertas, el baño queda al final del rústico laberinto– que Virgen apaga la televisión y sabe que las condiciones están dadas. Sólo falta que no la derrote el sueño, que llegue a la cama, como a un puerto, evitando los escollos de tantas labores que hay pendientes en la casa.

Aquiles, con el oído atento, avanza hacia la recámara. Va cerrando puertas y apagando luces. Entra en puntas de pies. Se pone el piyama. Una prenda poco erógena, sostiene Aquiles, a la que se ha resignado sin dificultad, como se resignó a los diminutivos ridículos, a la misma pregunta repetida año tras año, noche a noche, a poner las cosas más o menos en su lugar e incluso a ir a misa y a cumplir unas prácticas en las que dejó de creer cuando el cura de su parroquia le puso una mano en el alto muslo. Y no le compró un piyama semejante por crueldad o mal gusto sino por una razón menos que inescrutable: Virgen concibe una pasión doméstica por las diferentes partes del cuerpo de su esposo, pero por sus piernas tiene una debilidad rayana en lo enfermizo. Verlas desnudas y abalanzarse a besarlas es a menudo parte del mismo impulso. Comprensible entonces es que Aquiles haya convertido su disfraz de nocturno boy scout en piyama preferido o anzuelo.

Aquiles cubre bien al brujo *Mamuma* con la cobija. Afirma el cubrelecho prensándolo con el colchón. Siempre lucha por destaparse. Es como Virgen: se acuesta bien abrigada, hasta con suéter y calcetines, si es necesario con una bufanda. Encima se echa dos o tres cobijas. Horas después, entredormida, comienza a patear las sábanas, luego, sin despertar del todo, se despoja del suéter. Si éste le opone resistencia, Virgen es capaz de desgarrarlo. Finalmente, merced a contorsiones y entre protestas, se deshace del portabustos y la pantaleta, que lanza furiosamente lejos. Entonces sí se entrega al sueño, orlada por una desnudez beatífica que despierta en su marido ternezas y arrebatos incontrolables dejándolo al arbitrio de la tierra estéril del insomnio.

Virgen parece no ocuparse de Aquiles. Se despoja con poco arte del vestido, del fondo y del sostén. Ahora viene el asunto delicadísimo de la selección del piyama. Virgen escoge precisamente el menos propicio. Lo dicho: no quiere, se dice contrariado Aquiles, pero luego recuerda que la más socorrida estrategia de su mujercita es ocultar su aquiescencia hasta el último instante. Hay que seguirle el juego. Todo está en que no se duerma.

Es tan menudo el cuerpo de Virgen que cabe en el piyama de un niño de catorce años. Vista de lejos y con el cabello recogido se la puede confundir con un adolescente magnífico, lánguido y turbador.

Su cuerpo destella inundado por la suave luz de la lámpara de veinte voltios. La pieza superior del piyama cubre fugazmente la cabeza, se desliza a lo largo de los brazos en alto, se detiene un segundo en sus cántaros de agua fresca y se instala como una cascada de cristal líquido en la curvatura del inicio de unas ancas de yegua niña.

Virgen se tambalea. El ave rapaz del sueño comienza a rondarla. Recupera el equilibrio. Para ponerse el pantalón (hay veces en que la somnolencia le impide terminar el proceso y es entonces cuando Aquiles debe concluir lo iniciado).

¿Me quieres?, pregunta Virgen. Ya sabes que sí. Dilo. Te quiero. No te oí. Te quiero. ¿Cuánto? Lo suficiente. ¡Ah!

Así no van a funcionar las cosas, piensa Aquiles. Me faltó convicción y una pizca de fantasía. Tendría que haberme arrojado a sus pies y decirle por ejemplo te quiero más que a mi vida, más que a mi madre y a mis diez hermanos, por ti sería capaz de caminar descalzo cien kilómetros en pleno desierto del Sahara y de nadar desde América hasta Europa quince veces ida y vuelta.

Ah, las incomprensibles sutilezas del amor: entonces Virgen hubiera dicho: Me basta con que digas "te quiero" con sencillez y sinceridad. Y Aquiles habría replicado, ¿otra vez?, lo que iniciaría una discusión inacabable. Aquiles lo intenta de nuevo. No son las palabras lo que cuenta, sino el torrente interior: Claro que te quiero, piojita.

Eso estuvo mejor.

Aquiles aparta las cobijas y se coloca en posición de recibir a Virgen en brazos. Generalmente se acomoda colocando su cabecita de pájaro sobre el pecho amplio y ligeramente mullido de su esposo. Luego entrevera sus piernas con las de Aquiles, después de levantarse las enaguas de su bata hasta la cintura. Pero ahora el piyama de niño de catorce años obstaculiza el roce de los muslos (Virgen es prácticamente una puritana: no soporta las fiestas ni las reuniones de familia, lleva a todas las partes su tejido –tiene treinta o cuarenta suéteres, todos de su orgullosa creación– y en medio de las multitudes encuentra refugio en las agujas; llama a su esposo y le dice: Quiles, te propongo una travesura: vámonos volando a casa, nos quitamos los calzones y nos metemos en la tienda de campaña. Que es, claro, el amparo de las sábanas, todas las noches limpias, recién planchadas. Tal es su más alto paraíso).

Desde que lo conoció sin zapatos y sin pantalones –dos días después de verlo por primera vez en la oficina– Virgen vive impresionada por el tamaño de los dedos de los pies de su esposo: "Quisiera tener unos dedos gordos como los tuyos. ¿Crees que si me inyecto silicones podré conseguirlos?".

Virgen se estira. El buitre del sueño está a punto de acogotarla. No hay remedio. Se tiende con poca gracia sobre la cama. Le da la espalda a su esposo. Abraza su almohada.

Aquiles comienza a contar. Cuando llega a nueve Virgen gira su cuerpo y se acomoda. Una pierna sobre los muslos de su marido, la cabeza en el pecho. Posición clásica. Mete una mano bajo la camisa de Aquiles y la deja divagar. Si súbitamente se inmoviliza a la altura del ombligo, es señal cierta de que ya los pájaros de la noche le están royendo los pensamientos. Si desciende hasta las entrepiernas, una de dos posibilidades: o está obedeciendo al instinto de cada noche y después de alterar la paz del yacente se entrega, la muy irresponsable, a la clausura de las imágenes privadas, o de veras quiere hacerse polvito con su esposo. También puede ser, piensa Aquiles, que Virgen utilice la carnada del deseo para lograr la dosis necesaria y adormecedora de caricias y arrumacos.

Dada la segunda alternativa, Aquiles puede proceder. Introduce una mano a espaldas de Virgen y la dirige rumbo al cauce de sus nalgas, descendiendo por la vertiente de la columna vertebral, al tiempo que su esposa se estremece como un perrito de aguas que mueve la cola.

Dos actitudes de Virgen sacan de quicio a Aquiles: la de descubrirse los pechos con aires de diva fatal y ofrecerlos a los labios diligentes de su marido, y la de recoger las piernas bajo las sábanas para despojarse de las pantaletas. Sólo en esos momentos puede descansar Aquiles en la certeza de que el camino hacia el polvito es irrevocable.

Virgen toma la gran cabeza de su marido y la conduce con pericia hacia los lugares que debe visitar. Dama delicada y experta, guía a su dragón doméstico a pastar en campos plagados de visiones y encantamientos, le permite el vislumbre y el goce fugaz de los nichos aromados y lo deja abrevar en su manantial más profundo.

Si Aquiles quiere sacarla de los sueños de opio del amor (¡hay tantos papeles estúpidos y quisquillosos que revisar en la oficina!; un solo error ocasionaría una ominosa convocatoria a la guarida del director, desfilar entre las sonrisas de los compañeros), tiene que recurrir a pequeñas traiciones, omitir ciertas visitas ineludibles e inventar arrebatos que lo lleven a transgredir los ritmos habituales de la ceremonia.

Como la criatura silvestre que ya siente silbar la flecha, Virgen se escabulle. Voy a prender la luz, dice, ¿no te molesta? Ni responder es conveniente. Ella misma sitúa una almohada bajo la cabeza de su amante y éste comprende sin dificultad alguna lo que se espera de él.

Aquiles recuerda que antes no le gustaba llegar a tales extremos, pues le molestaban los humores, el olor indiscernible, terriblemente orgánico, la textura deleznable, el sabor pastoso, y que luego la necesidad, la costumbre, el saber que el camino estaría allanado, le hicieron reconocer y disfrutar de un cierto aromoso saborcillo a yerbabuena y esa textura del fruto del paraíso llamado pérsimo.

Ahora reconoce que sin ello no puede pasarse.

El brujo *Mamuma* se revuelve en la cama. Alarma. Una mano de Virgen se tiende rumbo a la fuente de luz y Aquiles puede contemplar, antes que la oscuridad tranquilizadora torne a sumergir a *Mamuma* en el sueño, la frutal firmeza de un seno y el perfil de sol en el ocaso del otro.

Una vez segura de que *Mamuma* no volverá a despertar, Virgen retoma el mando. Dispone del cuerpo de su marido, lo distribuye equitativamente en la cama, le murmura fórmulas de paz y relajamiento y después comienza a ramonearlo aquí y allá, con algo de calculada brusquedad, como una nerviosa cabrita de montaña en lo más agreste de su territorio, más jugueteando que en ejercicio de una pasión tonta, y su esposo sabe jubiloso y en medio del temblor, a dónde conducirá todo aquello, a la más noble y deleitosa, deleitable labor que convertirá la parte más delicada de su naturaleza en una temible, vibrante escultura. Baila Virgen una danza de guerra llena de estruendo y relámpagos y promesas en torno a su prisionero.

No más, pide Aquiles, no más. Y la terca Virgen supone siempre que es falsa alarma y se empecina en recibir con descaro la medida más generosa de su marido en lo más profundo del foso de los suspiros, y en ocasiones, ya Aquiles tiene que recurrir a una especie de violento salto atrás y apartar la cabeza de su esposa y suplicarle que permanezca tranquila un instante. Entonces es cuando ella se da cuenta de las dimensiones de la posible tragedia y busca formas de evitarla: ¡Piensa en la crisis! ¡En la deuda externa! ¡Hay que mandar el coche al taller!

A veces la estrategia de distracción da resultado y la carga de caballería se detiene justo antes de caer al fondo de la nada. Entonces, aliviados pero todavía en peligro, pueden hacer una pausa, fumar (Virgen sólo fuma en el lecho y lo hace torpemente, tomando el cigarrillo con más de dos dedos) y hablar del kínder del brujo *Mamuma*, de sus últimas ocurrencias (pintar una raya con tiza en el patio para que las hormigas no se atrevan a rebasarla; pretender abrir la puerta con una llave de plastilina), y los gastados chismes de la oficina (sólo hay una secretaria, una tipa que quizás veinte años atrás fuera atractiva, pero que hoy es correosa, presumida, regañona y desmañada y a quien, en broma, se le atribuyen toda clase de amoríos absurdos).

Pero si el desastre es inevitable, Virgen se desilusiona y observa cómo su marido se deshace en leves estertores (nunca comparables a los tremendos bramidos que lanza cuando se manosean cerca del lavadero, movidos por la soledad del patio, un arranque romántico de Virgen o el capricho de Aquiles que la sorprende a deshoras y con la insinuación de los senos al aire y el culito sublime embalado en un ir y venir sin piedad ni redención). Lo poco de placer entonces se diluye en una anémica llovizna ante la presencia burlona de Virgen que acepta lo irremediable y da la espalda.

¿Verdad que me quieres mucho?, pregunta. ¿Por qué negarlo? Aquiles no hubiera podido soportar la vida al lado de cualquier otra mujer. Todas sus anteriores amantes fueron tan seriamente lujuriosas, tan formales, tan faltas de frescura. Muchísimo, responde Aquiles. ¿Cuánto? De aquí a la China. Pues yo te quiero de aquí a Saturno, ida y vuelta quince veces.

Cualquier cantidad que mencione Aquiles será superada con creces por Virgen. Tiene una magnífica imaginación numérica.

¿Verdad que hay hombres que le meten la cosa a las mujeres por el anito? Sí, corazón. ¿Te gustaría hacerme eso a mí? No sé, quizá, pero mejor no: tienes tu rosita demasiado chica; te dolería.

¿Lo has hecho con alguien?

Aquiles opta por no responder. Recuerda su vergonzosa relación con una estudiante de medicina, sus protestas, su aceptación y contradictorio placer, sus venganzas. Virgen es muy rencorosa, detesta el pasado de su esposo. Lo sabe todo, pero insiste en solicitar detalles. Nunca le perdona que no haya llegado puro al matrimonio.

—¿Ya quieres tu polvito?

—Cuando quieras quiero.

Virgen se retracta: Mejor hagamos dos o tres estampas divertidas antes de hacernos papilla. ¿Cuál primero?, pregunta Aquiles. ¿Qué te parece la barca sobre la mar y sobre la barca del amor?

Virgen toma su posición de gaviera mayor y comienza a cantar para darle ritmo a su cuerpo: *Chocolate, molinillo, que recoja en el membrillo, estirar, estirar, que el niñito va a pasar.*

De nuevo Aquiles se ve en la necesidad de reprimir el entusiasmo de su mujer. Ella, terca, se niega a abandonar el palco de honor y para evitar el desliz incurre en una caricia vedada, en una cosquilla artera, que es un trago de agua helada. Una vez que Virgen se encarrera no hay poder sobre la tierra que la haga dar marcha atrás. Si fuera posible ligar diez o doce estampas sin perder su conexión a la raíz del mundo, ello la haría muy feliz. Aquiles intenta complacerla. Si va a desvelarse y a echar todo a perder mañana en la oficina, por lo menos que sea con provecho. Mientras Virgen se esmera en cumplir con las fantasías que la acompañaron durante el día, su marido piensa en cualquier cosa menos en lo que está sucediendo. Lo más efectivo es traer a escena al detestable Figuerosa, que sustituyó, después de veinte años de lucha, el cigarrillo por los chicles, y que no deja de proclamarlo con aires de superioridad y que ahora abandona sus basuras en los sitios más insospechados de la oficina. Cada vez que la secretaria lanza un graznido es porque ha tropezado con un chicle viejo y oculto.

Virgen le dice: Ven acá, calzonudo. Impulsa a su marido a que se siente y la abrace de modo que ella pueda sentir sobre su busto dulcemente oprimido los cuatro pelos del pecho de Aquiles. Soy una naranja dulce, dice, llévame al borde de la cama y ponte de pie.

Ah, briboncilla, quieres volar.

Aquiles se pone de pie con algo de dificultad. Virgen pesa apenas 44 kilos, es una típica alfeñica de las que con tanto desprecio habló Charles Atlas, y aunque su marido pese exactamente el doble (quiso ser pesista y luchador en sus años mozos, practicó tozudamente la natación y el atletismo hasta que las responsabilidades familiares y la desidia instalaron un colchón de grasa que ahora rebasa los límites del cinturón heroico) cuando se trata de pasar de la posición horizontal a la vertical con las piernas de su esposita adheridas al centro de gravedad, tiene que hacer esfuerzos ingentes, como si en lugar de sacar a una mujer de la cama estuviera tratando de extraer del mar un bacalao ebrio de poder. Y es que Virgen no cesa de revolotear, más divertida y escandalosa que transtornada por los latigazos de la pasión.

Dime que me quieres, dice Virgen, y intentemos (su educación es deficiente, terminó a empujones el bachillerato después de problemas innumerables, ponía en duda las afirmaciones de sus profesores, era caprichosa, despreciaba los exámenes, se portaba como una adolescente, si su marido la corrige ella se empeña en cometer los mismos errores sólo por molestarlo) la Flor que se Abre a Espaldas del Sol de Medianoche.

En un tratado que pretendía ser de sexología hindú, Virgen descubrió una posición estrambótica que desde hace meses intenta llevar a su alcoba. Consiste en convertir el centro del hombre en eje de rotación del cuerpo de la mujer.

El resultado es que los dos quedan adoloridos y risueños. Caen en la cama ya separados. Aquiles piensa que está bien trasnocharse, pero no tanto. Se dice que hará todo lo posible por abreviar. Mañana estará durmiéndose sobre los papeles. Jamás quiere volver a despertarse con el jefe de pie a su lado y la oficina en pleno riéndose, las sagradas facturas de la Maralt arrugadas bajo su rostro que quizás incluso tuviera algunas cifras impresas.

Dime que me amas, insiste Virgen señalando con un dedo índice su mejilla. Aquiles suspira, besa, dice como en una letanía "te quiero". Repite que me adoras, contrataca Virgen, y luego entras como el ladrón por la puerta de atrás. Quieto, grita Virgen, cerremos los ojos y pensemos en la playita solitaria de Palma Sola, en el perro blanco, en las monjas, en *Mamuma* desnudo persiguiendo a los cangrejos.

Terminada esta actividad, Virgen decidió que era hora de una nueva pausa.

Se tendió de espaldas. Con la sábana cubrió exactamente la mitad de su cuerpo alineando la tela para que pasara por el canal de su pecho, el centro de su ombligo lunar y la porción correspondiente de la leve penumbra que se refugia en su bajo vientre. Una pierna quedó flexionada, balanceándose a lado y lado, de modo que ofrecía y vedaba alternativamente la visión de la mitad desnuda de Virgen y era como si un viento cómplice jugueteara con una cortina caprichosa.

Virgen estaba sonriendo. Sabía de la desesperación de su esposo. De su ansia y de su prisa. Pero consideraba sus razones y paciencia dignas de respeto, soñaba en su cuerpo paisajes que exigían pausa y reverencia, cursos de agua incomprensibles y profundos, y por ello cuando tenía ánimo y entusiasmo, sometía a su esposo a los tormentos que toda felicidad auténtica reclama.

Cuéntame el cuento, pidió Virgen, abandonada al deleite que le proporcionaba sentirse diosa bañada en polvo de oro.

Lo del cuento era asunto viejo. Y hasta agradable. Aquiles lo había estado fantaseando desde hacía meses en sus ratos de ocio en la oficina.

El argumento del relato ya estaba prácticamente listo. Por primera vez se sentía capaz de entregarlo de un sólo tirón. A Virgen le iba a gustar:

La señora Pelapapas, mujer madura pero hermosa, escuchó que tocaban a la puerta. Se lavó las manos, se las secó en el delantal y suspirando se dirigió a abrir. ¿Sería el lechero? El necio y soso del lechero. Quizá no. Se pasó las manos por el cabello, se quitó el delantal y se miró de pasada en el espejo. Abrió. Era un joven alto y no del todo digno de olvido, de facciones, entre indígenas y europeas. Vendía aspiradoras. Inexperto, principiante, sin duda. Casi como súplica pidió que lo dejara hacer una demostración. Pase, dijo la señora Pelapapas. Se sentó en un sillón y cruzó una pierna con descuido. Vio que el muchacho la miraba de reojo y sonrió. Levantó el borde de la falda y se desabotonó un poco la blusa. Uf, qué calor. El vendedor, que no se había perdido un solo movimiento y que intentaba conciliar su interés en la mujer con el deseo de armar bien su aparato, carraspeó como quien se dispone a emprender un largo y estudiado discurso. Luego pareció arrepentirse y en-chufó el aparato en el tomacorriente, cuyo paradero descubrió con gran difi-cultad, sin que la mujer se apiadara de su visitante. Al regresar al centro de la sala, no pudo ocultar su horripilante y antisocial erección. La señora Pelapapas vio que él había notado que ella se había dado cuenta, y quiso aliviar la congoja: "Desde hace siglos le vengo diciendo a mi marido —¡trabaja tanto el pobre!, nunca llega antes de las ocho de la noche y es tan olvidadizo— que me compre una aspiradora".

La mujer se acarició el cabello, descruzó la pierna que ya tenía casi dor-mida y cruzó la otra. Lo hizo con alevosa lentitud, sin dejar de mirar los ojos del muchacho. Lo vio trabajar de espaldas y escuchó sus palabras que, me-morizadas y mil veces repetidas, ahora le salían incoherentes, desarticuladas. Cumplió con lo básico de la demostración y se dispuso a guardar sus aparejos.

¿Quiere tomar un café? La erección crecía al tiempo que la desazón del muchacho. La mujer quiso hacerse la desentendida. El vendedor, azorado, se dejó conducir. La señora Pelapapas se movió ágilmente por la cocina sin descuidar ni un momento la exhibición de sus maduros encantos. En un dos por tres tuvo el café servido. Se sentó a la mesa a una prudente distancia del vendedor.

"¿Has vendido muchas hoy?", preguntó con la naturalidad de una vieja y entrañable amiga. "Ni una", respondió el muchacho tras luchar contra la intransigencia de su garganta, que sentía acogotada por una garra de muerte.

La mujer colocó una mano sobre la del muchacho que descansaba en la mesa. Este intentó retirarla pero ella la retuvo con fuerza y autoritaria dulzura.

"En realidad tengo que irme, discúlpeme". La señora Pelapapas abrió grandes los ojos. Su desolación era auténtica, insoportable. Hubiera sido inhumano salir de aquella casa sin prestar el hombro. El vendedor era cristiano, lector asiduo de la Biblia y nunca le faltaba una palabra de consuelo o un acto caritativo para ofrecérselo a su prójimo en tribulación. Permaneció mirándola unos minutos. La señora Pelapapas volvió a suspirar, esta vez profunda y doloridamente, y dijo: "Tómese su café y vuelva a las tres. Le aseguro que convenceré a mi esposo de que le compre una aspiradora".

Levantó los ojos y tropezó con los del vendedor, que la miraba por primera vez valientemente, decidido a todo. Permanecieron estudiándose con serenidad. Luego se derrumbaron en un beso de entrega irresponsable. Más tarde se pusieron de pie, se trenzaron con todo el cuerpo, entreveraron manos, piernas, lenguas y retrocedieron hasta apoyarse en la pared. Una mano de la mujer descendió, sin apartarse un instante de la carne conquistada, rumbo al centro de la fuerza y la debilidad del vendedor. Consideró el artefacto del macho desde la base hasta el extremo. Bajó con diabólica habilidad el cierre y extrajo un objeto largo y cálido, tenso, vibrante y sentimental.

"Ah", musitó el hombre echando la cabeza hacia atrás. "Oh", respondió la mujer poniéndose de rodillas. Con dedos fervorosos y bruscos echó el gorrito hacia atrás y comenzó a succionar. Chupaba primero ansiosamente introduciéndose la tranca todo lo posible en la boca y luego la extraía y se dedicaba a girar con sus labios en torno a la cabeza del glande y a hacerle cosquillas con la punta de la lengua. El muchacho tenía los ojos clavados en el techo. La señora Pelapapas suspiró de nuevo y el aire espeso de su aliento barrió la devastada superficie del pepino del vendedor. En África el amor debe ser una experiencia terrorífica y suprema, pensó la señora, recordando la foto de un negrito pícaro que sonreía desde las páginas de una revista: el muchacho ostentaba entre las piernas una trompa de oso hormiguero que llegaba casi hasta el suelo.

La señora Pelapapas se puso de pie, se bajó los calzones, los colgó del gancho de las cacerolas. Colocó descuidadamente los platos, que estaban sobre la mesa, en el lavaplatos. Se acostó encima de la superficie arrasada.

"Ven acá", le dijo ofreciéndole el coño que parecía un pollo recién horneado, oloroso y humeante. El muchacho hundió su rostro sin vacilacio-

nes en el abismo de las entrepiernas de su generosa anfitriona, no sin antes decir que al tocar la puerta había imaginado exactamente lo que estaba sucediendo. Y hubiera dicho más (que en realidad ante todas las puertas padecía de la misma debilidad de la imaginación) si la mujer no lo agarra del pelo y le zambute la boca en el vórtice mismo de su ansiedad. El vendedor hizo lo que pudo, se debatió entre la asfixia y la recién descubierta osadía, hasta que la mujer, dando un empujón poco sutil con la pelvis, gritó: ¡No más! Con las manos crispadas se ayudó a apartar la cabeza del solícito joven y le dijo: "¡Ahora, acábame!" "¿Resistirá la mesa?", preguntó el muchacho asumiendo un tono profesoral. "Estoy segura. Mi marido la reforzó la última vez". El muchacho no se detuvo en suspicacias. Procedió. Haciendo equilibrios y en puntas de pies logró concluir su deleite al tiempo que la mujer lanzaba un grito libertario, hondamente sentido y mejor expresado. Permanecieron encoñados, las piernas y los brazos de la mujer formando un candado de física pasión que quería prolongarse más allá del instante.

El encanto fue roto por el timbre. Ahora sí es el lechero, dijo la mujer casi con cariño, y le pidió permiso al muchacho para deshacer el embrollo. Descolgó los calzones y se los puso.

Cuando la señora Pelapapas regresó con las botellas de leche, el vendedor ya estaba vestido, peinado y tenía la aspiradora empacada. La señora suspiró por quinta vez. Eres el primer vendedor que se acerca a mi puerta en tres semanas, dijo. El muchacho fingió no entender. Se contempló con el rabillo del ojo en el espejo oval de la sala y sonrió. Era un triunfador, sin duda, un supervendedor.

La puerta que daba a la calle estaba abierta. La mujer se abotonó el botón superior de la blusa. La presión del cuello de la prenda sobre la piel de la dama, creaba un puente colgante que iba desde los huesos de la clavícula hasta el mentón. La papada era extraordinaria. ¿Cómo no lo había notado antes? Y sin embargo, quiso ser cortés, pobre mujer.

"¿Vuelvo a las tres?", preguntó el vendedor con voz profesional, casi impositiva. "Por favor, no", respondió la mujer haciendo un gesto de horror, llevándose una mano a la boca y colocando la otra en su cabeza, a la altura de la sien derecha, como si súbitamente hubiera recordado algo. "Se me había olvidado que ya tenemos aspiradora".

Virgen abrió los ojos como despertando de un agradable sueño de placer aéreo.

—¿Verdad que me quieres, piojito?

—Más que a nadie nunca jamás desde el principio de los tiempos —dijo Aquiles sintiendo que, bien consideradas las cosas, no mentía.

—Entonces hazme polvo —dijo Virgen y se ofreció en la tradicional y cómoda posición que sólo los humanos pueden disfrutar.

Aquiles entró como un emperador arrogante, vitoreado por cien mil vasallos, entre descargas de fusilería y fuegos artificiales, mientras Virgen lanzaba sus patitas al aire y luego las cerraba sobre el cuerpo de su felicidad. Colocó sus talones en las nalgas de su esposo y presionó con la fuerza de sus amores acumulados.

Un solo envión del macho lo entregó a ella.

Aquiles sintió que lo habían desnudado de su piel desde la cabeza hasta los pies y gritó un ¡te amo! Que le nació ronco, libre por completo de amor propio, definitivo. Sintió que toda la extensión de la flecha de su vida era bañada por un río de luz y supo que había hecho honor a su esposa en el instante en que ella se relajó.

Aquiles meditó, a medida que limpiaba, vestía y abrigaba a su esposa, que el disfraz del boy scout le quedaba justo y que mañana —¡hoy!— sería un día difícil, pero ello no le preocupó lo más mínimo. No tuvo tiempo.

Xalapa, 1989

4
Oralidad y escritura

El campeón de siempre

Un día te levantaste diciendo que querías volver a pelear, pero en vez de hablar con tu apoderado y ponerte a practicar en serio andabas por las oficinas de las compañías aéreas dizque averiguando el día y la hora de llegada de los vuelos internacionales. Por eso nadie te creyó pero de todos modos armaste un lío grandísimo porque fue entonces cuando la gente comenzó a decir que ahora sí era verdad que estabas loco de remate. En la ciudad no se hablaba sino de ti, como antes, que era lo que a ti te gustaba, claro, y repetías con una certidumbre y una serenidad que nunca habías tenido es paque se vayan enterando que el campeón soy yo y no el cabrón del palenquero, ahora con coronita de mierda. Por fin había llegado la hora de sentar a cada cual en su propia esquina de movimiento decías, y era que ya estabas aburrido de que te lo pusieran de ejemplo: que el pobre Kid había tenido que emigrar a Maracaibo por la ruta de los muertos de hambre porque en ese tiempo aquí sólo había sitio para ti que eras el rey, y quién iba a creerlo, ahora regresaba champion del mundo, tú que habrías podido ser el primero si lo hubieras querido.

Ponérmelo de ejemplo a mí, comequehayas de mierda, eran ellos los que andaban locos con tu retorno al ring, averiguando por todas partes que con quién ibas a pelear, si con Ismael Laguna o Eder Jofre, mira cómo andaban de confundidos. Pero a ti que te dejaran tranquilo porque esos asuntos no eran de tu incumbencia, que mejor se lo preguntaran a uno de los tiburones del boxeo cartagenero, o a los dos de inclusive, y qué iban a responder, estarían muy campantes en sus oficinas con aire acondicionado y neveritas para el agua del hielo, esperando a que fueras a implorarles la limosna del adelanto de la próxima pelea para luego quedarse con la mejor tajada, como siempre, tú que eras el que tenías que sudar y joderte. Hasta el día que no volviste a pelear porque no pagaban lo que te merecías aunque lo hiciste porque ya el manoseo con tu mujer no fue como antes cuando bastaba que te dieran las ganas para estar en lo mejor del cuento, asombrado que después de tres días seguidos en *El Salsipuedes* llegaras a la casa y tu mujer dándole a la cantaleta y tirándote rayos y tú a convencerla cuchicuchi de mi alma y metiéndole mano por donde le gustaba, te le arrimabas con disimulo, restregándoselo, y ella a no dejarse diciendo tatequieto malparido que algún día me las pagarás todas juntas y cuando se descuidaba, ¿ves? se las estabas pagando y hasta con ñapa le decías suspirando hondo, y ella sollozando te silbaba entre lágrimas y dientes apretados que esas putas podrían hacer como gata o como chivo pero aquí volverás siempre pase lo que pase porque soy la única que te conoce y te quiere de verdaverdá, no como esa gentuza que sólo te busca por la plata. Y tenía razón, sufrió contigo cuando se te acabó el prestigio, viéndote borracho día y noche, triste y solo como andabas oyendo murmurar a la gente que ahí va el prospecto hecho nada; tú el primero que habías peleado por un título mundial, qué lástima.

Aunque qué carajo, que dijeran todas las embusterías que les diera la gana, no te importó hasta el día que el Kid conquistó sorpresivamente el título en Panamá y te lo pusieron de ejemplo, cangrejeros de la puta madre, yo que siempre he sido el mejor. Había que verlos cuando andaban detrás de ti lamiéndote el culo como perritos falderos, para que ahora vinieran a dañarte la noche, tan contento como estabas con el triunfo de tu compadre, oyendo los pormenores del final histórico de un momento antes en Panamá, toda Cartagena feliz con su primer título mundial de boxeo, señores, y de pronto se le da a la radio por joderte con otros tiempos ya olvidados, pasando momentos culminantes de las peleas de tu pasado glorioso, esas sí que eran vergajadas de no soportar. Con rabia apagaste el radio y te fuiste al patio inundado de agua y huecos de cangrejos y oyendo la música de los sapos lloraste recordando esos años que tanto dolían ahora, la primera vez en el Circo Teatro, la gran pelea con Pascual Pérez en Buenos Aires y luego sin poderlo evitar se te vino encima toda la tristeza de la noche del 27 de diciembre en la Plaza de Toros, la pinche plaza que habían construido especialmente para que tú pelearas por el título mundial en Cartagena porque la gloria era para compartirla con tu gente, pero unos alegaban que mejor un coliseo cubierto y se la pasaron meses discutiendo y mientras tanto tú haciendo peleítas fáciles por ahí para no perder la forma, que si en Bogotá, que si en Kingston, hasta que al fin los tiburones del presupuesto local se pusieron de acuerdo de dónde sacar la mejor tajada para ellos y así fue que comenzaron la plaza de toros Cartagena de Indias y aun sin haberla terminado ni puesto la corona que ahora tienes peleaste y perdiste. Triste llorabas derrumbado en la lona de la esquina neutral, la gente muda, soportando con amargura y rabia tu fracaso, y tú confundido porque pensaste que la pelea iba a ser tan cómoda como las anteriores, convencido que el cubano-mexicano campeón del mundo tampoco te iba a ver una y por eso nada de cuido y como siempre metido en *El Cabaret del Cielo* y en *El Salsipuedes*, para después estar en la correndilla del exceso de peso, te encerraron en la Base Naval en los últimos días y tú refunfuñando no joda que siquiera déjenme ver a las peleítas que para eso habías comprado la pinta legal, y mostrabas la camisa de lentejuelas y los pantalones verde iguana, pero ni madre, al final la cosa sí fue en serio porque te pusieron de guardia a la PM, y para nada porque con todo y eso tuviste que estar todo el día en el baño turco antes del pesaje, rebajando las libras que sobraban y llegaste sin fuerza al ring y agotado como estabas la cosa no pasó del séptimo.

Esa vez le echaste la culpa al baño turco, claro, era el único consuelo que te quedaba, y te hacías el loco cuando te ofendían por la radio y por la calle, además ya estabas acostumbrado a tanta habladuría. Lo olvidaste, como también ahora y cuando tu compadre vino te emborrachaste con él y con la misma recua de camajanes cacheteros que antes se emborrachaban contigo. No volvieron a decirte nada y creíste que todo había pasado, que ya te estaban olvidando y después fue cuando un día te levantaste con la ventolera de que querías volver a pelear, que si el Kid que había sido echado de la ciudad por malo había podido por qué no tú que siempre fuiste el mejor. Y con ese convencimiento andabas por las compañías aéreas y con ese convencimiento llegas todos los días a la playa de Marbella para hacer tus prácticas. Después de un corrín efímero frenéticamente tiras puños al aire, buscando al contendor invisible y los pocos aficionados presentes se ríen aunque no los ves ni los oyes porque sólo estás pendiente de los automóviles que vienen del aeropuerto, y pasa uno y pasa otro sin detenerse, pero no importa piensas, mañana será otro día, aunque mañana no hay vuelos internacionales y estás decidido que sólo practicarás para que te vea la turistiza que es la única que trae el billete que vale y convence hasta a Dios, si no que lo digas tú que cuando andabas con los bolsillos llenos te sobraban los amigos y a tus antiguos colegas les pagabas hasta el triple por un paquete de cigarrillo americano. Era con el billete que te sentías fuerte para meterte por la calle de las Carretas y comprar la pinta cheverosa en los almacenes de la elegancia, y así poder hacer lo que más te gustaba en esta vida que era pasearte por el Centro Amurallado con los zapatos de capricho negroiblanco, la esclava de plata en la mano derecha con tu nombre grabado en letras de oro, el sombrerito con la pluma de papagayo y el collar de dientes de tiburón que atraía a tus amigos, todos detrás de ti y hablando al mismo tiempo: que cómo fue la última pelea en Puerto Rico que dile al Pacho Benedetti que te eche al argentino ese que está hablando mucha basura y tú alzabas las manos diciendo tranquilo hermano que tú sabes que el pez muere por la boca y este caerá solito como han caído todos. Y mientras tanto lo legal era vivir el goce y estar pendiente del último levante de la muchachita de la joyería Cesáreo donde compraste de puro hazañoso la sortija de oro macizo con el dado en el número cinco y la calavera de la buena suerte, y en la noche directo para el Barrio de la Virgen. En el prostíbulo de la Niña Rubia siempre sacabas la pila de billetes y los ponías sobre la mesa y era como un imán porque todo el mundo venía a babearse en elogios, ni siquiera tenías que tocar palmas para que aparecieran el mesero nalgaspará y las niñas, y tus amigos mierda viejo man tú eres lo máximo. Y aún recuerdas la vez aquella que llegó a tu mesa un tipo fumando un enorme tabaco para decirte que él brindaba esa noche y todo engreído le contestaste que nada que aquí mando yo, y tu apoderado y tus amigos que cálmate campeón que es un man pesadísimo, pero tú estabas alegre y borracho y seguías que me importa un culo quién es este gordo pipón, y ellos que te callaras que mira que es un tiburón pesado de la jailay, y tú que más parece un barbúo con la barriga llena de y el tipo del tabaco que se iba poniendo serio después de estar riéndose con una cara de tonto y tú seguías con tus ocurrencias y para terminar de una buena vez con el displante digo y dijiste que el único pesado de verdaverdá era tu amigo el Virrey y entonces fue que el tipo del tabaco se enverracó y se largó del salón sin decir ni adiós, coño que se despida que no parece gente estudiada, riéndote a carcajadas porque lo habías dicho porque sí, porque te acordaste que cuando regresaste victorioso de la segunda pelea con el panameño don Emiliano Torralbo y De Ambulodi era el alcalde y te condecoró con una sipote medalla en el Palacio de la Aduana y luego del discurso aburrido de la poetisa dueña de la cultura te invitó a su casa del Laguito, tronco e mansión Virrey, y tanto te quería que aceptó que borracho te metieras con todo y ropa en la piscina que tiene en la mitad de la sala, frente a la estatua gigante del tipo en pelotas, Virrey puto le murmurabas a tus amigos, riéndote feliz de estar bebiendo con ellos y de estar contándoles nuevamente cómo le habías ganado al argentino en el propio Luna Park, y con los tragos en tu cabeza no te puedes dominar y te levantas de la silla para hacer un pase de torero y vas a soltar la izquierda con la que lo mandaste a la lona cuando dices safe viejo man que yo no meto monte y te ríes estrepitosamente, señalándolos a todos con el dedo donde llevas la sortija coronada de diamantes, y te sientas y te tomas dos tragos de un solo jalón y quieres seguir recordando y contar lo de Maracaibo pero no puedes y en cambio sientes una emoción muy rara, como de nostalgia y sin saber por qué recuerdas aquellas tardes de invierno cuando ibas a practicar a *La Caldera del Diablo* después de estar todo el día en el mercado vendiendo cigarrillo americano y hablando de los partidos de béisbol del fin de semana y de que Mario Rossito siempre se veía apurado con Elías Lían, ellos que habían sido tus ídolos y hoy estaban acabados, y también recuerdas las peleas de los viernes en el Circo Teatro, todo el que te echaban por veinte pesos lo tumbabas antes del quinto sin siquiera tocarlo, había que bañarlos con agua helada de lo mareados que quedaban con tus movimientos de rumbero feliz.

Y como prometías tanto fue que decidieron traerte al panameño ex campeón mundial, el cual llegó pensando que eras otro bocado más para su gran historial y tú le diste la soberana paliza que todavía debe estarse acordando. Ese día el Circo casi se viene abajo con la locura de la gente, te sacaron cargado del ring, te pasearon, y fue ahí donde todo comenzó a darte vueltas porque desde entonces es que no te das cuenta de nada de este mundo sino sólo de la pinta legal y de la pelaíta virgo, ay que tú sabes, y luego para donde las niñas del Barrio de la Virgen a beber y a bailar y a pichar sintiendo la frescura sin límites de la brisa salitrosa que viene de la ciénaga de Tesca. Y al día siguiente aparecían los titulares de primera página diciendo que eras el ídolo de los cartageneros y nadie te podía tocar, y por eso cuando a alguien se le ocurrió ofenderte por la radio diciendo que el panameño estaba acabado casi lo matan al salir de las Emisoras Fuentes y para contentarte entrevistaron a tu mamá y ella dijo con una voz muy serena que siempre supo que llegarías a campeón porque habías nacido no llorando como todo el mundo sino riéndote. Ahí mismo anunciaron que volverías a pelear con Justo Torrijos, ahora en su propia casa para que se callaran la jeta todos y se las callaste porque esa vez fue más fácil y al volver la ciudad se lanzó a las calles para verte, estabas que no cabías en el Cuerpo de los Bomberos que te paseaba, jamás había visto tanto personal junto.

Te decían que eras más grande que La Popa, y como así te sentías comprabas la camisa de seda con paisajes marinos y los pantalones amarillos con cuadros rojos, sólo para que te vieran paseándote por el Centro Amurallado. Y cuando ibas por el Camellón de los Mártires la felicidad era oír a tus amigos sonando las cajas de embolar zapatos y tú todo aguajero con tus mocasines blancos y tus vestidos de colores chillones, la misma pinta que luego llevabas a Bogotá para tus peleas del Campín, escandalizando a los cachacos con el saco rojo de maestro de ceremonias y con tus gritos de mandamás que aquí se hace lo que yo quiero porque yo soy el putas, a todos les corrías la madre si no era así, y un día quisiste plátano maduro en tentación y se volvió el desconcierto en el Hotel Tequendama porque no tenía Kola Román y como finalmente no supo igual al que te hacía tu mujer todas las tardes en el barrio de Canapote lo tiraste al piso alfombrado en medio del estrépito de platos y vasos que caían y rostros de estupor y espanto de la distinguida. No era posible que hicieras eso delante de ministros y actrices de televisión decían tus amigos, y tú qué fresco, que no eran gentes sino ropa almidonada y colgada en el patio tan estirados como estaban, riéndote a toda garganta. Sabías que esa noche ibas a ganar y ganabas y te perdonaban y te pechichaban dándote todo lo que pedías, que la casa del Crédito Territorial para tu madrecita Trinidad Antonia de los Dolores a quien le dedicabas esa pelea, que la luz para el poste de la Esquina Caliente de tu calle de Canapote donde jugabas al dominó y a la lotería con tus amigos y a quienes también les dedicabas la pelea.

Y siempre fue así hasta que regresaste derrotado de Manila y entonces sí fue verdad que nadie te volvió a mirar ni a hablar ni te iban a ver las peleítas que hacías por cualquier miseria cuando se te acababa la plata de la anterior, y por eso es que tampoco vienen a verte ahora que practicas en la playa de Marbella. Aunque piensas que así es mejor, sin esos mirones que no hacen sino estorbar mientras tú haces tus ejercicios para atraer a los turistas, tirando puños al aire y moviéndote como si estuvieras delante de un espejo y pensando que ahora sí serás campeón del mundo y volverá el billete y las hembritas que se tomaban la foto contigo y piensas que también volverá la rumbita mientras ves que los carros siguen de largo. Pero de repente crees que el turista que va en ese Ford crema te va a mirar y un aficionado se coloca entre ambos y te estorba coño y con rabia le dices que se quite y él se aparta diciendo este tipo está loco. Entonces ves que el turista sólo contemplaba el ancho mar, detrás de ti, siguiendo por la avenida Santander y es cuando sientes un desconsuelo muy grande y muy hondo. Esos gringos de mierda no se dan cuenta que estás ahí, tienes que hacer algo para que lo sepan y así es que recuerdas aquellos cartelones anunciando tus combates por toda la ciudad. Entonces recoges tus motetes diciéndoles a los pocos mirones se acabó la función por hoy y te vas a tu casa que está al otro lado del caño de Juan Angola y entras directo al cuarto y te metes debajo de la cama para salir con el afiche que tanto te gustó siempre, ese que anuncia tu gran pelea con Ramoncito Arias, apolillado e inservible pero no importa. No almorzaste ni comiste ni dejaste que tus hijos se acercaran porque estabas pintando tu futuro: el afiche vuelto hacer, copiado el texto sin saber lo que dice y dejando en blanco donde estaba el nombre del contendor. Y no dormiste pensando que ahora la cosa sí se estaba poniendo buena y a la mañana siguiente sales con tus papeles debajo del brazo y una lata con goma de uvita en la mano, y llegas al Centro Amurallado para pegar el afiche en el sitio más visible de la ciudad, y en el Mercado no porque allá la gente sólo está vitrineando lo que van a dar esta noche en el Rialto y el Padilla, y vas por el Portal de los Dulces y tienes que esconderte porque los cocheros no te quieren ver desde el día que ofendiste a uno gritándole *cochero prende el radio*, y vas por los Bajos de la Gobernación y están los mismos negociantes de siempre decidiendo y rifándose el futuro de la ciudad pero a ti sólo te interesa el tuyo así que ahí tampoco, y vas hasta la esquina del almacén TÍA y hay mucha gente cruzándose por todos lados y el vendedor de periódicos que le falta una mano te dice cariñoso ajá champion y cuándo es el debut y tú nada le contestas y sigues caminando por la calle del Tablón, pasas la otra esquina también populosa y los quioscos de ventas de refrescos y frutas y artículos de contrabando hasta llegar al antiguo edificio de Telecom donde en tus tiempos de gloria llamabas a las muchachitas de Bogotá y Cali y recostado a la pared hay un enorme cartel anunciando una corrida en tu Plaza de Toros en tu Plaza de Toros en Tu plaza y sobre ese afiche comienzas a pegar el que habla de ti mientras la gente te pregunta burlándose que con quién vas a pelear y volteas para ver quién habla y los ves muy campantes, junto al puesto del vendedor de ostras, todos con el vasito en una mano y la galleta de soda en la otra y sólo les respondes que ya verán cabrones de mierda y siguen jodiendo que cómo vas hacer para ganar si ya tú no soplas y piensas que no soplarán ellos que tienen que estar comiendo ostras para poder pichar y siguen jodiéndote y piensas entonces que cómo se puede ser campeón mundial en esta puta ciudad si todos no hacen sino amargarte la existencia y es cuando alguien se te acerca hasta el oído para decirte campeón con quién vas a pelear y con rabia le gritas con tu madre coño y el tipo se abalanza para pegarte diciendo agárrenme que le voy a partir el alma, y ya lo estás eludiendo con un movimiento de cintura magistral y vas a cruzarlo con una izquierda cuando el policía del tránsito que siempre está encaramado en la tarima de la avenida Venezuela los separa mientras el tipo se agarra del brazo del policía y grita suéltenme que lo mato pero finalmente todos se calman y el tipo se va con su amiga y te dejan tranquilo y cansado. Y tienes que irte rápido porque esta tarde viene un avión de Miami y corriendo te fuiste a tu casa y corriendo llegaste a Marbella y antes de comenzar la práctica ves con angustia que ya van a ser las seis porque el sol hecho una bola de fuego cae en el mar y a esta hora hay mucho movimiento de automóviles en ambas direcciones y esos malditos gringos ni paran ni ná, no son capaces de echar una monedita, truñuños de mierda, vienen a comerse a las pelaítas y a meter monte y a darse la gran vida a costilla de uno y no sueltan ni el dolarcito para mí que soy el campeón. Vuelves a sentir ese vacío dentro de ti y piensas que tu mujer tiene la culpa porque te amenazó diciéndote que si no le arreglabas la cerca de cañabrava y matarratón para que no se volvieran a meter los puercos del vecindario esta noche no había movimiento en el *bugpen* y por eso llegaste tarde y pronto va a oscurecer maldito sea el mundo y los turistas pasan a mil y nuevamente sientes ese vacío que te entristece. Lo que pasa es que nadie quiere verte, a ti que todo el mundo te buscaba y te querían acariciar para convencerse que eras real y no una ilusión de la ciudad y los niños gritando campeón campeón.

El desconsuelo te está derrumbando los anhelos cuando ves un carro que viene despidiendo luces por todos lados, mierda el Virrey, y te emocionas porque él sí bajará para hablar contigo y ya estás viendo la carroza detenerse y ya crees ver a don Emiliano Torralbo y De Ambulodi todo de blanco hasta el sombrero de Panamá y su clavel rojo en el ojal cuando te das cuenta que la carroza sigue de largo hacia su mansión del Laguito. Y no puede ser que el Virrey también te haya olvidado, seguro fue que no te vio por lo oscuro que está y lo negro que eres y te dan ganas de gritarle *llavesota* para que sepa que estás ahí cuando descubres que va vacía, sólo con el cochero rubio vestido de azul violeta. Y es un alivio porque el Virrey nunca me olvidará, como él no hay dos en esta puta ciudad de alacranes, fue él quien te dijo que no te dejaras atortolar de nadie porque campeón como tú ni madre y él sí sabe de eso porque es muy leído y hasta carroza de oro tirada por *ful* caballo blanco pasero tiene y la ves perderse en la Avenida deslumbrando con los últimos reflejos de la tarde y piensas que si la carroza del Virrey ya se vino del aeropuerto es porque allí no queda gente importante y por eso es mejor cambiarte y recoger las cosas para irte a tu casa con la intención de no salir sino hasta el sábado cuando vuelvas a esta playa.

Pero el viernes estuviste nuevamente en el Centro Amurallado, buscando desesperadamente a los periodistas que antes decían que tú eras el putas y sólo te recibió uno, en el Diario, y te contestó que claro que te hacía una entrevista y le contaba a toda la ciudad en su columna más leída que volverías al ring, que ahora sí serías campeón mundial por mi madre y Dios si no, y también que pronto vendría el contendor, rankeado y hasta diría que invicto para convencer al personal incrédulo, y el periodista parecía atento aunque nervioso, a cada momento miraba tus manos, ajustándose las gafas oscuras y recogiéndose el mechón de cabello que le caía en la frente y entonces piensas que quizás es que se le olvidó tu récord y sacas del bolsillo unos recortes de periódicos, amarillentos y gastados, y vas a decirle mire man bacano publique mis peleas ganadas cuando ves la foto del tipo con la bata de tigre, el árbitro levantándole la mano y el otro detrás, en la lona, coño si eres tú, y sientes una emoción muy fuerte como si te fuera a dar la pálida y casi sin respiración le dices llave este soy yo y también le muestras la fecha de la pelea cuando nuevamente estuviste a punto de coronar y fue duro porque la pelea se buscó y se buscó y al fin el filipino aceptó arriesgar el título pero en su casa porque tenía miedo y tuviste que ir hasta Manila, al otro lado del mundo coño, pero no importaba porque ibas optimista y practicaste seriamente, ni tú mismo creías tu juicio y te sentías fuerte y seguro y peleaste como nunca lo habías hecho, siempre saltando en la punta de los pies y metiendo toneladas de puños, haciendo bicicletas como todo un campeón y ese chinito andaba como loco por todo el cuadrilátero, con los ojos hinchados que ni veía y al terminar convencido que habías ganado brincabas de la alegría en la mitad del ring y es ese momento que no puedes olvidar, esa tristeza enorme, esa rabia, esas ganas de coger a ese árbitro de mierda y gritarle atracador, porque el campeón eres tú, porque ganaste limpiamente y se te salta la piedra y le zampas la mano y te agarran y tú llorando y amalayándote del título que se te va otra vez y tendrás que volver a Cartagena sin la corona que es lo único que convence al personal, y la amargura te hace sentir más lejos aún del barrio Canapote. Y por eso te emborrachaste y no quisiste ir a la fiesta que hacía en tu honor la reina nacional cartagenera que vivía en Manila con el millonario cafetero, la hembrita más buena de la tierra te habían dicho pero ni así, no querías ver a nadie, sólo emborracharte para quitarte de encima esa tristeza amarga que mataba y que vuelves a sentir ahora delante del comentarista del Diario y guardas tus recortes de periódicos viejos y le dices que muchas gracias pero que mejor dejen la cosa así, que no publique nada, que primero vas a hablar con tu apoderado que a esta hora debe estar en el *Café Moka*, y sales a la calle y quieres ir hasta la calle del Candilejo pero no te atreves porque tienes que pasar por la esquina del almacén LEY y también por el Banco de Bogotá con el runruneo eterno de los habladores de paja debajo del árbol de caucho y no quieres buscar más pleitos, tú sólo anhelas volver al ring para que sepan de una buena vez que el campeón eres tú y mejor te vas en dirección contraria, hacia la estatua de la India Catalina, y antes de llegar al puente de Chambacú doblas hacia el Cabrero, pero caminando del lado del lago para eludir el Circo y no amargarte más esta mañana triste de tus nostalgias, y luego sigues hacia la avenida Santander, y vas por el malecón sudando con el sol del mediodía, golpean furiosas las olas contra las piedras y te salpican de espumas y unos niños que vienen de bañarse en el mar te ven cabizbajo y arrastrando toda tu pena te gritan campeón campeón cuándo vas a pelear y te tiran cáscaras de platanito y pepas de mango pero no te importa porque sabes que lo has probado todo en esta vida y hasta pelearás sin apoderado para que no te robe nadie, y hasta pelearás gratis si es necesario pero de que eres el campeón no hay duda y para que no lo olviden tienes que practicar y con ese pensamiento que te obsesiona vuelves el sábado a Marbella y toda la mañana te la pasas haciendo *widvin*, dándole tronco de muñequera al contendor invisible mientras los carros pasan de largo, aunque, nueva-mente, un mono rubio de guayabera blanca te va a mirar pero alguien estorba y le gritas quítate de ahí perro sarnoso, y el tipo se hace el que no te oye y no se quita de puro macho y entonces lo empujas y parece no moverse porque aún así no te deja ver al mono rubio de guayabera blan-ca y desesperado le lanzas un directo al mentón y el tipo se va al suelo y crees que le van hacer el conteo reglamentario de diez pero quien se acerca no es un árbitro sino un policía y la gente grita que te lleven para el manicomio de Sibaté y tú pidiendo mil perdones que fíjese señor agente que usted sabe que hay que estar en cuido porque el contendor rankeado vendrá la semana entrante y pensando safe tombo que a ti nadie te pue-de tocar porque eres el champion y afortunadamente todo se arregla y el policía dice que para evitar más problemas es mejor que te vayas para la casa y tú muy tranquilo recoges tus cosas y las metes dentro del male-tín y te vas con él que te acompaña hasta el puente y tú diciéndole que esos comequehayas creen que te van a perratear y al día siguiente vuel-ves y es domingo y la playa está llena de bañistas, desde Las Tenazas hasta la Boquilla y tú sin perder un instante te colocas tu indumentaria de boxeador y dale que dale al *widvin* y la gente te ve y se ríe y te saca la lengua y te gritan campeón te coge el cubano-mexicano y tú que te dejen tranquilo que ahí viene un turista y ellos te echan arena y te agarran por detrás y tú que se aparten coño y te vuelven a pellizcar y volteas y no ves quién fue y te desesperas y comienzas a tirar puños a diestra y siniestra y la gente agárrenlo que está loco y te caen entre todos y ya la cosa se te está poniendo fea cuando aparece un carro y te alegras porque ves que son tres policías que vienen a defenderte y los policías apartando gente y sin decir nada te maniatan con unas esposas en medio de la gritería de los bañistas no lo suelten que se solló y tú pensando que qué coños es lo que quieren hacer contigo cuando sientes que te arrastran y te meten de cabeza en la radio-patrulla y todo confundido preguntas que qué pasa mi teniente, que si no es mucha molestia tú vives en Canapote, al otro lado del cañito, y los policías no contestan ni se ríen contigo y sólo le dicen al chofer directo a San Diego y es sólo hasta entonces que te das cuenta que no te llevan a tu casa.

Honoria Lozano

Honoria Lozano, mi nana Honor, tenía el ritmo en el sentar.

Aprovechaba cualquier pretexto para sentarse erguida ganándole al arco de su cuerpo la ganosidad de sentarse apoyando completamente el condé. Eso la arrechaba, pero arrechaba mucho más a los que se percataban de que Honoria se sentaba para arrecharse con el condé.

Bastaba con que se moviera sobre el asiento para enloquecer a todos los que estuvieran mirándola, y de paso a su condé y al gallito de su condé. Honoria disfrutaba cada vez que se sentaba posando los labios del condé abiertos, listos para el rastrillo con cualquier superficie que se le ofreciera para sentar.

Honoria Lozano pasaba el día sentada, pasaba el día arrechada; por eso amaba el día y se peleaba con la noche, que no le permitía estar sentada y arrechada; siempre dijo que las noches eran sonsas, largas y desperdiciadas. No veía la hora de que despuntara el día para aprovechar todos los momentos que le permitieran sentarse para arrecharse.

Ni qué decir que Honoria vivía arrecha la mayor parte del día, pues no desperdiciaba ninguna superficie que se ofreciera para sentar. No importaba que el sitio fuera duro o áspero, solamente era menester que ofreciera un espacio para asentar, para sentar, para que Honoria disfrutara, se explayara, gozara con todo lo que permitiera eternizar el ritmo en el sentar.

Los hombres de Quibdó la espiaban cada vez que se sentaba y enloquecían cuando Honoria empezaba a moverse pasitico, suavecito, en redondo, con su condé abierto sobre lo que se ofreciera para sentar.

Nunca se movió con ostentación; lo hacía mientras hablaba del aguacero o del corte que iba a comprar para hacerse un vestido. Era un meneo imperceptible, un meneo lento, lentísimo, que endiablaba la arrechera y distraía a los sonsos que nunca supieron lo que estaba pasando.

Hasta las bancas de la iglesia alegraban su sentar.

Pero un día cambiaron al cura de Quibdó. Llegó un manizalita blanco, de cejas negras pobladas, con ojos de mirar profundo tras unas cristalinas gafas; era joven, delgado y apuesto; su apariencia parecía en contravía con su vocación sacerdotal.

Era muy estricto y en el primer sermón dijo que rezar de rodillas o de pie y ofrecer el sacrificio de no estar sentado era la más alta entrega al Altísimo, que traería recompensa, si no en esta vida, en la otra.

Honoria no entendió, no podía imaginarse gozando sentada sobre una nube en la otra vida así que resolvió ir al confesionario para hablarle al cura blanco de cejas negras sobre sus dudas, para que él la tranquilizara de una vez por todas. Se arrodilló frente a la ventanita y cuando el cura le dijo: hija mía, ¿de qué te acusas?, ella respondió: no me acuso de nada, pero quiero saber si en la otra vida puedo gozar sentándome con el condé abierto y completo sobre lo que sea, y si usté me dice que eso es pecado, yo le digo que por qué toditico lo que da gusto lo es.

El cura se quedó atónito y miró a la mujer que así le hablaba a través de la celosía. Se sorprendió por su juventud y por el brillo de sus ojos; es más, se asustó, pues en toda su vida sacerdotal nunca le habían dicho que se podía gozar simplemente con sentarse, ¿y qué era eso del condé?

No sabía, pero esa noche tuvo que hacer votos de arrepentimiento porque tan sólo con recordar la palabra condé, su verga reaccionaba entiesándose debajo de la sotana, segura de encontrar la paz después de derramar todas sus iniquidades en algo que imaginaba como un fondo caliente y húmedo.

El cura se descontroló. ¿Cómo podía pensar esas cosas? ¿Cómo podía tener la verga así de tiesa y caliente? ¿Cómo podía querer derramar sus pecados en el fondo del condé? ¿Cómo podía estar así de arrecho?

Y mientras más pensaba más se arrechaba y la verga más se le entiesaba.

Honoria quedó confundida de la conversa con el cura y resolvió volver a confesarse, para que él le aclarara lo de la gozada en el sentar.

Cuando el cura corrió la ventanita y vio a Honoria, la verga se le entiesó; no supo qué pasaba, no sabía si era pecado, si era un regalo, si era malo, si era bueno, sólo sabía que sentía una arrechera que necesitaba entrar, menear, calentar, botar en el hueco que Honoria mantenía ardiendo de tanto frotar y restregar con el ritmo de su sentar.

El cura ardía y no sabía cómo decirle a Honoria que le permitiera acercarse a eso que ella calentaba con su ritmo al sentar. El cura empezó a acezar; su verga no le obedecía; tan sólo quería picharse a Honoria. Olvidó los evangelios, los votos de castidad; sólo vivía para ver su picha tiesa todo el tiempo, con ganas de revolcarse en Honoria para descansar.

El cura enflaqueció, empalideció, le dio acné por el abuso del amor solo y no sólo matinal; pero nada, nada bajaba la verga que solamente necesitaba derramarse en el calor de Honoria Lozano, mi nana Honor.

Honoria siguió su vida sin saber de las arrecheras que despertaba en el cura. Pero necesitaba volver a la confesión. Para nada tenía claro si era pecado gozar en el sentar o si era menester reservar esa gozada para la otra vida.

El viernes a las cinco de la tarde, Honoria fue a la iglesia en busca de claridad sobre el tema. El cura abrió la ventanita y dijo lo de siempre: ¿hija mía, de qué te acusas? Cuando la vio, quedó mudo, sintió un calor asfixiante y la verga se le entiesó; quería que Honoria se le sentara encima para enloquecerlo, empezó a sudar, tuvo que manosearse hacia arriba en la cercanía de la raíz, hacia abajo en la cercanía de la cabeza, apretarse, estrujarse, bambolearse, hasta botarse encima de la sotana. Pero sólo medio descansó: necesitaba meniarse en el calor de Honoria, enterrarse, vomitarse.

El cura deliraba, estaba más cercano al infierno que a nada, pero no era su cabeza la que pensaba, era la cabeza de su verga la que lo desquiciaba. Y Honoria seguía sentándose con el condé completo en el parque, en la heladería y en las bancas de la Iglesia.

El cura se llamaba Rafael Gómez; era el menor de una familia de seis hermanos y se entregó a Dios porque desde muy niño sentía eso que llamaban vocación. Nunca había besado a una mujer y ni qué pensar en los regodeos que siguen a los besos; había evitado al máximo la masturbación porque en el colegio le dijeron que eso era falta aleve contra el pudor; su máximo acercamiento al sexo lo había experimentado en el seminario, en la fila del comedor, cuando un compañero que venía detrás suyo se le acercó en demasía y lo frotó con la verga; él se asusto porque sintió calor y un entumecimiento en la erección que sólo desapareció cuando, en la noche, bajo las cobijas de su cama, en su celda, con la única compañía de un crucifijo, se estrujó el pene hasta que eyaculó en medio de convulsiones cercanas a la epilepsia. Lo disfrutó pero, al percatarse de la mirada atenta del hombre en el crucifijo, hizo un acto de arrepentimiento que bien valía la pena después del gozo epiléptico y prometió que nunca se dejaría llevar de nuevo a tales estados, producto de la flaqueza de la carne ante la tentación. Lo había cumplido a cabalidad hasta el día en que confesó a la nana Honor.

El cura Gómez resolvió colocar el crucifijo de cara a la pared para que no le generara complejos de culpa por la convulsión que se provocaba todas las noches en la celda, todas las mañanas en la ducha, todo el tiempo en la soledad del confesionario y cada vez que iba a orinar y cuando, oficiando la santa misa, sentía el roce de la losa fría del altar. Los feligreses empezaron a preocuparse y le escribieron al obispo de Medellín solicitando ayuda con tratamiento médico para curar al cura de ese mal de convulsión. El obispo, atendiendo la solicitud, le ordenó al cura trasladarse de inmediato a Medellín para un examen médico.

Con la salida de Quibdó y la ausencia de la confesión de la nana Honor, en vez de curarse, el cura se agravó. Se restregaba con tanta violencia que los ojos enrojecieron y se brotaron, dándole un aspecto desquiciado; no quería salir de la habitación del hospital para nada. Pasaba todo el día en la cama frotándose el pene, completamente obseso con una idea fija: el gozo con el ritmo en el sentar de Honoria Lozano, la nana Honor.

El cura Gómez no mejoraba y los doctores no atinaban con el origen de su mal, seguramente porque nunca les enseñaron el cuadro clínico del ritmo en el sentar; por eso accedieron a las súplicas del cura, que creía no tener epilepsia y aseguraba que su mal sólo se curaría en Quibdó, cuando se resolviera el acertijo de la nana Honor: ¿Es pecado gozar con el ritmo en el sentar?

Los médicos pensaron que el mal del cura necesitaba solución psiquiátrica pero ante su terquedad, resolvieron jugar al azar la cura del cura y así él regresó a Quibdó para enfrentarse a su enfermedad y al ritmo de la nana Honor, que era el origen de su enfermedad.

Llegó ojeroso, pálido y enviciado al goce por la mañana, por la tarde, a la nochecita y, para mayor disfrute, también a la media nochecita. Fue entonces cuando decidió enfrentar el acertijo de la nana Honor, pero necesitaba que ella se arrodillara en frente de la celosía para dar inicio al sacramento de la confesión.

Pasó el tiempo y un día, muy de mañanita, cuando el cura Gómez corrió la celosía, preguntó como de costumbre: ¿hija mía, de qué te acusas? Y oyó la respuesta de costumbre: yo no me acuso de nada, sólo quiero que me diga si es pecado gozar en el sentar.

El cura sintió mareo y sudor frío pero se atrevió a preguntar para precisar, pues sabía que era la única forma de avanzar en el curar: hija mía, ¿por qué dices que gozas en el sentar? A lo que la nana Honor replicó:

Vea vé cura, es sencillo, cuando me siento y siento el condé, enteritico, recostado contra lo que sea que se ofrezca de asiento, empiezo a sentir una calor que me lo brota, que me lo hincha, que me lo agranda y así de grande, hinchado y brotado, al condé le da por palpitar. Y óigame bien, cura, esa palpitación se va regando por todo el cuerpo y es ahí cuando menestra el ritmo del sentar que empieza suavecito, despacito, redondito, quedito hasta que se va volviendo fuerte, rápido, curvo y duro con una ansiedad que yo manejo porque me gusta el calor, me gusta la cosquilla, me enciende el bamboleo que me obliga a menear el condé, en media vuelta pa'allá, media vuelta pa'cá y es ahí precisamente cuando siento que me pierdo, que me abandono al ritmo del sentar y me gusta, sobre todo cuando me sale un chorrito que es el anuncio del desguayangar. Por eso, padre, le pregunto si es pecado, porque me gusta tanto que quisiera estar todo el tiempo en ese recostar calientico, pero me preocupa, por lo que usté ha dicho en los sermones, que ese gozar no sea permitido porque es pecar.

El cura Gómez quedó súpito; no pudo contestarle nada a la nana Honor, porque era eso exactamente lo que le pasaba a él pero con el manotear. Y siguió manoteándose de madrugada, al mediodía, por la tarde, por la noche y a la nochecita, que era más o menos lo que la nana Honor hacía con su condé, pero sentadita.

Una tarde que la nana Honor fue a confesión, le dijo al cura Gómez que era la última vez que iba porque había decidido que era más sabroso gozar que rezar y que en eso Dios tenía que ser cómplice, si no para qué carajo le hizo el condé a la mujer con ese calorcito, con esa cosquillita, para después decirle que no se podía usar así porque era pecar. La nana Honor pensaba que tenía que haber una equivocación en alguna parte, porque es muy sabroso gozar y si lo tiene ahí y si se le calienta, ella pensaba que sólo había que dejarse ir, poniéndole ritmo al calor y a las cosquillas.

El cura Gómez quedó atónito con las palabras de la nana Honor; eran la explicación a su desazón y al mismo tiempo la cura de su mal.

Abandonó el seminario y los votos de castidad, pobreza y obediencia, pero sobre todo los de castidad; se fue a vivir con una tadoseña jovencita, espigadita, calientica, que hablaba poco pero que no usaba calzones, para estar siempre abierta al calor, con el que el ex cura Gómez trataba de equilibrar el amor y la vida.

Nana Honor también gozó del amor y de la vida, pero sobre todo del calor de la pasión por el amor y la vida, sentándose sobre la picha de Isidoro Bantui, que era su hombre ideal: él aprovechaba el calor que nana Honor le transmitía restregando el condé en todo su cuerpo con la única condición de servir siempre de lo que fuera para que Honoria Lozano posara el condé, y enloquecía con el ritmo que tenía, que movía, que sentía, cuando al sentar besaba con sus labios bien abiertos todo lo que se ofreciera para calentar, para hinchar hasta regar, todo en el meneo que tenía Honoria Lozano en el ritmo en el sentar.

Nada, ni siquiera
Obdulia Martina

Cuando lo tengo es nítido y luminoso. Parece estancado en un pozo de luz. Claridad que no se gasta y es la única que veo las veces que puedo tenerlo. Me conformo con verlo en este momento pasajero. Aunque yo no sé si uno es como se ve con los ojos propios. El recuerdo se me escurre y atrapa pedazos incompletos de esa zona de luz que está en la corriente de mi memoria. Me ocurre, el recuerdo es lo pasajero y la memoria es lo que se queda, como la sangre. Y sí: las cejas espesas, los ojos de melaza fría, en reposo. Me parece que la forma era más oval, de almendra; no son saltones. El cabello abundante y negro, a mí me gustó llevarlo corto, sin el clavel ridículo que no se arraiga y le ponen a mis amigas. Mi cara no es de luna y tampoco de triángulo. La nariz es delgada, nunca me pude meter el meñique para quitar una molestia, un moco.

Sólo lo contemplo entero apenas viene en el charco de luz.

No me palpo. No me toco. Mis manos no siguen las formas del rostro ni las alas discretas, recogidas, de las orejas pequeñas. La curiosidad me sobra. Lo que va quedando de los dedos, de la palma, de la muñeca, es insensible. Tropiezan con algo más delgado que el aire. Nada sienten. Ni la cara ni las manos o lo que permanece de ellas. Rama seca, carbón interrumpido donde ni siquiera florece un hongo.

La claridad de ese capricho de la memoria me conforta. O me distrae. Si lo tengo, mantiene la frescura, aparece intacto, sin envejecer en el tiempo disecado de la luz que lo conserva. Es lo único. Los recuerdos de tanto recordarlos se gastan, se ponen pálidos y después son el olvido. Yo me doy cuenta del olvido por una observación distinta a la que me indica que parte de mí se pierde, podrida, muerta. Aunque no siento sé que ha caído. A veces en esta oscuridad me cuesta mucho distinguir qué es. Un dedo, la nariz, la punta de un pecho, parte de la oreja. Quedan tirados y los veo al sacudir la sábana. O en el suelo, cuando barro y arrinconó el sucio, el polvo de madera del trabajo de las polillas y el comején, telas de araña, hojas secas cargadas por las hormigas. Examino esa basura antes de ponerla en el balde de latón y a veces allí está, hoy inconfundible, el trozo de carne amoratada y reseca. Con los recuerdos es diferente. Ellos, al principio, no al comienzo, lo desconozco, sino al momento en que me emparedaron sin yo entender la razón, la fui descubriendo por mi propia cuenta, ellos, los recuerdos, me servían para tomar el pulso de mi vida, esa seña de que sí, yo soy, yo estuve afuera donde sale el sol, se ve el resplandor del curso del río, se festeja a la luna y se juega con el viento sacudiendo las cañas de azúcar, el maíz, el sorgo, la crin lavada de los caballos y las mulas de paso. Los invocaba, los buscaba y en ellos navegaba sin esperar nada, nada, apenas el camino de los días que a mí me tocaron. Los recorría una y otra vez, los ponía al revés, para saber si en los actos de mi existencia, si en mis obediencias y picardías, si en mis sueños, en mis contriciones había un pecado causante de este castigo. No lo encontré. Una es humana y se equivoca. Yo no lo encontré y lo busqué sin rabia, sin ánimo de litigio. Qué podía debatir en este encierro donde la única que sabe qué va quedando de ella soy yo misma.

Y así iba y venía por los recuerdos. Me dejaban un sentir de complacencia. Los cambiaba para imaginarlos distintos y antes de dormir me repetía una imagen, unas palabras para saber al día siguiente dónde me había detenido. No siempre tengo que continuarlos. Y así ocupaba las horas. Podía medirlas por los golpes en el torno, es la única abertura de este cuarto, anuncio del desayuno, del almuerzo, de la comida, de alguna merienda o una carta.

Al principio los recuerdos no cabían en un día y sobraban para varias semanas. Después era como si se hubieran encogido y no me alcanzaban para llenar las horas. Al no encontrar dónde se metían los recuerdos que antes tenía, me puse a pensar y así sorprendí al olvido.

Construyeron el cuarto al final del patio. En una esquina. Debajo de un níspero enorme y frondoso y tres mangos filipinos de ramas dispersas que parían todo el año. El terreno tenía la extensión generosa de los solares en las ciudades nuevas, y estaba delimitado de los vecinos por unas tapias de bloques recubiertos de una mezcla de cemento y arena de río puesta a la brava. Además de barrer el piso de tierra, era necesario cortar los arbustos y la maleza que crecían fáciles y pródigos.

El cuarto, de tres metros por cinco con el techo de láminas de zinc y el suelo de cemento nivelado al ojo, estuvo terminado en una semana.

Fue una premura sigilosa y el motivo se desconocía. A los albañiles, ayudantes del maestro de obra, les pareció un depósito para guardar el carbón por la falta de ventanas. Les extrañó la abertura de dimensiones inusuales y altura inexplicable en uno de los muros. No podía ser ventilación. Cuando llegó el carpintero y empotró el marco para instalar el torno se confundieron más.

En la casa, los que sabían la razón de esa construcción imprevista, urgente y rodeada de un silencio sin explicaciones, se habían comprometido con el médico del dispensario de la salubridad a tener un sitio de aislamiento antes de diez días.

Eran tiempos favorables, de compromisos puntuales, cada quien satisfacía sus obligaciones con la naturalidad de un hábito inocente. A nadie se le ocurría quitarles las tierras a los cultivadores de arroz de la orilla del río. En esta ocasión un asombro doloroso se impuso a las buenas costumbres, y hacía difícil la simulada indiferencia utilizada para mantener el transcurrir de una rutina sin reclamos ni sobresaltos, sin las dudas de la ambición. Ese cumplimiento a cabalidad del destino de la vida como un paseo entre el nacimiento y la muerte pone a los seres, sin apelación, en estas regiones, y el designio se cumple con el peso de dos o tres enigmas entre alma y corazón, algún sueño reiterado y una sonrisa de conformidad discreta, inevitable, ante el sinsentido.

En el revuelto de pensamientos incomprensibles, no podían salir de las incertidumbres de la mente y sometían a los iniciados a una presión inhumana, la única idea que sobreaguaba en los miasmas del sufrimiento era la que hacía esfuerzos por atrapar con la palabra fatalidad, o castigo del cielo, o mala casualidad. Y ellos —los enterados de la casa— dicen: por qué tuvo que tocarnos a nosotros. A nosotros. Es una interrogación sin respuesta y no dejan de hacérsela con una incredulidad estéril. Aunque vuelvan a pensar en el inicio de lo que en ese momento era una catástrofe demoliendo la fe tranquila y desinteresada en el orden y progreso de la vida, nunca encuentran una explicación. Durante muchos años cada instante de la tragedia conservó ese presente perpetuo con el cual el sufrimiento flagela a sus elegidos. La inadvertencia despreocupada con la cual se atendieron las señales inocentes al ser traídas al recuerdo, azotan con dureza ese tiempo. En su pasar amplía y se toma el pasado.

Se inició todo –sí, todo– con unas manchas rojizas alrededor de la boca de Obdulia Martina. Era la mayor, en años de su edad, de los hijos de esa familia, los Buelvas. Se habían establecido por aquí desde que los vapores dejaron de remontar el río. La sedimentación del cauce por las frecuentes avenidas de la tierra indefensa ante la tala de los bosques, lo iban convirtiendo en un río inservible. Se adelgazaba en verano y se desbordaba en invierno.

Es posible que Obdulia Martina, por los días en que afloraron las manchas en el rostro, estuviera entretenida en peinar sus cejas espesas, erizadas como alas de pájaro asustado, y en acomodar los tallos cortos de su cabello recién rapado a su nuevo semblante de monja desnudada, descubriendo el gozo en el flagelo. Le costó mucho lograrlo. La señora que cortaba el pelo y peinaba a las mujeres de la casa se negó a sus indicaciones. Convenció al peluquero de los varones para que usara las tijeras y la navaja alemana. Entretenida en su iniciativa traviesa no se dio cuenta de las incipientes nubes rojas.

Quien las observó primero fue la madre. De inmediato las atacó con el agua de rosas. La vendía el boticario y ella la guardaba entre hielo para conservarla fresca en medio de los calores sin misericordia del valle. Se la aplicó con golpecitos de gasa empapada y le indicó que la dejara secarse al aire. El aire turbulento de los colibríes, se calcinan y se les momifica el vuelo en el fuego pálido del mediodía.

El olvido no me asusta. Enseña que si se contraría la voluntad de la vida está uno preso del vacío. A medida que gana territorio el olvido los recuerdos son más desordenados. En el sentido de obedecer menos y llegar de pronto. Yo no creo en la debilidad de mi memoria. Son los recuerdos que se gastan de tanto usarlos y, como no tengo recuerdos nuevos, a veces los invento o me dedico a los pensamientos. No dan para mucho. Mi tiempo no se llena. Es transcurrir, corriente de un río crecido. Avanza poderoso y deja intacto cuanto toca, nubes fugaces arrastradas por un instante. No atropella los árboles. No erosiona las playas fluviales. No inunda las siembras de arroz, los pastizales y las casas de barro, caña y palma que se levantan solitarias en la llanura. Apenas pasa, sin ruido: sueño eterno. Yo soy una niña que se acurruca en la oscuridad. Y espera. Recogí retazos, alusiones en las cartas y conversaciones temerosas, interrumpidas por la indecisión y quizás, antes no lo consideré, por lástima. Así conocí la verdad de mi emparedamiento. De esta vuelta a la sombra protectora que nunca me va a expulsar, ni a rechazar.

Un día me dejaron aquí y yo creí que era un juego. Me dijeron que entrara y contara hasta cincuenta con los ojos cerrados. Pasé de lado y a pesar de que me estiré sentí el muro áspero, rozaba las costillas en mi espalda y los brotes de mis pechos inflados como volcancitos de barro. El contraste del resplandor en el patio, caliente y luminoso, con la penumbra fresca de esa bóveda me dejó ciega. Tropecé y a tientas di con la pared. Alcé los brazos y los crucé a la altura de mi cabeza, y de pie, metí mi cara entre ellos y comencé a contar. Sin precipitación. Número detrás de número y casi gritando para ser oída afuera, en el patio sumergido en el aguacero silencioso de la claridad. ¿Qué mes sería? No era invierno. La tierra estaba seca, cuarteada y no caía ningún sereno. La luz se alargaba en la extensión de plata más allá de la orilla indecisa de las seis de la tarde. La hora en que las casas y los solares despedían el aroma de los plátanos verdes y las carnes de monte sobre las brasas del carbón vegetal silbando con las gotas de grasa, sangre o savia deshechas antes de anidar en su imperio de lumbre palpitante.

Llegué a cincuenta. Mis ojos amansados por el sudor fresco de los brazos y la clausura de los párpados se movían y encontraban formas. Vi una cama de hierro, tendida con las ropas. En este cuarto desprendían el suave fulgor de las telas almidonadas. Advertí con la voz un poco más alta que había terminado de contar y grité: Ya. Saldría a ver qué sorpresa me esperaba. Los buscaría si se escondieron. Encontraría a uno o a todos. Me reiría. Si no había sorpresa se metería otro aquí. Por lo regular la sorpresa era la visita de un familiar querido, un regalo. Mis ojos no dieron con la grieta de entrada. Desconfiada de lo que la vista mostraba empecé a examinar con las manos de cinco dedos, abiertos, y la palma fresca por la sudoración tenue, síntoma de las miedosas como yo, la superficie desigual y escabrosa. Al momento de estar pasando las manos, se me irritaron. La piel maltratada sintió unos cauces irregulares y pude meter la punta de los dedos. Iban desde el suelo hasta más arriba de mi brazo estirado. Mi entendimiento no respondía y una angustia descompuesta se apoderó de mis movimientos. Caminé de un lado al otro. La distancia se agotaba antes que mis pasos avanzaran con su ritmo y lo impusieran a las caderas. Desde chiquita mi caminar gustó y admiró a los vecinos. Decían, con la boca alegre y la lengua suelta, que aquello que yo mostraba desde la espalda con mi andar era un presagio de lo que llevaba por delante, y de la habilidad que iba a tener en la cocina. Hoy, este hoy de recuerdos borrados y memoria vacía, yo soy la menos indicada para agregar algo a los aconteceres del mundo de afuera; no lo veo y me resulta imposible imaginar, pero así y todo yo, qué seré yo, qué soy, sea la mierda que sea, sea lo que soy, quiero decir, no puedo comprender por qué las mujeres conocidas, mi mamá y sus amigas se quejaban por los ratos de cocinar. Si camina como cocina.

El agua de rosas deja su aroma en la luz sosegada del interior de la casa donde reposan las mariposas viejas. Por varios días se mezcló con el olor de la madera herida de los cativos que traía la corriente de brisa cálida del río. En las noches el viento cambiaba de dirección, y el aroma del agua vuelta a poner en la cara de Obdulia Martina se unía al de los jazmineros sofocados por la humedad calurosa de la noche.

Las manchas rojizas no desaparecían y aumentaron su dominio a la zona de las mejillas cercana a la nariz. La muchacha se disponía a llegar a los catorce años, y el cariño de la madre, sostenido en sabidurías indiscutibles y protecciones excluyentes, insistió en comentarle al boticario —con un bien ganado prestigio de curandero— cómo su niña seguía con manchas en la cara. Figúrese, en la cara, están a la vista, una calamidad, si ella fuera turca musulmana, si le hubieran salido en otra parte, pero en la cara.

El boticario había hecho de la paciencia una veteranía, y era un virtuoso de la astucia para poder conocer la verdad de los enfermos. Nunca los veía para examinarlos sino acudían los parientes, no para consultarle, apenas para reafirmar el diagnóstico hecho por su propia cuenta. Jamás aceptarían una venérea en los muchachos encabritados, ni un embarazo sin matrimonio. Por ello fue fácil caer en la trampa de la rutina y supuso que le consultaban un caso de brote de acné.

Para explicar mejor lo que llamó caprichos hormonales del desarrollo, le agregó una liviana congestión del hígado por las grasas animales y la deficiencia de verduras, en estas tierras donde las frutas son alimento de turpiales y loros y las verduras entretenimientos de conejos. Le recetó a Obdulia Martina vitamina A, jugo de zanahorias, al amanecer y, antes del jugo, medio vaso de sulfato de magnesio para purificarse.

El tiempo se alargó con la idea de que un desarrollo pertinaz mantenía invariables los nubarrones de color rojo moribundo, a punto de volverse morado, en el rostro de arcilla esmaltada de la niña mayor de esa casa. El agua de rosas, la vitamina, los vasos constantes de sulfato de magnesio, con el paso de los amaneceres habían perdido su insoportable sabor de castigo, no derrotaban a la nube invasiva.

El padre de Obdulia Martina, un hombre sembrador de arroz y criador de ganado de selección, proseguía la tradición respetuosa de apartarse del trato con mujeres. Era un arte complicado y de delicadezas. Los varones lo omitían y tocaban su misterio, para defenderse, con las preñeces sin descanso que traían al mundo verdaderas tribus en una sola casa. El resultado en los siglos de la vida y sus escasas huellas por estas tierras, fue que una concepción o prejuicio tan sólido –como se quiera considerar– condujo a una incomunicación total. Las mujeres sufrían a los hombres, o se volvían indolentes, o aprendían a burlarse de esos traspiés infinitos que, de tropiezo en golpe, hacían una parada en la cama, entre las piernas, en el sendero de su hondura. Los hombres se guarecían en la protección cómoda de considerar a esos seres como creaturas raras, guardadoras de un soliloquio secreto con el cielo y a los que es mejor atender con dulzura, mano de caricia, o si no perderse en el silencio.

Así sabía que cuanto se relacionaba con las hijas era competencia de la madre. Y además profesaba un acatamiento cariñoso al boticario desde cuando le preparó una pomada para curar las mataduras causadas por una silla nueva a su caballo preferido.

Con la misma lógica sin alarma con la que advertía un signo inconveniente que perturbaba la estampa uniforme de una mula de paso, o atrasaba el crecimiento de la hierba en los potreros preparados para hacer frente a los veranos impredecibles, recibió la señal en el rostro de su hija mayor.

Se atribuló y guardó la desazón en un silencio sin gestos. Las marcas en la cara de una mujer bella le habían parecido señal de infamia. Afirmaciones de lance entre villanos. O cobros tardíos por pecados sin penitencia que alguien olvidó. Nadie conoció los secretos de su decepción porque su primogénito fue una hembra, y muy pronto lo halagó el orgullo de su belleza. Ni siquiera a su esposa le comentó la percepción. Tenía que ver más con su ojo de varón curado de sustos que con las tardas complacencias del padre. Gozaba con desentendimiento aparente al observarla, a sus catorce años de vida, encaramándose todavía en los árboles del patio y cantando, con su cabello cortado a la raíz, las canciones de cantina aprendidas a la servidumbre.

Ésa fue la última vez en mi vida que yo conté. Hasta cincuenta. Ahora no sirve de nada. Me sigo por los ruidos, y los olores también me ayudan.

Cuando empezó esto tenía más referencias. Mi mamá me ponía papelitos con letra de ella. A veces venían con la comida. La anunciaban con golpes en el torno y lo hacían girar. Los papeles los guardaba en la gaveta de la mesa de noche que está al lado de la cama. Eran razones de su fe que pretendían fortalecer mi paciencia y mi confianza en salir pronto de allí. Su afecto me admiraba. Más que su afecto, que tenía la terquedad de una convención soldada para siempre, lo que me hacía apreciarla salía de su expresión de afecto. Una forma en la cual ella se sobreponía a su desconcierto adolorido y quería doblegar la realidad para hablarme por escrito, o sea, decirme con papel, sin voz, lo que la vida ponía a cada instante como si a mí no me hubiera ocurrido nada. Nada. Ni una calamidad. Ni una constipación. Ni un —como dice la cocinera— maldita sea. Con esa frase ella aludía a las desgracias imprevistas y significa lo mismo que la abuela llamaba un malhaya-sea. Exorcismo sagrado que ayuda en las lenguas profanas a espantar las catástrofes. Los obstáculos del destino que lo atascan. Y hoy es el cumpleaños de mi hermana. La otra semana es el de mi padre. No olvides felicitarlo, tú sabes cómo es de delicado y se resiente. Este mes, si no viviéramos en los meridianos y los paralelos de transformaciones sutiles de este mundo sin testigos, entra la primavera y las flores explotan de colorido. Ella —mi madre— dice que debo acordarme de pedir los aguinaldos, la navidad se acerca. Por eso supe cuál mes, qué día pasaba allá afuera sin mí.

Cuando el cansancio del llanto me dejó un hilo de voz, débil y quebrada, me la gasté preguntando por qué me encerraron aquí. Sin saber quién me oía. En uno de los papeles de mi mamá decía que era por mi bien. El médico lo había recetado para mi recuperación. No dijo el nombre de la enfermedad ni mencionó la mancha en mi cara.

En lo alto de las paredes, en donde se apoyan los horcones sostén del techo, entra una franja de luz. No ilumina el cuarto pero permite ver la cama, la mesa de noche, la mesa de comer y su silla, la mecedora, la cortina de tela gruesa con flores estampadas que separa el baño con su letrina, un toallero y el aguamanil, de esta parte. Debo moverme despacio para no tropezar. No sé en qué momento me olvidé de llorar. A medida que el tiempo pasaba mi ilusión de salir de aquí se gastaba sin dolor. Me crecía un fastidio con rabia por sentir que me habían engañado. Sin necesidad. El llanto acudió la mañana en que conocí la gravedad de mi mal. Fui al baño a limpiarme. En el encierro lo hacía con una toalla, apenas más grande que la mano abierta, y la humedecía en el aguamanil. Yo mezclaba el agua con el agua de rosas. Al meter las manos para revolverla, en las migas de luz que me tocaron, vi que algo faltaba en los cinco dedos de la izquierda. Miré con detenimiento, acercando la mano a mis ojos y no encontré más de la mitad del dedo del corazón. Asustada y sin entender, me senté en la cama, tibia por mi sueño. En el suelo una fila de hormigas llevaban en procesión ese pedazo inservible y negro, con uña, de carne que fue mía.

Subí las piernas a la cama y estuve allí, sin moverme, y no me atreví a tocar el muñón. Estaba insensible.

Los papelitos de mi mamá me sirvieron de calendario mientras llegaron puntuales en el torno, con los alimentos y las pastillas y jarabes espesos recetados por el médico. Ella me hizo saber que las frutas, compañía de los platos del almuerzo, mango, caimito, níspero, ciruelas, guayaba dulce, zapote, los corozos agrios en su gajo pródigo, y la jarra de agua de arroz al atardecer, eran escogencia de mi papá.

Las letras de mi mamá una vez empezaron a escasear. Yo no sé qué sucede pero la comprendo. Nadie puede hacer de su vida un tributo a alguien que no da señas de contestación. Para mí era difícil responder. Sin papel, sin lápiz, con la voz agotada, el ánimo minado por las dudas y el rencor. Con esa falta no la lamenté, mi medida del tiempo se guiaba por la percepción del oído. Cada noche conocía mejor el torrente del río. Su estropicio en invierno que corre loco y rompe el cauce. El bajar lento y avasallador arrastra los sedimentos y fluye por los meandros en los veranos de sequía. El rumor de los vientos amontonados. El golpeteo de la lluvia encima del techo y de las hojas de los árboles. Las canciones flotando en la noche. Y yo las descifro. Más que todo la voz de la cocinera, en la noche inmóvil apenas atravesada por los rumores de las brisas sueltas y de la corriente del río, se ponía junto al torno y me hablaba.

Ella, Crisanta, delicada y con cariño me preguntó la vez que se acercó, unos días después cuando dejé de llorar, si yo quería hablar. "Niña Obdulia, es Crisanta, se acuerda". Ante mi preocupación por sus largas visitas al otro lado de la pared, expuesta al sereno de la noche, me dijo que ella se distraía porque era de poco dormir. Arrimaba una silla de cuero con el espaldar contra la pared y las patas de adelante en el aire. Se cubría la espalda y los hombros con una toalla y se estaba allí por horas, contándome hasta que se daba cuenta de que yo me dormía y no me salían más palabras.

Llega un momento en que el tiempo tampoco importa. Pierde su agonía.

Sin demoras ni consultas familiares, el padre de Obdulia Martina se fue adonde el facultativo. Había estudiado la medicina y la cirugía en la universidad de la capital de la provincia. Se especializó en las curas de las enfermedades del hambre en los hospitales de ventanas trabadas por el hollín y vidrios con paisaje de cielo sucio, con las salas de urgencia atiborradas de apuñalados. Recibió el grado de especialista con felicitaciones y, aún bajo el sopor de los excesos de las despedidas, tomó el tren para bajar a la población de La Dorada, a la orilla del río. Allí se enteró, mientras se alejaba con el traqueteo sin misericordia de su cerebro abombado y el peso opresivo de su vestido de paño de telar, que la capital acabada de abandonar, con sus tranvías lentos en los cuales los estudiantes perdían las estaciones leyendo los versos de Eduardo Carranza, sus tribunales a punto de reventar con expedientes de engorde sin compasión ni final, sus palacios con goteras, sus discursos a la nación, sus loterías arruinadas y sus clubes sociales quebrados, esa capital se había convertido en un montón de cenizas mojadas.

Conmocionado pero sin pena, y con la intuición de que los demonios del páramo tenían sangre distinta a los de la orilla del mar, se acercó a las casas de salud construidas por los franceses en las cercanías del Canal de Panamá. Ahí estudió y trabajó dos años. Repasó la historia clínica de Paul Gauguin, que estuvo convaleciente en el hospital de la isla de Taboga. Conoció el instrumental que desempacaban resplandeciente y a las primeras horas de haberlo utilizado tenía las picaduras del óxido y los movimientos de precisión trabados y sin control. Lo guardaba en los autoclaves y amanecía en medio de un hervor desordenado de hongos derramados por el suelo.

Con un humor de risa comprensiva que no lo abandona, y le ha servido para protegerse de las tentaciones solemnes de la vanidad humana, lo visitan y le proponen que debe ser el alcalde, el gobernador, el senador, el magistrado, él decidió volver. Pensó si sería capaz de sanar los golondrinos en el sobaco de un niño sin la tortura con los apretones de uñas, y si fracasaba él se dedicaría a engordar una cría de puercos y poner un ventorrillo de tocino.

Regresó a las tierras de donde salió: inmensas llanuras fértiles sin oro, atravesadas por un río fiel. Su idea sin reglas ni tratados, de su hacer en la vida y en el mundo, lo acercaron al padre de Obdulia Martina, quien continuó la tradición de los habitantes de levantar ganado y sembrar potreros de hierba. Como sus antecesores despreciaba el comercio. Le parecía un oficio sin riesgo que se aprovechaba de la haraganería humana con sus hábitos de fiar, pagar intereses, comprar sin tener con qué dar el precio, procedimientos ilusorios, juegos pasajeros de la vida descompuesta.

En partidas infinitas de dominó descubrieron un fundamento del mundo que los hizo amigos. El médico vivía sin apremios su soltería y el padre de Obdulia Martina lo entendía sin reclamos. Ya el pueblo no tenía dudas sobre su hombría y estaba descartada la explicación de su soledad por alguna opción personal de rechazo a las mujeres.

Hoy va a verlo temprano, antes de llegar a sus fincas, y piensa con una vanidad triste, ajá y qué tal que la bella loca de mi hija, mi niña mayor, sea la propuesta del destino para este hombre, mi amigo, en estas tierras sin intimidad. Y se ríe solo en el aire fresco del amanecer.

Él, desde detrás del anjeo de la puerta, ve la figura de su amigo. No puede imaginarse la razón de la visita. Nunca lo había visitado a esta hora. Es el momento en que llegan los pacientes para practicarse exámenes en ayunas. Sin curiosidad se adelanta a recibirlo. Se saludan con el efusivo gesto de costumbre. El médico le dice que aún falta un momento para el primer café del hospital. No se sienta y le explica que va de paso y quería preguntarle si al volver de los potreros, a las cinco, podía venir para ir juntos a la casa. Le gustaría que mirara a la niña mayor. Con pocos detalles le contó la opinión del boticario y la resistencia de la irritación. Agregó un lamento: una mancha en la cara de una mujer no deja de ser un desastre.

Con las artes veteranas que le dieron fama de no asustar a los enfermos atendidos por él, recorrió la casa, del antejardín al patio, detrás de su amigo que preguntaba en voz alta por la esposa para mostrarle quién estaba aquí y quería saludarla. En el camino se encontró con Obdulia Martina. Despedía la fragancia de las rosas y llevaba puesto un traje entero de falda amplia con encajes hasta la cintura, rosado, y zapatos blancos de trabilla. Le dio un saludo de confianza, y con términos paternales le preguntó cómo seguía la molestia en la cara. La llamó molestia y, al señalarla, le preguntó si sentía dolor o rasquiña. Ella le respondió que nada, sólo se la veía en el espejo y, cuando salía, las amigas también lo notaban. Con su mano abierta le desordenó el cabello corto y le dijo que esperaba pasara pronto. Obdulia Martina, libre de la autoridad del médico, no supo qué hacer y agarrándose las manos se fue al jardín brincando.

Concluyeron el ritual de los saludos. Jugó con la pregunta que le hacía siempre la esposa de su amigo sobre su inminente matrimonio, y esta vez le dijo que su princesa rosada se había asustado con su edad y decidió devolverse. Ella, tierna y cómplice, le replicó: ni quién te lo crea, menos yo, he visto a muchas a quienes ya les pitó el tren y siguen suspirando. ¡Niño! Le dijo niño, no seas incrédulo, la falta de fe es peor que morirse en vida.

Su marido, el padre de Obdulia Martina, amigo del facultativo, movió la cabeza en señal de así no se puede y lo tomó del brazo para ir a la terraza.

Les sirvieron un jugo de nísperos, espeso y oloroso, con pedacitos de hielo y unos buñuelos calientes, suaves y esponjosos. Crisanta acababa de sacarlos del caldero donde probaba la masa de los fríjoles cabecitanegra molidos de la primera cosecha.

En este instante el padre de Obdulia Martina se sintió intrigado por la omisión de su amigo en hablar sobre la razón secreta de la visita. Una confianza respetuosa, fundamento de su amistad sin condiciones con el médico, lo mantuvo en la frontera de la discreción. Y esperó.

Crisanta fue un alivio. Ella me enteró de realidades. Me permitió entender. Después del llanto que se secó. Hoy no sé por qué se secó. El dolor persiste. Sólo lloraba por dolor. Un día mis ojos endurecidos parecían ojos disecados de venado. Me los imagino así, no podían moverse y cuando los cerraba los párpados se inmovilizaban pegados como cerrojos oxidados. Cuando las lágrimas se van queda el dolor, se vuelve una llaga, un latido que no duerme.

Sí. Hablar con Crisanta me quitó una sensación de culpa y de duda que me tenía acobardada. Me preguntaba si yo habría cometido alguna imprudencia grave y ello obligó a mi mamá y a mi padre a encerrarme aquí. No podía encontrarla. Busqué desde muy atrás. No era mucho. Cada minuto que estoy es menos. Al pasar los años de mi encierro, uno detrás de otro, suman más que mis días afuera que, al gastarse los recuerdos, son casi nada. Desaparecen sin dejarme siquiera una clave para su evocación. A medida que mi señal de vida es pensar, y la repetición periódica de los signos del exterior perdieron su novedad y se volvieron parte de esta oscuridad, estas paredes, estos olores, este abandono, esta aceptación, se me revela la pureza del dolor. Está el dolor y no puedo saber de qué me duelo.

En el breve atrás de mis días ambiciosos, infinitos, y mis noches forzosas de necesidad, me encuentro con un tiempo pleno y sin sospechas donde el encanto nacía de la falta de intención. Están mis amigas, mis hermanas, mi madre, las maestras. Los paseos por la orilla del río. Las salidas en caballos hasta los caseríos cerca al mar. Los amaneceres en las fincas donde el monte termina junto a la arena y en la luna nueva de marzo lo invaden los cangrejos. Ese mundo de alegría desbordada y accidentes de insignificancia se aleja de mí y se hace invisible y se sustituye: casas, rostros, flores, plantaciones, me causaban admiración desde la lancha que seguía el cauce por la mitad del río, y yo las veía hasta que la distancia era más poderosa y mis ojos no podían más. Se me imponía lo que venía, la corriente de tierra del río, un árbol, unos niños decían adiós con las manos oscuras por jugar a ser abuelos.

Crisanta, con ese ánimo de recibir directos los destellos del mundo y sin preocupaciones de devolver la pelota que le arrojaba, pelota de trapo, me dijo, nadie sabía, nadie, la cariñosa Crisanta utiliza con autoridad la palabra nadie, mi reducido nadie de allá, nadie sabía que yo, Obdulia Martina la desaparecida, estaba en esta tumba en el patio de la casa. También me quitó el peso de otra incomprensión, que yo cargaba sin reclamo. Un día las esquelas de mi mamá dejaron de llegar, y me hice la fuerte, la entendida, todos nos cansamos de arrullar antes del sueño, y extrañé ese callarse sin explicación. Era algo que ahondaba la pregunta de qué hacía yo en el mundo. De si acaso yo contaba, si mis ganas, mis preguntas, mis preocupaciones, mis deseos, mi dolor, tenían un sitio en el cual serían atendidos. Me ponía días y días con la mente ocupada por un pensamiento único: qué era yo si nunca había sido yo. O yo, Obdulia Martina, apenas podía ser lo que otros consideraban mi bien, una decisión que nadie se molestó en consultarme. Ahora lo mejor para mí es el encierro. Por qué.

Crisanta, a pesar de los pesares, me hacía reír con su humildad soberbia, le permitía burlarse de los santos y los diablos, y un anochecer silencioso en el que se imponía el canto de los insectos del monte y no había olor de las cocinas en el aire que soplaba del río para limpiar los hervideros del día, ella, me contó. Niña Obdulia —así empezó—, niña Obdulia, era un nombre de afecto, distinto al que usaban las maestras. Sus conversaciones conmigo se deslizaban sin esfuerzo de convencimiento. Jamás quiso marcar que ella era vieja y sabía más. Una manera de compartir, no me imponía sentimientos de lástima, ni de pesar, ni de protesta por mi inconveniente. Ahora mi sensación del tiempo surge del amplio vacío dejado por los recuerdos que se acaban y, al borrarse, mis referencias de explicación o entendimiento se esfuman, yo estoy ante una visión del futuro que no me trae la excitante incertidumbre de lo inexistente sino el terco presente gota a gota. Es lo que tengo. Mi voluntad de resistencia y mi memoria desalojan cuanto guardaba para abrirse a esta partícula, miga de realidad, olvido o presencia. Nada significa. Lo más que agrega Crisanta cuando yo le digo ante su historia, con un tono de interrogación débil: ¿Qué va a ser? es una suave afirmación. Sin regaños me expresa: Va pues. Sí. Va y pues. Y me lo dijo por su gana soberana de liberta irresponsable de un mundo que ella no construyó. Ella tiene la gracia de hacer el mejor arroz de ahuyama con coco, sabor del coco y color y trocitos de ahuyama, y aroma revuelto, subleva el cerebro y derrite las tripas. Me lo dijo. Respetuosa puso la expresión: Usted, niña Obdulia, analice; me sugirió que yo analizara: el análisis de los meados recogidos en frascos, el análisis de las fiebres repentinas y, por supuesto, Obdulia Martina, yo no analizo y dijo: Su mamá dejó de escribirle porque el sufrimiento la está acabando. No soporta llegar a estas paredes, la separan de usted y ni siquiera poder verla y lo que más la atormenta es no saber cuándo la sacarán.

En la ruta al hospital, donde el facultativo debía atender el turno de la noche, el padre de Obdulia Martina consideró de buenas maneras y de confianza amistosa no apresurar las preguntas que le ahogaban el corazón. Bordeaban el río por la vía nueva que iba hasta las afueras, con el viento tibio del inicio de la noche azotando el techo de lona del campero, y un silencio liviano no los incomodó. En la ribera, entre los robles altos y las ceibas nudosas que soportaban las crecientes, habían encendido lámparas de llama rojiza y unas Coleman de iluminación intensa y blanca. Eran tiendas de ocasión. Las ponían durante el verano, con sus cajas de aserrín para conservar el hielo llenas de cervezas, y los sacos de fique tejido con las botellas de ron cristalino, entre las que alternaban las de las destilerías legales con las de los alambiques caseros de las industrias clandestinas. El médico le propuso detenerse en uno de los recodos de cielo abierto donde se oía el embate de la corriente contra la tierra, vieja y saqueada, y desde el cual veían los destellos del primer lucero. El doctor, una vez fuera del Willys, le dijo, pida un deseo, es el único lucero. Y piénselo bien, lo peor de los deseos rogados es que se cumplen, y como uno por aquí está habituado al incumplimiento, se asusta. Los luceros son puntuales, cumplen.

El padre de Obdulia había mantenido relaciones simples y claras con el mundo, despojado de cobardías y medidas de interés, le contestó con una sencillez pulcra: No me atrevo. Y al rodear el campero, por delante, para unirse a su amigo que miraba el firmamento de carbón y polvo de arroz del anochecer, agregó: Me lo tiene que creer, médico, yo no tengo deseos.

El facultativo esa vez, y ninguna otra, habló con su amigo de esa expresión limpia, sin orgullo, casi avergonzada por su desnuda humildad, pero fue incapaz de olvidarla. Le venía cuando menos lo pensaba y lo hacía sangrar en las miasmas de su corazón estropeado por la indiferencia que él creía indispensable para aplicar su ciencia a los enfermos.

Caminaron por la orilla mientras una penumbra plomiza cubría la tarde. El cauce terroso del río tomaba un tono negro con reflejos. El médico se detuvo y sin más le dijo: Esa niña cogió la lepra.

El padre de Obdulia Martina anudó sus brazos sobre el pecho. Los apretó en un intento de sostenerse él mismo. De sentir que el universo aún estaba en pie a pesar de las corrosiones de su desolación. Y afirmando los pies sobre una tierra agrietada, pensó si lograría detener los fragmentos de su corazón que, una vez partido, se arrojaba sin dirección al infinito desprovisto de señas de un vacío instalado en su alma, y lo abandonaba en la oscuridad ruidosa de la cual surgen los monstruos devoradores de los sueños y enfrentaba la ilusión al blanco de un espacio impenetrable. Una sonrisa desprovista de fuerza y sin convicción lo atravesó con la presencia de una cicatriz. Risa-herida. Risa-cortada. Fragor de conformidad impuesta. Rebelión contra el azar injusto que golpea sin anuncios. Y ahí una vez más, otra vez más, supo de la soledad del vasto universo y no se resignó, entendió cómo la mayor rebeldía era mantenerse vivo.

El facultativo prendió sus manos en un brazo del amigo y lo apretó con cariño. Un afecto transparente, sin las deformaciones de la lástima, rescató la solidaridad de la compasión y lo mantuvo por un momento en silencio. Aflojó la tenaza de los dedos y con el implacable sentido de la realidad diaria le dijo: Ahora vale la pena evitar que se lleven a la niña para el lazareto de Caño del Oro en el mar de Cartagena de Indias.

El padre con los pensamientos incinerados, se perdían en total desarticulación, y las palabras pesadas en un nudo de cadenas oxidadas, apenas tenía unos ojos idos, sin fijeza para interrogar al mundo y penetrarlo. Era la mirada de quien se entera tarde de los atropellos cometidos por la vida.

El médico lo comprendió. Sabía que no iban a terminar las veces en que estaría de testigo y de compañía imposible en ese trance absurdo, puesto a la vista el sinsentido de los días, lo endeble de las ilusiones que proyectan una dirección a la existencia, y ese abismo invisible que se atraviesa en cada paso y cuando aparece sepulta los sueños que se desbarajustan al peso de su vuelo. Nunca encontró nada que decir: un apretón de hombros con sus manos, que de tantos partos que atendió se volvieron delicadas; un abrazo medido por las circunstancias y el esfuerzo que lo estremece de escupir una lágrima y atraparla para tragársela sin saliva en la impotencia que el azar brinda. Dónde irían a parar esas lágrimas que, como la lluvia, conoce quien es mojado por ellas. Y su callarse, la espera prudente, a sabiendas de que carecía de recursos para detener el cataclismo íntimo, lo sostenían en medio del sufrimiento ajeno que todavía —y ya se estaba haciendo viejo— lo tocaba.

Con las fuerzas alimentadas por las resistencias repetidas a las acechanzas que la enfermedad tiende a la vida hasta cuestionarle su vocación ilusa de mañana, le explicó al padre de Obdulia Martina las reglas sanitarias de la enfermedad. Él no creía en ellas. Pero eran las leyes imperantes. Ordenaban recoger a los enfermos y enviarlos al lazareto más cercano. Conmovido por su amigo, más por la niña, recomendó un aislamiento propio. En su experiencia de los seres había observado que un mecanismo del amor inclinaba a los que se aman a ser capaces de compartir el deterioro, el acabamiento y preferían vivir en presencia el infierno deparado por el cielo tan temido. Lo atizaban sin pudor y sin misericordia para quemar entera la unión. En sus soliloquios por la playa fluvial el médico se repetía con aceptación cansada: Ahora va a resultar que la mierda purifica.

Por primera ocasión en su vida el tiempo lo condujo sin disculpas a un arrepentimiento. Lo vivió completo y rabioso cuando se enteró de que a Obdulia Martina la aislaron de las personas, animales domésticos y libres del entorno, sin decirle una palabra de explicación. Se lamentó de no haber exigido su derecho de hablar con la paciente. Supo que no era discreción con su amigo, seguridad en su amorosa potestad paterna, sino una incertidumbre propia nacida de un desastre de su corazón, y no se atrevía a aceptar el nido de una ilusión lejana de la cual prefería burlarse. En sus meditaciones de solitario empedernido conjeturó que a lo mejor estaba atento a que Obdulia Martina fuera una mujer para acercarse a ella.

Con una ternura nueva, digna y severa, el hombre le dijo al facultativo: Ya sabe, estoy herido y ni usted ni yo podemos hacer nada. Lo acerco al hospital y yo me doy una vuelta por El Palmar, de pronto una cerveza me ayuda a pasar este trago y pensar.

Fue una seña. Para mí era la primera vez que sabía que muchas razones podían estar envueltas en el silencio. Donde se acababan las palabras de alguien aún quedaba una región de motivos callados. Y me permitió entender que ese acto cariñoso o de regaño que se anunciaba con las voces de cállate niña, encerraba un desconocimiento y un miedo a decir y a oír, una imposición de costumbres revisadas por nadie.

Una noche, una oscuridad entera desde antes de que llegara la voz de Crisanta hasta que se despidió y me dijo sus buenos deseos para el sueño, y hasta que se escurrieron por las rendijas del techo unas lenguas difusas de luz naranja, de chisporroteos de leña húmeda precediendo al amanecer en el verano, yo me desvelé con los pensamientos cazadores de una explicación a mi estar aquí. Recorría con detenimiento los días, venían a mi recuerdo. Los regalos de diciembre. La sorpresa aterrada con las manchas de sangre sin anuncio. La distancia con los hombres porque le hacen el mal a las mujeres. Me di cuenta de que la regla fue el sigilo. Las palabras llegaban tarde a la realidad y en lugar de amansarla se ponían a esconderla. Los niños recién nacidos venían en un trasatlántico al puerto de Cartagena de Indias, y de allí un caballo con alas lo traía a las casas de por aquí. Los muertos se embarcaban en un remolcador, bajaba por el río y en la desembocadura esperaban el barco que navegaba por las islas. Después las misas de difuntos y el cementerio con sus losas grises y sus cruces. No me mortificó encontrar en esta pensadera de mi dolor aprisionado fragmentos que no se articulan. Me conmovió la idea de que estas palabras querían protegerlo a uno, agregar una fantasía dulce a una fatalidad descarnada. No resistían la confrontación, la realidad paralela a que ellas se referían nunca se transformaba, y a uno no le mostraron cómo llamar a la magia para fortalecer la fantasía. Para mí fue terrible estar con una risa de boba en medio del derrumbe y ver que nadie acudía a responder por esas invenciones que antes fueron el mundo. Nadie ofrecía una explicación. Nadie argumentaba una excusa. La belleza de las hadas, de las brujas, de los encantamientos, de los animales de la imaginación, sucumbía a una negación que la volvía mentira. Una belleza desmentida. Una mentira sin sustitución. No sentí alegría al ver que el castillo y las torres en que habitó mi infancia quedaron desarmados piedra por piedra. Tampoco sentí la gratificación de una victoria sobre los mayores. Padecí el maltrato de mi fe y un desencanto lleno de dudas. Ese desastre marcó un final imperceptible, un pasar de una región a otra sin puestos de aduanas, sin retenes y todo con la conciencia de que uno en el mundo está solo, que quienes te contaron las historias de las hadas y los bosques que guardaban los susurros y las canciones de los muertos no están más, se han quedado callados, y uno con una creciente de preguntas que no tiene a quién hacerle. De este acabose me salvó la rabia. Una rabia nacida del sentir del engaño, y que me tenía por ahí con las pocas amigas con quienes compartía la decepción y subía a los árboles de ramas altas. Ellas y yo corríamos por la orilla del río en caballos montados a pelo y se nos metía la palpitación, el sudor caliente de los animales, encontrábamos los pozos que hacía la corriente en los recodos y nos bañábamos cantando.

La amistad surgía de un vínculo protector de compinchería y una atracción irresuelta por los muchachos, ellos no eran ya los compañeros de juego, y nos conducía más allá de la reciente catástrofe. Yo sobreaguaba. Aferrada a la vida como era, preparaba mis fuerzas para inventar mi estar. Iba a la escuela. Jugaba con mis amigas. En las vacaciones íbamos a una casa en un pueblo cercano, junto al mar. Creo se llama San Antero, y si era marzo ayudábamos a recoger cangrejos que salían por la noche y cubrían la hierba hasta la orilla del agua. Encima de las olas y la marea, sobre el caparazón mojado de un color entre morado, azul, gris, se resbalaba una luz de luna fría, inerte, en la que flotaba el ritmo del mar y el movimiento interrumpido de los cangrejos mordían el aire, con sus tenazas de un tono opaco de marfil viejo que nos recordaba, con susto, los huesos de los muertos. Leía y volvía a leer *El Conde de Montecristo*. Me lo regaló el médico cuando cumplí once años.

La seña de Crisanta me hizo bien. Nunca le dije, por olvido o por pudor, por esta desmemoria en progreso que quiere arrastrarme a la nada, no le dije mi agradecimiento. Será eterno si la eternidad está en alguna parte de la tierra o del firmamento, que sus palabras me dieron vida, la vida que me tocó, y si yo no estaba conforme debí escoger la muerte y se acabó. Al contarme el sufrimiento de mi mamá me abrió una posibilidad de entendimiento. Según ella vi que el dolor permitía una manifestación del amor que estaba ausente o amarrada en los días de curso repetido. Se requería este encierro, para ella es una tragedia y para mí un abuso, para atreverse a obedecer el instinto de su corazón amaestrado mal y a confiar, no a mí, su tribulación de amor por mí. Este conocimiento, no voy a negarlo, es importante. Si uno sabe que alguien lo quiere, el pesar pierde importancia. Algo más fuerte que el pesar de los pesares llega y te custodia. Aunque la tristeza te obligue a llorar sola en el baño, con los restos de una orinada inútil y un suspiro sin disimulo en los desperdicios con vapores de las defecaciones, aunque lo que sea, la protección del talismán del amor lo hace a una pararse y salir al aire del patio a aceptar con un regocijo tímido que la vida continúa. Yo no sé si continúa, pero está ahí con sus sequías y sus inundaciones, sus soles de incendio y sus aguaceros que atraviesan sin parar días completos. Además, por Crisanta supe que no tenía esperanza de salir de aquí. Al saberlo, en lugar de sentir que mi corazón se endurecía, sentí fue alivio, me pareció que desaparecían las incertidumbres con su desasosiego y las expectativas de consuelo. La vida, mi vida, era liberada de las arandelas de un futuro que no existía. Apenas si se concebía como el avance de un pasado de costumbres invariables, y la única opción era aceptar mi desaparición en este depósito sin ventanas ni puertas. Ni yo misma podía conjeturar qué iba a seguir. Crisanta no me dijo con las letras enteras que me olvidara de salir de aquí. No. Ella apenas me contó la pena que atribulaba a mi mamá y su dificultad para soportar la realidad de la desesperanza. Agarrada al comienzo a la obstinación arbitraria de un milagro que me restableciera la salud, con el paso de los días y las conversaciones con el médico que ejerció la caridad brutal de explicarle el proceso de la enfermedad, y la necesidad misericordiosa de librarme de los espejos, mi mamá se derrumbó, soltó su tabla de flotación y se entregó al designio áspero de saber mi ruina y desesperar de impotencia. Su ausencia al otro lado de la pared, cerca del torno, esa falta de ella allí, por dolor pelado como me dijo Crisanta y no por olvido como creí los primeros días, me dieron la seña de que yo estaba condenada. Si lo pienso no se trata de una condena sino de mi destino: estar aquí. Vivir más que mis pedazos. Reinar en mis restos. Mi ilusión es lo que fue y día a día, noches, se gasta. El presente es irme con curiosidad a ese territorio que viví y se reduce, se borra sin dejar nostalgia, es consumir el pasado. Cuando se borre cualquier experiencia, mis baños en el agua terrosa del río, las largas cabalgatas por el valle con la ceniza viva de los incendios que hacían para preparar la tierra en el verano breve de San Juan, las idas a la playa de mar azul, donde nos metíamos al anochecer, bajo un alboroto de planetas y luceros, con el agua tibia que no sabía más de las rodillas, y pisábamos con cautela para no pararnos sobre una estrella enterrada en la arena, eso y lo no recordado, entonces tendré la posibilidad de pensar. Seré una mujer con pensamientos puros, salvados del soborno de la realidad.

El padre de Obdulia Martina condujo el campero a escasa velocidad hasta el barrio. Estaba a las afueras. Un anochecer raudo de oscuridad turbia y pareja teñía los restos de luz gris, opaca y pálida. Se tragaba la iluminación de los faros. En las calles anchas y de polvo amarillo suelto, sin aceras, con piedras y huecos, se movían los perros y los cerdos. Vio la silueta borrosa de los animales. En algunas esquinas, la lumbre indecisa de los anafes anunciaba las mesas, ventas de los fritos de masa de maíz, yuca y fríjoles. Al final de una de esas trochas urbanas encontró la cantina conocida en sus días de muchacho pernicioso y que seguía, sin variaciones, con su aspecto de bodega de puerto o de hangar de contrabandistas. Tenía la fealdad inofensiva y gastada de los lugares inmutables que nunca maquillan. El mismo techo de láminas acanaladas de zinc, vibra con los vientos, las paredes con la pintura deslucida y la argamasa vuelta polvo desprendiéndose día por día.

Estacionó enfrente. Antes de entrar, desde la mitad de la calle, observó un cambio. Las puertas desproporcionadas, dos estaban en la calle que él cruzaba y la tercera en la otra calle con la cual hacía esquina, por las cuales pasaba sin tropezar un dirigible, y en los tiempos en que él se acercaba tenían unos portones de madera reforzada. Esos portones los habían quitado. En su lugar pusieron una especie de biombos rectos, tal vez para desviar las brisas desordenadas del verano, en los que pintaron con esmalte metálico un espacio nutrido de nubes, pájaros, hicoteas, agua, vegetales carnosos que parecían mariposas. Alrededor de la pintura fijaban los avisos que invitaban a las misas de difunto, al estreno de una película de Chaplin (lo calificaban como cómico mundial), los recordatorios para los deudores morosos, los mensajes de saludos de alguien de paso, y las ofertas de servicio de peluquería, manicurista, sobanderos para las torceduras de las articulaciones y los huesos descompuestos y el jarabe de totumo, envasado, para detener la vejez prematura.

Se dio cuenta de que en el extremo sobre la otra calle mantenían la reja con mallas de alambre, detrás de las que estaba un aparato de música que crecía con las innovaciones de la electroacústica. En su origen debió ser un wurlitzer, en la región lo llamaban con afecto traganíquel, por su avaricia de funcionar con las monedas de un centavo o de un chivo, decían. Ahora titilaban luces rojas y verdes. Los anaqueles de los discos cubrían la pared del piso al techo. Hizo la conjetura de cuántos días y noches serían necesarios para oír las incontables canciones que guardaban los acetatos de tamaños diversos en sus fundas de papel.

En la penumbra encontró un rincón dónde sentarse. De la especie de oratorio, guardado por la reja y la malla de las exaltaciones de los bebedores y la disposición reconcentrada de los despechados, salió la voz y lo saludó con una bienvenida amistosa y reconocedora. Él alzó la mano y asumió con extrañeza que la memoria de las cantinas soporta el veneno del tiempo. Lo habían recibido con el afecto de quien nunca se ha ido, y sin demora se esfumaron diez años. El hombre escogía las canciones, los tonos y el volumen, no atendía las peticiones de éste o aquel disco, y los asiduos terminaron por reconocerle su buen tino para las diferentes noches de cada uno de los distintos días. Le dijo: sean benditos los vientos que lo traen. Y su saludo fue continuado por una vieja canción. Se oyó a un volumen inusual, bajo de secreto compartido. Él no hizo esfuerzo, le resultó más familiar que una tosferina en invierno, y la escuchó: buscando consuelo, buscando paz y tranquilidad, el viejo. Poco a poco se puso a repetir la letra de la canción en los apartes donde un coro respondía a la voz solitaria del viejo que abandona su tierra.

En esa hora imprecisa de un día cualquiera de trabajo que no era antecedido por la holganza dominical, ni tendría la continuidad de un festivo atravesado en la rutina laboral, en ese tiempo indiferente que no podía devolver, se soltó a la inercia de la desgana, a la dispersión de los pensamientos vacíos, y se sintió aislado del mundo. Un mecanismo en desuso funcionó y le recordó que debía ir a la barra amplia, deforme y sin espejo, a pedir y pagar el trago que se iba a tomar. Más por comodidad que por una idea de su necesidad, abstracta, resolvió comprar media botella del ron cristalino. Se la entregaron con una jarra de agua, dos limones, una vasija llena de pedazos de hielo y un vaso pequeño. Después de sonreír con el ruido del sello de estaño que tenía la botella en la tapa y que al girarla con el apretón de sus manos montaraces sonaba, con el crujido de las galletas tostadas entre los dientes, se sirvió un trago generoso. Lo dejó reposar y airearse un momento, y sin ninguna parsimonia lo dejó correr desde el fondo.

Él ninguna vez adquirió la destreza que el trato frecuente con el alcohol deja en los bebedores. Su vínculo estaba tejido por instantes esporádicos en los que la única imagen salvada era la de su derrota: esa borrosa vergüenza en que la alegría y la noche lo dejan a uno rezagado y se alejan sin mirar. Una exaltación desencadenada y total, al arrasar los temores y despejar los canales del deseo, terminaba por doblegar su cuerpo débil, acostumbrado al sostén de las jaulas.

El trago rodó bien y lo reconfortó. Volvió a sonreír, ahora por la advertencia de los amigos de la juventud, según la cual una regla inviolable del que bebe es jamás hacerlo solo, y un aire leve lo recorrió por dentro y desenterró el alivio y le devolvió una fortaleza con la que él se sabía haciéndole frente a la vida y sus caprichos. No era que hubiese convertido su estar en materia de una reflexión, sino una vez casado, y con la dedicación a la finca con sus ganados y cultivos, se entregó a una rutina que le agradaba y lo fue aislando del mundo conocido antes. Los partos de las bestias, las cosechas de los frutales, el crecimiento de la hierba en los corrales, el contento de la casa con su esposa sonriente, los pisos frescos y los hijos, le parecían y así lo tomaba, como un resultado de su empeño y aplicación. Instrumento y colaboración de un proyecto divino en el cual él cumplía su parte sin escatimar un segundo. La fuerza bienvenida lo liberó de una expresión que comenzó en el minuto en que el facultativo le reveló su diagnóstico de la enfermedad de Obdulia Martina. Sufrió el tormento de no entender por qué le ocurría a él semejante desgracia, y la recibió como una humillación del cielo, inmerecida. Imaginó una culpa. Se había sacudido del agobio y la incertidumbre de faltas no reconocidas, y abría un resquicio a la aceptación de las arbitrariedades del azar, a sus decisiones sin causa. Vio a Obdulia Martina, cuando ni siquiera tenía la menor idea de que le pondría ese nombre. En el momento, lo congeló la sorpresa de enterarse de que su primer hijo, el primogénito, era una hembrita, una mujer pequeña y ansiosa, bola de vida sin gastar. Y comprendió que la opción era la indicada por su amigo, el médico, que evitaría ponerle a esa niña una campana amarrada al cuello o el viaje al lazareto de Caño del Oro en el cual los leprosos quedaban recluidos, y los únicos en llegar hasta allá eran el cartero y el patrono de la lancha, con los sacos del correo desinfectados.

Se sirvió otro trago, medido, y se puso a pensar en las vainas de la vida sin ningún significado. Todo va ocurriendo, suelto, al albedrío del acaso, a su extravagancia insensible.

Mi conocimiento de este mal a pesar de cargarlo día y noche es incompleto. Ignoro si me va a matar de una vez o si me acaba poco a poco. El recuerdo de mi imagen en los espejos o en las fotografías se me ha ido. Yo hoy no sé cómo seré. Y si no soy como era y me desconozco, es mejor mantenerme analfabeta de mí. Conformarme con lo visto de este cuerpo que en la oscuridad se reduce.

No me toco. No me acaricio. No me abrazo. Me fragmento sin dolor. Es una enfermedad rara. No duele en la piel ni en los huesos. Se caen los pedazos de uno y la ausencia desgarrada mete en el alma, y es un vacío que permanece y, con la huida del tiempo, se hace más presente. Supongo que un día ya no sentiré nada: ni la efímera nostalgia que me dejan al levantarme algunos sueños escasos, ni el temerario propósito de salir de aquí por unos minutos, ni la rabia desolada por la imposición de un destino, ese día, mi nudo con el mundo se quemará como un hilo con pólvora y mis restos, incapaces de reventar, serán igual a la nada, la nada de siempre de la cual el todo surge y a su seno regresa arrepentido.

Este calabozo de soledad forzada me pone la mente extraña. Confunde mi alegría de mochuelos mañaneros, mariposas agarradas a la luz, flores voladoras, iguanas que se erizan del susto y resbalan en las baldosas refulgentes y frías de la sala principal de la casa, lagartos de color tierra que se contorsionan en la vertical lisa de los muros y con el impacto de las piedras dejan caer el rabo sin sangre, igual yo dejo mis pedazos, baños con la ropa puesta en el incansable correr del río, noches en el mar salpicado de polvo lunar y las playas pobladas de cangrejos locos, sí, revuelve y confunde las visiones de esos momentos hasta obligarme a dudar de mí, de si yo los viví.

No me toco. No me acaricio. No me abrazo. Lo que resta de mis manos, lo que hay de mis dedos me entregan un mensaje equívoco de aquello que intentan palpar. Zonas insensibles. Formas vagas se pierden y no dejan huella. Las imágenes, los recuerdos se esfuman y en el sueño, en el amanecer que es una reducida filtración de la luz arriba, en el techo y en los bordes del torno, en las noches que puedo ubicar por la visita de Crisanta y el ritmo del silencio, la raya de luz que desaparece, ahí me pregunto qué hago yo aquí, quién soy, quién fui, qué seré.

Una de esas mañanas incompletas, dejaban de ser referencias para no extraviarse en los días incandescentes y las noches rumorosas, en la cama estaba un pedazo de carne amoratada y reseca, no sé qué parecía. Mi idea inmediata fue no verificar qué era en realidad. Traté de quedarme en una apreciación ambigua y así evitar el terror y el desconsuelo de vivir la insoportable demolición de mí.

Un detalle me trajo a la realidad caduca de mi ruina y, entre las arrugas acogedoras de la sabana vi el destello de grano de arena bajo el sol del mediodía. Titilaba sin ambición. Acerqué los ojos, habituados a las migajas de claridad, y entendí que el pedazo de carne muerta, atravesada por el metal de oro del arete con su diamante pequeño, que me regalaron en los trece o en los quince años de mi edad, era mi oreja. Me negué a poner en los lados de la cabeza los antebrazos, todavía sentían, para saber cuál oreja se me había desprendido. No supe. No importaba. Pronto no tendría ninguna. Me acordé de una reproducción de mi papá en la sala de la casa de la finca. Entre amarillos y naranjas de fuego, un rostro afligido envuelto en las vendas que curan su oreja arrancada. La mía se cayó sola. La de la pintura requirió de fuerza. Por estos lados hay gente que sabe quitar las orejas con un mordisco. La pintura la trajo el médico de uno de sus viajes, y mi papá decía que era un cuadro de hospital. El pedazo mío lo puse en un plato del desayuno y lo dejé en el torno.

Una noche, de las noches en que yo también hablaba, mientras las letanías tiernas de Crisanta me contaban de un mundo desaparecido para mí, y que apenas si podía imaginar uniendo los recuerdos a sus palabras, ella me pidió permiso para decirle a una amiga, mi mejor amiga, Lina Margarita, que yo estaba aquí y no allá. Me explicó que el allá era una excusa reforzada. La inventaron para evitar que el patio se volviera invivible, con la gente queriendo meterse o asomadas por encima de las paredillas llamando a Obdulia Martina por el día y durante las noches, sin parar, como el que silba a las iguanas. En esa ocasión, Crisanta soltó su risa y me dijo que la perdonara, tan pronto calmara las ganas que la ponían al borde de orinarse en los calzones, me terminaba de contar. Me contó que una preocupación más en la casa era con ese gentío que se pondría a rondar el patio y las ventanas de la casa, los tragaluces con calados de los baños, se encaramarían en los árboles del antejardín, se deslizarían con el sigilo de los gatos por el techo, se harían pasar por vendedores de frutas en la mañana, de dulces al mediodía y de pan al atardecer, se disfrazarían de limosneros a cualquier momento, y que con esa impertinencia llegara la calamidad a oído de uno de los acordeoneros y ahí sí, bonito, Obdulia Martina se vuelve canción, y de boca en boca hasta quién sabe dónde. Por eso yo estaba allá, en Nueva York, a donde viajé de urgencias para servir de artista en una película sobre un hombre soltero, él presta su apartamento a los jefes en su trabajo, y tenían que hacerme pruebas a ver si el tinte rubio se pega en mis hebras negras y las tiñe. Esas veces hablaba porque, entre lo dicho por Crisanta y lo que yo podía contarle, se hacía un puente. Le preguntaba por sus enamorados, por el humor de mi padre, por la vida de mis hermanas, por los lugares que conocía, por mis amigos, por las fiestas. De todo me daba razón. Siempre me pareció que al salir ella de la cocina, cuando estaba más acalorada por el carbón enrojecido con palpitaciones de candela viva, y caminaba por el patio en la espera segura de que el secreto que tenía en el caldero o en la olla llegaría a lo que ella nombraba como su punto, encontrar el punto, sin él lo que obtenía era puro revoltillo para los puercos, y la brisa del río regaba las ramas de los limoneros, los mangos, las paredes que colindan con la vecindad y las jaulas con los pájaros del monte, aspiraba el aroma de las cocinas de la cercanía y quedaba enterada del ambiente de las casas. Así reconocía que el olor, liviano, de la yuca cocinada, de los huevos pasados por agua, y la fragancia de la cebolla cruda rociada con limón, eran signos de un desayuno animoso. La hedentina que el vapor de agua le saca al mondongo, y después se torna en un olor apetitoso estimulante, y se deshacen los trozos de ñame, le anunciaban la satisfacción por la vida, la celebración del día y una siesta feliz. El aire espeso de la purificación del hígado que antes de ponerlo al fuego lo limpian con leche y abandona su olor a sarna, a entraña del enemigo, para dulcificarse con el plátano amarillo y espesar un plato inolvidable de higadete que se sirve con arroz blanco y un huevo frito de corona, le decía que las fuerzas que empujan adelante están dispuestas. Era una indiscreción del olfato de Crisanta que la mantenía al tanto del tono de los vecinos.

En ese tiempo yo creía en el tiempo, y oía las confidencias que me soltaba como un tesoro que más tarde me serviría para amansar la vida, para navegar en su corriente sin contrariarla, seduciéndola, sacando provecho. Cuando supe que mi único tiempo, el de los días que venían y se iban con los calores, los aguaceros, los equilibrios de vientos suaves y amaneceres frescos, se acumularía igual a las flores y a las hojas de los mangos encima del techo de esta tumba, me fui quedando sin esperanza y resignada al vacío, al lugar donde las palabras no invocan, ni llaman, ni nombran.

Encendieron las luces de la cantina y la claridad inválida que a veces oscilaba, metió al salón en una opacidad confortable, sin perturbaciones. El ron desprendió un olor que le recordó el agua de los cocos verdes y se sobrepuso al del alcohol. La decoración del lugar, con los caprichos, le resultaban familiares, permanecía igual. Las mesas. Un área libre donde los borrachos intentaban bailar boleros, casi en el centro. Los orinales parecían abrevaderos de caballos, contra la pared del fondo y a la orilla de la zona de baile. Desolado, aceptó: siquiera algo dura. Se había acostumbrado a un mundo que a cada instante saciaba su inconstancia con propuestas fugitivas de renovación siempre inconclusa. Razonó que la vida era así, un continuo acabarse. Paladeó el sabor del ron, y por un momento quiso capturar el poso tosco y sugestivo que invadió su boca. De una manera imprecisa percibió que el mal de su hija mayor, la bella Obdulia Martina, era algo que él no merecía y ella menos. Ella llegó a estas tierras dentro del cumplido multiplicarse que poblaba la región de caimanes, bocachicos, lagartijas, venados, conejos, alacranes, patos, gallinas, pavos y muchachas de ojos brillantes, huesos grandes y piel templada que los padres vendían a los dueños de las tierras para su uso y olvido. Recuperó el inicio de la sensación y consideró la enfermedad de su hija como una injusticia. Dolido, reconoció la humanidad que había en la sugerencia del médico, su amigo. Si estaba en sus manos hacer algo para hacer llevadero el padecimiento, por terrible que fuera, él lo haría. Entendió que no era una afectación social, una vergüenza entre vecinos. Era un sufrimiento de verdad-verdad. La distancia presente se abría bajo el sol del río, desde el lugar en que el mundo lo ubicó a uno hasta la difusa sombra lejana que la ilusión enseña como una estación a la cual se debe saber llegar, solo. Punta de la torre. Nube fiel no suelta el agua. Carpa en el desierto. Se imaginó un domingo del universo, al amanecer de luz indecisa detrás del horizonte, con su bolsa de papel de estraza y agarraderas de cuerda de fique, en el embarcadero de Cartagena de Indias (la bella), a la espera de la lancha que lo llevaría al lazareto de las islas, en Caño del Oro, y navegando en las aguas de azul profundo y frías del Caribe, para llegar a las playas de arena blanca donde crecen silvestres la verdolaga y el cadillo, y el visitante, al desembarcar con los zapatos en la mano y los pantalones arremangados, pisa las estrellas de mar dormidas en el fondo y asusta a los peces-bailarinas entregados al ir y venir de las corrientes cansadas. Generoso con la imaginería, siguió adelante y recibió el tintineo de las campanas, cencerros y campanillas que agitan el esplendor dorado y tibio de la playa. Se mezclan los sonidos disímiles de hierro, cobre, latas, acero, bronce, espuelas oxidadas, con el bullicio del vuelo, las zambullidas, los graznidos de los pájaros de mar que atrapan las sierras pequeñas de cuerpo delgado y se retuercen con inutilidad en un elemento sin resistencias que los asfixia. Desde el agua, en la que avanzaba lento para no mojarse la ropa con sus zapatos y la bolsa en alto, divisó a su hija mayor. Todavía era Obdulia Martina, incompleta y erizada de silencios, pero dócil a su visita; no se escondía sino salía a recibirlo. Se preguntó si él la reconocería siempre, si ella se dejaría ver cada vez que él fuera a visitarla, si él sería capaz de ir a visitarla, si le avisarían que su hija se tiró al mar y se ahogó.

O la distinguiría en la luz escandalosa de las mañanas en el mar Caribe por el brillo de la campana de oro que reproduce en miniatura las campanas de la iglesia Mátyás, festejando por los siglos la coronación de Franz Liszt, y se balancea, parecida a un péndulo suelto, sobre su pecho desde el cuello. A pesar de su decepción de macho cuando supo que el primer engendro, la preñez de estreno de su mujer fue una hembrita, a pesar de esa desilusión de varón que quiere que un hombre continúe a un hombre, sin otra justificación que la ley tirana de la costumbre, a pesar, el padre quedó embelesado con el cuello de la niña. Los destellos del metal, su insulto sobre una vida que se reduce, le hirieron los ojos. En la media luz protectora de la cantina reprimió el suspiro del llanto.

Sin querer recordaría él que nunca había tenido tratos con el llanto, y lo atravesó un sentir de impotencia insufrible. Esa visión de la casa de dos plantas, con su amarillo ocre salpicado por las manchas de la sal, y las puertas y ventanas abiertas de par en par por las que entran, dan vueltas y salen los vientos callejeros y se instala la atmósfera luminosa de plata viva ondulando sin grietas, y mirada desde afuera asemeja una tapia de luz sólida por la que cruzan sin romperla los viejos alcatraces perdidos, de piojos calcinados, y las dos hornacinas en la fachada con los cúmulos de arena que cubren la base, los pies y parte de la espada de Santa Bárbara Bendita, y una pierna sola, vestida y con bota, visión que tuvo en los viajes que hacía por mar de la llanura del Sinú a la capital lejana, de campanarios, escribanos con manguillo, peluqueros ilustrados en las artes de la retórica y en los deportes del boxeo, el béisbol y el juego de dominó, diputados pendencieros expertos en las técnicas del debate, la bobada trascendental y el manotazo, y que firman las ordenanzas con péndola, pintando una x o un triángulo que también usan de marca de propiedad del ganado, y la visión le servía de referencia, estaban cerca, pronto estarían a la vista la bahía y el puerto, jamás se le ocurrió que tendría que ver con él de la manera en que ha vuelto. Lo tortura la imagen de su hija con la bata de lona cruda, y los pies descalzos caminando en la arena caliente, y la campana de oro con cadena, delante del lazareto, con sus cauchos devastados y las palmeras escuálidas.

Cedió a la consideración de que ni siquiera el recurso del llanto, con su posibilidad de alivio, lo sostendría en ese trance de una agonía tan evidente y tan cruel a la cual él amarraría su vida por amor, por solidaridad y quizá por soberbia. Enfrentado a ese porvenir donde en cada navegación por el archipiélago supuraría su dolor inconforme, contempló la herida íntima y diaria de anticipar una tumba, pero encerraría el padecimiento en los linderos del amor, en este reducido ámbito de la vida que abandonó burgos, castillos, haciendas, para refugiarse en las casas de vecindad y ahí, en el lugar del esparcimiento y el recreo, en el patio, se podría construir una prisión perpetua, una torre, un refugio para proteger a Obdulia Martina de la peor crueldad, la surgida del miedo. Apuró el ron. Un instinto que afiló en la época de su juventud lo vino a perturbar. Beber ron solo, más que triste es miserable. Se dio cuenta de que el operario del equipo de sonido ponía, una tras otra, las canciones que a él le gustaron hace años y —lo percibió con melancolía culpable— no había escuchado más. Contra la pared de enfrente, en el extremo de la cantina, vio la sonrisa. Aunque le llegó fácil, despojada de mediaciones, con la naturalidad de resignada distancia con que las estatuas de los santos hacen la señal a las plegarias de los devotos, se demoró un instante en la contemplación aceptada y después reparó en ella. Lo que más vio en la luz carbonizada de aire tibio y pequeños charcos de centelleos en los espejos en los que se rasuraban los camioneros y se retocaban el maquillaje las bailarinas ambulantes, fue la sonrisa, el esmalte de los dientes y quizás el plumaje de las cejas encontradas. Escamas y follaje, corteza solitaria crece en el silencio de la penumbra.

Las palabras. Las de Crisanta brotaban de quién sabe cuál manantial lento inundando la noche. La parte de la noche de ella y mía. Palabras que se abrían paso como un torrente que llega y cubre ansioso la tierra seca para desaparecer absorbido por ella que lo convierte en más tierra, raíces antiguas, caracoles, hongos, pelusa vegetal. En su corriente floto. Aprieto su caudal terroso y se escurre. De día con las nubes viajeras en el azul de gallinazos adormilados, de noche con los luceros viejos agonizantes en el infinito. Le concedo el permiso para que le cuente, en secreto, a mi amiga Lina Margarita, a ella sola, que yo estoy aquí y no estoy allá.

Le pregunté a Crisanta, cuando supe que el resto de mis días se acumularían aquí, si ella pensaba que esta mala vida, acabándose a pedazos, merecía llevarla hasta un final del que yo no tenía la menor idea. Me vi reducida a un escombro sin movilidad de recuerdos gastados y memoria atrancada. Un fósil sepultado por sus propios despojos. Le pregunté si las astillas de mí volverían a crecer, si saldrían nuevos retoños. No le pregunté más. El mundo lleno de preguntas y nadie responde, y de respuestas y nadie pregunta. Le pedí un veneno para ratas revuelto con ponzoña de alacrán. Me lo tomaría en ayunas. Se molestó y con un susurro enérgico me respondió diciéndome: Yo ni sabía de qué hablaba, mejor que me callara o ella se iría ya a dormir. Se quedó muda. Sentí su resuello agitado de coneja indecisa allí, contra la pared debajo del torno, y pegué mi cara a la pared de este lado y la besé y la besé, besé, hasta que el sabor astringente de la cal se disolvió en las lágrimas untadas de mocos y saliva. Con una amorosa orden autoritaria, más parecía uno de los reclamos que se hacían en los juegos de las escondidas, me exigió: Obdulia Martina, no me hagas sufrir más, tú no tienes derecho a martirizarme, por lo menos a voluntad.

Tirité en seco y el escalofrío me paró el llanto. Le contesté, aunque mi mamá me advirtió, me gritó, me jaló, madre y maestra, golpe y lección, a los mayores en edad que una, a los mayores en dignidad que una, qué es la dignidad mamá, qué es una, una a los mayores nunca les contesta. Ellos son la palabra. Una es el callarse. Ellos son la voz. Una es el aljibe. Se me olvidó la enseñanza. Olvidé la prohibición con este olvido. Prolifera en cada gesto que repito, extraño y me pregunto a mí por su origen, por el detalle que lo hizo significativo, que lo volvió mío entre tantos y me permite reconocer las huellas en el aire que dejé. El olvido borra mi yo soy. Y le contesté. Yo la contestona. Sí, le contesté. O no le contesté. Dije eso que una dice para quien escucha y muchas veces no es lo esperado. Le dije con un afecto de verdad desinteresado, sin la esperanza lícita de los enamorados que cada palabra, caricia, canción que sueltan lleva el designio de ser amado más y mejor, le contesté: tú sabes muy bien, y si no lo sabes peor para ti, que yo, lo que queda de mí, te quiero a ti, maldecida. Esa expresión de maldecida la oí en los patios a las sirvientas y en las calles a las mujeres ofendidas. Me gustó. La usaban para llamar al orden amoroso a quien se descarrilaba en las necedades de los fastidios cotidianos, de sus trampas encima de la poza séptica, en las dudas. La maldecida de Crisanta se dispuso a oírme sin molestias por llamarla maldecida. Quise decirle, le dije o no le dije, que a medida que los días pasaban allá afuera, yo quedaba sepultada en este estar que me desesperaba por su inercia desconsiderada, y que condujo mi ánimo de la sorpresa y la risa al susto y después a un desespero que no conocí antes, que cortaba mi respiración y me hizo llorar hasta que se acabaron las lágrimas o las fuentes del llanto. Lloré de miedo. Lloré de rabia. Lloré de tristeza. Lloré de desconsuelo. Y ese llanto sin control, callado, yo lo sentía revuelto. Me rompía los ojos y me hacía grietas en el pecho. No me limpió, no me descargó de los pesares que empezaba a mal llevar y desfondaba las paredes nuevas, casi sin usar, de los sentimientos que se iban probando a medida que avanzaba en el precipicio del mundo. Yo tocaba un sedimento más grande que mis pechos incipientes. Más duro que la lava del botón de los pezones. Más frondoso que la sombra dorada del vello primerizo. Y anclaba en mí. Un dolor ensenado nada puede sacar. Todo me hacía llorar. Apenas supe, por ti, Crisanta, que yo estaba apestada; que tenerme aquí era un acto desesperado, inconsulto, de amor, que la luz radiante sobre el agua poderosa del río, el temblor agitado de la piel de los caballos con sus ojos alertas y la crin mojada, la risa y la voz de mis amigas, tantas señales de una tierra que nos proponíamos conocer y en la cual debían sucumbir o realizarse los proyectos de esos días, no tenían significado para mí. Tuve un entendimiento sin reservas con Lina Margarita, mi amiga. Las demás concebían la tierra, esta tierra de llanuras, árboles, pastos, arroz fácil, indios muertos y sistemas de riego arruinados, como un lugar para conseguir el hombre que tuviera lo que las buenas costumbres mandan, casa, hacienda, muebles y deseo de hijos, qué más. Yo quería estudiar. Irme a la centenaria universidad de la capital y aprender a seguirle la pista a lo que ya no está, a las joyas escondidas, a los entierros, un mundo completo que nos antecedió y cuyas huellas se extraviaron en la imposición de una verdad, de una lengua. Lina Margarita con su risa que desvía los vientos y su convencimiento generoso de que hay motivos para jugar con el porvenir, incierto, quería fabricar una embarcación más grande que el arca de Noé para recorrer los mares del universo con una orquesta de cubierta, un grupo de acordeoneros de popa y una banda de porros en la proa, y las bodegas llenas de los alcoholes de las islas del Caribe y de los cachivaches de maderas de olivo de Jerusalén, y marfiles de la India, que se adquieren a precios de venta en el suelo en el Istmo de Panamá. A su nave nunca la llamó barco, ni buque, ni barcarola, ni barcaza, ni acorazado, ni balsa, ni bergantín, ni carabela, ni chalupa, ni goleta, ni lancha, ni capitana, ni balandra, ni navío, ni trasatlántico, ni esquife, ni bajel, a ella, a mi compinche Lina Margarita le gustaba decir que su navío sería una barquetona. Supongo que estará resentida conmigo desde que le dijeron y que yo, figúrate yo, me fui de artista a Nueva York. De artista nada menos, y sin decirle ni media palabra de mi boca. Se habría imaginado que estoy loca o que soy una farsante o una ingrata.

Cuando el llanto se secó y me quedaron llenos de piedrecitas los ojos y el corazón, y daba lo mismo mirar el techo, cerrar los párpados y devolvía, sin tocarlos, los alimentos en el torno hasta que giraba para otra comida, lo único que sentía era rabia. Contra mí por no saber de la enfermedad antes que cualquiera. Contra mis padres porque les faltó lealtad para convenir conmigo lo que íbamos a hacer. Contra el médico que omitió explicarle a su paciente los pormenores de esta enfermedad y me dejó en la ignorancia. A mi edad se tiene ojos para los muchachos. El sudor brota de los poros como flor de agua y la fuerza se escapa en cada movimiento. La imprudencia torpe del riesgo sin consecuencias. La suficiencia sobrada de una arrogancia pueril. El día que el médico me examinó por las irritaciones que el boticario no pudo extirpar, le vi por primera vez un aire atractivo. Estaba en ese intermedio de la edad donde no se es muchacho y tampoco se llega a ser viejo. Le vi su risa. Huye antes de aflorar y su mirada entrona, sin intenciones. El médico. Resultó traicionero con su paciente. Desprovista de argumentos para espantar la rabia, lo que hice fue dejarla que se alimentara de mí, me devorara y yo no fuera nada más que la rabia. Mi rabiosa rabia.

Es extraño. Así como se extinguió el llanto, así desapareció la rabia. No puedo precisar en qué momento. Yo no tengo momentos. Tres veces el torno se mueve y pone la comida a mi alcance. Notas de mi mamá. Fugaz y delgada luz en los resquicios del techo. Viento que silba. Aguaceros que golpean. Bochorno. Voz de Crisanta fiel y periódica. La rabia dejó de estar. Me ocupó la liviandad del vacío, la amplitud del desalojo y una indiferencia limpia de rencor. Hasta aquí este estar como alejada, distante de las nociones que me vinculaban a algo, amistades, paseos, estudios, señales de enamoramientos y su itinerario anterior de rabias dolorosas, desconciertos ingenuos y esa tristeza brutal que se encharca en uno cuando nada se entiende, tenía estaciones en las que, sometida a su tiranía total, yo medio-vivía y eran reconocibles al desaparecer y dejar mi ánimo en otro tono. Algo mío se iba de manera definitiva en cada agotamiento.

Pareció arreglarse el cabello con la mano y caminar. La suavidad de los movimientos la hacían parte del silencio. No se oían y podían desvanecerse. Le recordó los árboles viejos de caimito metidos en la neblina del amanecer con el polvo de plata al reverso de sus hojas dormidas. Cuando estuvo cerca de él todavía estaba abrazada por el ambiente umbrío, y seguía vestida por la sonrisa, volaba y lo tocaba con su aleteo travieso de colibrí que golpea la barrera transparente de un ventanal. Sólo cuando habló, con una cautela igual a la de sus movimientos, él pudo verla completa y le pareció fuera de lugar en la cantina. Ella le preguntó, sin agresión, si no lo perturbaba en la aplicación con que cometía el pecado de beber, solo, la miró plena en su rostro sin polvos, coloretes, pintura de labios, pestañas postizas. Tenía la blancura apaciguada de la loza pulida y ahí, a pocos pasos, pudo ver, revueltos con su risa sutil, unos ojos de miel compasiva que lamían su sentimiento de derrumbe. Algo reavivó una gentileza que se le durmió en la cotidiana rigidez matrimonial y que antes de rendir su ilusión personal y entregarse a la continuidad del sueño ajeno con la administración de la hacienda y la responsabilidad del hogar y de la familia, era parte de su encanto, y le dijo a la mujer. Qué va usted a perturbar nada. Usted es una aparición. Sin bajar los párpados la continuó mirando y se puso de pie para jalar una silla y ofrecerle asiento.

De qué hablaron. Sin notarlo acabó la ración de ron. La mujer lo acompañó a beber con un ritmo pausado. Pusieron vasos de agua mineral con burbujitas. Sorbía el ron y lo paladeaba sin dejar ir la sonrisa.

Él se sintió bien con ella. No se preguntaron los nombres. Ni ella ni él dijeron palabras por decirlas, de las superfluas que agravian el silencio. Compartían un instante y lo hacían con una reverencia tan íntima que a él le pareció sobrenatural. Las turbulencias de su desconcierto se sosegaban. El limbo de lo incomunicable se abría sin reservas. Nadie se deslizaba por la incomodidad de verse obligado a explicarse. Parecía que la mujer, desde su sonrisa insobornable, supiera que la tristeza evita el ejercicio estéril de la superficialidad. El hombre le pidió permiso para irse un minuto y volvió con media botella de ron. Su resucitada gentileza le hizo preguntarle si no le molestaba tomarse otros rones. Le contestó en seguida que le entraban bien. Él fue impotente para tragarse la risa causada por la expresión entraban bien y ella lo gozó sin preguntarle.

De qué hablaron. Lo imperceptible de la mujer surgía de su armonía. Para el hombre era un ser impensable en la cantina pero a la vez le resultaba alguien en su lugar. Bebía el ron con lentitud y sin aspavientos, no arrugaba la cara ni apretaba la boca. Apenas estaba ahí y sonreía.

El hombre le contó que en los años de muchacho venía cada sábado a la cantina, con los amigos, a emborracharse. Salían en la madrugada de estrellas pálidas, gritando la última canción que oyeron y abrazados a las mujeres sin suerte. Las convidaban a los comederos de la otra orilla del río donde humeaba el carbón vegetal de las parrillas y una vela pobre alumbraba las mesas. La carne de venado y guartinaja, los guisos de conejo y de hicotea, los fritos y esa comprensión de terneza sin precio con la cual las viejas que atendían y despachaban se aplicaban a hacer menos abrupto el fin de fiesta. Todo termina, todo se acaba, hasta el amor viene y se muere. Recordó la canción del acordeonero. Y repitió: cada sábado venía. Con una risa sumergida dijo que no la había visto a ella. La mujer lo interrumpió para observar que si la hubiera visto en ese tiempo sería la mujer más niña trabajando en una cantina o estaría él, hoy, enfrente de la mujer más vieja de aquí. Se distrajo al pensar en la expresión usada por la mujer. Trabajaba. Pronto regresó a lo que ella decía y, con un tono entre lisonjero y cortés, le dijo: la suerte es mía. La miró entera, sin intención, y le preguntó: ¿De verdad usted cree que trece o catorce años es mucho tiempo? Ella ni siquiera lo consideró y con una aquiescencia fácil le contestó que en su trabajo un minuto es una eternidad y la eternidad envejece. Otra vez al hombre le resonó la palabra trabajo. Distraído le comentó a la mujer, catorce años no eran demasiado. Ella, implacable, continuó en su idea, y sin ironía le dijo que esa medida era posible para él que a lo mejor los había bienvivido. Él no dejó de verla. La miraba con atención y se le escapó saltando su consentimiento: la vida.

Perturbado por la extrañeza que le produjo la idea del trabajo en esa mujer, sin aguantarse más, le preguntó: ¿Cuál es su trabajo? Fue repentino y sin brusquedad. Ella, con la sonrisa serena, le respondió como algo obvio y se apoyó en la reiteración concesiva del único que escucha y sin embargo pregunta: ¿El mío? Mi trabajo es estar aquí.

Los años que habían pasado, los requiebros de su fe, la ilusión contrariada en los días como progreso, lo dejaron en la inocencia de un diálogo tardío y, sin más, agregó: Es un trabajo o un gusto, un vicio, un pecado. La mujer no denotó ninguna alteración y con la indiferencia fugaz de quien dice la hora después de mirarla en el reloj de pulso, le preguntó: ¿Usted cree que esto, lo que ve, repetido cada día, puede ser por gusto, por vida alegre? El hombre reflexionó unos segundos y no tuvo necesidad de palabras para entender que esa mujer estaba ahí por una razón distante a su pregunta, a lo que él pudiera imaginar, y se sintió equivocado y tonto. La mujer observó el azoramiento y acudió en su auxilio con unas palabras que parecían conclusiones recientes y le confió: Es un trabajo desagradecido. De pronto se descubre que uno se gastó toda y, para los días del declive, no quedó nada, ni un lugar donde morirse, ni un taburete para mirar irse las tardes encima de los árboles. Ya usted lo sabe, el trabajo no trae riqueza, ni dinero, pero por lo menos una se ilusiona con que siquiera deje para la manutención. Es una pena volverse una carga para alguien. Una carga con vejez y todo es aceptada con desconfianza. Y bueno, lo único que uno aprende en este oficio es a dárselo a los hombres. Yo sé de mujeres de aquí que tienen suerte y dan con un hombre, las saca y se las lleva a vivir. Es gente de índole noble, les ofrece buena vida. Es suerte. Por mi lado no espero nada. Trato de hacer bien mi trabajo. Dios verá.

El padre de Obdulia Martina la oía. Apenas la mujer hizo una pausa le dijo: Qué casualidad, apenas hasta hoy me atreví a pensar, por usted y por mí que la vida es una soberana mierda.

Con un asombro manso que no desfiguró la sonrisa, ella lo atendió sin comentarios. Y lo siguió escuchando. Ahora él divagaba sobre los años en que venía los sábados a la cantina, sobre el sabor tosco y vivo de las carnes de monte, que morigeraban adobándolas con panela rallada, clavos de olor y hojas de hierba buena, y las servían con rodajas de cebolla cruda, y así revivía en las madrugadas de excesos, sobre el encuentro de hoy, inesperado. Habló extenso sin parar. Hablar y hablar lo descargaba de las tormentas que lo oprimían.

Sin esfuerzo, sin deliberación, se supieron cerca de una comunicación bondadosa que se daba sin las mediciones de la sospecha y parecía sacar a ganga los pensamientos más personales. La imagen de su hija con el crecimiento y la alegría interrumpidas, lo sepultaba. Recibía esta adversidad como un castigo y al hablar constataba que él no hizo nada para merecerlo.

Después de dudas y pudores resolvió fiarse de la mujer en relación con lo que lo trajo, al cabo de años, otra vez hasta aquí. Estuvo indeciso sin poder saber si uno habla de lo recóndito con un extraño en una cantina. Cuando ella vio el infierno que el hombre en su tormento había encendido para su condena, le dijo: Por qué no analiza un poco y verá, estos quebrantos de la vida son quizá, más que un castigo, una prueba, y obedecen al azar que es indómito. Deje ya de darse látigo, el flagelo acaba a cualquiera. Usted sabe, la vida es empecinada y sigue y sigue.

Entre la extrañeza y el asombro se afianzó en la idea de que la mujer era una aparición. Ahí se mantenía con su sonrisa, salía de ella acabada de inventar, limpia y esplendorosa, ofreciendo la primera dicha del día y lo sedujo en buena ley. Nunca se consideró un veterano de cantinas. En lo poco que acuñó de su experiencia había tratado a las mujeres de la noche y les vio, o un resentimiento incrédulo que hacía desdichados los polvos con ellas, o una vocación de pedigüeñas que las hacía deplorables. A pesar de la caridad o de la necesidad sin alternativa que conduce a quien sea a un mal sueño irreparable. Las había conocido, si conocer es ese intercambio desde el papel impuesto, y conservaba recuerdos que nunca compartió. Ahí supo otra característica del matrimonio que consistía en establecer un orbe hermético que rechaza el pasado personal, y al futuro lo restringe a su pueril consolidación.

Fue otra vez al mostrador por media botella de ron, después de preguntarle a la mujer si quería tomar un trago distinto. Le dijo que llevaba tiempos largos sin beber ron y éste le iba de maravilla. El muchacho que despachaba le dijo: El preso le manda a decir si estaba molesto o sufría de olvido. Llamó preso al encargado de poner la música detrás de la reja de protección. Fumaba sus cigarrillos de tabaco negro y entonaba su pulso sonoro con una copa corta de anís entre discos y discos. Contestó con un encogimiento de hombros, de aceptación y le pidió al muchacho que le facilitara un envelope. Ésa, *envelope*, era la expresión que usaba su madre para designar a los sobres de las cartas. El dependiente buscó en la gaveta donde guardaba el dinero y en los bordes del espejo, a su espalda. Jaló uno, usado, lo palpó y verificó que estuviera desocupado. Se lo extendió al hombre. Lo examinó. Leyó y estuvo dirigido a Robert Cuningham. En el reverso, el remite, decía J. Conrad. Permitió que le saliera una cara de extrañeza tenue. El muchacho le dijo: Úselo con confianza, son envelopes de cartas, le llegan aquí a los clientes y, cuando las tiran, el patrón los guarda por ahí para conservar los sellos. Lo abrió y puso dentro un billete de veinte pesos. Le pidió al muchacho que le llevara la botella, el hielo, el agua mineral, a la mesa y él se dirigió a la reja y le entregó el envelope al conocido de la música, y le dijo en voz alta cuando pegó la oreja a la malla: te dejo esto para que te tomes un anís en mi nombre. Y no te confundas, si no he dicho nada es porque me has hecho sentir el cariño de antes. Mientras iba a la mesa donde la mujer disponía el orden del hielo y los vasos, tuvo conciencia de que ya no se oían las canciones de acordeoneros y guitarreros sino las orquestas con metales, vientos y piano que interpretaban boleros. Él los repetía cualquier mañana al afeitarse antes de ir a la hacienda.

La mujer, en ejercicio de la intuición absoluta que las hace una antena del universo, le comentó, cuando él se sentaba y ofrecía disculpas por dejarla sola: Ya ve, la amistad tiene sus tiranías. Él la miró con ganas de entrar a su alma y convino que sí. El hombre no podía saber que sus maneras cuidadosas de estar con la mujer, de no imponerle las obligaciones humillantes del contrato universal de la carne a precio, le regalaban un momento, la gratificaba en una zona de su ser que parecía extinguida por las rutinas de la sumisión. Ella sentía la alegría de no haberse muerto del todo. La alegría de que aún en la tierra alguien le preguntara si podía ausentarse un minuto y dejarla sola. Ese estar ahí desde el sueño y la costilla salida del barro originario, la indispensable presencia del sueño para que la creación altere las realidades de la vigilia, y tenerla ahí para preguntarle, para reconocerse en ese principio común de casualidad sin libertad, de compañía para una soledad que nunca vio el rostro del creador.

La hermosa canción de las antillas sonaba como las olas del mar. Quedó interrumpida por el estrépito de una máquina. Con la luz del faro que subía y bajaba en intensidad de acuerdo con las aceleraciones del motor, entraron una motocicleta y su conductor. Se paseó entre las mesas, salió por la otra puerta y volvió a entrar y repitió la maniobra. La mujer le pidió licencia para pararse.

El hombre la observó con la aprehensión de que este momento, que el cielo con sus rigores le concedía, iba a llegar al final. Desde la iluminación opaca del interior que contrastaba con el brillo acerado de la noche, la observó más, afuera, con un interés desconocido. Ella adoptó los énfasis de un cansado policía del tráfico y cuando el motociclista volvía a salir le extendió el brazo y simuló el sonido de un pito entre sus labios. Obediente, detuvo la máquina con destreza y controló el resbalón de la rueda trasera que lo acercó más a ella. La vio saludar al motociclista y decirle algo al oído. La vio acariciarle las mejillas y devolverse a la mesa. También vio que el motociclista entró y apagó la máquina junto a los orinales y se acodó en la barra. Ella sin tono de explicación le comentó: El más constante de los hombres que he conocido. Quiere que nos vayamos a Ayapel a oír unas bandas que empezarán a tocar al alba. Ya le dije, estoy aquí bien. Él lo entiende aunque le cuesta trabajo aceptarlo. Ya sabe cómo son los machos. Esplendió su sonrisa y continuó: Y cómo no somos las mujeres.

El padre de Obdulia Martina se detuvo una y otra vez más en la cara de esa mujer. Sin arrugas ni ventiscas tenía un semblante sereno, salvado de rencores y esperanzas, conocedor de que los días lo único que ofrecen son instantes. Y hablaron y hablaron. Libres de urgencias, de propósitos.

Por el peso de la botella se dio cuenta de que estaba vacía. La miró a la luz y con satisfacción dijo: Quién iba a pensar que nos tomaríamos tres medias de ron. No se puede imaginar el bien que me han hecho. Se entretuvo en la inseguridad que le produjo el desconocer si el plural utilizado permitía a la mujer sentirse involucrada: Al terminar de ver la botella le quedó ahí la cara de ella, igual a la primera vez, desbordada por la sonrisa de brasa y lavada de agobios con el beneplácito del disfrute. Le dijo, no quería parecer grosero pero le había quitado mucho tiempo y, se interrumpió, desvió la mirada al techo y la bajó y con los ojos recogidos y la voz en murmullo, siguió para agregar que le gustaría retribuirle en algo.

Sin enojo ni burla ella le anotó: Quien no quiere parecer grosero no es grosero.

Él sonrió y dijo: Me siento como quien maltrata un rito. Alguien que se sale del templo en puntas de pies en plena ceremonia. Yo tendría que irme con usted. Pero sería una canallada desfogar en usted mi incertidumbre de hoy. La desnudez es alegría y ahora yo soy un hombre triste.

La mujer persistió en su estar. A lo mejor no necesitaba de persistencia sino estaba y siempre había estado en la ingravidez. Sus palabras mantuvieron el tono equilibrado de la funámbula que al caminar la cuerda, el único riesgo que corre es no dormirse en mitad de un paso. Le dijo, a lo mejor con dulzura: No se sienta obligado, usted y yo estamos aquí por voluntad del acaso. De lo que debe estar seguro es que si me convida a un camarote del planchón, a un cuarto de pensión, o a un patio, puede contar conmigo. La carne no ata sino celebra. Fíjese, se lo digo yo que la uso sin desperdicio.

El hombre reprimió con una severidad inflexible el querer impulsivo de abrazarla. No encontró cómo anunciarle que la abrazaba porque la abrazaba, y en ejercicio de cobardía le dijo perdón para ir al baño. Fue al mingitorio del canal largo. Las ganas no le respondieron. Se quedó un minuto en la barra y le dijo al muchacho: Cuando yo salga entrégale esto a ella.

Al estar en la mesa le dijo a la mujer: Le debo unas flores. Si la vida es justa me dará una oportunidad. Le hizo con las manos una señal de adiós.

Cuando ponía en marcha el campero vio a la mujer que salió a despedirlo. Se supo un villano y arrancó. Las calles a medio construir, sin luz, aparecían en los conos de los faros. Lo que ahora poseía era valor.

La valentía de enfrentar un desastre en el centro del castillo donde le dijeron que estaba el fundamento de la vida. Se supo fuerte para ni siquiera examinar que a Obdulia Martina, su hija mayor, se la llevaran al lazareto de Caño del Oro. Fuerte y fuerte para encerrarse y abrazarse con ella en la casa que levantó para su infancia y para lo que le diera la gana de sus caprichos de primogénita, y si era del caso enterrarse, enterrarse.

Apenas entró a la alcoba con el respeto a la noche, supo que lo estaban esperando. Lo percibió antes de oír a su esposa. Las primeras palabras fueron: Estás bebido. Él se quitó los zapatos y movió los brazos para dar con el cuerpo de ella y pasarle la decisión solidaria que optó. Lo que pudo decir fue: Mi vida, la niña se jodió, tú y yo tenemos que acompañarla a donde sea.

Sí. Qué será. Algo parece querer venir. Un recuerdo. Unas palabras para Crisanta. Ella me dijo: Mi mamá está preocupada porque hace algunas semanas no pongo en el torno la ropa de cama sucia, ni la mía. No me hace falta vestirme, no me dan ganas y se me olvida. Me olvido. Al amanecer se oyen pájaros y gallos. En las noches el estruendo del río corre y corre apacible en el verano y desbocado en el invierno, viene con su corriente rápida y vigorosa me arrastra al sueño y se lleva la voz de Crisanta. Puedo darme cuenta de que me voy vaciando. Mi cabeza no conserva ideas ni recuerdos. Mi cuerpo se duerme, desconoce los movimientos y los detiene al perder su dirección. Una tibieza entrañable que se esparcía lenta, como la arcilla de los volcanes, en mi entrepierna, humedecía mi estrella y hacía su erupción silenciosa, desconocida antes, y que yo contenía con la almohada entre los muslos, apretada a mi vientre, me abandonó.

El último sentimiento que padecí fue miedo. Otra vez miedo. Igual al empezar este suplicio. Un miedo distinto éste. El miedo del comienzo tenía rabia. Este miedo es desnudo. Es un miedo más miedo. Me posee y no sé por qué. Es un miedo raro y, como de mí no queda nada, lo único que fui era ese miedo. Raro. Yo conocí el miedo a la oscuridad. El miedo al castigo. El miedo que recorría al final de la tarde las orillas del río, y cuando nos quedábamos hasta la luz extrema, metidas en el agua de los remansos, también el miedo a los encantamientos. El miedo a los muertos. El miedo a la policía. Eran miedos que si uno aceptaba que podía suceder lo peor, los dominabas. Lo peor era pensar que podían dejarme sola en una habitación oscura y entonces yo apretaría los ojos y me sentaría en el suelo, en silencio, hasta que vinieran a rescatarme. Lo peor era un regaño y dos o tres palmadas de mi mamá porque hice o porque dejé de hacer. Lo peor en el río era que nos sorprendieran las mujeres lloronas con sus flautas que venían a lavar sus cabellos. Lo peor era la presencia desolada y en silencio de los muertos que nos quisieron y desean decir algo que no tiene palabras. Lo peor era que los policías la violaran a una con su revólver y después la estrangularan y culparan a cualquiera.

De este miedo ni siquiera tengo su origen. Parece un signo de desprendimiento. Un temor de abandonar después de ser abandonada. Recluida. Proscrita. Metida. Zampada. En el apartamiento. Apartada de los conocidos, apartada de mí. Soy una apartada. Yo. Cómo me llamo. Cómo me llaman. La apartada. El miedo surgió cuando percibí la magnitud del desalojo. Unos días me propuse no pensar más. Creía que todo lo que pensaba o conseguía recordar se iba, parecía que las palabras mágicas de la invocación no eran para que lo nombrado apareciera, volviera de sus lejuras, saliera de sus escondites, sí, era un conjuro al revés, yo decía, nombraba, desaparecía y en mí lo único que surgía era un espacio deshabitado por un incendio sin cenizas.

Sí. Ese miedo final. Manifestación de mi estar. Qué queda. Un amasijo de recuerdos. Ilusiones de transparencia no dejan amarguras cuando huyen. Y entonces nada, un destello sin nombre en la noche de Dios. El miedo de regresar al misterio. Será que se regresa. Al enigma sin libertad que me puso en estas tierras de suelo resquebrajado y olor fangoso de caimán en celo. El miedo de aceptar, hasta aquí llegué.

Ahora me sosiego. Tirada en la cama el sudor me pega a los trapos. Caracol sin casa me esfumo en los jugos que sueltan mis pedazos. Cómo fui. Desaparecido el recuerdo no me reconozco. No me encuentro. No me sé. Lo insoportable: no me imagino. En un tiempo, allá afuera y en un tiempo aquí encerrada, imaginé mucho. La imaginación me servía para estirar la realidad. La mejoraba, no por complaciente sino por su verdad que me hacía reír asustada. Me vi flotando desnuda en las aguas del río, desde el remanso donde nos aliviábamos del calor, a Crisanta le gusta decir en femenino, la calor, y bajar por el centro del cauce con el pubis reventado de flores moradas, amarillas, rojas que soportan la candela blanca del mediodía solar. Me vi saliendo de este encerramiento, convertida en un suspiro y riéndome con mis amigas. La imaginación salva. Un día ya sin sol, ya sin luna, mis sueños abandonaron la esperanza y noche a noche se colmaban de una mancha gris, telón desierto al que no se asoman las orejas de un conejo. Una pared sin moscas. Crisanta se callaba por unos minutos. Iba a la cocina a traer agua de toronjil o de canela y me ponía una taza en el torno. Yo me olvidaba de lo que estaba diciéndome. No me producía desespero. Era como si lo único que me iba quedando fuera un presente que se consumía instante a instante. A veces me preguntaba si yo sabía quién era ella. Entonces se reía con su risa nocturna, contenida, y afirmaba: No importa si a veces uno mismo ni sabe quién es uno. Y seguía hablando. Yo lo disfrutaba y hacía conversación pero no la retenía. El charco luminoso donde se estancó mi cara en un pozo fiel y sereno de la memoria, me reflejaba en los tiempos en que comenzó esto, ya no lo llamo desgracia, se escurrió. El torrente limpio mi vida –¿mi vida?– vi-da, la vi, la da, el que da y quita, la no-vi, se llevó lo que vi en mis días de afuera, que te lo vi que te lo vi que no te escondas que te lo vi, se llevó la claridad de los espejos de mi rostro, se llevó el mar en que nos metíamos en la noche a la luz rojiza y brincona de las fogatas. No perdonó en su arrastre los hilos de la complicidad con las amigas —ellas creen que estoy en Hollywood— los momentos, jaló las redes que Crisanta tejió noche tras noche. En la prisión, a la que no le dejaron una ranura para que se colara el rocío de las estrellas, nunca me vi. Aparecían pedazos, me pertenecían, estaban integrados a mí, eran parte de ese mí que hoy desconozco. Nunca canto. Olvidé algo que Crisanta me dijo de Lina Margarita. Una de sus salidas de amor. Olvido todo. Yo no soy y no puedo contar qué fui. Yo, no soy. Yo no. No. No soy.

El cuarto que construyeron al fondo del patio tiene una costra de lama y verdín. En el techo las hojas y las flores podridas formaron una cubierta. Crecieron líquenes, se hicieron hormigueros y una red intrincada de túneles de comején. Se dijo a los curiosos, y a los familiares que no compartían el secreto, que era un depósito. El portón del patio, en otras épocas estuvo abierto y facilitaba las rutinas de la confianza de los amigos, lo cerraron desde que la obra quedó terminada.

Floto. Estoy. La pared enfrente. La pared a la espalda. En los pies al suelo. Arriba el techo y el jugueteo de los pájaros. Escarban y picotean. Nada conservo. No hay apegos. No hay ansiedades. A un lado la pared. A un lado la pared y el torno. A un lado el baño. El lavamanos tiene alacranes. Por la superficie de cemento liso donde está la regadera se pasean las salamandras. En cualquier parte hay hormigas. En la cisterna de la letrina se refugian del calor unos sapos. Es un momento extraño. Oigo golpes en la pared. Retumba el cuarto. Retumba. Tumba. Tum.

La curiosidad fue los primeros días. Una de las promiscuidades aceptadas de la convivencia. Los albañiles no pudieron contar nada. Los trajeron en un camión de Santa Cruz de Lorica. Las conjeturas sin verificación se agotaron, y la noticia de que la niña mayor de esa casa se había metido de artista en Hollywood desplazó cualquier otra preocupación. Se habían preguntado hasta cansarse qué guardaban en la bodega del patio. Micos de la selva del Amazonas. Un manatí viudo en una bañera de latón. Un caimán cebado. Un buitre rey. Un oso hormiguero. Un perro rabioso. Una coneja parida. Un tigre de los Montes de María. Un ángel herido.

Tum. Sonido fuerte. Tum ruido sordo. Tumba. Diferente al bajar del río. No sé si un día me arrastrará. Se llevará este calabozo y encima de su corriente arisca me sacará libre. Llegaré al mar. Me pregunto sin saber si es esperanza, si seré arrojada al mar de noche. Quedará de mí mi vientre, mis vellos escasos, mis ojos fundidos con esta sombra sucia. Yo, me veré. En la capa de luciérnagas unidas sobre las aguas. Polvo de estrellas. Encallar. Estos golpes de demolición no significan nada. Y Crisanta. Crisanta. Qué es Crisanta. Sonido: Crisanta. Golpean. Tum.

Crisanta le dijo a Obdulia Martina que Lina Margarita se resistía a aceptar que la hubieran encerrado. Era una locura enterrarla por una enfermedad. Ya se sabía que era incurable. Había que dejarla en libertad. Esa crueldad no tenía nombre todavía. Tirar a esa niña, su amiga, en ese depósito para que hirviera solitaria. Con su arrogancia feliz también dijo que no tenían proporción la enfermedad y el tratamiento, era una injusticia arrojar a Obdulia Martina a acabarse sola por un detalle que le puede ocurrir a cualquiera. Lo que más repitió fue, no entiendo. Con sentencias rotundas. No guardaban congruencia con su juventud y terminaron por hacer reír a Crisanta. Maldijo la creación y, rabiosa y triste en lo alto de las imprecaciones, sin sacar completo lo que sentía, se precipitó en el estropicio de un llanto fuera de cauce, y en su fragor pudo articular, cómo recluían a su amiga por algo tan obvio. Era mostrar que había empezado a morirse. Lo que todos hacemos: morirnos.

Durante varios días Crisanta no vio a Lina Margarita. Cuando hablaron otra vez, la muchacha le pidió que le dijera a Obdulia Martina que ella no tenía alma ni tripas para escribirle o acercarse una noche a las escondidas a oírla y no verla, pero que no olvidara, era su amiga.

A las pocas semanas fue de frente donde el papá de Obdulia Martina, y entre el chantaje tácito, ella sabía la verdad y podía divulgarla, y la amorosa solidaridad manifestada a su hija, el hombre accedió a lo que Lina Margarita planteó como lo único que yo voy a pedirle en la vida. Acordaron que el día que Lina Margarita se casara, antes de ir a la iglesia, vestida para el matrimonio, iría a ver a su amiga, la sacarían del cuarto del patio para que pudiera verla y saludarla. Al papá de Obdulia Martina jamás se le ocurrió que ese día llegaría alguna vez.

Rum. Retum. Las lagartijas corren por las paredes. El aire se pone denso con el polvillo, se desprende y se mantiene como una nube congelada. Tum. Serán piedras o troncos que empuja el río. El río cubre la tierra. No hay olor a humedad. En el torno está una porción grande de una torta adornada con crema blanca. Las hormigas la rondan. La pared enfrente de los pies de la cama se agrieta. La grieta se extiende al techo y se ramifica. A lo mejor son cañonazos. Podré volar. Mis alas no crecen. Me voy a arrastrar rápido. Soy lombriz. Mariposa vagarosa. Vaga-rosa. El ruido no para. Por la grieta se cuela una claridad intensa. Acetileno. Me deja ciega ver el mar al mediodía. La luz arde. Sal en la herida. Tum. Tumba. Tengo una muñeca.

Lina Margarita está en el patio. Crisanta se apresuró para ayudarla a sostener la cola del vestido de boda. No debe ensuciarse sino después de la bendición. Es un traje blanco de organdí reluciente y la cubre toda. Los brazos con las mangas terminan en puños de encajes. Las piernas y los pies con la cola pesada atraviesan el patio y queda el extremo dentro de la casa. Antes de llegar Crisanta lo sostenían siete niñas vestidas iguales y con coronas de azahares. Le parece el vestido de matrimonio más bello que ha visto. Lo dice ella, que ha presenciado casamientos en la iglesia mayor de Santa Cruz de Lorica, en la ermita de Puerto Escondido, en la iglesia de Santiago de Tolú y hasta en la catedral con órgano y coro de la lejana Cartagena de Indias. Ve con admiración a Lina Margarita, espigada y segura, con una sombra de color desvanecido en los labios, sudando un poco, y se alegra de que sea tan mujer hoy, si ella la miró de niña como un renacuajo. La vida.

Lina Margarita no pestañea con los golpes de maza que los dos albañiles dan contra la pared. Los padres de Obdulia Martina prefirieron quedarse en el antejardín. No se atreverán a ir al patio. En los bordes altos de la tapia se asoman los curiosos. Por ver a la novia, en su camino a la iglesia hizo esta parada.

Es un sábado de julio sin brisas y el matrimonio será a las doce en punto. El cura respeta los rigores solemnes de la ceremonia y el calor no lo conmueve. Sólo imparte bendiciones a los matrimonios en las madrugadas frescas cuando son prometidos furtivos a quienes les protege el honor y la vida.

Lina Margarita está sola en el patio. Quienes la seguían, estiran la cola del vestido, dentro de la casa, para evitar que se arrastre. Crisanta encontró un pretexto oportuno, le sirvió para huir del patio. El sol incandescente cae pleno. El polvo del material triturado con los golpes revolotea. Una zona de la pared cede. Se raja. Los albañiles divisan la oscuridad al otro lado. Disminuyen la frecuencia de los impactos y los dirigen con atención para evitar que un pedazo se dispare hacia adentro.

Tum. Recogía cangrejos. La arena compacta bajo los pies. Luces perdidas. En el río el fondo es blando. Los truenos me asustan. Tum. Retum. Quién era yo. Yo. La cara está en el charco de luz. De quién era. Quién guarda lo que se acaba. Qué se acaba. Tum. La hoja de un árbol en el remanso del río. Tuve una muñeca. Las muñecas de trapo que hace Raúl no tienen ojos. Él dirigía el grupo de teatro del colegio. Se abre la pared. La sombra de carbón se escapa. Se mete la luz. Es un cuchillo. Tengo cascarón. Me queda coraza. Se gastó. Dónde está el mar. El mar. A dónde llegará el río. Agua. La luz es como un cuchillo. Contaré hasta cincuenta. Pierdo el orden. Esta mano tiene tres dedos salteados. Cuento. Se me fue el hueco de la nariz. Cuando llueve hay truenos. Tum. Un relámpago ciega los espejos. Retum.

En el patio sola, metida en el blanco de sus ropas, a esta hora de vientos guardados y fluir abandonado del río, Lina Margarita atraviesa los años, el silencio y corre a cumplir la promesa que nadie le exigió. Crisanta, aferrada a un borde impoluto de la cola del traje, la mira y de repente la sorprende no haber relacionado ese símbolo conocido por todos los que sueñan. Quien sueña con casamiento es anuncio de muerte. Para Crisanta los significados aunque sean amplios son exactos. Alguien, que no es la novia soñada, pero conocido por el soñador, se va a morir. O tener una desgracia. Se da cuenta de que en el tiempo de su encierro Obdulia Martina, todavía, no le ha dicho un sueño. Ni uno.

Se derrumba un pedazo grande de la pared. Un vaho pesado se riega al sol. Crisanta se muerde la lengua para no decir, huele a diablo. Lina Margarita está imperturbable. Ni un gesto de desagrado. Se entretiene en la imagen de una tarde. Vestida con un traje entero de falda amplia con volantes de color rosa quemado y zapatos blancos, se sentaron a la orilla del río a esperar que apareciera en el cielo el primer lucero. Se siente un poco entrometida por perturbar a la amiga. Ella la conoció.

En la pared hay una tronera.

Tum. Quién llama. Que pase el rey que quiera pasar. Tumba. Si usted no me quiere. No veo.

En la red de su visión deformada Obdulia Martina trastabilla y quiere planear. Mariposa llama la llama. Lo que Lina Margarita distingue es un cuerpo de piel más blanca que el de las ranas criadas en el fresco de los platanales. Una palidez que las cenizas de la hora y el aire calcinado no logran disimular. Las extremidades son de un tono tumefacto y rosáceo. El cabello es un pajonal abrupto de negro muerto, cae en desorden y llega a la cintura. Se ven los pechos firmes y resecos con granulaciones moradas y un pezón de textura lisa brota como un botón a punto de soltarse. No le quita la vista. Nada la relaciona con la que fue su amiga. Ni le devuelve la mirada. Está como atacada por la luz, indefensa. Se queda quieta. En el rostro gastado y deforme los ojos están cubiertos de lagañas secas y tal vez lágrimas disecadas. Los movimientos de Obdulia Martina son desarticulados. Con sus trapos de novia Lina Margarita da un paso. La mujer que fue Obdulia Martina no se entera.

Bambolea y se aleja un poco del cuarto. La voz de rata importunada en su dominio, voz o ruido, eriza a la novia, canta o grita o reza una tonada. Canta. Ayer lloraba por verte. Canta. Y se acurruca empapada por la luz. El pelo la cubre, parece una cortina de estropajos con hongos de liendres. Lina Margarita alcanza a entrever los labios incompletos, el cráter donde estuvo la nariz y los ojos, desprovistos de cejas que miran a ninguna parte. Tristes como ostiones podridos. Quiere decirle: a ti qué te hicieron. Una piedra en la garganta le sepulta las palabras. Se sabe inútil, con ganas de llorar. Aunque no se arrepiente de estar ahí; más que nada, ahora lo que desea es que la tierra se abra debajo suyo y se la trague.

El atravesado

A mí el primero que me enseñó a peliar fue mi amigo Edgar Piedrahíta, que fue el que fundó con su novia Rebeca la Tropa Brava. Fue el que me enseñó a usar la derecha, bien pueda tóquela. Ahora toque la izquierda, ¿qué diferencia, no? Claro que antes de que Edgar me enseñara yo ya me daba con los de mi clase, en tercero en el Pilar. Mejor dicho me daba con todos, y a todos les daba. Con todos, con Pirela, con Franco, con Rizo, con todos me di a la salida, y todos se dieron cuenta, tarde o temprano, que conmigo no había caso. A Rizo sí que le di bien duro, porque me había sapiado. Y no sólo a mí, a todo el mundo. Sapo y lambón, cuando don Benito entraba a dar clase de inglés, Rizo se le hacía bien cerquita y le sonreía, claro don Benito, que si se le caía la tiza él se la recogía, que si había que escribir en el tablero él escribía con esa letra que tenía, que seguro había cogido un Método Palmer y se había puesto a copiar la letra o yo no sé, en todo caso nunca he visto a nadie con una letra así de parejita. Y don Benito que le decía qué buena letra la que tiene usted, *mister* Rizo.

Me acuerdo que en diciembre le inventamos a don Benito un villancico:

Aí viene Benito
cargado diolores
y los muchachitos
le gritan pecueco
yo le voy a dar
un pote' Mexana
pa que se lo unte
todas las mañanas.

Con la música de *Dulce Jesús mío*.

Allá viene, cuando cruce la puerta se lo cantamos, pero todos, así no puede castigar a nadie. Que nos pueden expulsar. Qué nos van a expulsar, ¿van a expulsarnos a todos o qué? Por eso es que todo el mundo tiene que cantar, para que no puedan hacernos nada, la unidad hace la fuerza.

Don Benito tenía ese día la pecueca peor que nunca. Se la sentimos mucho antes de que cruzara la puerta, ese olor rancio y días de mucho sol, dulce. *Ai viene Benito / cargado diolores...* Sólo cantamos dos: Pirela y yo, los dos únicos machos de la clase.

Don Benito abrió los ojos y se puso rojo y cerró la boca, después la abrió y dijo Rizo vaya preséntese in-me-dia-ta-men-te a la rectoría, conmigo nadie juega. Fue Pirela don Benito. No me sapió a mí porque le dio mucho más miedo. Cogieron a Pirela y casi que lo expulsan, si no es porque vienen el papá y la mamá que le lloraban al rector, me acuerdo de eso, lo expulsan. De todos modos le fue mal: lo suspendieron quince días. Apenas sapió Rizo yo fui y me le acerqué y le dije me esperás a la salida, sapo. Voltió y me dijo ¿yooo? ¿Por qué? Le di en la jeta pero pasito, para que no viera don Benito, para que viera toda la clase, y todo el mundo se quedara a la salida a ver cómo le daba.

A Rizo le di durísimo pero no lo seguí achilando, sólo una o dos veces, cuando no se le quitaba la costumbre de sapiar. A mí no me gusta achilar a los que ya les he dado. Sólo a veces. A Pirela, por ejemplo, que fue al primero que le di en tercero, el día que empezamos clases, pues el man era macho y me estuvo bataniando toda la mañana. Pero le di, y luego lo achilé una sola vez. Y luego quedamos de amigos. A Franco tampoco lo seguí achilando porque no se volvió a meter nunca más conmigo. Sólo que en un partido contra cuarto se puso a gritarme, y yo me le paré y el hombre no dijo nada, me tenía miedo. Pero no me gritó por nada: fue que yo nunca jugué bien fútbol, me esforzaba pero nada. Y aun así en las elecciones me eligieron capitán, y yo les dije que íbamos a quedar campeones en el interclases, pero mentiras, nos eliminaron al tercer partido.

A uno que sí achilé bastante tiempo después de que le di fue a Omar el crespo, que me dio dos buenos derechazos, y uno con la rodilla que casi me deja grogui, pero yo lo pude echar al suelo, me acuerdo de su cara, y me le monté encima, y le doy qué mano de golpes. Allí fue cuando se me comenzó a endurecer esto, tocá y verás, era que le daba en la frente y en los ojos, me gustaba tirar a los ojos por la facilidad con que se ponen morados, y en la boca, la boca ya vuelta una miseria y yo todavía con rabia, ¿te vas a volver a meter con mi mamá? Pero él no contestaba, cerraba los ojos y yo déle, lo va a matar, gritaban, quién lo quita. Cuando me quitaron como entre ocho yo me puse a llorar, se metió con mi mamá, a quién le va a gustar, con mi mamá sí zona, y me tiraba a llorar al pasto y decían pobre, debe tener a la mamá viejita o enferma.

A Omar el crespo lo pararon y todavía quería seguir peleando, yo le dije ¿querés más? Déjenmelo. Dejá que ya te dieron, le decían, mirá cómo tenés esa cara, vámonos, caminá. Sí, mirá cómo te he dejado la cara, y me le reí en la cara. Y el hombre me tiró y casisito me da, pero yo por esa época era ya muy ágil de tanto gorro que cumplía, y le hice un quite full y el hombre fue a dar a una chamba. Y allí fue cuando lloró, me acuerdo. Y cuando lo vieron llorando comenzaron a ponerse bravos conmigo, por qué no lo dejás tranquilo. ¿No vieron que el que me tiró fue él? Conmigo zona. ¿Alguien fue que dijo con ése nadie puede? ¿Nos jodimos? Hay que hacerse amigo de él, ¿con ése nadie puede? ¿Fue Gutiérrez, el Cholo Prado, Gomecito, Pirela, Varela, Arracacho, Mediometro? No sé mano, todo el mundo hablaba, limpiaban a Omar el crespo, no pude ver quién fue el que dijo eso. Después todo el mundo se pisó para la casa, a perderse que como que allá viene el rector con policía. Yo dije déjenlos que vengan, que aquí hay por lo menos un macho que los recibe, ¿uno nomás? Pero como que nadie me oyó, nadie me vio, nadie dijo nada, unos salieron corriendo, otros se llevaban a Omar el crespo con cuidado, que cojeaba pero sin quejarse. Yo me quedé allí un rato viéndolos hasta que llegaban a la Sexta y se perdían. Me limpié la ropa, que estaba vuelta nada. Antes de perderme vi una pelada que me miraba desde un balcón del frente, seguro había visto toda la pelea y sabía que yo había ganado, y seguro se preguntaba que entonces por qué era que me dejaban solo.

Al caminar me dolían las piernas. Tenía medio dislocada la quijada, todavía la tengo. Mi mamá me bañó con un trapito de agua caliente y me dio agua de panela para que yo durmiera y no tuviera pesadillas ni nada de eso.

A Omar el crespo sí lo achilé como tres veces más, porque era macho y me había dado sus golpes, para que aprendiera, pero no me respondió nunca.

Entonces ya le daba a toda la clase, aunque con muchos nunca llegué a peliar, para qué, no se podía, casi todos eran niñitas, miedosas y calladas, esa promoción que llegó a mitad de año del San Juan Berchmans.

A Edgar Piedrahíta lo conocí una tarde por San Fernando. Yo pasaba por el parque de la 26, y allí estaba la Tropa Brava. Yo ya sabía que existían, pero nunca los había visto en la vida real. En ese tiempo eran como 50, después serían más, cuando dieron *Rebelde sin causa*. Se reunían como de dos de la tarde a bataniar gente, no le perdonaban a nadie, no importa que uno no les hiciera mala cara, que uno ni siquiera los mirara, devolvéte, ay como camina la niña, y el hombre mirando nomás y viendo semejante gallada qué iba a decir nada, ¿no te vas a devolver o qué? De vez en cuando lo alcanzaban, lo cogían y lo traían, por qué era que no te devolvías, ¿te daba miedo? Lo peor que le podía pasar a uno era pasar por allí con su pelada, mamita para dónde vas con ese tonto, qué, te vas a cabriar o qué. Después cualquier vulgaridad, y ella pensaba: a mí por qué me humillan. Hubo algunos que se devolvieron, pero después la pelada lo tenía que recoger del suelo, pa que se meta con nosotros, dígale pelada que con la Tropa Brava sí nadie se mete, pa que aprenda.

Yo venía de donde mi tía Esther y tal, cuando paso por el parque y adioós, pa dónde vas pelado. Yo me paré y le dije a vos qué te importa, que era grande el hombre y cuajado y todo pero a mí no me dio miedo, y además que como yo era más chicorio lo más seguro era que no me dieran, pero ¡zas!, el hombre me dio en la jeta sin dejarme ni siquiera cuadrar. Es verdad que uno ve estrellas, pero sólo un instante en un inmenso fondo negro. Yo me paré y me le fui gritando y le alcancé a poner sus dos patadas. Culicagado alzado y ¡zas! otro golpe en la jeta, y ahora sangre y más estrellas. De colores. Y de pronto un cansancio en todo el cuerpo, ¿querés más? Ya, dejálo ya, dijo alguien, cómo que dejálo, ¿no ves que se me alzó? Pero dejálo que es mucho más chicorio mano, que lo dejés pues, ¿entendés o no? Era un man de camiseta negra y el escudo de la barra: un puño bien tieso y abajito en letras grandes *Tropa Brava*. Sólo cinco o seis tenían esa camiseta, debían ser los jefes fundadores. A ver pelado párese. Y ya me iba a ayudar a levantarme y todo, pero yo me paré solo. No sia tan bravero con la gente que es más grande que usted, pelado, estuvo bueno que lo hayan taponiado pa que aprenda, ¿vos estudiás o qué? Yo le dije que sí, en el Pilar, en tercero. ¿Y allá peliás mucho o qué?, me preguntó. A toda la clase le doy, le dije, y todos se rieron, ¿está bueno para que entre a la barra no? Estás muy bueno pelado, la mascotica. Era un montononón, y todos me miraban como con cariño, ¿te vas ya? Sí, me voy a almorzar hermanos lobos (en esa época lo que se usaba era el hermano lobo, después quedó en hermanolo y después en hermano, y ahora todo el mundo dice es mano), y además mi mamá está sola, aquí volvieron a reírse todos, ¿qué les pasa? ¿Mucha risa o qué? Nada pelado, no te vas a volver a enojar ahora, no nos vas a pegar, qué peligro. Yo me reí también, bueno chau, chau pelado, me dijo el que me acababa de dar, ¿te di muy duro o qué? Qué va (la cara apretada, ojos de serio), más duro me dan a cada rato. Ja ja todos otra vez, era que les gustaba verme, yo me llamo Edgar Piedrahíta, pelado, y soy el jefe fundador de esta gallada, yo me la paso aquí, cuando querás volvé, que si querés te enseño unas paradas legales, pa que le des a todo tu colegio. ¿Verdad?, le dije. Verdad, me dijo. Bien, entonces por aquí vuelvo.

Mi mamá me regañó porque había llegado tarde, pero yo le pedí perdón. Entonces me bañó el ojo izquierdo con el trapito de agua caliente, y yo me le acerqué mucho y le di un montón de besos en la cara y le acaricié el pelo, le dije que olía rico, ella alzó los ojos y yo en aquellos tiempos me perdía en sus ojos, no era sino mirarlos y me iba en barco, viento a favor, alguna canción de por allá anunciando mis hazañas, mi mamá que me aprieta la mano y cierra los ojos para que yo no me vaya tanto, mete la nariz en mi oreja derecha, en mi oreja izquierda, y luego me dice cosas, la canción esa que yo escucho añorando sus ojos, el sol en el poniente.

A los dos días yo volví al parque, y la Tropa Brava estaba en las mismas. Edgar me vio y me dijo quiubo, viniste ¿no pelado? Y me presentó a Rebeca, su novia, la famosa Rebeca, con la que fundó la Tropa Brava.

Yo seguí de amigo de Edgar mucho tiempo. Aprendí muchas cosas a su lado, a usar la derecha, ¿ya tocaste mi derecha?, a soltármele al man cuando me tuviera cogido por la espalda, a usar la pata de media vuelta y de chalaca, a retretar sin darle tiempo, de una, y sobre todo, me decía Edgar, a dar el primer tote. El que da el primer tote y no gana es porque es un pendejo o porque está muy de malas.

Eran tiempos muy distintos a éstos. Cuando estrenaron *Al compás del reloj*, con Billy Haley y sus Cometas, y que fue tanta gallada al teatro, que era que estaban todas las que existían: los Rojos, los Humo en los Ojos, los Águilas Negras, los Fosas en el Péndulo, los Anclas, y sobre todo nosotros, y todos con uniformes confeccionados por la mamá del Jirafa, uno alto, flaco y peligroso. Según lo que Edgar me contó, la mamá del Jirafa le hizo las camisetas a la Tropa Brava, que fue la primera gallada que se organizó en Cali, creyendo que serían para un equipo de fútbol o algo así, y que les dijeran a sus amigos que ella era la confeccionadora, para ganar clientela, ¿no? Y a los pocos días ya doña Gabriela era famosa, hacía plata confeccionándole el uniforme a cuanta gallada había, a cuanta gallada se formaba, era cuando las cosas se empezaban a poner calientes con todo el cine que uno veía, bueno y malo, pero tanto cine, cuando se redactaban estatutos y todo eso. Y que lo primero tenaz que hubo fue cuando la Tropa Brava se dio con los Black Stars, una gallada nueva y tiesa, pa ver quién se quedaba con el parque de la 26, y que el Jirafa dejó medio muerto a un mancito alzado que como que era el subjefe de los Black Stars, y el que concretó la pelea. Y al otro día sus papás estaban buscando en carro al Jirafa para pegarle un tiro, pero su mamá sacó la cara por él y no se lo pegaron, aunque después cerró la puerta de su casa y no volvió a coser nunca más en su vida, y con la plata que había ahorrado mandó al Jirafa a Nueva York, donde estaba camellando su papá; qué camellando, decía el Jirafa en su primera carta, lo que está es tirado al *dancing*. Los dos juntos viajaron de Nueva York a San Francisco, y que había galladas que no batían a pie sino en moto. Edgar le contestaba contándole todo lo que sucedía en Cali, contándole seguro que se habían dado con unos mancitos del Norte y que habían tenido que salir los papás a defenderlos, y que la gallada ya se estaba haciendo conocer, y que a él personalmente le tenían su respetico. Parece que no se volvió a saber nada más del Jirafa, como que se casó con una pelada cubana y se quedó trabajando en Sears. Yo no sabía que en USA también había almacenes Sears.

Bueno, como le iba diciendo, el día que dieron *Al compás del reloj* ellos se pusieron a bailar a la entrada con sus peladas, y yo los veía y me gustaba, y todos los otros manes los veían y se aguantaban, porque quién iba a decir algo, quién. Yo todavía estaba muy pelado como para lanzarme a bailar, pero ya me detallaba los pasos de ese ritmo enloquecedor, a la que más miraba era a la famosa Rebeca mano, que bailaba con Edgar pero me miraba y tal, y yo me hacía el disimulado para que Edgar no la pillara y seguro fuera a pensar mal, era que se pasaba a Rebeca por los hombros, por entre las piernas, ese ritmo enloquecedor, no hubo nunca nadie que bailara como Edgar y Rebeca, y la gente de la Tropa Brava era que les hacía la rueda y los coreaba para darles ánimos, para que se lucieran más, muchachos queridos, si me hace otros ojitos de esos yo sí se los contesto, Rebeca, por esta cruz, y ella ya sudando, y le pasaban un pañuelo y ella no hacía caso, quién con ese ritmo.

A qué hora es que van a abrir el teatro.

Que si no lo abren lo tumbamos.

Que le suban a ese radio, decía Edgar dando saltos ese ritmo, que le suban.

Que no da pa más.

Que cómprale pilas.

Que están nuevas, no ves o qué.

Yo no veo, yo oigo.

Conseguíte una radiola, entonces.

Nada de peleas, muchachos.

Era que había que ponerse moscas con los Rojos, que estaban recién fundados y tenían cara como de querer pelea, que si había manoplas, que pa qué manoplas si yo con esta derecha tengo.

Que sin buscar bronca porque nos quedamos sin ver la cinta.

Que se pongan de este lado a los que les gusta más la pelea, y de este otro a los que les gusta más el cine.

Que no jodan.

¿Que si van a abrir el teatro con tanta gente?

¿Qué horas son?

¿No llamarán a la policía?

Por qué van a llamar a la policía, más bien decíle a ese man que baile como hombre.

Quién fue el que habló.

Que le digás que baile como hombre, que yo fui el que hablé y qué pasa fue que no te gustó o qué.

Prac, tote en la jeta pa que aprendiera a responderle al Mico que siempre fue templado.

Se armó. Que a Edgar se le fueron y a Rebeca le querían caer encima, pero con golpe de pata puso fuera a dos, que a ella también Edgar le había enseñado a defenderse.

Entonces sonó aquella sirena, ¿la policía?

No, después de la sirena salió un gringo gordito del teatro y dijo muchachos qué es lo que pasa, ahora no me vais a dañar el teatro, ¿eh? Calmaos, calmaos y comprad las boletas, que pronto abriremos las puertas para que podáis ver la fabulosa película *Al compás del reloj*, aquí nadie os ha obligado, la gente responde según la calidad, ¿sí o no? ¿Cuento entonces con vuestra amable cooperación?

Todo el mundo alzó las manos y dijo sí, que tenía razón, que había que hacer cola para ver a Billy Haley. Y yo no era que estuviera muy contento porque no hubo pelea, pero ni modo mano, también me gustaba el cine. Y los muchachos iban y hablaban con los enemigos. Apretaban la boca y la mirada, no los empujaban como para no armar pelotera ahora, pero vos y yo nos volvemos a encontrar, la tenemos casada. Y les respondían cuando querás, donde querás y como querás.

En esa época dieron también muchas de Elvis. Y *Rebelde sin causa*, que fue allí cuando se armó.

Que todo el mundo salió fue loquito de la cinta, y había una nueva gallada que se llamaba Los Intrépidos, de camiseta verde y una calavera bordada, confeccionada por quién, no sé. Que para hacerle ver a todo el mundo que existían y que eran tiesos, se pusieron a darse totes con los Black Stars, a la salida en el hall. Y fue de viveza que la hicieron porque ya los Black Stars estaban desmoralizados, ya no eran los de antes mano, y duro sí les dieron. De repente, yo no sé de donde fue que sacaron tocadiscos y amplificadores, y hablaron por un micrófono, dijeron que nadie podía salir, que todo el mundo lo que tenía que hacer era ponerse a darle al ritmo, y que los que no sabían ¿qué hacían? Mala suerte, dijeron Los Intrépidos, pues entonces aprenden porque de aquí nadie sale, y se quedan pero es bailando. Y así fue, todo el mundo se tiró al ruedo, y hasta Edgar estaba contento, tienen imaginación esos muchachos. Con tal que no se metan con nosotros, decía alguien. No se meten, decía Edgar, están apenas empezando.

Pero quitaron un disco por la mitad. Sonó raro, y la gente protestó. Un mancito cuajado y mal encarado subió al micrófono y cuando se puso a mover las manos todo el mundo se calló, que además de callarse escucharan, y el mancito dijo lo siguiente: "Señoras y señores. Es para nosotros un placer comunicarles que hemos fundado la barra Los Intrépidos y les comunicamos lo presente como pa que todo el mundo se vaya dando cuenta que somos todos los que ustedes ven aquí a mi lado, bien puedan cuéntenlos, y que somos la gallada más tiesa que hay en Cali, y para que sepan también que el que les habla es el man más tieso que hay en Cali, como ya lo he probado patiando blackestares y como lo seguiré probando. Avisamos a los distinguidos asistentes que todo el que quiera ingresar a esta gallada deberá plegarse a todas las de la ley, es decir, pasará por un examen de admisión. Las inscripciones están abiertas desde este momento, favor hablarse con Manuel García, Pistolo, o con Felipe Rebolledo, Peligro, secretarios de mi persona, Richi Machedo para servirles. Y a todo mancito que no le guste dia mucho lo que acabo de decir, aquí estoy con mi gallada pa atenderles todo lo que quieran. Gracias".

Ese fue el día en el que la Tropa Brava se hizo inmortal. No era pa menos: marchar en orden, con los puños apretados, Edgar de primero. Acabar con ellos antes de que sonaran las sirenas y llegara la policía.

Al tal Richi Machedo yo no lo vi por ninguna parte. Edgar me dijo que al primer tote que le dio lo dejó seco. Estaba loco, decía la gente, atreverse a semejante reto. Ahora todo el mundo nos conoce, decía Rebeca. Antes de que llegara la policía Edgar se prendió del micrófono y dijo lo siguiente: "Estimado público. Como ustedes acaban de apreciar, hemos actuado. Y si todavía hay por allí alguno que no lo sepa, somos la barra la Tropa Brava, y somos una gallada con fines sociales y aventureros, y nadie nos pone la pata en Cali. Pueden pedir informes al teléfono 51454, preguntando por Rebeca Balboa, mi pelada, aquí presente. Mi nombre es Edgar Piedrahíta, jefe fundador, para servirles. Y que desde ahora se hará todo lo posible para que sigan dando cine según nuestro gusto, que exigente es. Palabra de la Tropa Brava es hecho cumplido".

Hecho. Ese mismo mes dieron *Los jóvenes salvajes* con Burt Lancaster, y *El estigma del arroyo* (¿cuál estigma, monedas escondidas en el arroyo?), que me la vi seis veces, era de que el tipo era primero un man arrebatado y después boxeador famoso, allí fue que aprendí a hacer el remate de derecha con toquecito de izquierda sin fallar tiro.

Ahora, mire, yo sé que quién se va a olvidar de *West Side Story*, de *Rebelde sin causa*, pero a mí no me gusta ver a esos muchachos viviendo en el pasado, hay un grupito como de seis, claro que tampoco me pongo a batirlos ni a decirles nada, es que se sienten mejor con su tristeza, y yo los veo tratando de hacer aún la paradita esa con la navaja que le hacían a James Dean el primer día de clases: mandarla de una mano a la otra en mitad de la pelea. Y accidentes ocurren todavía.

Aquí todo el mundo sabe que la Guardia Civil, es decir los ricos del Norte, mataron a la Tropa Brava. Yo no tengo por qué ponerme a contarle lo que todo el mundo sabe, pero es que yo era amigo de Edgar y sé cómo sucedieron las cosas. Yo ya estaba en quinto. Seguía en el Pilar, y me gustaban las ciencias y la historia, y ya casi no iba al parque de la 26 y me veía con los muchachos muy de vez en cuando, yo siempre he sido un poco egoísta y andar con la gente me cansa a la larga, para qué lo voy a negar. La otra vez llegó un man de Bogotá y les dijo: ¿a ustedes les gusta la pelea? Entonces tómense una de éstas y verán lo que es peliar chévere, una no, tres. Pepas rojas me acuerdo, y después Edgar que me decía que era lo último peliar con esas pepas que no se fallaba tote, y Rebeca que se ponía triste.

En la clase me decía qué hubo de la Tropa Brava, y yo les decía que era amigo del jefe pero que no pertenecía a la barra.

Por esos días fue que mataron al Mico y a Mejía, y los periódicos hablaban ya de delincuentes juveniles, que no jodieran, pensaba yo, que se metieran a cine y que buscaran allá a los delincuentes juveniles, estas cosas no existen en Colombia.

Bueno mano, fue que un día resolvieron instalarse en el parqueadero de Sears, almacén de gringos. Cuestión de invadir el Norte, me dijo Edgar, peligroso y todo pero paga. Y se fueron todos para Sears, y de pendejos, como para que no viniera a joderlos la policía, fueron a conversar las cosas con el gerente, Edgar, Rebeca y el Fenomenal Fino, que estaba de subjefe. Edgar me lo contó todo: el gerente era un señor bajito, gordito (¿medio gringo?), de bigotico, de apellido Urrea, que les dijo a ver a la orden. Buenos días señor, le dijo Edgar, yo me llamo Edgar Piedrahíta, aquí la señorita Rebeca Balboa, mi novia, y el señor Enrique Burgos Fino, mucho gusto, somos la junta directiva de la barra Tropa Brava, agrupación juvenil de sesenta y nueve miembros que hemos fundado con fines sobre todo sociales, yo no sé si usted ha oído hablar de nosotros, seguro que sí ha oído. Le venimos a decir que no se asuste que nosotros no vamos a hacerle nada a su almacén, señor Urrea, sólo que hemos designado el parqueadero de al lado como cuartel general, y allí nos vamos a reunir a partir del día de hoy. Aquí el señor Urrea sin decirles nada cogió el teléfono y de mucha frescura dijo ¿aló? Comuníqueme con la policía. Oiga señor, comuasí, le dijo el Fino, por qué va a llamar a la policía si nosotros no hemos venido a hacerle nada malo, ningún bataneo, cómo se le ocurre. Aló señorita, comuníqueme con la policía, seguía diciendo el señor Urrea, hasta que Edgar dijo no hay caso, y le mandó la mano al cable del teléfono. Eso de arrancar el cable de un teléfono no es cualquier güevonada, me contó Edgar, como uno ve que hacen los tipos en las películas, pero con un poco de fuerza, eso sí, el cable sale de una.

Alto señor quiace usted no sia patán llamen a la policía. Edgar se le fue y lo tumbó contra su escritorio, señor Urrea, y se fueron de allí corriendo. Salieron a toda. Y el señor Urrea a lo mejor se arreglaba el nudo de la corbata mientras gritaba cójanlos, animal que debía ser el señor Urrea. Porque fue que salieron como seis manes a cogerlos, el último que se lanzó fue el mancito ése del audífono, el que se la pasa viendo a ver a quién es que coge robando todavía, a mí no me ponés la mano encima, pensó Edgar, y le dio su guamazo para que no jodiera.

Pero a todas ésas al Fino lo tenían dominado cuatro empleados de corbata. Fue Rebeca la que gritó: "¡Qué hubo con la tropa!", quien iba a pensar que ése se volvería el grito de batalla, porque ni siquiera había terminado de gritar Tropa cuando oímos a los muchachos que entraban en tropel a defendernos, no se cansaba de contarme Edgar, que qué era lo que pasaba, decía el señor Urrea, ¡que nos están asaltando, señor Urrea! Que qué pasa que no llaman a la policía, alguien que toque la sirena, alarma general. Y había que ver lo que era, me decía Edgar con lágrimas en los ojos, ver a los muchachos superar en número a todo el mundo, acorralar a los empleados contra la pared y darles duro, tirarlos encima de los estantes de cosméticos, productos Max Factor, Helena Rubinstein, Perlísima de Lantíc. No dejar que tocaran la sirena. Después fue que todos los empleaditos veían eso y no perdían tiempo, sobre todo las hembras, echarle mano a los zapatos, juguetes para sus niños, libros, camisas, balones, relojes, colores Prismacolor, vajillas, lámparas, alfombras, cortes, estéreos cojan los vestidos que quieran peladas, discos, ¿cuánto era que cobraban por este libro?, ¿y por esta navaja? Y carpas, ollas, medias, correas, camas, sillas, pañuelos, estufas, neveras, pero afánenle que ya la gente está dando mucho detalle, era que ya estaba lleno, era que ya el pópulo se estaba viniendo desde el Centro, desde el Sur, que se vengan, que cascaran al del audífono, que cascaran al señor Urrea, que les dieran, que escribieran *Tropa Brava* bien grande en las paredes pa que recuerden, pa que esta ciudad se acuerde de nosotros después de muertos, y las muchachas ponían letreros con los coloretes, y Rebeca estaba feliz, me contaba Edgar, Rebeca linda, fresca, ese día le descubrió tres pecas, feliz por todo lo que hacía la gallada más famosa del mundo, ¿cuándo se ha visto algo parecido? Vamos a encerrarlos para irnos, camine carajo señor Urrea, que todo el mundo cargue con lo que necesite y que se pise.

Claro, la ley tenía que hacer algo al respecto. Pero no oficialmente. Tenía que ser la ciudadanía decente la que se encargara del asunto. Fue un sábado 7 de diciembre. La gente ha debido sospechar que sucedería. La

Guardia Civil no había intervenido para nada en la tirada de bombas de agua que los mancitos del Norte organizan cada 7 de diciembre. Les habían metido una o dos radiopatrullas para tenerlos contentos, para hacerles creer tiesos, y encanaban a algunos como para despistar, pues a las dos horas los soltaban. Aquí todo el mundo sabe que son más de 200 los de la Guardia Civil, que están bien armados, que cada día se arman mejor, que andan en jeeps, que tienen teléfono directo con quién, con el Gobernador, con el Presidente. Fue una pelada, Ana María González, la que le avisó a Edgar el 7 por la mañana, le avisó porque tenía un hermano en la Guardia Civil y sabía más o menos por donde iba la cosa, que se cuidara porque eran muchos y que estaban bien armados, que se cuidara. Pero Edgar no le paró bolas a la pelada que le digo, tal vez por tratarse de una hembrita del Norte, vos sabés que la gente del Norte tiene fama de mentirosa, y no le creyó, más bien se le burló en la cara: ¿Ah sí? ¿Muchos y bien armados? Como Juan Charrasqueado pues, y siguió bebiendo.

Por la tarde se metió a vespertina con Rebeca, y salieron a las 8 y media, de allí cada uno cogió para su casa a retacar. Se habían quedado de encontrar a las 10 en Tropicana, para salir a tirar paso. Pero a las 9 ya empezaban a oírse los disparos.

Mi mamá me estaba contando una historia de cuando era chicoria, allí fue que los oí. Al principio creo que nadie les prestó atención, pero después cómo hacía uno si sonaban mínimo cada diez minutos, unos lejos, otros cerca, y depende de la distancia uno podía oír los gritos. Por ejemplo, estoy seguro que al Monito Grajales lo mataron en la esquina de mi casa, reconocí su voz, la discusión, después el quejido y el disparo y el silencio. Mi mamá me dijo que me cuidara pero que saliera a ver qué era lo que estaba pasando en las calles. Me lavé los dientes, bajé, y en la puerta me encontré nada menos que con Édgar, pálido como un habitante de la tumba, que me miró y me dijo pelado, no encuentro a Rebeca ni a nadie de la Tropa Brava. Había corrido desde Tropicana.

Y ahora mucha gente anda diciendo que apenas comenzaron la matanza, Édgar se subió al cerro de las Tres Cruces a esconderse, y que por eso no lo mataron, la gente anda diciendo eso pero es mentira. Se lo digo yo que anduve con él buscando a los amigos, guiándonos por los disparos, pero no llegábamos sino cuando estaban muertos. Claro que uno ve a Édgar ahora, tan decente que se porta y todo, es lo que dice la gente, pero fue que esa noche lo volvieron una miseria, ya estaba medio loco cuando lo encontré, era que andaba por todo Cali gritando los nombres de los muchachos, la gente lo veía y yo no sé si comprendían, pero en todo caso no decían nada, y él gritaba y corría buscando los disparos, pero era como si los disparos le huyeran, hubiera preferido un plomazo en el pecho a quedar así tan excluido, encontramos a Cencerro muerto, al Osito, a Pérez y Paula. Lo que yo no pude resistir fue lo de Navarrete. Estábamos en plena plaza de Caicedo cuando oímos a Navarrete que gritaba, que gritaba Édgar Piedrahíta, y Édgar gritó Navarrete, Navarrete dónde está Rebeca, y Navarrete Édgar, Édgar, y Édgar corriendo, buscando la voz, Navarrete, Navarrete qué es lo que pasa, quiénes son los que nos matan, y en ésas pum, y ya no volvimos a oír a Navarrete. Yo le dije a Édgar que no podía más, que lo dejaba, y él ni me oyó siquiera, siguió corriendo. Esto no lo sabe nadie, te lo cuento a vos porque me has caído bien, ojalá que no me esté equivocando en este preciso momento. Porque esa noche yo abandoné a Édgar. Pero él no me guarda rencor, él nunca ha dejado de quererme. Yo corrí con qué terror, mi hermano, aprovechando que estaba cerca de la casa, y me encerré en mi casa y le dije a mi mamá que no me soltara la mano en toda la noche, y me pasé la noche oyendo los disparos y los gritos, el último disparo que sonó a las 4, el último grito el de Edgar cuando encontró a su Rebeca tirada en una de las mesas de Mónaco con seis tiros en el cuerpo y mojado en aguardiente todo el cuerpo. Y le habían metido entre las piernas un papel en el que se leía *Dejamos a Edgar Piedrahíta vivo para que recuerde esta noche y para que aprenda. Miguel Urrea Jr.*

Después todo siguió igual por estos lares. Menos el cine norteamericano, que cambió de onda. Ya no nos volvieron a traer más galladas ni delincuencia juvenil, sino pura comedia con Doris Day, y ahora pura paz y amor y droga.

Yo no salí en toda una semana, pero cómo hacía con el año ¿lo perdía? No, tuve que aparecerme de nuevo en el Pilar, y al primero que me preguntó algo de la noche del 7 le di en la jeta.

Aquí nadie más ha seguido hablando de esa noche. Ni siquiera Edgar, que me lo encuentro ahora y me pregunta que qué hecho flaco y con los ojos hundidísimos, con su vestido de "Guido lo viste" y su maletín de ejecutivo, trabajando para Carvajal y Cía., que me dejara ver pelado, que saliéramos una noche de éstas para que recordáramos los viejos tiempos.

¿Cuáles viejos tiempos?

Que si me acuerdo de cuando me enseñó a peliar en forma que si me acuerdo de cuando le quemamos la tienda a Acosta, que si acaso me olvido de James Dean, y nunca me habla de la Tropa Brava ni de su Rebeca, habla únicamente de él y yo, y yo le digo que nos vemos porque ahora voy de afán, y él me detiene, quiere que le cuente algo de mi vida y yo no quiero y le digo que lo mismo, y que qué hay de esas peleas y yo le digo que allí que progresando, y él me dice hombre que salgamos un día y que estemos juntos, que la Compañía le va a dar carro, y yo le digo que seguro. A mí no me gusta encontrármelo más.

A mí no me gusta hablar de los amigos idos, de los amigos muertos.

Bueno, me metía a cine, y a la salida me iba a buscar pelea al Norte, a los barrios de los ricos. Había calles en las que me veían venir y salían corriendo, o sino sacaban a la policía y me tocaba salir corriendo.

En mi clase todo el mundo comenzó a hablar de peladas de un momento a otro. Y yo me mantenía solo en los recreos porque yo no sabía nada de eso, y era barro mano, no sé que le pasaba a la gente que dejó de peliar también de un momento a otro, y todo el mundo se mantenía con cara de tonto, escribiendo cartas y dibujando güevonadas en el tablero, flores y corazones y nombres de peladas. La otra vez un mancito nuevo escribió "Patricia" y al lado mi nombre, y lo encerró todo en un corazón. Yo, sin entender nada, fui y le di su tote y no volvió a joder más con eso.

Luego comenzaron a ponerse nombres de mujeres. Omar el crespo se llamaba María Cecilia, Franco se llamaba Cristina, Pirela, Celia, en nombre de los nombres de las novias que tenían. Yo los miraba y los oía y pensaba en mis cosas. Y por la noche en mi cuarto, antes de acostarme hacía ejercicio y practicaba con guantes y una pera que mi mamá me regaló cuando cumplí once años. Me mantenía en forma.

A la salida del colegio, a las 5, me iba a buscar sitios para cumplir gorros. Me iba solo, para qué ir con gallada si nadie me cumplía uno, para qué. Que además de que le daba a toda la clase nadie me ponía la pata en cuestión de gorros: me tiraba hasta de seis metros a un montoncito de arena, me paraba en las manos y caminaba media cuadra, saltaba de un bejuco a otro cuando subía a la montaña, cuando me internaba en el monte. Yo fui el que se tiró clavado al Cauca desde el puente de Juanchito, que son como cuánto, como 15 metros?

Así en el monte, buscando sitios buenos, me puse a subir la loma de las Tres Cruces, por los lados de la central de Anchicayá, cogiendo coronillas de vez en cuando, buscando barrancos, árboles buenos para trepar, pastos altos en las que se hundiera uno. Y así, andando como anda la gente inquieta, fue que me encontré con el Túnel de la Araña Infernal.

Fue que de pronto voy a poner el pie encima de un matorral y tráquete, se me va el pie para adentro, y me digo qué es lo que pasa y con trabajo saco el pie, mitad de pierna, rodilla, arranco como puedo el matorrral y lo que veo es un hueco negro, digo negro porque de lo que había adentro no vi nada, un hueco negro que puede llegar al centro de la tierra. Pienso en esto, en la película *Viaje al centro de la tierra*, en una canción que recuerdo cuando tran, alcancé a ver por allá, metido en lo negro, un brillo. Es un diamante, pensé, un tesoro escondido. ¿Qué tal si hubiera llegado esa tarde con un tesoro a mi casa, cómo se pondrían sus ojos? ¿Entraba al túnel? Y para responderme mi pregunta miré al cielo, como aquél que espera encontrar en el cielo una respuesta. Pero arriba estaba más oscuro que en el túnel. O es que iba a llover, no lo sé, ese viento que se desprendió de arriba tan de pronto. Metí la cabeza al hueco para protegerla del viento. La boca del túnel era pequeña, pero si te cabe la cabeza te cabe todo el cuerpo, me había enseñado Edgar. Arrastrándome lentamente, con cuidado, fui a dar a un lugar más amplio pero más oscuro, al que llegué haciendo flexión con los brazos. Ya estaba dentro del túnel pero aún podía ver el cielo negro, sentir el viento, de vez en cuando ramas y hojas de un árbol azotado. Mirando hacia adentro, el brillo que le digo salía de mucho, de mucho más allá, de la profundidad inmensa del túnel. El túnel era húmedo, como todos los túneles de miedo, con agua que le chorriaba del techo, piedras azules, y el verde de la lama y el musgo en toda parte. Me hubiera gustado tener a alguien de compañía en esta aventura, ¿pero quién? Amigos no tenía. Además nadie en el mundo era tan macho como para meterse aquí a estas horas. Tal vez Edgar. Pero Edgar estaría atendiendo clientes, seguro detrás de un escritorio, las manos apretando un lápiz sin que se den cuenta. No había caso. Había que seguir. Adelante. Si te tocó morir en este túnel qué le hacemos. Tu mamá se queda sola. Si no llegás esta misma noche, sus ojos muy abiertos... Brillando como ese brillo que tenés allá adelante. Que no se puede ser pesimista cuando uno se ha metido a aventurero. Que adelante. Que todavía no sabés lo que es tener joyas en las manos. Entonces adelanté tres pasos, casi en cuclillas porque el túnel no tenía más de un metro de alto allí donde yo estaba. Y al ir a dar el cuarto paso metí el pie en un vacío hondo y feo, y rodé como por unos escalones de piedra, ¿hacia un abismo sin fondo? No, con fondo. A otro piso apenitas a metro y medio, o algo más, donde ya podía pararme y todo, y mucho más cerca del brillo, eso fue lo que me hizo adelantar más, y ya podía ver algo extraño, y era que el brillo se apagaba, se encendía, palpitando casi al sentir mi presencia. Estaba muy concentrado pensando en este fenómeno cuando oí el aullido que sonó, que todavía lo oigo cuando las calles están solas y por allí voy yo. Un aullido. O primero fue la incandescencia, no lo sé. Seguro, primero fue que en medio de esa oscuridad total se hizo insoportable la luz. Y el aullido le venía detrás, fácil: primero la luz y luego el sonido. Y yo quedé paralizado mano, pero paralizado y todo saqué la navaja automática de doble filo y canal. Así esperé a que el Monstruo de la Laguna Negra se me echara encima. Pero no hubo ningún ataque. Sólo, de nuevo, oscuridad completa. Entonces sí lloré, llamé a mi mamita y le recé una oración a la Virgen María sin Pecado Concebida. Traté de escalar el muro, de vuelta atrás, y mis uñas se hundieron en la pared, pero era puro barro blando que se desmoronaba. Apuesto a que usted nunca ha pasado por una así. Es peor que estar en una tumba y sentir el frío, el terror que penetra como lavado de agua fría. Que si le hubiera hecho caso a mi mamá, y esa oscuridad, y el Monstruo detrás. Que si estuviera estudiando historia universal, y las palpitaciones ante mi presencia, que las podía oír y no podía huir, no podía escalar el muro. No sé entonces qué espíritu benigno se me metió, que me hizo volver, navaja en mano, a esperar tan sólo. Y cuando vino de nuevo la incandescencia, seguida del aullido, yo le respondí con otro aullido. Seguro estaba loco, qué sensación tan tiesa que es la locura mano. Me le cuadré pa la pelea. Y escudriñando entre esa luz total, pude ver al ser que, habitándole detrás, la hacía. La gigantesca araña, avanzando hacia mí detrás del escudo de luz, peluda y negra. Y con la fuente de luz en la barriga, allí fue donde yo me le fui en paloma, a hundirle la navaja en la barriga. ¿Nunca le ha hundido una navaja en la barriga a una araña? Con eso tiene. El líquido que me cayó en la cara, cualquier cosa menos sacarle la navaja, una conciencia de patas haciendo eses en el aire, pelos cayéndome, y la luz que primero se arrugó y luego se deshilachó toda, ¿serían sus fibras los pelos que tanto me caían? El aullido que ya uno ni lo siente estando como está en su centro, es como cuando Edgar se tiró de cabeza al Maelstrom, el remolino más grande del mundo: siguió derecho como por entre un tubo, espacio libre de agua, descendiendo, descendiendo, porción de paraíso. Así estaba yo hundiendo la navaja y revolviéndola. Te maté araña. ¿Ha visto usted todo lo pequeña que se vuelve una araña después de muerta? Se puede pisar como quien pisa una araña muerta. Y después corrí. Corrí sin tropezarme una sola vez por ese túnel maldito. Seguro había flores por allí que yo no podía ver, seguro el lugar se había llenado de flores una vez que maté a la araña, seguro todo se vistió de fiesta, bloom, y me agradecía. Pero yo no hacía sino correr. Correr porque todo lo que tiene entrada tiene salida. Primero el túnel bajó para ascender luego, y ya hacía menos frío y mucho menos miedo, y el piso era más parejo y más sólido y entraba algo de claridad, ¿o eran mentiras mías?

Tal vez una curva, un arroyo, un arbusto subterráneo y después, cómo no, la luz, la pantalla encendida, correr 30 metros más y salir al mundo en la mitad de Chipichape, a ver a quién es que me encuentro de primero para contarle que he librado al mundo de su más grande amenaza, que se gestaba subterránea y silenciosa, esperando el día señalado hace muchos siglos, en el que la puerta se le abriera para empezar su reinado del terror. Hasta que llegué yo.

Pero no encontré fue a nadie. Chipichape era un lugar desierto. Yo moví la cabeza y miré al cielo, y caminé por allí entre locomotoras, vagones viejos, ruinas de los Ferrocarriles Nacionales, y no encontraba a nadie, y todo olía a carbón y a azufre, seguro azufre que me quedaba del lugar maldito que acababa de salvar. No había caso, tuve que buscar la salida, llegar a La Flora, bajar a la Sexta. Mañana les contaría a los muchachos del Pilar. Entonces fue cuando me dijeron alto, ¿quién está allí? Yo voltié y eran dos guachimanes ambos gringos y vestidos de policía. Entonces eché a correr y como si fuera poco me echaron bala.

Pero aquí estoy con usted, mi hermano, con los alientos necesarios para contar tantas historias.

Al otro día le conté a toda la clase pero no me creyó ninguno. Llevé a varios a la entrada del túnel, y ni así creyeron lo de la araña. A mamarle gallo a otros, es una cañería, me dijeron. ¿Cañería? Y estaba que me metía otra vez para que vieran lo que era, pero la verdad fue que me dio miedo. De todos modos qué importa. Ninguno valía la pena. Hay como dos de ésos que ahora andan en el Guardia Civil, Franco y el paisa Álvarez, yo ya los tengo fichos.

Claro que uno no se olvida. Y cuando vienen los días en los que me siento solo, me voy para la montaña de mi aventura a ver a los obreros que construyen edificios para los VI juegos Panamericanos. Exactamente encima del túnel mío han construido una torre de propiedad horizontal, y ya no queda nada de montaña: han puesto parques de recreo para los niños de los edificios. Seguro el túnel les sirvió mejor para levantar los cimientos.

El día que entregaron calificaciones de primero de bachillerato, que no perdí ninguna, que los de la clase me dijeron que la tenían lista para darle a don Benito, que si metía o qué, yo les dije que no. Porque no se me daba la gana. Y me dijeron que era que me daba miedo, hacéte el bobo. Y yo ni los miré ni les dije nada.

Esas vacaciones las pasé con mi mamá. Cuando ella me hablaba desde su mecedora yo le contestaba bonito, quería que me contara cosas de cuando estaba más pelado y tal, que me contara recuerdos de fincas, de la finca que le robó mi tío Gonzalo Zamorano Ríos a mi papá, de cómo lo dejaron en la olla y lo demás. Pero no sólo cosas tristes, también cuentos de fincas no peliadas, paseos en los que los niños jugaban Lleva mientras ella preparaba sancocho de gallina con las demás mamás.

Yo mirando a la ventana y viendo caer la lluvia en esas vacaciones que llovió tanto. A mi mamá también le gustaba que lloviera, que los recuerdos que le venían nunca me los dijo, pero me decía que en todo caso la lluvia la hacía pensar más, y yo no entendía qué podía tener de bueno pensar aún más de lo que uno piensa. Que me acuerdo que salía de cine y me iba a caminar hasta bien tarde, y después a alcanzar a los serenateros. Me iba por allí por los barrios de ricos, y casi siempre había por allí, un sábado, un muchacho que alquilaba sus serenateros y se ponía a cantarle a la pelada. Yo los oía desde lejitos. El mancito sentado en una piedra casi que dando órdenes, siguiendo el compás con una botella de aguardiente vacía. En esa época me aprendí muchas canciones. Las que más me gustaban eran las que decían de la noche. *Como un rayito de luna*, que se la oí a un trío de músicos chiquitos, todos de bigote, cuando yo salía de ver el primer *Drácula*. Un rayito de luna delgadito, no se me olvidó nunca. Me acuerdo que el que la cantaba buscaba siempre la luna, subía la cabeza y era que creía que si miraba la luna le salía más sentimental la canción. ¿Y en noches sin luna? A ese mismo músico me lo encontré yo hace muy poco en Picapiedra, claro que ya más viejo y todo pero cantando, ya no más en trío, ahora sólo solo, y llevaba un sombrero de vaquero, viejo y hasta las orejas, y si alguien le preguntaba él decía la única frase a la que le dedicaba su sonrisa (porque todo en esta vida se gasta), siempre la misma frase y la misma sonrisa: "Es para proteger la cabeza de la luna".

Yo vi al hombre y él me vio, y yo tuve que salir corriendo. ¿No sabías que me viene persiguiendo desde hace dos años? Fue que lo ofendí de muerte, compañero. No le pagué el *Rayito de luna* que le hice cantar a una pelada de la que yo me enamoré por primera vez en mi vida. Ya es tiempo de que lo diga: una pelada que jugaba en campos de golf, y el vestidito que usaba para ello (diseñado por ella misma) fue copiado para el uniforme de las niñas panamericanas. Era prima mía, y millonaria. Seguro por eso fue que me hizo enloquecer casi y echarme esta maldición encima, de estarle huyendo a un serenatero en estas mismas calles.

Dicen que fue verdad. Que el día que entregaron notas de primero sí le dieron a don Benito. Aquí alaraquiaron mucho con eso. Omar el crespo se hizo famoso, hasta en los periódicos salió su nombre. Yo no sé si me hubiera gustado estar allí, ver como Omar el crespo, que siempre fue malo, que además había perdido primero, lo cogía a la salida y le decía, debajo del almendro, ¿pa dónde don Benito? Tan contento ¿no don Benito?

Yo no soportaba a don Benito, pero no me quise quedar a darle, no me tienen por qué echármelo en cara a cada rato, no me quise quedar y ¿qué? Para qué si no había perdido ninguna, y además me pongo triste cada vez que entregan notas de fin de año y todo el mundo se pone a güevoniar con abrazos y palmaditas, todo el mundo de amigo, hasta el próximo año mi hermano, que pasés unas vacaciones muy felices.

Don Benito ha debido comprender de una, seguro apretó la boca y trató de apretar el paso, ¿pa dónde va con el culo tan parado don Benito?

Yo me fui a pie hasta el Alameda, que era donde vivía cuando estaba en primero. Y por la calle me encontré con amigos con libretas en la mano. En la plaza de Caicedo estaban Felipe y Ramón Contreras que armaban viaje para Buenaventura, que ambos habían perdido el año y se pisaban, que el papá había salido a buscarlos armado, que ya tenían trabajo en un buque sueco, que todos los grandes hombres habían empezado así, que ya estaban cansados de estudiar, que lo único que se necesita para desenvolverse en la vida son las cuatro operaciones fundamentales: sumar, restar, multiplicar y dividir hasta por once cifras, para lo que era un hacha sobre todo Ramón Contreras.

El sol estaba peor en ese día, aunque igual presagiara lluvia. Yo me ponía la libreta de notas en la cabeza, pero los rayos del sol atravesaban la libreta.

Si me hubiera quedado a darle a don Benito, yo le hubiera sacado los zapatos al sol para olérselos delante de todo el mundo. Yo les pregunté después que si le habían hecho eso y me dijeron que no, entonces les dije cobardes, no nos digás cobardes porque nosotros nos quedamos y lo patiamos, en cambio vos ni te quedaste por puro miedo. Yo no les dije nada más. Porque además ya por esa época no pensaba en nadie más sino en María del Mar, la pelada que le digo. Apuesto que si alguien me hubiera dicho algo, si Omar el crespo se me hubiera alzado, yo no le habría dado ni nada, no me provocaba, cómo hacía para decirle, cómo hacía para que entendiera que no podía pensar sino en ella, y yo la miraba a los ojos, que tal vez ahogándose en mis ojos ella comprendiera que me pasaba las noches sin dormir, ay, sin soñar, pero no importa si era que soñaba despierto en ella. Ojalá llegue el día en el que deje de recordar esas vacaciones, que cada vez que las pienso me inutilizo, no soy nada sin tus besos, aun ahora ni puedo peliar ni nada cuando pienso en ella, ¿qué tal que eso me hubiera pasado el 26 de febrero? ¿Ah? Mirarla así a los ojos para ver qué piensa ella (si es que piensa), ¿alguien la ha mirado así, María del Mar? Nadie en este mundo me ha mirado como la primera vez que me miró usted, María del Mar.

Qué, ¿quiere que cuente la historia completa, mano?

Que si usted empieza a no entender me lo dice, ¿no?

Usted me perdona si yo me confundo, ¿no?

Que yo hace mucho que no cuento nada de esto, mano, pues mi mamá ya se murió, y con mis tíos yo no me entiendo.

El día que entregaron notas de primero yo llegué a mi casa como a la una, y mi mamacita me estaba esperando. Ya no me decía nada si llegaba tarde, sólo me miraba. Yo toqué a la puerta y oí sus pasos, su respiración parejita, tas, la puerta abierta, mucho antes de que comenzaran a fallarle las piernas, su cara tan blanca, me había hecho carne asada y papas fritas por haber ganado el año. Yo le mostré la libreta después de almorzar, ella la vio y me dio un beso que me supo a manzana, aunque no había comido manzana en el almuerzo. Además cómo, quién va a poder pagar 5 pesos por una manzana. Lástima, porque es lo mejor que hay para el sueño y para la pelea. Y no lo digo yo, lo dice Akira Nagasaka, un japonés que fue muy buen amigo mío, cinturón negro de quinto grado. Él no comía sino manzana y apio y pan, y de vez en cuando un vaso de leche, y claro, sus traguitos. Yo no sé de dónde sacaba la plata para comprar tantas manzanas, de todos modos el trato lo hacía con un gringo de gafas oscuras que le traía una caja todas las semanas. Y que un día le subió el precio, y Akira le dio su tote por gringo y por ladrón y para que no jodiera. Entonces el gringo volvió a bajar el precio.

¿Era sábado? Déjeme decirle, ¿era sábado el día que entregaron notas de primero? Yo creo que era sábado, se notaba porque cuando pasé por la plaza de Caicedo como a las 12 y media estaba vacía: no estaban sino las palmas, el cielo, el prócer, el sol, las bancas, las torcacitas sin comida, y los manes que se iban para Buenaventura. Y al ver así de vacía la plaza fue cuando más me dio nostalgia de los días pasados, de mis aventuras, de Edgar, de la pobre Tropa Brava, y apretaba la libreta de calificaciones.

Dígame, ¿como intentando romperla?

No, no se puede romper una libreta de notas.

¿Pero a vos no te da por apretar las cosas cuando te ponés triste?

Por apretar o por golpiar.

Si alguien se me pone al frente cuando me entra el recuerdo de la Rebeca de Edgar, de malas, porque la única manera de sacarlo es dándole su tote.

Me arranco los recuerdos como si fueran alacranes en la cara. En fin. Quedamos en que era sábado. Y yo llegué malo a mi casa. Pero cuando ella abrió la puerta se me arregló el día. Seguro a estas alturas a don Benito le estaban dando taponazos en la calva, hasta que el rector trajo a la policía y todos tuvieron que salir corriendo. A donde yo esté allí le doy al rector, y me hubiera dado con uno o dos policías si algún macho se quedaba y me ayudaba.

¿Lo aburro mano? Entonces no bostece. Así uno no le habla a una cara sino a un hueco.

Ella, la carne asada, el año nítido. No tenía hambre pero me lo comí todo. Luego me trajo una caja grande. La abrió con los ojos abiertos, y me tendió un vestido gris de "Guido lo viste", una corbata de pepitas rojas y unas medias negras. Era todo para mí, por haber ganado el año. Y por la felicidad que le di desde que vine a este mundo. Y porque mirara lo que había llegado esta mañana: me estiró la mano y allí tenía una tarjetica aún más blanca que su mano, que la abriera, que la abrí sintiendo algo. Que decía *María del Mar Lago Zamorano tiene el gusto de invitarlo a Ud. a la fiesta que se celebrará con motivo de sus 15 años. Sábado 12 de junio. K 14 norte # 29-5.* En letra doradita.

Fiesta

No se oía ni la música ni la gente cuando yo llegué, ni la puerta estaba abierta. Me había engominado el pelo. Toqué a la puerta. O mejor recuerdo cuentos de gente que decide morir, que fijan la hora de morir, que escriben bien grande con su sangre *Llegó la hora de morir* en una pared blanquísima de la iglesia La Merced que cantando un bugalú triste dan su espera a que el primer transeúnte de la mañana los encuentre, y que al menos tenga buena memoria para que recuerde lo que vio y hable de él, que invente sin decir mentiras. Toqué otra vez en la puerta y tas, apareció mi tía doña Cecilia de Lago, hermana de don Gonzalo Zamorano Ríos, vestida de verde y pintado el pelo, los ojos, la boca, la cara, las uñas de las manos y las uñas de los pies.

Buenas noches, entre, ¿su nombre por favor?

¡María del Mar, aquí llegó nada menos que su primo!

Era primera vez que yo estaba en ese palacio, aunque sí sabía que tenía una prima rica, pero nunca había pensado en ella.

¿Quién mami?

Su primo, baje mija.

Mi tía quería que me sentara, pero yo no.

María del Mar tenía tacones. Yo oí en el piso de arriba una puerta que se cerraba, tas, los tacones en el piso de granito pulido, claro: zapatos dorados de tacones en caso de que fuera bajita la niña, medias oscuras, rodillas redonditas, ¿la puedo seguir mirando sin que mi tía la pille? Tenía calzoncitos tan blancos, vestido traído de Miami, un par de senitos, unos hombros de descenso suave, bajó dos escalones más y le vi la cara: pequitas y nariz respingada, ojalá que tenga el pelo suelto. Pero no: otro escalón más y lo tenía peinado, empegotado, acabó de bajar las gradas y la vi mucho más bajita de lo que parecía estando arriba, pero qué importaba, voltió su cara y me miró, sus dientes: los de adelante grandes, de conejo, la frente abultadita, seguro cuando sonrió un poquito más fue que le vi la lengua, caminó derechito a mí, dos pasos más y estiró la mano, yo también tenía que... Chas. Lo primero que toqué fue la punta de sus dedos, y después la mano completísima, tan fría, entonces seguro abrí la boca, porque se me entró una mariposa amarilla que me bajaba por la garganta y el intestino grueso, lo más rico era cuando me revolotiaba en los riñones. María del Mar se ha debido dar cuenta porque me soltó la mano, creyendo que no aletearía más, pero se equivocó: la mariposa no se me salió ni nada, y todavía, cuando hacen vientos buenos, cuando la noche no está nada de cansada pues la ambición descansa, yo la oigo revolotear de un lado a otro, chocar, juguetona, contra mis paredes, susurrarme canticos de cuna tan antiguos como la primera cuna, arrumacarse en mi garganta y regalarme con su olor, dar perfume a mi nariz, emborrachar mi aliento.

Lo que vi luego fue la espalda de María del Mar. Y allí fue cuando comencé a creerla tan infalible. No me lleves a la ruina. Porque me dolió la belleza de su espalda. ¿Y fue que las espaldas se me doblaron? Eso no, eso sólo en las películas de terror, de detectives, de la vida. Seguro ella quería irse, subir al segundo piso a seguirse arreglando para su fiesta, pero conmigo allí no había caso, entonces se sentó en una de tantas sillas rosadas y me dio otra vez su cara.

¿No se quiere sentar? me dijo. ¿Quiere tomar algo? Vino muy temprano. ¿Cuál es qués su nombre? Que me lo dijo tan rápido que no le entendí nada. De modo que somos primos ji ji ji. Yo me acuerdo de usted, ¿sabe? Hace mucho tiempo, en una primera comunión, me acuerdo porque dieron una película con Drácula, Frankenstein y el Hombre Lobo juntos, y a usted le dio tanto miedo que se puso a llorar ji ji, y su mamá tuvo que sacarlo.

Luego vino una negra toda vestida de blanco y me puso en mi mano un *Martini on the rocks*.

¿Sabe que a mí nunca me han dado miedo las películas de miedo?

Y yo estaba por decirle que no se burlara de mí, porque yo era muy macho.

¿Y su mamá?, me preguntó mi tía. Ella bien, gracias.

Pues sí, de modo que acabo de conocer a un primo, ¿dónde es que estudia usted, vea? ¿En el Pilar? No me diga. Allí todos son peliadores, ¿no? Sí, pero yo le doy a toda la clase, y eso que no me gusta dármelas.

Estaba sonando una música a un volumen ínfimo, y yo todavía nunca había bailado, pues era un aventurero solitario. Y era primera vez que venía a una fiesta, y según entendía uno iba a las fiestas era para bailar, ¿bailamos?

Antes de que dijera nada le estiré mi mano y se la tomé como todo un caballero, y me puso a machacar el mosaico, no fue sino estar en el ruedo que me di cuenta que era fácil eso de bailar, que no era sino lanzarse. Pero esa noche también aprendí que toda la gente en este mundo no baila igual, y menos gente diferente, que María del Mar era que no sabía bailar o ¿qué? O era que yo, con mi zapateo, ¿no dejaba oír la música? No importa, yo la perdonaba, quién no ante unos ojos como ésos, yo ya le enseñaría a bailar pero no ante esta música caballa, esta música mentirosa, yo ya le enseñaría a moverse ante el ritmo enloquecedor, y allí tirando paso me fui acordando de mi amigo Edgar, pero no dejé que me diera nostalgia porque tenía a mi mujer al lado.

No se preocupe, que usted baila bien María del Mar.

Claro que sí, pero usted no; yo no le cojo el paso, primo.

Y chau.

Entonces ring, el timbre de la puerta. María del Mar que lo oye y que da uno, dos brinquitos de felicidad y corre hasta la puerta y tas, la abre, y entra qué gallada de mancitos, que qué hubo, que si ya llegó la orquesta, que cómo estás de linda María del Mar, felicitaciones, que yo sé que no había que traer regalo pero fue que no pude de las ganas, mija, ay, que gracias, que mamá llegó Eduardo, llegó toda la barra, mi tía fue a recibirlos, a todos les dio la mano, todos de pelitos lisos y sonrisas de dientes parejitos, todos bronceados por el sol, todos gente linda, que qué hubo que no llega la orquesta, ay, que estamos que nos bailamos, vean, les presento a mi primo, éste es Eduardo, mi novio. El novio de María del Mar vino y me dio la mano, y yo lo conocía ya. La otra vez por Sears le había dado duro en un partido de fútbol. Y él se acordó del tote que le di en la jeta cuando yo le di la mano y le dije mucho gusto.

María del Mar no bailó más conmigo en esa fiesta.

Que ya a la media hora había llegado la orquesta: Alirio y sus Muchachos del Ritmo, que no tocaron nada de salsa sino pura de esa música que esa gente baila. Pero todo esto yo no lo pensé en aquel entonces, esto lo vengo a pensar recién ahora que le cuento una parte de la historia de mi vida. Yo no pensaba en nada porque estaba atolondrado con María del Mar, hacía lo posible por estármele a su lado, y ella me veía y me hacía ojitos y risitas, y seguro su novio preguntándole ¿de modo que ése es primo tuyo? Yo he debido romperle de nuevo allí la jeta, delante de todo el mundo. Pero para qué, mejor tirar decencia, aunque de qué sirve la decencia.

Había muchos gringos en esa fiesta, yo nunca había visto tantos gringos juntos, todos altos y bellos, todos mejorados, gringos bailando el sonido paisa.

María del Mar se me acercó una vez y me dijo, bailando, ¿por qué no baila, primo? Y los que la oyeron se rieron largo. Esa manera de decir ellos las cosas que todo les sale bien, digan lo que digan la gente se les ríe, y se ven lindos. Pero yo a ella no le decía nada, ni me le reía ni nada, y seguro ella me notaba algo raro, se fue a bailar con su novio lo más lejos de mí para que no la vieran, pero de malas porque era la más bonita, no podía esconderse, cómo si sus ojos le brillaban entre todos los vestidos y tantas luces y dientes marfilinos, y si yo la perdía de vista entre esa cantidad de gente, me salía un momento de la masa hasta que mirando de lejitos la encontraba.

Negras todas vestidas de blanco que a cada rato venían y me ponían en la mano *Martinis on the Rocks*, y yo déle, que ya cuando se me estaban subiendo al coco no me importaba la distancia, cuál distancia, y fui ganando terreno entre las parejas, náufrago entre un mar de parejas. Ella y su novio habían ido a parar al rincón más apartado, tan avispados. Hacia allá me dirijo yo, cuando de pronto tráquete, yo no sé en qué estarían pensando Alirio y sus muchachos, de todos modos lo que oigo que suena es la canción mía de Drácula, y en esa noche de luna llena, y yo con mi amor a cuestas.

> *Como un rayito de luna*
> *entre la selva dormida*
> *así la luz de tus ojos*
> *ha iluminado*
> *mi pobre vida.*

Drácula muy solitario, muy eterno, ave nocturna de corto vuelo en estos tiempos muy difíciles. Ha caminado, la lluvia le ha quemado la cara y ya no le caben más recuerdos de la ciudad en esta noche suya sin nada de fortuna, nadie en las calles, ninguna mujer de cuello largo, blanco. Lo que más me gustaba era la actitud de las mujeres en el momento del mordisco, aceptar con lucidez su Destino Fatal. Pero Drácula ha salido y no ha encontrado a nadie, e igual de solo que hermoso ha alzado la cara y ha cantado al amor que puebla sus sueños, el que nadie sabe, idealista que es.

> *Pusiste luz al sendero*
> *en mi noche sin fortuna.*

Su mirada se posa en los ojos de la amada como diciéndole que entienda, como queriéndole contar la historia de sus años, de sus inviernos, que está cansado, dice, que está dispuesto a sentar cabeza.

Iluminando mi cielo
con un rayito
claro de luna

Si ella me viera. Ya me vio venir entre tanta cabeza y seguro ya supo que voy todo martinonderocks, ya me vio pero se hace la como si nada, ¿dejarle sólo dos impecables orificios o un mordiscote cruel de una? Que abandono a todo el mundo, que tengo una madre que se está quedando paralítica y nadie se acuerda de ella en mi familia, que aún no he terminado bachillerato, y ¿qué se puede esperar en este país de un hombre que no termina su bachillerato? Pero lo dejo todo por usted. Míreme a la noche sin fortuna que tercamente albergo en estos ojos y dígame si miento, más claro no canta un gallo.

Desde donde estaba yo, pensando en todas estas cosas, ya podía ver su frente entre las frentes, su pelo empegotado, su naricita aplastada en el pecho del mancito ese que lo patié un día y lo vuelvo a patiar cuando me dé la gana, que si me miran más, gringos, les pongo a todos esta mano encima, que conmigo zona, que respetando mi amor a primera vista, que allá voy, avanzando, avanzando, quebrando hombros, caderas, más solo pero más puro que ninguno.

Toco su hombro.

Ella siente mi dedo cálido y voltea, ¿sí primo?

Hágase la tonta: sí ojos muy abiertos, y primo sonrisita bella. No quiero que me diga más primo, no quiero que me mire más así. María del Mar. Que lo mire cómo. Como me está mirando ahora, María del Mar. ¿Ah sí? Pues a mí tampoco me gusta que me hablen así, ¿sabe primo? Pero dígame entonces pues: ¿se ha dado cuenta de lo que siento yo por usted? ¿Ah? Pero qué es lo que está diciendo este man, dijo el novio. Usted no hable, tonto, le dije. Tonto con los labios apretadísimos, que no sé ni cómo fue que me salió, y ¡zas! Sin dudarlo dos veces me dio en la jeta.

¿Sería que era macho? No, qué iba a ser macho.

Fui a caer en brazos de María del Mar, y ya oigo la risa de los Estados Unidos. ¿Qué pasó?, seguro mi tía.

No pasó nada, quién le dio, fue para que no jodiera, se puso a molestar a mi novia. Unos brazos que me querían parar que no eran los de ella. Fue que tomó mucho, yo lo vi. Déjenme que yo me paro solo, al que me quiera parar le doy en la jeta. ¿Ah sí? Tan macho. Que dejálo ya que mirálo que lo dejaste mal, déjenlo tranquilo, y esa tampoco era la voz de ella. Que me paré y me arreglé la ropa, y salí de allá de esa casa sin que me despidiera nadie, ni mi tía siquiera. Cuando iba saliendo una voz de gringa que decía quién era ese, y medio paso más adelante la voz de ella que decía un primo pobre que yo tengo.

Esa noche sin fortuna, andando por allí, encorbatado, seguro me encontraban los amigos y me hubieran dicho qué te pasa. ¿Pero por la corbata? No. ¿Por la cara? Nada de lágrimas, sólo un nudo en la garganta, ¿el nudo de la corbata? Esa noche, digo, andando por allí, no me encontré a ningún amigo.

Me encontré fue con el serenatero que le digo. Que ya usaba el sombrero de vaquero pero todavía cantaba en trío. Que le dije quiero que le canten una canción a la pelada. Querían que los llevara en taxi, y yo no hay caso: a pie o nada, antes por el camino encuentran clientes, ¿díga-lo? Caminaron y todo, pero no encontraron clientes ni nada. Que adónde era, que uno de ellos no podía caminar mucho porque le dolían los pies de lo tanto que se la pasó caminando en su juventud. No jodan que ya llegamos. ¿Adónde, aquí?

Desde aquí de la esquina se veía la casa de María del Mar. Había gente afuera. Yo le dije al serenatero: vamos a cantarle una canción a una pelada que está adentro, la dueña de la fiesta.

¿Desde aquí de la esquina?

Sí. Hay mucha gente frente a la casa, y además no quiero que me vean, así que vamos a cantarla bien duro, que se oiga.

Que cuál canción.

Rayito de luna

Apuesto a que nunca cantó una canción así con ese sentimiento. Seguro era por todo lo que había caminado para llegar acá, y ahora descansaba cantando. La canción sonó duro y bonito, y no me acuerdo qué canción era la que sonaba adentro, sólo que a los dos versos de mi *Rayito de luna* la música cesó, y toda la concurrencia comenzó a murmurar adentro. Después ella salió a la puerta. Dio tres pasos y miró a la esquina. Entonces había que ver lo que era su mirada debajo de esa luna llena, y mis músicos cantándole a sus rayitos. Ella se portó como una dama, se aguantó toda la canción quietica, ya la luna le estaba desempegotando el pelo. El que sí no se portó fresco fue su novio, que ya quería comenzar a armar tropel, que ya estaba armando comisión para ir hasta la esquina y cascarme, que era que no dejaban tranquila a su novia.

Hubiera sido mejor que me hubieran tirado para yo agarrarme a correr de una, para no tener que correr por nada cuando el músico acabó mi canción, que yo sin un centavo en el bolsillo cómo hacía para pagarle, que no pude hacer nada más sino pisarme.

Y todavía me cuido.

Que no crea, que en esta ciudad todo el mundo sabe que amenaza de serenatero es la única que se cumple.

Por ella me he lanzado maldiciones encima.

Pero yo ahora me siento que he aprendido mis cositas.

Ya no es como antes, se lo aseguro mano, que me metí a ver *Héroes sin gloria*, una de vaqueros, y me puse a llorar como una dulce picha, que yo qué culpa tenía si era bueno para la pelea pero de malas pal amor, entonces los héroes que uno había visto ¿qué? Que peliaban en los puertos por sus hembras, entonces, ¿qué? Y no era que yo me hubiera equivocado demasiado al enamorarme de una rica, que había que ver que era de mi familia, que había que ver que todo héroe que se respetara se enamoraba era de una princesa, si no nunca.

Bueno, yo no sabía nada de lo que sé ahora, lo repito. Las cosas han cambiado. Yo ahora no me encierro por nada del mundo, habiendo tanto para ver en la calle. Pero en aquél entonces sí: que me encerré en mi casa y mi mamá trataba de consolarme pero nada, que me contaba las historias que solamente ella sabía y yo se las escuchaba en silencio, pero por dentro me hacía preguntas que no tenían nada que ver.

Y así llegó el invierno cuando no tenía por qué llegar, pues estábamos en vacaciones. Llovió ese mes y el otro, sólo que de 6 a 10 reinaba el peor sol del mundo, y la gente aprovechaba, salía, que pa dónde iban, que pa baño, mientras durara el sol, que pa Pance o pa las Pilas, todo dentro de la mayor cordialidad, nadie se metía con nadie, nadie bataniaba. La presencia de la lluvia unió a todo el pueblo, el sol de las mañanas era insoportable como no fuera estando bajo las aguas del Pance, que si fuera músico, si pudiera inspirarme, le componía un bolerazo al Pance. Si estaban de buenas no llovía hasta la una, y regresaban contentos en sus buses papagayos, en el papagayo de Dumar Moreno, el Rey de la Vía, el 36, que a esa hora no trabajaba para irse a baño, que se compró un estéreo y adaptándolo al bus logró el mejor sonido que había en Cali, la gente viajaba oyendo salsa con la lluvia mano, mirando por la ventanilla a las calles solas.

¿La gente cambió? Seguro. Andaban más románticos. O metidos a cine, con la lluvia. Yo salía sin abrigarme para llegar mojado al teatro, y así, frío y todo y si la película era buena, ponerme triste, y bien triste, pensando en la mujer ingrata, llegar a mi casa a que mi mamá me secara el pelo con sus manos o con el calor de su pecho. Fue en una de esas tardes que mi mamá me contó la verdadera historia de la familia. Cuando se murió don Samuel Zamorano, les dejó la finca Malanoche a sus hijos Pedro Pablo, Gonzalo, Andrés Camilo, Simón (mi padre) y Ana Cecilia, la mamá de María del Mar. A mi papá le tocó la parte que colindaba con Corinto, y antes de casarse ya tenía un sembradito de maíz y su ganado. Entonces se casó, y llevó a mi mamá a vivir a la Colina, la casa de la finca. Seis meses después de nacer yo, llegaron los soldados en una noche de luna, y muy correctos preguntaron por mi papá, don Simón, pa ver si nos invitaba a tinto, y mi papá hombre, esta casa es suya. Después de que les hubo brindado café lo sacaron a la mitad del patio para que viera todo el mundo. Que no era culpa de ellos, que sus hermanos eran los que daban las órdenes por estos días, que además había órdenes de más arriba de no dejar un conservador por estos lados, que él era el primer conservador contando de Corinto para acá. Al otro día, le dijeron a mi mamá que le compraban la finca a buen precio, pero que se pisara. Y mi mamá ni les recibió moneda ni nada: llenó la casa de letreros, y se vino conmigo para acá pa Cali.

Esa tarde fue cuando comencé a aprender las cosas que sé ahora. Me despedí de mi mamá y fui y les quebré todos los vidrios de su puta casa, y María del Mar me vio y allí sí no se portó como una dama, me gritó vulgaridades, y entre negros vestidos de blanco y policías me echaron bala, pero yo me les fui saltando, hermano, y aquí me tiene usted vivito y coliando.

Al otro día leí un aviso en la prensa de la Academia Ketsugo de Judo y Karate, y fui y averigüé los precios, y si me ponía a cortar pasto y a lavar carros podía pagar la mensualidad, me dije, que la única manera de olvidar a la que paga mal era ponerme a aprender pelea, que uno nunca sabe, que si uno se descuida las cosas se le van olvidando, mano.

Y como estaba dispuesto a cambiar de vida a toda costa, me salí del Pilar y fui a matricularme al Santa Librada, que cuando vieron las calificaciones que llevaba me admitieron fue de una.

A mí no me dio nada de tristeza despedirme de la gente del Pilar, seis años juntos pero nada, hasta me pareció que deseaban que me fuera de allí. Ahora he venido a saber que entre Omar el crespo y otro mancito tieso han implantado el régimen del terror en tercero, cuarto y quinto, que hasta a los manes de sexto se la tienen adentro. Que se jodan. Cuando yo entré al Santa Librada me puse fue a tantiar, y me di de totecitos con los más braveros de mi clase, pero no había caso: a todos les daba. La única pinta que me puso problemas fue el Viruñas, uno de segundo C, grande y cuajado porque hacía gimnasia, y me puso dos totazos buenos, pero desde que empecé a estudiar judo y karate lo dejaba seco cuando quisiera y él comprendió, que ni aunque gimnasta y todo conmigo no había caso, y de allí en adelante se siguió portando fresco, y hasta de amigos quedamos. El 26 de febrero anduvimos fue peleando juntos, el hombre bolea piedra que da miedo.

Ahora, camarada, dése un vueltón si es que está cansado de tanto oírme decir cosas. O pida una cerveza bien fría. O camine metámonos a cine, que están dando una vieja de vaqueros, ¿usted tiene moneda? Yo por mi parte vea, entro al San Fercho, al Aristi y al San Nicolo gratiniano y tal, que me he hecho amigo de la pelada que vende las boletas. La dan en el San Nicolás, vale cinco con cincuenta, ¿usted tiene para pagar su entrada? Que yo estoy sin una. Entonces camine nos montamos en aquel verde San Fernando, cuestión de llegar temprano para alcanzar a ver los cortos.

...

Lo que más me gustó fue cuando Jack Palance mata al tonto ese. A Jack Palance me gusta es verlo trabajar de atravesado, y al hombre le gusta, ¿díga-lo? se le ve en la cara, en la boca abierta. Lo mejor es el barro las casitas del pueblo, el momento en el que el tonto saca la pistola pero no hay caso, el otro la tiene afuera desde hace tiempo, ¿qué sentirá uno allí, ah? El momento de la verdad. Lo que hizo el tonto fue echarle una revisada a su vida, los campos verdes, la cabaña que vino y construyó en esta nueva tierra para organizar su vida, pobre tonto. Y ni siquiera apuntó a Jack Palance, para qué. Agachó el cañón de la pistola y esperó. Pum. Cayó de cara al barro.

Bueno, resulta que llego yo a la academia Ketsugo y me quito los zapatos, y viene un mancito cinturón verde que dizque a darme la primera lección, y se pone a hacerme una llave, pero sencilla mano, que uno que tanto se ha dado con la gente, que ha aprendido tantas cosas de la vida, que venga a salirle con una llavecita como ésa. Pues el hombre que me pone la mano encima y yo que lo azoto de una. Había que ver la cara que hizo, se puso del mismo color que su cinturón verde, se paró y se me fue encima dando dizque berridos en japonés. Pero yo lo paré en seco con la derecha, y luego con juego de izquierda y piernas le doy qué azotón de nuevo. Era un mancito mono, de ojos azules, hasta gringo sería. Zona, que si iba a pagar 100 pesos mensuales que me pusieran un profesor templado, que a gringos ya estaba cansado de cascar en todas partes, así fui y se lo dije al director, un japonés medio currutaco, que viniera a ver al dizque cinturón verde que me había puesto, que viniera a ver cómo lo había azotado, y si quería lo azotaba más, que a mí me enseñó a peliar nada menos que Edgar Piedrahíta, el man más tieso que ha existido en Cali. Que lo que yo quería era un profesional de la pelea, que si no pues entonces zona, zona, que me fueran devolviendo la moneda.

El japonés escuchó toda la carreta mirándome a la cara, respirando despacito. Cuando acabé me dijo bueno jovencito, camine vamos a ver, camine vamos a darnos unos toquecitos.

Y nos metimos a la colchoneta. El hombre le hizo saludo y tal a la colchoneta, después me miró a los ojos y me dijo ¿listo? Yo le dije cuando quiera. Todos los alumnos se habían salido para ponerse a mirarnos, partida de maricas, para que aprendan a no meterse conmigo cuando me vean por allí voltiando, ¡zuas! me agarró del cuello y volé de una, y todavía sin haber aterrizado ¡zuas! me volvió a agarrar del cuello y tráquete, a volar otra vez hermano, esta vez sí me dejó caer, y caí como una plasta. Y todo el mundo a reírse, jua jua, tan macho. Yo me paré tan rápido como pude y me le lancé al hombre. Le alcancé a dar en el pecho, pero el hombre me agarró otra vez del cuello y otra vez volé, y para que no siguiera jodiendo me asestó golpe tenaz en la barriga, aún mientras volaba.

Está bien, jovencito, véngase aquí todos los sábados de una a 7 de la tarde, y verá que le enseño sus cositas.

Yo no le dije nada. Salí de allí dignamente, sin agachar la cabeza, mirando a los que habían visto cómo me azotaban y se habían reído, fichándolos.

Las calles vacías

y nosotros continuando por las calles, vacías y mojadas. Me acuerdo que Akira Nagasaka caminaba muy despacito, calculando dónde ponía cada paso, dónde fijaba la mirada. La respiración se le sentía. Ese sabe que existía, y que estaba aquí a mi lado. Akira amaba a su patria, a la pelea y a mí. Antes de salir nos habíamos puesto la pinta, gomina en el pelo pues era mejor pasarse la mano por el pelo sudoroso, engomarse el puño yo le decía que funcionaba, que así daba más duro, croc, así fue que le sonó al mancito ese que le di en la que armamos en Picapiedra. Croc primero duro, y después un croc pasito. Y la boca le quedó abierta y ya no la pudo cerrar más, según me cuentan. Pero dizque no me está buscando, vive fresco con la boca abierta para siempre, se acuerda de mí pero no me busca. Se la pasa leyendo novelas del Oeste de Marcial Lafuente Estefanía.

El que sí me busca es el serenatero que se protege de la luna, el que me cantó como un rayito de luna el día de su fiesta de 15. Nadie más me busca.

Habíamos cogido el bus Azul Platiado. Habíamos viajado, silenciosos, hasta el teatro Calima. Allí nos bajábamos, empintados. Mirábamos para todas partes, nos veían del teatro y de la fuente de soda y bajaban los ojos, allá están, decían, se bajaron, allá vienen. Pero no íbamos. Cogíamos hacia la Primera. Akira me conversaba de ondas que él conocía del mar.

Cuando tenía 12 años se enamoró de una pelada que vivía en el mar. Akira vivía en la ciudad, y había como ocho días de su ciudad al mar. La mujer que le digo le había mandado una carta diciéndole la urgencia que tenía de verlo, pero en el mar. Y que en el trayecto le enviara cinco cartas, poniéndola al tanto de su llegada mientras se acercara. Mi amigo partió, y al séptimo día llegó al mar. Al otro día la mujer apareció con el color del oro y del musgo del marfil, tempranísimo, sonriéndole bienvenidas que sólo ella sabía.

Cuando Akira me contaba historias así, lo legal era hacérsele cerca de la boca y ver a lo que olía, a lo que olía cuando taponiaba a alguno. Y después cuando corría o cuando no corría, cuando se quedaba quieto. ¿Que venía la policía? que aquí valía picha la policía.

Me enseñó a hacerme bien el nudo de la corbata. Se vestía de oscuro, sacos corticos para que se le vieran bien las nalgas, que las tenía paradas. Y corbatín, y la gente le decía japonesito, se le burlaban en la cara, y Akira esperaba, pedía otra cerveza y conversaba conmigo, y esperaba.

Llegábamos a la Ermita y allí por lo general nos quedábamos un rato. Y decidíamos meternos a cine. Y Akira sí se enloquecía con el cine. Y cuando salíamos le gustaba recibir el viento en la cara, subir por la carrera Quinta hasta San Antonio, a buscar dónde es que nace el viento.

Es buena la gente de por acá de San Antonio, me decía.

Es el barrio más viejo de Cali, le decía yo, contemplando la ciudad.

O de La Ermita subíamos a la Quince de una. Entrábamos a todos los griles. Seguro habíamos comenzado en el Rodolfo, donde nos conocían y nos atendían bien. Seguro íbamos terminando en el Molino Rojo, donde también nos conocían. Pero Akira no tenía amigos. En el Rodolfo oíamos una o dos canciones y salíamos. Más arriba quedaban el Palacio y Natalí. Entrar a Natalí era asunto de cuidado. La primera vez yo sentí que algo iba a pasar, seguro por la música. Sonaba *Agúzate* de Ricardo Ray. Pero me gustaba, me gustaba que fuera ensordecedor porque me hacía recordar mi infancia sin ponerme triste. Y las mujeres bailando, moviéndose, echando las barrigas pallá y pacá. Nos gustaba hacernos en un rincón, desde donde pudiéramos ver todas las mesas, no importa que quedáramos lejos de la salida. Por lo regular ganábamos la salida con facilidad, cuando los tropeles.

Chinitos como éstos son los que me gustan a mí. A mí que estuve en Corea.

Era primera vez que yo salía así de noche, Seguro lo hacía para no pensar tanto en mi mamá. O por joder a mis tíos, yo los oía conversar de mí cuando llegaba. Pero nunca me pararon en las puertas, todos los porteros me respetaban. Y no es que tenga cara de viejo, al contrario, a cual más todavía me ve y me dice pelado. A Akira le gustaba ver bailar a las mujeres gordas, las barrigas. La primera vez que azotamos gente en el Natalí fue por culpa de un mancito alto y muelón, y dándoselas de tieso, que dizque había peliado en Corea y le tenía ley a todo japonés y a todo chino, que a la larga venían a ser lo mismo.

Aquí estamos en Colombia, esto no es pa chinos.

Yo lo que hacía era imaginarme cómo se vería Akira desde donde estaba el mancito. ¿Sería que nunca advertían nada, nada especial en la boca, en la forma de saboriar la cerveza? ¿O es que la gente no es capaz de distinguir? Porque yo cuando me enfrento a una pinta tiesa ya lo voy sabiendo, se le ve en la cara, en la forma de coger, de tocar las cosas, ¿Sería que no veían los ojos de Akira, aquel reposo ante sus insultos, la forma de agarrar el vaso? ¿La suavidad, la certeza de sus maneras? No, no lo veían. Porque cuando éste ya estaba bien borracho y bien puto, esa rabia que aumenta tan rápido cuando el que insulta insulta e insulta y no recibe respuesta, se paró de su mesa y vino donde nosotros, tratando de caminar recto. Yo vi cuando se le acercó a Akira y abrió la boca, y las manos de Akira que se metieron en la boca, los dedos perdidos en la garganta, agarrados de no sé qué, de no sé dónde. Luego sus dedos jalaron primero para arriba y después hacia cada lado y el hombre torció los ojos y cayó al suelo.

Había ocasiones en las que yo me quedaba quieto, nada más mirándolo. Como cuando la noche de Picapiedra, que primero se nos fueron siete y a los siete los azotamos. Y luego alguien que nos dijo piérdanse que llegó la policía. ¿Ah sí? Pues que vengan. Aquí vale picha la policía.

—¿Es que le digo una cosa, mano? Matar a una persona es fácil. Hagamos de cuenta que usted está aquí, a dos metros, y me ataca. Yo lo puedo cascar en serio de, voy a decirle, siete maneras. Suponga que se me tira a la cara. Yo lo agarro del brazo y lo volteo de espaldas en un solo movimiento, fracturándole codo y antebrazo. No le digo mentiras. Y si quiero, le subo el brazo hasta la nuca, zafándole las vértebras cervicales. Claro que se necesita un movimiento fuerte, seco, seguro, pero no más de un movimiento. Allí puedo golpiarlo arriba, en la cabeza, con los nudillos, tóqueme los nudillos. O con los dedos corazones debajo de las orejas, tóquese y verá que tiene como un punto allí muy sensible, ¿cierto? Un buen golpe dado allí y le dejo el cerebro como una lechuga. Claro que antes puedo haberle dado golpe en la quijada, que dado en forma, donde es, le subo los dientes superiores hasta que se le entierren en el coco. Si le doy con el dorso de la mano debajo de la nariz hago lo mismo, pero más fácil, más fijo, y menos doloroso. O supongamos que una vez que le he fracturado el brazo y las vértebras cervicales, le suelto el brazo y usted, claro, se me cae, pero antes de que toque el suelo le asesto golpe seco en la nuca. Y ai queda. También puedo cascarlo feo dándole en el esternón, metiéndole los dedos donde terminan las costillas, agarrar bien y jalar duro: le arranco íntegra la caja toráxica. Un golpe bien dado en cierto punto del talón es muerte instantánea, porque sube un corrientazo brutal al coco, pero esa parada aún no la he aprendido a terminar bien. ¿Quiere que le dé un consejo, mano? Cuando se enfrente a un man bien tieso haga lo posible por evitar el golpe. Es preferible que le hagan dar tres vueltas a que lo golpeen. Los mancitos que andan por allí de braveros, dándose totes a cada rato, no saben golpiar. Pero un golpe bien dado es fatal. *Fatal.* Si el man es tieso como le digo (a los manes tiesos uno los conoce), no se deje golpiar por nada del mundo. Hágase lejos del hombre. O corra. No se meta. Si es que no puede responder, más vale que tire pacifismo. Y eso que todavía no le he hablado de las piernas, de cómo Akira me enseñó a usar las piernas. Mire, supongamos que carga usted revólver, que me ataca. Si se me acerca hasta metro y medio, yo tengo las de ganar. Hasta a dos metros hay chico de tumbárselo, y luego darle duro. Ya a más de dos metros es arriesgado, no olvide que es cuestión de moverse más rápido que el dedo suyo para, para qué, el revólver es cosa seria. ¿Cuchillos? Bueno, yo he conocido manes que eran tenaces con el cuchillo, este muchacho Aurelio Zúñiga, ¿lo conoce? Supongamos que tiene cuchillo, y que se me acerca. O no, que se me tira de una. Siempre tiran al estómago o al cuello. Pero también tiran a las ingles. Lo más chévere es pararlos con la pata. Darles en la frente. Es tan fácil. Usted es chiquito, a los chiquitos es mucho más fácil. O supongamos que el que me ataca es un gringo, que los gringos son altos, la otra vez le di a uno de metro con noventa. Fue que se agachó como quince centímetros cuando se me fue encima. Lo paré con golpe en la frente, lo más chévere es verles los ojos que no se tuercen sino que lo negro se les pone blanco, seguro. Y caen de abajo para arriba, plaf. Suponga que usted está a tres metros, y que tiene cuchillo. Y me ataca de un momento a otro. Dando impulso de dos pasos le puedo dibujar golpe en la frente. Salto un promedio de 1 con 65, hay veces más, todo depende. Y golpe en la frente es fatal, fijo. Ya más de 1 con 80 no sé, puede que lo deje seco, puede que lo atonte apenas. Mientras más haya que saltar menos duro se pega. Usted mide cuánto, ¿más o menos 1 con 65? Buuuuuuuuuuuuuuuuuuu. A usted lo puedo matar cuando quiera. Es tan fácil. Hasta dando un paso de impulso. Un paso bien dado, claro: largo, sin necesidad de calcular mucho. Pura cuestión de reflejos. Facilito.

Es que no quiero hablar de mis amigos idos, de mis amigos muertos. Que después de aquella semana nefasta, que nos la pasamos viendo un festival de películas japonesas, todas con Toshiro Mifune, a Akira le entró la nostalgia de su tierra y me dijo que se iba para Buenaventura a olvidarse un tiempo, a ver qué se veía por allá. Yo no sé si él partió con la intención de llegar allá y matarse, o fue cosa de ver otra vez el mar. Yo me despedí de él, le dije bueno, por aquí me quedo dándole a la gente. Me dijo que me cuidara, y yo claro que me cuido.

A la semana fue que me llegó la botella, y adentro la foto. Akira doblado, la cara no se le veía, apretando duro el sable, un borrón en los hombros, un manchón blanco, mal tomada la foto. Una que otra arruga en el estómago que se dobla, uno que otro chorrito de sangre saliendo ya. ¿Se habrá sentido allá muy triste con el mar? Que llegó y lo confundió todo ese olor del que tanto me hablaba, olor de noche negra y de arena, ¿sabía yo cómo eran las noches negras? Tan negra que uno no puede verse la mano a pocos centímetros de la cara. Una noche así él podía soportarla si había el olor. Porque Akira Nagasaka, además del mar, sabía muchas cosas sobre la noche, pues la noche es hermana del mar. Pero bueno, eso ya es historia pa otro cuento.

Yo rompí la foto. Seguro puso a funcionar el disparador automático, contó hasta tres y se metió el sable. ¿Quién me habrá mandado la botella? La rompí porque me dio rabia. Y allí mismo me dije que nunca más me ponía a andar con amigos, otros amigos me han dejado ya. De ahora en adelante solo como un cuervo.

Y mis tíos jodiéndome, y dándome comida mala. Yo salía cerrando la puerta pasitico, que no tuvieran el gusto de verme bravo. Y como vivía en barrio de ricos, no era sino darle la vuelta a la manzana y encontrarme un gringo o un tonto a quien darle. Luego me encerraba a estudiar. Que ahora quiero sacar las mejores calificaciones de los cuatro sextos. Para que ella me vea en los periódicos y piense en mí. Porque estoy tirando a ganar el concurso de Mejores Bachilleres Coltejer.

Quién sabe a dónde irá a parar todo esto.

Porque ahora, con la administración de este presidente joven, la policía se ha estado metiendo tanto en todo que ya uno ni puede andar por allí tranquilo porque papeles, y si le ven cara de tonto lo taponean y después lo encanan. Hay que ponerle cuidado a eso, ver a tanto policía a uno lo pone muy mosca. No hay caso, uno puede salir de cine y ponerse a pensar en los amigos idos, en los amigos muertos, y ponerse triste y todo eso, pero lo que digo yo: ahora con qué tiempo. ¿Cómo va a ponerse triste uno si la policía no lo deja? Yo estoy por la onda de la popularidad. Volverse popular sin necesidad de meterse de cantante, eso fue lo que siempre me enseñó mi madre. Que la gente chévere lo vea venir a uno y que digan allá viene, caminando de frescura, y se expresa con el fuego. Saltamontes. Que si aquí en Cali arman chichonera, yo hago casi todos los chichones. Que me la paso por allí voltiando. Trotacalles. Que si me invitan, entre salsa y salsa a meter, yo meto. Y todo torci armo gallada para que vamos, otra vez, a quebrarles los vidrios a los ricos, a Santa Rita, Santa Mónica, Arboleda, y los que se han ido a vivir por allá por Pance, los que están acabando con el campo y destruyendo charcos: Ciudad Jardín, La María, Normandía, que nos echan bala y nos vamos, como siempre, dando saltos, contentos. Que le dije mentiroso al profesor de literatura, te espero a la salida, y que casi que me echan. Pero los manes de la clase armaron lío, suspendieron clases, gritaron en las calles, primaria, todo el colegio, así qué lo van a echar a uno. Que me pongo la pinta y mis tíos me dicen con qué ropa anda, y yo no les digo nada, voy por los amigos a que tiremos ritmo. Y me meto a cine, solitario, y si no me gusta la película me paro y quiebro asientos, grité cosas en *El mundo de los aventureros*, y viene un mancito con linterna a decirme que dizque joven, sálgase, y yo que me sacara, y me sacaron entre ocho. Que dése cuenta que me conocen en San Fercho, por la Quince para arriba, en Siloé, en la Villa, y todo el mundo me saluda, y si la tropa me persigue todas las puertas se me abren. Y pueden tumbar la puerta que no me encuentran nunca. El 26 de febrero prendimos la ciudad de la Quince para arriba, la tropa en todas partes, vi matar muchachos a bala, niñas a bolillo, a Guillermito Tejada lo mataron a culata, eso no se olvida. Que di piedra y me contestaron con metralla. Que cuando hubo que correr corrí como nadie en Cali. Que no hay caso, mi conciencia es la tranquilidad en pasta, por eso soy yo el que siempre tira la primera piedra.

1971

¿Recuerdas
Staying Alive?

¿Que si me acuerdo? Ebriamente, claro. Con esa canción fue que se lució el trío dinámico. Eran Álvaro López, Ricardito Technicolor y Alfredo Cardona, los niños buenos del grupo en Colseñora. Cuando la moda de Travolta montaron una fonomímica de los Bee Gees que hizo historia: se vistieron todo de blanco y bailaron *Staying Alive* como unos robots, "ah ah ah staying alive staying alive, ah ah ah staying alive staying alive", alzando los brazos sin pite de gracia y moviendo el cuerpo como si estuvieran enyesados, sobre todo Cardona y Ricardito. Si hubiera tenido cámara en esa época, grabo con el zoom en close up sobre la cara de Alfredo que se veía que estaba contando los pasos y paneo hasta sus pies todos trabados. Después un plano general con las carcajadas del público. Maravilloso, wonderful. Como para un Óscar... Mentiras, si fue un desastre, pero todo el mundo en el colegio se rio mucho y como la música era la última moda y había unos que hasta caminaban a lo Travolta, pues bien, súper. Esos tres eran muy unidos y ahora creo que ni se hablan porque Ricardito está de médico en Los Llanos y de Cardona no sé; con lo sano que era, quién sabe qué hará ese man. Mantenían peleando con Carlos Mario Duque porque se las daba de mucho con su orgullito medio güevón y éstos jodiendo con lo de que el comunismo esto y el comunismo lo otro, dele y dele no más por llevarle la contraria y sacarle canas a los curas que sufrían horrores porque sus niños mimados se estaban convirtiendo en ovejas descarriadas. Carlos Mario se ponía furioso y las orejotas se le alargaban más de lo rojas, parecía un extraterrestre de esos que salen en las series de televisión en las que a la escenografía se le nota el cartón piedra y el aserrín. Cuando

le mandaron gafas se buscó unas de un oro súper que habían sido de su
abuelo que yo no sé qué, pero en todo caso de mucha alcurnia, y lo pusieron Radar, como el personaje de m*a*s*h*, y ahí sí le cogió más odio
a Ricardito Technicolor cuando el de la cagada fue Jorge Luis Buitrago,
que ahora trabaja en un periódico de Tabogo y ha bregado a sacarle los
trapitos al sol a Álvaro. Sigue, y un día de estos lo parten: pim, pam,
pum y queda muñeco. Eso era lo que le daban ganas de hacer a Carlos
Mario cuando Ricardito echaba el cuento de que John Fitzgerald
Kennedy mandó matar a Marilyn porque era su amante y lo iba a per-
judicar, que la cia la mató para que no arruinara al presidente. Radar
amaba tanto a Kennedy que se metió al Colombo, con lo flojo que era
para el inglés aunque fuera muy bueno para lo otro. Lo súper era que en
el Colombo estudiaban las de La Presentación y las del Sacre y desde el
patio no era sino mirar piernas en el segundo piso, piernísimas, y hasta
calzoncitos a veces, si uno estaba de buenas y bien situado. Mejor dicho,
zoom adentro y puros primeros planos del paraíso. Había un uniforme,
el de Los Ángeles, tal vez, que era maravilloso, wonderful, porque se
embobaba y uno abajo quedaba en primera fila. Pero eso era pura emoción porque el que de verdad disfrutaba era el Negro Pérez, que ése sí
era high life, llevaba siglos en el Colombo y de un colegio privado al
otro, tenía carro, un Dodge blanco de los pequeñitos de esa época, y el
man se levantaba unos programas súper, aunque le reclamaba a un profe
que era casi de su misma edad que por qué siempre le tocaba a él vestir
a las viejas, y bien borrachas, ebriamente, y el profe se moría de la risa.
Bárbaro el Negro Pérez. El papá se le murió antes de que acabara el
bachillerato y se dedicó a beberse la herencia sin pensar en nada. Después Álvaro le consiguió el puesto de chofer en el Servicio de Salud y lo
nombraron para un pueblito infeliz del que no sale sino cuando trae un
enfermo. Ahora usa bigote a lo mejicano y la barriga le cuelga del cinturón. Él fue el que me presentó a Claudinés en una discoteca que quedaba en los bajos de al ladito del Banco Ganadero, en un hueco donde
ahora queda una fotocopiadora. Puta suerte. Pero las intenciones del
Negro eran buenas, si el man era roto para invitar a la gente a tomar
trago. La noche que mejor la pasamos fue cuando logró que nos acom-
pañara Londoñito. Nosotros siempre sospechamos que Augustico era
marica y una vez que Jota Herrera encontró en su pupitre una canción

de Julio Iglesias que le dedicaban, le armó un escándalo súper, pero no se pudo probar nada y los profes y los curas se hicieron los locos porque Papá Augusto era dueño del local donde quedaba un supermercado y presionaba al gerente para que sacara un anuncio de media página en el periódico del colegio, *Opinión Estudiantil*, el órgano de los estudiantes de Colseñora. Abusivo el viejo, bien rata, y el hijo mariconcísimo. Esa noche casi se come con los ojos a un man que estaba bailando con una vieja feísima pero con un cuerpazo, me acuerdo, y cuando menos pensamos se pasó moviendo el culo para la mesa de unos señores ya, uno de ellos periodista, que son locas reconocidas. Y zaz, lo señaló Buitrago: "No más dudas, muchachos". Lo raro fue que todos tiramos tranquilidad, o yo por lo menos seguí bailando con Claudinés sin fijarme en tanta mariconada y apretándola fuerte, bien entrepiernados. Eso no es cosa de uno, finalmente. Tal vez ahora con lo del SIDA y tanto marica solapado que hay aquí, todos casándose con niñas de lo mejorcito para seguir con sus muchachos al escondido y uno ahí bien contento con la perjudicada, súper, y claro, resulta pringado y ni modo de alegar inocencia, cómo. De pronto Cardona, que seguirá dándoselas de sano, aunque al man le encantaban los tríos porque también era uno de los tres mosqueteros de *Opinión Estudiantil*: Uriel Giraldo, el profe Rivas y él. Ese profe Rivas era el que más se movía: publicaba los cuentos que se iban a analizar en clase de español y zaz, tocaba comprarlo. Inventaba rifas, concursos con los marcadores del fútbol y hasta mandaba el material a Tabogo para que se lo imprimieran unos amigos que le hacían el trabajo más barato. Un buenazo, admirador de García Márquez a morir. Cuando le dieron el Nobel yo no pensaba sino en encontrármelo en la calle para felicitarlo, pero el man ya había terminado la carrera: hizo psicología de noche con un esfuerzo bárbaro, echó para los United States con una beca que le dieron y después mandó por la familia. Valioso el profe, súper. La brega con el periódico la empezó con Alfonso Décimo cuando nosotros estábamos apenas comenzando el bachillerato. Alfonso Marín era de los mayores el más buena gente y le decían así porque todo el mundo creía que se iba a ir de cura. Un man grandísimo que hablaba grueso y despacio, c-o-m-o s-i y-a e-s-t-u-v-i-e-r-a e-n e-l p-ú-l-p-i-t-o. A Fercho Ospina, que le daban ataques de asma y la mamá lo acostaba con la cama cubierta de sábanas húmedas y con ollas de agua hirviendo al lado para que se le destaparan los bronquios, lo agarró por su cuenta y lo fue fortaleciendo. Fercho no era capaz de correr ni una cuadra sin asfixiarse y después de una tarde deportiva en que se puso muy mal lo coge Alfonso: hoy vamos a correr una cuadra juntos, hoy vamos a correr dos cuadras juntos, hoy vamos a correr tres cuadras juntos, y así, sin dejar que se mamara, hasta que le quitó el ahogo y casi lo vuelve un atleta. Súper ese Alfonso. Cuando se supo que iba a estudiar biología marina, a los curas casi les da un infarto colectivo: tremenda aglomeración en el cielo, ebriamente. Era del único que me daba pena que nos oyera hablar de porno porque ese man era un santo. Y es que contar que uno había entrado era súper. Claro que eso a todo el mundo le da pena entrar, hasta a los viejos. Hay unos que entran cuando apagan la luz y se salen antes del final, gente que no quiere que la reconozcan. Me acuerdo que hasta un curita viejo que confesaba en la catedral iba los lunes. Lo duro era esperar a que dejaran la taquilla libre y uno ahí con la angustia, recostado en la pared como si nada o estacionado en la esquina, disimulando con el man del carrito de dulces como si le fuera a comprar alguna cosa, vigilando por si algún conocido pasaba. Y apenas estaba libre, corra y háblele poquito y grueso a la señora para parecerle de dieciocho. Ella se demoraba de pura pereza, de pensar en otra cosa, de aburrida, pero uno a sufrirse el suspenso hasta que al fin, y entonces a engañar al portero, que se me quedó el documento, que véame, bigote y todo, que aquí tengo el recibo porque se me perdió y estoy esperando el duplicado, pero dieciocho años, uff, hace siglos. El único que pasaba fresco era Ricardito Technicolor que cargaba la cédula de su hermano mayor, Nacho Vélez, que se había metido a la guerrilla y andaba en el monte, por el Chocó. Él era el que recomendaba la ida porque se sabía los nombres de las actrices y cuál era la que mostraba más, la que más bueno se movía. Y uno entraba y el man hacía rato adentro, ya tenía detectado dónde estaban los del San Luis y los de La Salle para sentarnos detrás cuando apagaban las luces y pegarle chicle en el pelo al que se sintiera mucha cosa, como muy crecidito, o al que le caminara a la muchacha que a uno le gustaba. A veces eso se volvía una recocha, pero eso sí, cuando la protagonista se empelotaba, un silencio tenso, uuyyy, que como que ya estallaba. Una vez invitamos al profe Rivas y nos dijo que para qué, que eso de ver a otro güevón pasando bueno no tenía gracia. Para él que ya había pasado por todo, claro, pero para nosotros que nada, eso era todo. Había que ver al pobre Chimbín Botero. Era chiquitico, por nada un enano, y ebriamente, cómo iba a entrar a porno. Al mancito le tocaba contentarse con ver las fotos afuera del teatro y siempre se iba para la casa por la ruta más larga para revisar el mayor número posible de puestos de revistas y se paraba ahí, como quien no quiere la cosa, zoom adentro a las carátulas de viejas y preguntando por cualquier cosa, las láminas de un álbum o un número viejo de Tribilín que era yo no sé cómo, para dejar clavado el ojo un ratico, tremendo close up. Es que estaba pegado al piso el pobre Chimbín, en un primer plano cabía el man completo y sobraba. A veces, cuando tenía plata, invitaba a Ricardito Technicolor a gaseosa y pastel en el recreo para que le contara las películas. Y Ricardito le mamaba gallo primero y después le inventaba unos cuentos bárbaros, que ponía a sudar frío al pobre. Era maravilloso eso, wonderful. Ricardito le pintaba el lugar, que una casa en las montañas o en la playa y después le decía cómo era la actriz, rubia, alta y que tenía esto como la profe de biología y aquello como la niña del Sacre que vivía a una cuadra del colegio y esto otro como la secre que nos daba mecanografía o como la reina de belleza del año pasado pero mejor, uy, todo mucho mejor, súper. Y que llegaba a la casa del protagonista para que hicieran un negocio y empezaban a tomar vino y la falda se le corría cuando se sentaba y dejaba ver unos muslos de película, primer plano y zoom adentro para que se notaran las ligas, y también acercamiento a la parte de arriba de las tetas y cuando el man le está sirviendo más vino entra corriendo su perro pastor alemán, lo empuja y accidentalmente la baña en vino. Y el man que qué pena y secándola con una toalla no más para tocarla, close up de los pezones, duros bajo la tela mojada, y la mano del man toque que toque hasta que ella también lo toca porque ya se había notado que se gustaban y empiezan a quitarse la ropa... La quitada de la ropa era la especialidad de Ricardito, era súper contando eso, hasta los que habíamos visto la película nos emocionábamos con la cosa y Chimbín, uuyyy, que estallaba. Yo creo que Ricardito se inventaba tomas no más para hacerlo sufrir, pero era una maravilla, wonderful. La gente se iba juntando y una vez el profe Rivas se dio cuenta y no dijo nada pero a los días resultó con que iba a hacer un concurso de expresión oral en clase y cuando salió Ricardito y le pre-

guntó de qué quería que hablara, llega el profe Rivas y le dice: qué pasó
al fin con la rubia espectacular que estaba con el conde italiano en la
playa, o algo así. Súper. Ricardito se puso colorín colorado, después verde mango biche, y no hizo sino gaguear y quedarse callado hasta que
sonó el timbre y el profe lo abrazó y lo invitó a gaseosa muerto de la risa.
Buena gente el profe, y se fue para los United States. Si yo tuviera esa
oportunidad no mando por nadie, qué va, se friega Claudinés. Pero él, a
lo bien, ebriamente. Me acuerdo que cuando le pregunté que qué hacía,
me dijo que no me casara, que ni riesgos, que respondiera pero sin ca-
sarme. Y en mi casa y en la de Claudinés joda y joda con que para cuándo la boda. Y yo más confundido que un putas y ella cada vez peor de
gorda y bien fea porque el cuerpito se le volvió una vergüenza, y después que el niño va mal y la cesárea de emergencia y un prematuro. Los
dos en el hospital y el curita de allá tan amable, viejo hijueputa, nos fue
casando a la carrera por la salud del niño. Eso fue a los vuelos pero yo
me acuerdo como si hubiera sido en cámara lenta y con una iluminación
de esas macabras de las de las películas de terror. Claro, no mejoró. En
incubadora y todo se murió. Era como una ratica: chiquitico y morado.
Pobre. Pues él se murió pero yo ahí sí, llevado, con la lápida a cuestas.
Me gradué de puro milagro, favor que me hicieron los curas a pesar de
que yo era del montón, de los de la mitad para abajo y con años perdidos. Y el tío de Claudinés que venga sobrino yo le enseño a trabajar. Y a
darle con los radios y los televisores, que bulbos, transistores y demás
güevonadas. Vivíamos en los bajos de los papás de Claudinés y las cosas
de la casa nos las fueron regalando entre todos. Hasta que me cansé de
que me prestaran plata y fui a pedirle cacao a Álvaro, que ya tenía su
poder y me metió a la Universidad pero a lo mismo. Claro, yo nada, los
destornilladores me hablaban, ganando el sueldo en off, de pura alegría
hasta que aparecieron con la cámara, una de ésas viejitas, grandotas y
pesadas, y resultó que el instructor dijo que el único que tenía el ojo y el
pulso era yo, y zaz, a aprender y a grabar como loco: de día videítos de
las facultades y por las noches matrimonios, primeras comuniones y fiestas de sociedad; plata para darle a los viejos que en alguna cosa hay que
ayudarles después de que se jodieron tanto, porque Claudinés ni gasta,
ésa como que se contentó con agarrarme a mí. Lo maluco de esto es que
a veces se encuentra uno con los antiguos compañeros y para cobrar es

un lío, pero también bebemos y recordamos y me les conozco la vida, todos los chismes. Será porque la cámara los pone nerviosos y los hace meter la pata. A Londoñito le grabé el diploma de economista y la cantidad de locas que le tocó invitar a la mamá a la reunión; esa señora estaba que se moría. Hasta los meseros botaban la reversa, creo yo. Después casi que no encuentra palabras para explicarme que editara el material para que la cosa no se notara tanto. Y también estuve en el matrimonio de Jota Herrera con una ex reina a la que se le veía la bobada desde lejos, sin necesidad de zoom ni de nada aunque súper, eso sí, un cuerpazo, uuyyy, y el Jota calvito pero todavía con buena estampa, gerente de esa compañía constructora que quebró hace como un año. Y le tocó perderse al man. Al que veo a veces es al papá, un viejo con una cara de angustia bárbara, como la del papá de Claudinés que nunca se recuperó de lo tan horrible que le hicimos. Pobre don Venancio, con hermano misionero y todo, y salirle puta la hija. Por lo menos me prestó para comprar esta camarita antes de morirse y ahí verán los cuñados cómo me sacan la plata porque si Álvaro me sigue llevando a cuanto pueblo hay a que le grabe el discursito y me siente después a ver cómo le embuten viejas con la esperanza de que alguna lo agarre, no voy a tener ni para pagarles el arriendo. Y cuando bebe es un hijueputa; joda con que cómo fue que caí tan fácil y me soba la cara y toca aguantarse sabiendo que el que va a quedar llevado soy yo: él para el senado, a gozarla y ganar duro, y yo me quedo con la cámara acabada de tanto andar y ya. Y este trabajo es muy inseguro: la gente a veces paga y a veces no, o se demoran siglos. Una vez le grabé una fiesta a los de la oficina de abogados de Carlos Mario Duque y terminaron dándome lo que les dio la gana y eso como si me estuvieran haciendo una caridad. Güevones; para gastarse la plata en coca y viejas y después salir en el periódico, miembros de tal junta o de la otra, en almuerzos con yo no sé quién importantísimo, los dueños del pueblo. Con el que sí me fue bien fue con Fercho Ospina. Me contrató para la primera comunión de la hijita y salí de su casa con torta, botella de champaña y mitad del mercado. Y la amabilidad de la señora, una morena espectacular que se ve que lo quiere y lo respeta, no como Claudinés que ahí callada debe pensar lo peor de mí, por algo sus hermanos me detestan. Lo que pasa es que la plata ayuda, aunque yo no estoy tan jodido, tampoco, hasta me defiendo porque la he luchado y la lucho, pero a veces me canso de todo esto, de seguir y seguir en las mismas. Uno todo el tiempo en stand by, listo para lo bueno, para lo mejor, y nada, la misma vida. Qué bueno poder cambiar, una suerte como la del profe Rivas que se fue con todo, o por lo menos salir de responsabilidades, quitarme de encima tanta joda. Algo como un milagro. Que este bus se accidente y al lado mío vaya un narco con harta plata en el maletín y los únicos que nos salvemos seamos el maletín y yo. Algo en un río, que puedan pensar que el cadáver se perdió. Yo caigo al borde del barranco y el maletín se abre lleno de dólares, ahí, en primer plano, y yo me doy cuenta de que es mi oportunidad y corro como nunca, a cualquier lado. Mientras, mi foto en la lista de desaparecidos y Claudinés llorando en los noticieros, con lo feo que registra, y yo libre, fresco de la vida y con plata. Pero no me voy a contentar con eso, ebriamente. Lo primero que hago es irme de este país pero ya, por el hueco, por donde sea, para los United States, y me instalo en Hollywood. Busco trabajo en el cine, de lo que sea, de cualquier cosa, aunque sea de barrendero, porque yo tengo buen ojo y buen pulso y en cuanto me den la oportunidad muestro que soy el camarógrafo que necesitan, el que han estado buscando, súper. Estudio, hago lo que quiera, pero llego. Todos van a hablar de que yo sí sé captar los colores, de que mi memoria es un depósito inagotable de imágenes hermosas. Y ahí sí a filmar, no a grabar: puro cine en treinta y cinco milímetros y en setenta. Que Spielberg me quiera al lado suyo y las actrices famosas digan que yo sí les cojo el mejor lado y las hago ver más bonitas. Fiestas, cocteles, viejas, viajes: New York, París, Londres, Australia, Hawai, las islas griegas. Y progresar: apartamentos, yates, Rolls Royce, Ferraris, todo súper. Y entrevistas, siempre exigiré que las entrevistas me las hagan mujeres muy bonitas o escritores famosos, maravilloso, wonderful. Hasta que alguien me reconozca en una foto, puede ser en *Playboy*, al lado de las conejitas, y que se sepa que soy yo, que no morí en el accidente y ahora soy un hombre rico y famoso. Zaz, un escándalo bárbaro, "García Márquez del cine es un farsante", "Falso montaje de un camarógrafo genial", cosas así en todos los periódicos del mundo y los corresponsales de los noticieros persiguiéndome, intentando zafarse de mis guardaespaldas, pidiendo a mi jefe de prensa que diga algo más. Y yo en mi mansión, intocable como Michael Jackson, un príncipe, desnudo en la piscina con una modelo en cada mano y rodeado de sirvientes con envidia, no más tragando saliva. Me encantará ver el rostro acabado de Claudinés, furiosa en la televisión por mi engaño, con la rabia saliéndosele por todos los poros y ya sin ser capaz de parecer resignada, de hacer creer al mundo entero que es una buena mujer que soporta callada. Que se vea que todo su silencio no ha sido más que una máscara para tenerme al lado, para que digan que es una pobre mujer mal casada, una víctima mía, ja, me río de Janeiro; una santa, pero por dentro yo sé que está el rencor, seguro, mucho rencor, no más está esperando la oportunidad para ver cómo se desquita de mí, pero nada, que no crea. Y que entrevisten a todos estos güevones ahí sí, seguro que Álvaro se vendrá con algo como "Ciertamente fui testigo de sus comienzos en la época en la que yo me iniciaba en política y lo apoyaba desde las posiciones administrativas a las que me ha llevado el voto popular", muy sonriente y seguro, para después decir que desde que llegó al congreso está intentando por todos los medios que se apruebe un estatuto que apoye a la industria cinematográfica nacional. Ja. Será divertido verlos en ésas, todos bregando a ser famosos a costa mía. De pronto a Buitrago le diría que hiciéramos algo bonito, que buscáramos al profe Rivas y nos entrevistara a los dos. Me acuerdo que al profe le encantaba contar que él fue de muchacho el rey de los carros de balineras, que era imposible ganarle después de que agarraba el descenso. Podíamos filmar un corto bien bonito. Ya me imagino gritando acción en un pueblito mejicano o italiano, una buena falda y la grúa para arriba lentamente mientras los carros de balineras bajan cada vez más rápido y el actor que hace el papel del profe siempre en la punta, peleándose la carrera con un muchacho mayor, casi un hombre; todo muy colorido pero con un poquito de neblina. Y mi papá aplaudiendo desde la calle y mi mamá sonriendo en la ventana, Meryl Streep, ésa sí no la rebajo aunque se vuele el presupuesto, y yo pequeño, ya con una mirada que lo penetra todo, guardando la escena en la memoria, y una música de ésas que hacen llorar, una banda sonora que lo vaya emocionando a uno, puros violines. Maravilloso, wonderful, pero no se puede hacer con Buitrago porque en cualquiera de sus arranques de sinceridad la caga. Mejor una periodista gringa de ésas que se sientan no más a mostrar piernas y dientes con la excusa de encontrarle a uno el lado humano, cosa que yo quede como un príncipe, y ahí sí, ahí sí acepto la invitación para volver a Colombia y hacer cine. Recepción en el palacio presidencial y todo, condecoraciones. Cuando eso ya mis abogados habrán arreglado lo de la disolución matrimonial o anulación o lo que sea, al fin y al cabo a mí me casaron de alegría, cura hijueputa, como motilando a un bobo de afán. Libre no más con tirarles unos pesos a los políticos y a los curas, con darle migajas a Claudinés como las que ella me da cuando estoy vaciado, y con pagarles a los hijueputas de sus hermanos la miseria que tanto me reclaman. Ahí sí que haga la cagada Buitrago, un reportaje sobre la pobre mujer, sobre su tristeza de abandonada mientras yo me paseo por el mundo alternando con reyes y ministros, acostándome con estrellas de cine y modelos famosas. Y me gustará ese reportaje, estoy seguro, será como la confirmación de mi triunfo, mi venganza. Ya me la imagino toda llorosa diciendo que a ella lo que le ha importado siempre es mi amor. Mi amor. Una metida de pata, cuál amor. Ahí sí quiero volver aquí, cuando todos me respeten o por lo menos se hagan los que me respetan. Cuando Claudinés y todo lo que ella significa no me toque. Ya me veo acompañando a Álvaro, aconsejándolo para lo de la imagen a ver si llega a la presidencia, que eso es lo que quiere, o con el güevon de Carlos Mario feliz de saludarme, seguro de que conmigo sí va a subir lo que nunca pudo, hasta donde están esas niñas lindas, lindísimas, que uno sólo ve pasar en carros lujosos o el día de las elecciones, ésas de la educación en Europa o por lo menos en la Argentina, ésas que se drogaban para jugar al comunismo y mantenían tan en las nubes que hasta una por ahí terminó en la guerrilla. Porque yo sí seré alguien y querrán sacármelo todo, colgarse de mi prestigio. A los curas del colegio les regalo unas camaritas de video y unos cursos para que les enseñen a los muchachos a ser como yo y hasta el arzobispo me va a dar las gracias y me invitará a su casa. Porque yo podré entrar a todas partes, a los clubes, a las haciendas, pero no como ahora, cargando equipos y con escarapela, no a trabajar que eso es como si uno no existiera, como si la cámara fuera todo. No. Hasta los más high life van a estar pendientes de mí, yo voy a ser el del homenaje, el invitado, las cámaras van a estar enfocándome a mí, y cuando pase por la calle, cuando esté parado en la Plaza de Bolívar rodeado por todos, por todos los que de verdad cuentan, ebriamente, me van a mirar a mí y no al pobre güevón que no ven ahora, no. Me van a mirar a mí, y lo van a hacer con respeto.

5
Imaginación y fantasía

El dios errante

En memoria del abuelo Juan de Dios,
quien lo conoció y lo escuchó.

Eʟ 8 ᴅᴇ septiembre de 1857 zarpó de Liverpool, en el *clipper "Flying Cloud"*. Provenía de Francia, pero durante sus últimos años se había ido consumiendo en el rincón de una vieja casa de Hamburgo, cerca de las callejuelas estrechas del puerto. Los años anteriores habían sido elegantes y extraños, en medio de danzas delicadas, entre encajes y perfumes, acariciado por manos voluptuosas y por deseos pecadores. Sin embargo, su impasibilidad oscura persistía, y solamente la pulsación maravillosa dejaba salir lentamente la increíble melodía.

En el salón de subastas había sido vendido por una suma irrisoria para un piano Pleyel de tan cara sonoridad. Alguien lo había comprado y dado la orden de situarlo en Liverpool para el cruce del mar. La travesía de verano, cuando la brisa revestía el *clipper* de velas musicales, de notas surgidas del vientre del piano negro, había sido lenta e inmisericorde, hasta rezumar en la densidad del calor del trópico chorreante por la proa del barco. Las figuras que se paseaban sobre cubierta al atardecer tenían algo desconocido y misterioso. El abuelo las contemplaba pensativo. El paso por los muelles de Nueva York, la ruta hacia Cartagena de Indias en un carguero que daba tumbos sobre el mar picado, todo concluía, quedaba cerrado.

Teníamos que remontar el Magdalena con el piano a cuestas sobre un lanchón nudoso. Al fin lo vi colocado, y el bongo empezó a navegar lentamente, río arriba, sobre las aguas dulces y fangosas. El piano estaba sobre la lancha como el protagonista insensible de una historia maravillosa, en la cual desfilaban las mujeres a quienes habían estremecido sus notas, aquellas que se las habían arrancado con un impulso sexual trunco, aquellas que habían sido apretujadas, acariciadas, besadas, sofaldadas y aun —caso insólito— aquella que en una helada noche alemana, entre el desconsuelo de la nieve, había sido poseída y había gemido, y se había desesperado de voluptuosidad sobre la tapa muda del piano.

Aquí estaba encerrado en su cajón como cajón de muerto, destinado a futuros ataúdes de piano, remontando las aguas penosas del Río Grande de la Magdalena bajo el cielo injurioso, con el ruido del agua ignorante de su parentesco musical.

Estaba aquí, el abuelo lo veía entre las canciones híspidas de las bogas, entre el tabaco mascado y los relucientes brazos negros. Una tabla del cajón se había zafado y por ella se entraban apacibles futuros comejenes y carcomas. Al llegar al caserío, donde la noche alumbrada de antorchas y ron de caña parecía un atardecer con una luna helada y misteriosa, entraron al bongo las mujeres, a fornicar con los marineros de agua dulce, por unos puñados de monedas. Una de ellas metió la mano por el hueco de la tabla desprendida, y, sin saber cómo, arrancó unas notas que se quedaron temblando en el aire quieto. La negra fue tumbada en el piso por el contramestre, y los aullidos placenteros siguieron el mismo camino de las notas suspendidas.

Pulgada a pulgada, día a día, año tras año, el piano iba remontando la corriente del río como un buque fantasmal. Después de meses de subienda, de orgías, de estallidos sexuales, de maldiciones y cansancio, de calores, de sudor y de hambre, iba llegando, poco a poco, a Mompox. Pero ya el brazo del río se había desviado, Mompox estaba en seco como un barco varado sobre la playa, y el bongo permaneció durante varios meses atracado en la arena, con el piano abandonado y solo como un fantasma, tirado a la orilla del río resbalante, con la muerte de los pianos, que es la mudez.

(En Mompox había una casa blanca, de portalón verde con escudo de armas en piedra. Con unos muebles franceses de estilo Imperio arrumados en una sala de ventanas cerradas en donde no había un piano, pero en cuyo rincón secreto sí había un arpa, en cuyas cuerdas se enredaban las telarañas y trepaba la mugre como un pesar, donde había colgados de las paredes unos cuadros grandes que no se veían en la sombra, y si se abría la puerta del fondo, se atravesaba por un cuarto empapelado de rojo oscuro, desde cuya puerta interior podía verse una gran cama tallada en la cual el acto sexual revestía el carácter de respetuosa ceremonia, atestiguadas por la jofaina y la palangana de porcelana con grandes rosas, y el bacín gemelo, discretamente escondido bajo la cama nupcial, y en los corredores las largas solteronas vestidas de negro recorrían la casa y la vida como un cansancio, añorando el empuje masculino, consumidas de virginidad, de soledad y de tristeza, mientras se desleían las horas muertas y por la calle empedrada de la tarde no pasaba nadie, no había nadie que apareciera en la esquina y parecía que todos nos hubiéramos muerto).

El piano sigue allí tirado como la prodigiosa sirena encallada, como el barco fantasma. La sinfonía del piano no está en sus notas muertas, sino en el viento que pasa, en el sol que va devorando la madera del empaque, en las hormigas que en ceremoniosa fila van penetrando en el interior del cajón, hasta que un día aparecen los negros borrachos acompañados de una negra ataviada de rosa con un estrafalario sombrero lila, la cual, apenas entra la barca en el agua, alza sus enaguas y pone sus posaderas oscuras en la tapa del cajón del piano, y el piano va nuevamente aguas arriba, un mes tras otro, hasta completar un año más, mientras las gentes de los caseríos salen a la orilla a contemplar el cortejo fantasma y a oír los cantos borrachos de la negra, sentada con las piernas abiertas sobre el piano que alcanzó a desgranar notas sobre la noche del Segundo Imperio, el piano occidental, mensajero de cultura y redención para los pueblos hambrientos y sedientos y desesperados y esclavos. Y al pasar por el último caserío, un negro ríe desde la orilla, un negro alto cuya carcajada tendida va rebotando hasta el piano y misteriosamente el sonido hace vibrar una cuerda que despide una nota, la cual basta para inmovilizar a la negra, que resbala y se pone de rodillas, y la lancha se desliza de pronto con más brío.

Cartas van y vienen, cartas del destinatario impaciente, y los correos que las portan pasan con los reclamos cerca del piano; el abuelo se mueve intranquilo y repasa el tiempo y al fin, en uno de los caseríos que recorre el inmenso viaje sobre el río, hay una cruz sobre una de las chozas, y un hombre de túnica blanca agita las manos desde la orilla aventando bendiciones, bendiciones que saltan sobre el agua como piedrecillas lanzadas al ras de la superficie, los habitantes se congregan para ver pasar al demonio-hembra vestido de rosa y con sombrero violeta, que manotea sobre el piano escondido ululando maldiciones, y el hombre de blanco se da cuenta de pronto de que sus fieles creen más, mucho más en el demonio rosado que en los latines que murmura despechadamente lanzando cruces con su mano derecha sobre la barca hereje.

Vienen a veces las crecientes del río, y hacen devolver la barca, la túnica rosada de la sacerdotisa se ha ido cubriendo de espuma de plantas acuáticas, los remeros jadean luchando contra la fuerza del agua que los devuelve hacia Mompox, y gritan y sudan y sangran y maldicen, y la barca con su piano a cuestas se va devolviendo lentamente, y la lucha se traba de nuevo hasta que la barca se queda como suspendida, y las aguas pasan y el tiempo va corriendo y el piano continúa semisumergido en el Río Grande de la Magdalena, desde la altura de Mompox hace cien años y la negra todavía tiene su sombrero violeta sobre el cuerpo casi desnudo lleno de jirones rosados, y si canta muy fuerte o se ríe muy alto suena de pronto una nota sostenida en las entrañas del piano.

Después de muchos, muchísimos años flotando en la corriente del río, llegó el piano por fin a Puerto Santos, para subir a los pelados cerros donde vivía el hombre alemán que lo esperaba. Pulgada a pulgada, paso a paso, veinte hombres lo fueron llevando por la trocha disparatada, subiéndolo palmo a palmo sobre unas vigorosas andas de santo que se usaban en las procesiones. En el ascenso a los picos andinos pareció que el piano flotara en los aires, que recordara de nuevo su condición de barco y se aprestara a hacerse a la mar. En otros momentos se cirnió como un animal violento sobre los hombres que lo cargaban, a punto de aplastarlos. Ninguno de los hombres sabía que podían existir mujeres tan hermosas como las que lo habían tocado o como las que habían sido acariciadas sobre él, no sabían de los perfumes, de las sedas, de los candelabros de cristal. Sabían solamente de la selva sobre la cual, en sus hombros, el piano navegaba. Sabían de las rocas por entre las cuales debían subirlo a la morada inaccesible del solitario. Palmo a palmo, uña a uña, fueron subiendo. Les llegaban los rumores de las fiestas sabáticas que a la orilla del puente organizaba el alemán desterrado con las campesinas de la comarca y los petimetres de los pueblos cercanos.

Sabían que hacía largos meses el piano iba pasando por entre las haciendas del alemán. Unos morían en el camino. A todos se les despedazaban los hombros y las manos. Cuando descargaban el piano, y el túmulo se erguía sobre las rocas, eran sacerdotes de un lejano culto destinados a morir ante el dios. Las tierras se iban pelando, iban desapareciendo las vegetaciones, no quedaba sino la roca, y allá arriba, entre rebaños de cabras, nubes y espinos, la casona, el castillo, la morada del hombre alemán.

Al fin, un día de los años, apareció en la punta de un cerro la casona. Dos meses más tardaron en empujar el túmulo por entre las escarpas. Y al fin quedó depositado a la orilla del estanque que, para su placer, había fabricado el hombre, y en el cual, con visos de esmeralda en sus arrugas escamosas, se sumergía plácidamente, también un dios, gordo y reluciente, un pletórico caimán.

Este fue el encuentro de los dos dioses. Los veinte hombres durmieron tirados en el suelo a las puertas de la hacienda. Y aquella noche el orgasmo de las Valkyrias recorrió las serranías. El tercer dios, Wagner, había bajado a reunirse con sus congéneres. El hombre alemán quedó solo en la casa con sus tres dioses, y a la mañana siguiente los hombres repasaron el rastro de sangre del piano sobre las piedras.

(En una región de Colombia se ha fundado un poblado, la casa más ancha de la localidad resplandece. Veinte hombres, los mismos, llegan a la puerta trayendo en su lomo un piano, el primero que se conoce en la región, el instrumento prodigioso, la caja de música de la civilización occidental, Mozart, Beethoven, Haydn, Brahms, Berlioz, todo contenido en un cajón de madera y unas manos. Sabemos de dónde viene, sabemos la fecha en que salió de Hamburgo, cuándo se hizo a la mar en Liverpool, cómo llegó a Cartagena, cómo durante años estuvo remontando el Río Magdalena, y sabemos que desde allí estos hombres han venido transportándolo durante años para llegar por fin y permitir que sus notas acuáticas se deslicen por el lomo de la noche caliente. Alguien toca el piano, hay parejas que danzan, hay amores que se tejen y destejen).

El abuelo ve que las manos siguen pulsando las teclas, oye surgir el chorro de sonido, lo siente extenderse indefinidamente, siente cómo va desparramándose sobre la llanura y va trepando del otro lado las montañas, y las notas resbalan sobre los tejados de la ciudad más antigua, y entran en las bóvedas entre las osamentas de los cautivos, y pasan a los palacios carcomidos en los cuales se abre la flor del inquilinato, el estigma de la casa de vecindad, el dolor de la pobreza, pero están en las gradas del poder, donde el presidente en guerra fulmina contra los partidos expósitos el rayo del decreto y están en la orilla del mar navegando en las goletas costeras y en la selva verde cruzada de pájaros, jaguares y serpientes, y en la puesta del sol, sobre las cimas erizadas de los Andes, al lado de la soledad cimarrona, y en la nieve extinta de los volcanes muertos.

Ferozmente, dulcemente, la espuma de las notas se arremolina con la velocidad del sonido y en este va rodando, y se detiene en los caballos amarrados de los troperos sedientos, y baja a las trincheras de la guerra, a servirles de almohada a los muertos del pueblo, y está ante una pareja trenzada para engendrar un hijo, y suena en la celda de un monje que se flagela ardiendo de pecado, y está enredada en un balcón y retorcida en una callejuela y si el abuelo mira y escucha, sabe que está aquí, allá, muy lejos, que la música en este segundo cubre todos los espacios que puede abarcar su pensamiento y que es la misma música, en el mismo instante que abarca ciudades y campos, hombres y mujeres, animales y desesperación, árboles y tranquilidad, cielo y tierra, y nadie sabe hasta dónde en este propio minuto alcanza a ir sonando esta música, entre balazos, entre risas, entre gritos de dolor, y el abuelo no sabe si es antes o después, sino que la música está en todas partes y sigue sonando y el tiempo es otra cosa, y la música está extendida, en este momento del mundo, y ahora oigo yo las notas, me siento incómodo dentro de la levita del abuelo y ahorcado en el cuello de pajarita, miro la madera oscura, sé que es el mismo piano que llegó a la casa del alemán, pero nunca estuvo allí, porque estuvo viajando para ver esta ciudad naciente. Pero el abuelo sabe —yo sé— que es *el mismo*, sin duda, porque en el flanco derecho tiene la huella del pistoletazo que mató a un hombre, y que ocasionó que fuese vendido en la subasta de Hamburgo.

Y el abuelo sabe que ahora el piano va a continuar su viaje.

1973

El pez ateo
de tus sagradas olas

(Al Cid. A Rose Girasol)

En mi ciudad de Leteo hubo un terremoto hoy, el más siniestro de toda su historia.

Miles murieron bajo las ruinas.

La terrible sacudida duró dos minutos eternos durante los cuales todo se vino abajo, y un arco iris de polvo y furia oscureció el cielo.

Mi hermano y yo habíamos salido a pescar tortugas al mar, y por eso estamos vivos. Allá oímos que una desgracia había caído sobre la ciudad. Hasta pensamos que era la Bomba Atómica, o algo terrible como eso, tal vez un castigo del cielo.

Entonces corrimos a ver qué era, y Leteo había desaparecido: nada quedaba en pie, ni las estatuas, salvo unos árboles que se sacudían sobre la tierra rota. Lo demás era una llanura dantesca de desolación.

Cuando llegamos a la ciudad, ahora en ruinas, los pocos sobrevivientes lloraban, o miraban al cielo sin decir nada. Era como si se hubieran muerto de pie.

De todas partes, como de agujeros, salían gritos desesperados. No era un dolor como es el dolor de siempre. Era algo tan espantoso que yo no puedo describirlo. Creo que no eran gritos salidos de la voz humana, sino de la carne. En todo caso, eran aullidos.

Cuando el miedo permitió otra vez pensar, se organizaron brigadas de salvamento, y se levantó una tienda bajo el árido y ardiente sol para atender a los heridos.

Uno que parecía alcalde organizó la cosa, aunque dudo que el alcalde estuviera vivo. Lo cierto fue que el señor dividió las ruinas en sectores, y nos asignó uno para cada dos sobrevivientes: tal había sido el desastre.

Mi hermano y yo formamos la "Brigada K, Sector 7". Nuestra misión era rescatar heridos de las ruinas y ponerlos a salvo, lejos de los muertos que ya estaban abandonados a su suerte.

Mi hermano y yo, él adelante y yo atrás de la camilla que fabricamos con dos palos y una lona que resistía el peso del tamaño de un herido.

Empezó, pues, una lenta y callada procesión de nuestro sector 7 a la colina, donde se iban amontonando los mutilados, algunos de los cuales agonizaban en el intervalo de dos viajes, y luego morían.

Los otros se retorcían de dolor, se revolcaban espantosamente, o llamaban a Dios. Pero nadie quedaba para socorrerlos, y nosotros nada podíamos hacer, o muy poco. ¡Era horrible! No podíamos consolarlos porque otros que también querían vivir nos llamaban en el sector. También para ellos éramos su última esperanza.

Nos pareció que el sol nunca había calentado más fuerte. Era un sol áspero, de hierro. En vista de un sol tan asesino resolvimos quitarnos la ropa y trabajar desnudos. En Leteo todo el mundo estaba desnudo, muerto o desamparado. Era desolador, y nada explicaba por qué no estábamos todos muertos.

Pero la vida es así, una cosa rara que nos eligió para un oficio doloroso.

Mi hermano Alción sí lloraba de vez en cuando al regreso de la colina, cuando su corazón podía darse el desahogo de un sentimiento, o el lujo de un recuerdo. Hasta llamaba a su novia que seguramente ya estaba muerta con su bello cuerpo. Él la amaba.

Yo no lloraba, ni llamaba a nadie. Todo era inútil. Hacía lo que tenía que hacer.

Si Leteo vuelve a existir alguna vez; si la ciudad vuelve a fundarse sobre la nada, nuestros nombres serán registrados en la historia del terremoto, como sobrevivientes y salvadores.

Tengo que confesar que a mí no me importa la tal inmundicia de la gratitud: ni compadezco a la humanidad, ni la odio, ni la amo. Hago lo que tiene que hacer un sobreviviente, sin alegría, sin lágrimas. Eso es todo.

Pienso que otros harían lo mismo que yo, aunque no sé. No espero nada de los hombres y no soy un santo para que se esperen de mí esas grandes cosas morales como la nobleza y el valor.

Desgraciadamente, al caer la tarde, el sol ya se dejaba sentir sobre los muertos, descomponiéndolos un tris. Un gas venenoso ascendía al cielo desde las ruinas. Los gritos eran inmensamente desesperados, pero más reducidos, seguramente porque los muertos eran cada vez más, y los vivos, menos: cosas de Dios, que no mueve una ola, ni tumba una ciudad sin su poderoso consentimiento.

De noche, en plena oscuridad, el rescate fue más difícil, y aunque no se veía nada –la luna era del tamaño de una hoz rusa– nos guiábamos por las lamentaciones.

Remover los escombros que aplastaban los cuerpos era casi imposible. Muchos quedaban allá abandonados para siempre, esperando la muerte, pero enloquecían antes de morir. Era terrible escuchar sus plegarias o sus blasfemias a los dioses o al Destino, pues para todos, según su fe, había desesperación y consuelo.

Muertos en vida, o condenados a morir con los ojos abiertos, bajo la bóveda de aquel cielo estrellado, ya purificado de polvo, nítido y azul: un hermoso cielo de verano, pero de una cruel belleza para los que iban a morir y lo veían por última vez. Creo que la belleza de ese cielo los enloquecía.

Sería media noche cuando nos ofrecimos un merecido descanso restaurador, pues estábamos agotados. Yo me tiré boca arriba sobre la hierba, lejos de los heridos para no oír sus malditos quejidos.

A pesar de la desgracia que se extendía a mis pies, el cielo me pareció bello y turbador, y en las claras estrellas identifiqué mi loco amor por la vida, y me sentí feliz. Lo que había de pureza en el mundo estaba allá arriba, en el firmamento, goteando una luz espléndida sobre el afligido cementerio de la ciudad.

Alción estaba tan desesperado que no sentía cansancio, y fue a buscar a su novia, o lo que quedara de ella, adivinando el sector donde vivía, cosa imposible de saberlo porque nada había quedado en su sitio: los rascacielos estaban patas arriba; la ciudad había sido arrancada de raíz, y lo que antes estaba en un extremo, ahora podía estar en otro.

Por eso no me preocupé de buscar a mis padres, aunque sí pensaba en la posibilidad de que mi gato "Ternura" estuviera herido y me necesitara. Pero yo estaba muy cansado para buscarlo. Tal vez mañana él vendría a mí por su cuenta.

Cuando Alción regresó sin saber nada de su novia, ni un quejido siquiera, yo me había sumido en un éxtasis con el bendito cielo estrellado, y qué furioso me puse cuando Alción llegó desilusionado y loco de pena, arrojando lágrimas como una dolorosa, o cosa semejante a lloronas, quebrando el sortilegio de mi contemplación nirvánica que era la antesala del cielo místico donde la Santa Nada ya abría sus puertas para ponerme en comunicación con el misterio.

No tuve más remedio que volver a mi ingrato oficio de sepulturero, yendo y viniendo entre gemidos, lágrimas y demencia, y un amotinado olor de tumba abierta.

Al fin se derramó un alba fresca como un loto, y salió el sol. Con los primeros rayos me sumergí en el sueño para no ver aquello macabro que el sol iba a calentar, y también porque estaba cansado hasta la muerte.

Así que decidí dormir, y ni siquiera me preocupé por buscar a "Ternura". Ya que el diablo se había llevado a Leteo, que se llevara también mi gato, aunque Dios sabe cuánto lo quiero, o quería, si por desgracia está muerto.

A medio día recibí en pleno rostro una bofetada, que me despertó; una ola de calor intenso extendía por la ciudad un hosco olor de corrupción. Todo estaba podrido, hasta el cielo puro. En el aire caliente y pegajoso zumbaban enjambres de moscas, como nubes infectas que amenazaban caer sobre la ciudad y devorarla.

Miles de cuervos migratorios surcaban el cielo y se arrojaban con sus picos filudos consagrándose a una horrenda rapiña, sin que nadie los espantara.

Todos estábamos ocupados con los vivos, o con los medio vivos. Los muertos no importaban, y tal vez quedaban mejor digeridos en el vientre de los cuervos que olvidados a la furia del sol, pues este los pudría sin hacerlos desaparecer.

Y fue a causa del sol que el aire se hizo pestilente. Un vaho de putrefacción tapó el horizonte, y cayó la peste al tercer día sobre los intestinos desparramados de la ciudad.

La primera víctima de la epidemia fue abatida en la "Brigada J, Sector 6". Era una mujer. Había caído en convulsiones, arrojó una baba morada, y luego se quedó quieta.

Su compañero nos dio la noticia. No parecía tener miedo de la peste. Su voz era triste, pero serena. Quizás no le importaba morir, pues el corazón humano se endurece en el contacto con un dolor tan bruto. Seguramente ya no creía que la muerte era una desgracia. Yo no pensaba lo mismo. Si era verdad que la peste había llegado, pronto estaríamos todos muertos, y esto me asustó como el demonio.

Desde ese momento algo cambió en mí, no sé qué, mi feroz instinto de vivir.

A partir de entonces nuestra misión era mortal, equivalente al suicidio. Porque nosotros teníamos que remover los muertos en busca de los que aún tenían fuerzas para el dolor, y así no podíamos escapar a la contaminación.

Mi hermano calculó en cien los que aún podíamos rescatar para la vida. De regreso de la colina me detuvo y solté la camilla que hirió a mi hermano en el tobillo. Me senté en el pasto seco, mudo como una roca, y medité.

Mi hermano chilló por el dolor, y me insultó porque yo era un exacto y cochino bruto, pero luego me divisó allí muy abatido y sudando perlas como un condenado, y me preguntó con ternura si al fin me había conquistado la maldita peste bajo su protección.

No contesté.

Mi hermano miró al sector con sombría desesperación, pensando en las víctimas que pedían socorro con gritos miserables o aullidos.

Finalmente se enfureció con mi lejanía, y me instó a patadas a que marcháramos, pero no me moví. Entonces me definió como un bárbaro sin corazón que me dedicaba al ensueño mientras otros esperaban aplastados o muertos, y declaró que Nuestro Señor Jesucristo me castigaría por mi impiedad.

—Me voy, no quiero morir.

—¿No estás oyendo los gritos?

—Sí, los oigo, no es culpa mía, que los salve el cielo. Yo me largo.

—Piensa que cien vidas dependen de ti, piénsalo dos veces.

—Sólo mi vida existe. No la quiero perder por nada.

—¿Es que cien te parecen nada, maldito degenerado?

Me precipité en la ruta que va a las montañas, allá donde el aire es puro, y azul el horizonte. Escalé la colina en minutos huyendo de Alción que me perseguía con un garrote para matarme, pero yo trepaba como un rayo, veloz como el remordimiento tras la culpa.

Como era imposible alcanzarme. Alción desistió y se puso a maldecir con los puños, invocando la ira del cielo, calificándome de hijo de perra, desalmado y otras inmundicias que me traía el viento apestoso de Leteo.

Lo último que oí fue una maldición que me perseguiría hasta la muerte, y que se convertiría en el signo de mi predestinación:

"¡No vuelvas a Leteo, maldito bastardo, porque te convertirás en un pez!".

Luego me alejé hasta perder el eco fraternal de un amargo llanto de dolor, ira o desamparo. En todo caso no me importó que llorara, ni que se lo tragara la tierra. Allá él. Mi deserción me llevaría lejos de la angustia y la cólera, hacia las regiones puras del sol, hacia la vida.

El sol estaba en su fina, muy agobiador, y el aire seguía saturado de corrupción. Coroné la colina y me hundí en una torrentera de montañas donde el mundo parecía terminar en un abismo. Pero el mundo empezaba en todas partes donde el sol nacía, y más allá del crepúsculo estaba la noche cósmica con sus vientos, el canto de los pájaros y la soledad eterna de las piedras.

Ya era de noche cuando escalé la cima más alta donde se divisaba un Leteo remoto que semejaba la camisa rota de un fusilado. Respiré sobre una roca un aire sin lamentaciones, sin hedor, y claro de luna.

Como ya podía estar contaminado me hundí en una laguna de aguas bucólicas donde la luna rielaba sobre unos lotos, y bañaba de oro el corazón de la noche misteriosa.

Unos pájaros modularon cantos enigmáticos, y estremecieron la oscuridad con aletazos que desplumaban al vuelo la dorada luz lunar. Mi corazón latía con una dicha cruel y violenta.

Me sentí solo y feliz como Dios.

Una nube errante tapó el disco de la luna. Unas aves apocalípticas aprovecharon la pausa de negrura para emitir extraños cantos desapacibles, que tal vez eran cantos felices en su corazón de pájaros nocturnos.

Escalé un árbol de madroños y calmé el hambre y la sed. Entre las ramas me sentí a salvo de todo lo misterioso y fugitivo que encierra la noche, no sólo de las almas de Leteo vagando vengativas, sino del viento oscuro y de los formidables aleteos de los avestruces del cielo.

Ahora que estaba solo, exiliado de una humanidad en la que ya no había sitio para mí, el gran bastardo sin porvenir y sin Dios, ahora entonces empecé a sentirme hijo del sol, alma del viento, fruto del Árbol de la Vida, sueño y olvido...

El sol de la mañana doró mi cuerpo y mi sonrisa, desnudo y enlazado a las ramas como un mico. Entonces comprendí que mi reino era ése, el reino puro y verde de los seres sin pensamiento, un átomo de luz en la radiante energía del Cosmos.

Noté que mi sexo se puso tenso por la alegría de mi alma, y mi alma se estremeció con la dicha salvaje de mi cuerpo, cuyas ondas hacían crujir las ramas con la marea de la plenitud. Una colmena de "angelitas" suspendida en lo alto chorreó unas gotas de miel.

Ya sin conciencia y sin remordimientos, olvidé la triste historia de Leteo, apestada y vencida por la muerte, como una miserable ciudad de la Humanidad.

Más allá del horizonte me esperaban las ciudades del sol. Evidentemente no se trataba de números: Uno contra Cien. Se trataba, eso sí, de mi vida en el tiempo, y del tiempo en la misteriosa eternidad.

Descendí del árbol y eché una mirada al pasado. ¡Luego me alejé sin nostalgias, sin esperanzas, hacia la tierna tierra que amaba!

II

Leteo no fue más una ciudad. Un jardín de ortigas creció sobre las ruinas. Con los años, la ambición y la sed del mar la invadieron. En esta forma, la ciudad quedó sumergida y olvidada.

Cuentan los marinos que sobre esas aguas oscuras se oyen lamentos y un rumor de progreso. La ciencia y la poesía no descartan la posibilidad de que Leteo haya iniciado allá en el fondo una nueva faz de vida submarina.

La fantasía de unos pescadores relata que una mañana llegó a la costa un vagabundo. Lucía barba y cansancio de profeta, y estaba desnudo como un tronco viejo lleno de raíces. Al pie de las olas miraba en las direcciones del horizonte, como si buscara algo que había perdido su mirada o la memoria.

Cuando los pescadores pasaron echando sus redes, se le acercaron. Uno le preguntó de dónde venía.

—Vengo de las ciudades del sol —contestó el vagabundo.

—Y, ¿dónde están esas ciudades, padrecito?

—Allá lejos —dijo el vagabundo tratando de dar con la mirada una idea del Infinito.

—Y, ¿qué vienes a buscar a estas playas, padrecito?

—Vengo a buscar mi ciudad... Díganme, pescadores, ¿no estaba fundada aquí la ciudad de Leteo?

—Eso fue hace mucho tiempo, nosotros no habíamos nacido. Dicen que la destruyó un terremoto y que nadie quedó vivo. ¿Acaso conociste a Leteo, padrecito?

—Así es. Nací aquí, o donde sea que ahora esté la ciudad, porque la ciudad tiene que estar en alguna parte, así sea en la memoria de uno que nació en ella.

—¿Por qué te viniste del Sol, padrecito, acaso hacía mucho calor?

—No hay nada tan triste como felicidad, hermanos míos. He venido a pagar una deuda.

—Padrecito, ¿no será que estás loco? Mira qué pobre estás, ni siquiera tienes un trapo encima. Súbete a la barca y te llevamos a la otra orilla.

—No, mi destino está en Leteo mi ciudad.

—Súbete, aunque pareces un cangrejo no te vamos a comer.

—¡Sí, parece un cangrejo! —gritaron alegres los pescadores.

El vagabundo entró en las olas. Los pescadores quisieron detenerlo y subirlo a la barca, pero él dijo con una voz triste de profeta antiguo, que los asustó y los detuvo:

—Yo tengo un gato que se llama "Ternura", y un hermano que se llama Alción. Ahora me esperan allá abajo, pues hace tiempo que no los veo.

Los pescadores lo vieron alejarse y hundirse convertido en un pez, en el pez ateo de tus sagradas olas, ¡oh mar!, donde ahora nada y olvida la sufriente noche del remordimiento, ¡convertido en un hijo más del océano!

La nueva prehistoria

¡Cuán larga ha sido nuestra vida
para ver por fin, a la vejez,
este inesperado desastre!
Esquilo

I

Sucedió cuando mi amigo Metropoulos se alineó en la larga fila de gente que esperaba turno para comprar boletos en las taquillas del cine Mayer. A mí nunca me gustó "hacer cola". Por eso me quedé sentado, masticando mecánicamente palomitas de maíz, mirando las mujeres que pasaban y la gente que llegaba hasta la fila, para fundirse en ella como las esferas de mercurio se funden entre sí.

La fila avanzaba lentamente y se escuchaba el rumor de los pies al restregar el suelo a intervalos regulares. Aquello era tedioso e interminable. Miré la cara de mi amigo: inexpresiva, alargada, los ojos vidriosos de aburrimiento, los brazos verticales como los de un simio y los pies arrastrándose lenta, imperceptiblemente.

De pronto me sobrecogió el terror y supe de antemano lo que iba a suceder. Una señora gruesa, visiblemente cansada de esperar, trató de abandonar su lugar, a pesar de hallarse relativamente cerca de la taquilla. Dio dos, tres pasos alejándose de la fila. Esta se curvó elásticamente en el mismo sentido de sus pasos. La señora volvió la cabeza, indignada, hacia sus vecinos más próximos. Luego intentó desprenderse bruscamente. Corrió hacia afuera, esta vez con mucho ímpetu, y la fila se estiró tras ella como un inmenso arco que se distiende. Luego, al regresar a su posición original, la fila arrastró consigo a la pobre mujer, que se debatía inútilmente.

Cundió el pánico. Todos intentaron liberarse al mismo tiempo. La inmensa fila onduló en las más extrañas contorsiones, como aquejada de un hipo monumental. La gente peleaba. Los gritos y las interjecciones se sucedieron. Los ánimos se caldearon y llovieron los golpes.

Los curiosos se congregaron alrededor del monstruo recién nacido.

Era otra costumbre humana, muy urbana, un poco ociosa, congregarse en grupos para mirar cosas: grúas, aparatos de demolición, operadores de taladro, en la vía pública. Aviones. Desfiles militares. Mítines políticos. Peleas callejeras. Grupos para ver carteleras. Grupos para ver cualquier cosa.

Siempre fui enemigo de los grupos y las filas de gente. No es que haya sido un antisocial. Nada de eso. Pero el hombre adocenado, el hombre-montón, me asquea. Nunca me imaginé que las cosas fueran a tomar el giro que ahora tienen, ni menos aún ser el testigo de esa transición.

II

Los individuos de la fila comprendieron pronto que no había nada que hacer, o al menos, que nada ganaban combatiendo entre sí. Harapientos, sangrantes, cojeando y cabizbajos, quedaron inmóviles por fin. Un silencio ominoso se amparó de ellos. Y luego, poco a poco, como el rumor de muchas aguas fue creciendo la voz de la incredulidad y del espanto.

Era evidente que las personas no podían separarse. Algo las unía irremisiblemente. Algo que en el primer momento no era más que un "pneuma" inasible y que rápidamente, con el transcurso de los minutos, se convirtió en algo viscoso pero tangible. Bien pronto sería una gelatina transparente y luego un cartílago elástico como el de los hermanos siameses.

La inquietud se apoderó de la fila. Primero muy despacio, como un inmenso ciempiés que despierta, el monstruo comenzó a desplazarse calle arriba, mientras cientos de brazos se alzaban desesperadamente.

Encabezando la fila iba un hombre de ojos enrojecidos y la boca torcida en un rictus amargo. Lo seguía una joven que unas horas antes fue vanidosa. Ahora, despeinada, el maquillaje licuado por las lágrimas y el vestido en jirones, avanzaba como una sonámbula. Venían luego un adolescente de cara pálida de terror y Metropoulos, mi viejo amigo, transformado ahora en una vértebra más del monstruo reptil. Pasó de largo, sin atender mis gritos, la mirada baja y los pies adaptándose al ritmo de marcha de la extraña caravana.

Poco a poco la carrera se hizo rápida, despavorida, errática. Al dar vueltas, la enorme cola recordaba irremediablemente una comparsa de carnaval, bailando por las calles una conga endemoniada.

Después de varias evoluciones frenéticas el reptil se derrumbó y cada anillo de su cuerpo jadeaba y era un estertor continuado que se repetía en las bocas entreabiertas, en las narices de aletas palpitantes y en los pares de ojos extraviados.

Duró sólo un momento. El reptil levantose nuevamente. Tenía algunas vértebras muertas, inútiles. Arrastrándolas, el monstruo reanudó su carrera zigzagueante. Hasta perderse calle arriba.

Durante un buen rato se escuchó un pavoroso ulular, como en el seno de una prehistoria que comienza.

III

El grupo de imbéciles mirones había quedado estático. Yo había logrado adosarme a la boca de una estrecha puerta. Desde ahí, a salvo, miré hacia el torpe grupo. De antemano sabía lo que iba a suceder.

Poco a poco fueron despertando de la pesadilla que dejó a su paso la enorme sierpe humana. Ahora tenían conciencia de su propio estado: eran una amiba gigantesca. Un protoplasma adiposo había surgido entre ellos y los mantenía unidos como celdas del mismo panal.

No hubo un solo grito. A duras penas leves quejidos y el ruido del impotente forcejeo.

Si el ofidio humano siempre supo cuál era su cabeza y cuál su cola, el grupo amiba tuvo una inmediata propensión a disgregarse. La masa humana cambiaba de forma a cada instante, de manera repugnante y grotesca: una amiba macroscópica y convulsa que da tropezones contra las paredes rebotando dolorosamente. Un nuevo ser, gigante y torpe, que se aleja calle arriba, en pos de su predecesor.

IV

No recuerdo cuántos días con sus noches vagué por esas calles. Había miles de monstruos de todos tamaños, vagando por la ciudad. Las "colas" para comprar pan y subir a los autobuses habían producido pequeños reptiles de diez o menos vértebras. Lo mismo las filas en las cajas de los supermercados y ante las ventanillas de los bancos. Más largas eran las del turno en las casetas telefónicas, los cines, teatros y otros lugares públicos. Las amibas pululaban por doquier, haciendo una ronda enloquecida, provenientes de los grupos callejeros y de los amontonamientos.

El extraño vínculo que sujetaba a la gente entre sí, era realmente indisoluble: vi quien intentó cortarlo, ocasionando en seguida su muerte fulminante. Los eslabones muertos en forma accidental caían como las hojas secas, sin interrumpir la cadena viviente.

Vi un autobús lleno de gente que ahora formaba una sola masa, un compuesto único. Después de tratar inútilmente de salir del autobús, decenas de manos se habían dado a la tarea de destruirlo, para poder salir de su interior. Edificios enteros comenzaban a ser demolidos desde dentro, por grupos-amibas aprisionados por sus muros. Una multitud vociferante había formado un inmenso coágulo que a su paso destruía obstáculos, llenando las calles como un río: provenía de una manifestación política.

Las pocas personas aún aisladas se escurrían como ratas, evitando el contacto de los nuevos cuerpos. La mayoría, sin embargo, eran absorbidos por ellos, pasando así a formar parte del nuevo estado de la humanidad.

Una fuerza extraña al hombre, hasta ahora patente en su naturaleza, habíase desatado; un cáncer psicológico que aglutinaba a hombres como si fuesen átomos de nuevos elementos en formación.

V

No quiero saber nada de esto. No quiero verme transformado en algo informe como una amiba o un esputo, ni tampoco quiero pasar a ser el último anillo de algún gusano gigantesco. Me aferro a mi calidad humana, a mi propia personalidad individual y definida. Soy un hombre, no una entelequia.

Sin embargo, sé que tengo la batalla perdida. Ante mis ojos, bajo mi mirada exasperada por la impotencia, veo transformarse a la humanidad en una pesadilla. Trato de ser imparcial y me digo que tal vez así es mejor, que esta súbita mutación que se acrecienta traerá consigo un avance radical de la humanidad. Pero es inútil. Aun siendo así, esta nueva forma de vida me repugna.

Han renunciado por completo a las antiguas fórmulas de vida. Es inútil que traten, como antes, de vivir en las antiguas habitaciones, emplear elevadores, sentarse en sillas, dormir en camas, transportarse en autobuses o en aviones. Es claro que no pueden reemprender sus labores individuales, ir a sus oficinas, atender en los despachos, operar en las clínicas, actuar en los teatros. Todo ha de ser reestructurado según las nuevas condiciones de vida.

Pero ¿acaso se dan cuenta de ello? ¿Acaso les importa?

Después de los primeros días de pavor y desconcierto, los nuevos seres compuestos abandonaron las ciudades. Tal vez en la imposibilidad de tener acceso a las cocinas, despensas y refrigeradores, decidieron marcharse al campo.

El espectáculo de los reptiles y las amibas gigantescas vagando por las praderas o acechando entre los bosques, es algo que me produce náuseas. Creo que han olvidado lo que fueron. Comen insaciablemente, frutas, raíces y animales a los que no dan tiempo de morir. No se han preocupado aún por construir viviendas donde albergar su nuevo estado. Duermen, los unos, enrollados como inmensas boas en torno a un fuego; los otros, apelotonados en el suelo desnudo.

No sé si recuerden que alguna vez fueron hombres.

VI

Ha transcurrido el tiempo; he perdido su noción. La evolución de los nuevos seres ha sido endemoniadamente rápida.

Ya no tratan de añadir nuevos anillos a sus cuerpos gigantescos. Destruyen a los seres aislados. He vivido ocultándome a sus miradas múltiples y a su olfato poderoso, escondido en las ruinas de las ciudades. Con frecuencia salgo a espiarlos al exterior.

Su aspecto ha cambiado enormemente; ahora son otra cosa. Llevan una extraña vida en que lo primitivo está mezclado a ciertos avances técnicos y a sus recuerdos humanos. En días pasados sorprendí a dos seres-ofidios haciendo el amor en una pradera cercana. Fue algo indescriptible, un azotarse extravagante y retorcido. Ahora sé que poseen un organismo común, una sola función fisiológica, un solo sistema nervioso, una mente única y poderosa.

Tuve alguna dificultad para aceptar esto último, ya que en la época en que los humanos eran seres individuales, los que solían hacer colas o formar grupos callejeros eran sólo los imbéciles y los mediocres. Ellos fueron los anillos primigenios de estos monstruos actuales. La gente inteligente no habrá quedado comprendida en esos adefesios. Las personas inteligentes habrán sido destruidas o –como yo– andarán escondiéndose entre las ruinas. Sin embargo, no he visto a nadie por ahí.

A pesar de todo tengo que reconocer su poder, la habilidad técnica que comienzan a desplegar. Con la velocidad de sus mil manos y de sus mil pies, levantan extraños edificios alargados o circulares, elaboran y transportan materiales en un santiamén. Se protegen del frío con inmensas capas, provistas de agujeros para sus múltiples cabezas. A veces entonan extrañas canciones guturales con sus coros de mil voces.

Me imagino que no está lejano el día en que construyan sus propios aviones y sus coches, largos como ferrocarriles, o redondos y aplanados como platillos voladores. También llegará el momento en que jugarán al golf; no cabe duda.

VII

Pero no quiero saber nada de esto. Siempre fui enemigo de los grupos y las filas de gente. Me aferro a mi calidad humana, a mi propia personalidad individual y definida. No es que sea un antisocial. Nada de eso, lo repito. Pero el hombre adocenado, el hombre-montón, me asquea. Nunca imaginé que las cosas tomaran el giro que ahora tienen, ni menos aún ser el testigo de esta transición.

Estoy en medio de las ruinas. A la distancia se escucha un coro gigantesco; es la voz de la prehistoria nueva... de un nuevo ciclo que comienza.

Pesadilla en el hipotálamo

P RIMERO, UN antecedente necesario. Soy un humanista, un erudito, uno de los últimos representantes de estas especies que morirán con el siglo y serán con los años una reliquia académica, una romántica entelequia. Tal vez por esto mismo no le temo a la muerte. Tiemblo en cambio de sólo pensar en un traumatismo cerebral, el golpe preciso que borre de un tajo información atesorada en años de aplicación. Imaginen lo que puede sentir una persona que al despertarse una mañana y abrir el periódico encuentre que el castellano de cada día es casi tan indescifrable como el sánscrito o el pali; o que el álgebra elemental, la poética de Occidente, le resulta de pronto más abstrusa que los diagramas del estructuralismo, esa matemática del verbo; o que una serie de palabras ya oscura —agua, cilantro, Rulfo, junio y las alondras— le duele sin saber por qué.

Pero bueno, dejemos esto aquí, no quiero parecerme a esos prestidigitadores de la enumeración que relacionan sin sobresalto alguno a Homero con Macedonio Fernández, al cristianismo con el racionalismo, a Joyce con el agua, a la lógica con el sentido común, a Ava Gardner con Teresa de Calcuta, a Arciniegas con la Academia de Historia, a Poe con la novela negra, a Demóstenes con Barco, a los tabloides con el *Cantar de los cantares*, a Borges con la crítica, a Roma con la Meca, a la Meca con la Ceca y a la novela colombiana con la literatura.

Todo comenzó con los dolores de cabeza que fueron llegando como unos golpecitos sordos y lejanos, y crecieron hasta alcanzar el estruendo de una cantaleta interior, una ópera de cámara y un despertador neumático reunidos, mas no recuerdo cuándo advertí por primera vez que estaba perdiendo la memoria —hasta el olvido puede ser materia de olvido. Recuerdo, sí, cómo comenzó: los acentos de algunas palabras, los exponentes de los números, las comas de las frases, los nombres de pequeños accidentes geográficos, los minutos de las horas de las citas y la cifra de las unidades de las fechas históricas fueron las primeras formas que se asumieron en ese triste crepúsculo de la inteligencia. Pensé que eran secuelas del alcohol, estimulante del que había abusado bastante en los últimos años, o de la marihuana, arbusto del que me fumé varias hectáreas en mi enmarañada juventud, pero los electros y las fantasmagóricas placas de los médicos —Dios no nos falte con ellos— no revelaron nada. Fisiológicamente mi cerebro estaba perfecto. No quise ir al psicólogo. Si el psiquiatra es un Quijote despedazado por los molinos de viento, el psicólogo es Sancho tropezando con la sombra de esos molinos.

Un día descubrí que los datos que olvidaba no quedaban borrados de una manera completa sino como ruñidos parcialmente. Y una noche en que estaba dedicado a la lectura aprovechando el silencio de las "altas horas" como dicen los bardos, me pareció escuchar de las profundidades del cerebro un *crunch-crunch-crunch* goloso.

De pronto lo vi claro. ¡Un gusano me estaba devorando las neuronas! No pasaba un día sin que me percatara de algún olvido oneroso: el libro exacto en que había escondido una suma importante; el capítulo en que Sancho desface salomónicamente los entuertos de la Ínsula Barataria; ciertos elementales y queridos algoritmos; el sabor de una fruta escasa; la gracia de montar en bicicleta; el eco de la voz de una mujer; el ya lejano rostro del abuelo.

Dije que tuve la sensación de tener ruñida la memoria y así era, literalmente hablando. El olvido es un fenómeno de carácter *continuo*, no *discreto*[1], es decir que los seres humanos olvidan todo un verso, el nombre de un autor, un compromiso, tomarse la pastilla, no fracciones de estos sucesos, como era mi caso. Olvidaba un pedazo del apellido de un

---

[1] Uso estos adjetivos en su acepción matemática, en virtud de su pertinencia. Si el lector es por desgracia analfanumérico, como sucede siempre con los buenos lectores, le ruego acepte desde ya mis disculpas.

amigo cercano, el objeto de una cita, una fracción de hemistiquio, el agua de la pastilla, y con frecuencia la palabra final de las frases que lograba recordar estaba roída con descaro.

Por supuesto que me abstuve de comentar con nadie la hipótesis de los gusanos en el cerebro (ya es bastante vergonzoso llevarlos en el estómago) pero fui capaz de demostrarla con rigor. Transcribí a máquina sobre papel carta un soneto en versos alejandrinos que se me estaba desdibujando. Recordaba todo el primer verso, doce sílabas del segundo, diez y media del tercero, ocho del cuarto y así hasta el último, del que sólo recordaba dos sílabas átonas. Parecía un caligrama sesgado, como si el erudito bicho (porque luego descubrí que era uno solo) se hubiese propuesto devorar el texto siguiendo maniáticamente la diagonal de la página. Puedo asumir que el lector coincidirá conmigo en que el olvido sigue siempre trayectorias quebradas, irregulares, y que la posibilidad de que esa trayectoria sea una recta perfecta y prolongada es muy remota.

Además de geómetra el bicho era esteta. Devoraba con avidez poemas, ensayos y canciones, los rumiaba días, semanas, para escoger al cabo como un frugal *gourmet*, como el más quisquilloso antólogo, el mejor verso, una paradoja rutilante del ensayo, la frase más feliz de la canción, y vomitar el resto, que luego aparecía por allí en algún recodo de las circunvoluciones de mi ruñido cerebro en montoncitos ininteligibles de letras, claves y notas.

De todas las expresiones numéricas que guardaba mi cerebro (y no eran pocas) su favorita era la fórmula de Euler,

$$e^{\pi i} + 1 = 0,$$

que es considerada la más bella de las matemáticas porque reúne con brevedad y sencillez cinco famosas entidades: π, cero, e —la base de los logaritmos naturales—, i —la unidad de los números imaginarios— y el *uno*, la unidad de los reales. Ahí está todo. Le gustaba tanto que en vez de ruñirla la lamía —como hace el niño con el chocolatín para que no se le acabe.

Si en un principio los estragos del gusano afectaron principalmente mi vida intelectual, pronto sus efectos se extendieron a los más elementales actos de la vida diaria. A veces se me olvidaba caminar en mitad de un paso y me quedaba con un pie suspendido en el aire ante la mirada compasiva de los transeúntes. Una amiga muy bella, pobrecita, también resultó afectada. Un día le mandé un fax a la oficina "sueño con una fiesta para dos / con vino, velas, música y vos". Por la noche vino a mi apartamento. La recuerdo en el umbral de la puerta con su rostro de virgen fatal enmarcado entre dos botellas de su vino favorito –su sonrisa luminosa encendía chispas en el oscuro licor– y el blanco cuerpazo de insomnio ceñido en un traje alto de seda turquesa –escotado, de tiritas, insoportable. Conversamos primero de temas neutros, como dos animales exactos que caminan en círculos sigilosos esperando un parpadeo del otro para saltarle a la yugular. Yo salté primero, la toqué con rudeza y sin palabras, mirándola fríamente a los ojos. Avergonzada, protestó débilmente. Entonces le susurré ternuras obscenas, estruje la seda, besé sus hombros y despedacé los encajes, y cuando la tenía ya lúbrica, desnuda y paroxa se me olvidó de qué se trataba la cosa y no pude entender qué significaban sus jadeos, lágrimas, insultos y mordiscos. No me lo perdonó nunca.

Otra noche sentí que una mano poderosa me apretaba la garganta. Desperté congestionado. ¡Se me había olvidado respirar! Al día siguiente decidí cortar por lo sano. Suprimirme. Reflexioné largo sobre el método. Había que escoger el más seguro para no ir a fallar y añadir a mis problemas de memoria la ceguera, la sordera o la invalidez. Un amigo, un valiente teórico del tema, me aconsejó "la tina romana". "Es simple –me dijo–. Te sumerges en la tina, que habrás llenado previamente con agua tibia, te cortas las venas y te vas sumiendo en un leve sopor. Es como flotar. Indoloro y efectivo. Era el método preferido por los patricios en desgracia". Sonaba atractivo pero rechacé su consejo porque es un método espantosamente lento. Tiene uno demasiado tiempo para arrepentirse y salir corriendo para la clínica manchándolo todo, salpicando el resto y exponiéndose a que lo comparen con alguna malhadada actriz de televisión. Los venenos me atraían. Hay unos comprobadamente letales y vienen con sabor a frutas. Fueron muy literarios en otros tiempos pero ahora son propios de estratos deprimidos, y lo más probable es que uno no aguante los últimos retorcijones, grite, y acuda algún entrometido que lo salve. Luego el chisme, la compasión. No faltará quien compare tu caso con el de un conocido actor de reparto de fotonovelas. ¡Además los vermes! La asquerosa idea de que a mi muerte no sólo el cerebro sino todo mi cuerpo sería pasto de gusanos, me desalentaba.

"Los médicos no fallan –me dijo un viejito cínico–, visita uno". No seguí su consejo porque desconfío de ese gremio, como habrán notado. Siempre hacen todo al revés. Si matan al que quiere vivir, entonces por crasa simetría deben salvar a quien quiere morir.

Al fin me decidí por el procedimiento clásico, un tiro. La perspectiva de terminar mis días propinándome un estruendo cerca del oído no me atraía –sufro de fobia al ruido– pero mi armero de cabecera me garantizó un silenciador absoluto. "Te puedes matar en la alcoba sin despertar a tu mujer, tú sabes, ellas lo complican todo", me aconsejó Alexis, un profesional que sabe que la principal preocupación de los suicidas es la familia, el dolor que se causa, la indefensión en que se la deja. Tal vez por esto me aconsejó una bomba. Era costosa pero resolvía todos los problemas de una vez: el dolor, la indefensión, etc. Era un loco, claro, de modo que le compré el silenciador, arreglé mis asuntos y fijé la fecha. El día señalado tomé una habitación de hotel, saqué el arma, me la llevé a la sien y... ¡zas! Se me olvidó a qué iba y qué hacía yo en un hotel con ese artefacto en la mano, y regresé a mi casa perplejo y estúpidamente feliz.

Concluí que era tiempo de tomar un vermífugo. ¡Había que matarlo a él no a mí! (la cobardía es la musa de la inteligencia). Era algo tan sencillo que no me explico cómo se me había pasado. Así somos los suicidas, ilógicos, obsesos, condenados a errar en círculos hipnóticos, incapaces de optar por la tangente de la salvación presos de una fatalidad centrípeta.

El farmaceuta me recomendó un vermífugo caro. "Es lo último", me dijo y yo creí advertir en esas palabras un sentido grave y premonitorio. Lo tomé con aplicación durante quince días sin resultado. Doblé la dosis y logré arruinarle el apetito. (Algo es algo, como dice la irrefutable tautología popular, que nunca erra porque jamás apunta). Y si bien no fue capaz de devorar más información, aún podía rebujarla: arruinaba la ortografía de documentos importantes, trastocaba los números telefónicos, y con frecuencia invertía la secuencia lógica de los actos cotidianos, de manera que yo terminaba poniendo los huevos en la estufa antes de colocar la sartén, vistiéndome para bañarme, cepillándome antes de comer, poniéndome las medias sobre los zapatos. Era exasperante. En el trabajo... ¿De qué hablábamos? En fin, lo cierto fue que un día, ya desesperado, me tomé un vermicida para caballos. Sabía a fuego con enjundia, me provocó gastritis y una jaqueca que me puso a llorar pero supe que le había hecho mella porque en la noche lo sentí revolcarse por toda la corteza superior. Calculé que podía matarlo con un par de tomas, sólo que no estaba muy seguro de sobrevivirlo. Por lo pronto el animal se asiló astutamente en el hipotálamo. Como quien dice: "Nos vamos a hacer pasito, ¿verdad?".

No todo era negativo. En la época dorada de su voracidad había ingerido mucha información inservible, "cucarachas" que tiene uno en la cabeza ocupando valiosos *bytes*: literatura neoclásica, filosofía moderna, una frase insulsa de un fulano intonso y que por alguna sinrazón se ha quedado grabada en la memoria, noticias de las revistas del corazón, narrativa española, literatura europea del siglo xviii, poesía latinoamericana del xix, nóbeles, dramas de Echegaray, memorias de prohombres, un crepúsculo mediocre que se resiste a borrarse, el número telefónico de una *ex* cuya fealdad aún me avergüenza, el sabor de la Emulsión de Scott, una escena de tango que vuelve una y otra vez, versos de Nicolás Guillén y *sernadas* de Ramón Gómez aferradas como garrapatas a una neurona zonza. A veces me hacía cometer lapsos certeros, como sucedió con una adolescente tentadora cuya sonrisa estaba nublada por una empalizada de *brackets* y a quien le dije un día, arrebatado, queriendo agradecer sus besos inolvidables, "¡Tu recuerdo será inoxidable!".

Entonces decidí enfrentarlo psicológicamente. Me dediqué a coleccionar fragmentos literarios donde los gusanos aparecen como alegoría de todo lo despreciable y repugnante, y en las mañanas le recitaba la creciente y mórbida colección. Hasta inventé un símil para referirme a ese retorcido proceso que convierte el vigor y la belleza de la juventud en decrépita vejez. "El hombre padece una metamorfosis invertida —escribí— que de la prodigiosa mariposa de la mañana hace el viscoso gusano de la tarde". Le leía trozos selectos de Kafka y Cioran, y "gusano" se me volvió un adjetivo comodín que usaba casi indiscriminadamente para calificar sujetos abominables y sucesos ingratos.

Para mi sorpresa, nada de esto lo afectó. Al contrario, lo noté especialmente animado y de buen comer. Entonces cambié de táctica. No volví a leer nada de Proust ni de Durrell, que le encantaban, y me enfrasqué en los peores fárragos de la literatura clásica, amén de códigos, minutas, directorios telefónicos, Lewis Carroll, el *Guinnes book*, tablas de logaritmos, Bachelard, Bajtín, revistas culturales y poesía centroamericana, amén de los ensayos de Paz, Fuentes, Donoso, los dos Vargas, etc. Todo fue en vano, el bicho no se inmutó y hasta encontró infinidad de perlas entre toda esa hojarasca que me hicieron dudar del juicio que me había formado de la obra de algunos autores. Además era inútil sitiarlo porque yo mismo me había encargado de surtirle bien la despensa en casi cincuenta años de aplicada lectura. Sentí envidia de esa criatura exenta de afanes vulgares, que no veía televisión ni tenía que sacar a pasear el perro ni hacerle la venia a notables nulidades ni sacrificar buena parte de su tiempo en un trabajo mediocre para sobrevivir, cuya vida estaba consagrada por entero a la ciencia pura y al arte, que no tenía que ocuparse del manejo de los cacharros de la tecnología, que usufructuaba olímpicamente de mis desvelos, cuyo oficio era mucho más civilizado que el mío puesto que mientras yo tenía que leer mucha basura él sólo leía y releía fragmentos escogidos, y podía demorarse en un párrafo, regodearse en una frase, acariciar recuerdos ya perdidos, amontonados en la trastienda del inconsciente, quizá volver a sentir la hierba, el rayo de sol que se filtraba entre los cabellos de una niña haciéndome entrecerrar los ojos en una vacación remota y casi inocente.

De pronto comprendí mi ingenuidad. Era inútil todo lo que intentara porque nadie conocía mejor que él mis pensamientos. Era probable que los conociera primero que yo... ¡Incluso que los manipulara! El descubrimiento me derrumbó. Me sentí impotente. Violado. La eventualidad de ser un títere, una marioneta manipulada por un gusano, me sumió en una depresión rabiosa, ya no me atrevía ni a pensar, la paranoia me estaba paralizando, llegué hasta contemplar la posibilidad de consultar un psicólogo, ¡cómo estaría! Volví a rumiar la idea del suicidio. Pensé volarme los sesos con una 9 mm que nos desintegrara a los dos de una buena vez, quise ahorcarme, guillotinarme, la cabeza se me volvió el objeto, el bunker del enemigo.

Un hecho providencial me salvó. Descubrí que dormía doce minutos exactos cada tres horas. Su frenética actividad lo obligaba a descansar varias veces al día, siempre durante doce minutos exactos, intervalos que aproveché para tramar el plan —que era simple, inducirlo a abandonar mi caja craneana.

El primer paso fue irme a la casa del páramo, errar por esos parajes lunares, descender por el cañón empapándome de verde y agua, de sol y pájaros, pateando bolas de cagajón seco y aplastando hormigas grandes como grillos, robando frutos de arbustos indiferentes, aspirando el olor a humus y arcilla roja, escalando las escarpadas laderas del cañón para regalarme al fin la panorámica y tirarme boca arriba en la hierba sin pensar en nada ni en nadie. No encendí radio ni televisor en quince días. Cenaba con los peones en la cocina y me quedaba con ellos allí, en torno al rescoldo del fogón, oyéndolos comentar las faenas de las últimas jornadas —la vaca pintada se había derrumbado; el gavión había resistido la primera crecida del río; la cebolla estaba bonita—, y preparando las de los días siguientes. A veces hablaban de amores, crímenes y aparecidos, pero siempre se acostaban temprano y me dejaban luchando contra la tentación de abrir los libros, fumando como un condenado por los corredores hasta la medianoche, cuando me metía a la cama y lograba dormir gracias al cansancio y al arrullo del río.

La semana siguiente la dediqué a la música. Me levantaba tarde, abría la ventana y el ruido de los pestillos provocaba la aparición casi inmediata de una taza de café humeante sostenida por una criatura diminuta de ojos grandes y limpios, pestañas indias y mejillas chapeadas; daba vueltas (no concibo la vida sin un buen número de vueltas inútiles por ahí) y si hacía sol me bañaba en la ducha del patio interior; si no, esperaba que saliera y si no salía no me bañaba. Desayunaba, me sentaba en la mecedora del extremo del corredor, el mirador que domina el fértil y laborioso Cañón de Tenerife, y escuchaba a Mozart, Dvorak, Vivaldi, Kítaro, en especial las composiciones suyas que asociamos con la naturaleza en virtud de tácitas convenciones semióticas que identifican los movimientos rápidos y predominio de notas agudas (por ejemplo) con la alegría y la primavera, y los lentos y graves con las tempestades del alma o del cielo. El bicho debía de estar perplejo porque no se movía, ni devoraba ni trastocaba nada. Quizá habían llegado a su nariz ráfagas de verde y sol, y sus miopes ojitos, que sólo habrían visto penumbras rojizas, ya presentían paisajes de neblina, rocas, viento, escarcha y frailejón.

La semana siguiente la dediqué a la lectura de textos bucólicos: *Las geórgicas, Por el camino de Swann, María, Morada al sur, Hojas de hierba*, hasta que el bicho no pudo más y se asomó. Caminaba por la cuchilla de la cordillera cuando sentí un hormigueo en el oído derecho. Me detuve. Sentí que asomó la cabeza. (Era muy pequeña para poder agarrarla. Esperé. Sudaba). De pronto sus anillos posteriores, estiró los anteriores y sacó la mitad del cuerpo, lo que aún no era suficiente. Yo estaba paralizado, no me atrevía ni a respirar, un movimiento en falso y el bicho se espantaría. Era probable que saliera un poco más y entonces sería fácil agarrarlo. También podía suceder que, satisfecha su curiosidad, quizá desencantado del yermo paraje, ¡regresara a su bien surtida neuroteca para siempre! Esta posibilidad me aterró tanto que mandé la mano instintivamente abandonando toda precaución, lo agarré de la cabeza y jalé. Tenía 3 centímetros de largo y el aspecto típico de un intelectual. Era flaco, pálido y cabezón. Pensé destriparlo ahí mismo pero algo me contuvo. Quizá el pensar que en esa cabecita frágil que latía asustada entre el índice y el pulgar de mi mano derecha estaba ahora una parte considerable de mi base de datos fue lo que detuvo. Quizá ya lo consideraba una parte de mí. Busqué una lupa y lo examiné. Su cuerpo era joven, esbelto y de una transparencia didáctica pero su cabeza estaba muy arrugada y en sus ojos brillaba una inteligencia que me aterró. Lo metí en un pequeño cilindro de plástico transparente, lo tapé bien, le hice orificios de ventilación, lo guardé con llave en la gaveta de la mesa en que escribo y esa noche dormí tranquilo por primera vez en mucho tiempo.

La tranquilidad, cualquiera lo sabe, es un desarreglo nervioso que no puede durar mucho tiempo. En los días siguientes noté que mi memoria y mi capacidad de análisis habían empeorado. Me sentí mucho más estúpido que de costumbre. (He dicho que soy culto, no inteligente). Antes, cuando el bicho anidaba en mi cabeza, me sucedía que de pronto recordaba sucesos que había olvidado por completo, que estaban definitivamente perdidos, y todo era porque él, harto ya de esa información, la había vomitado y volvía a pertenecerme. Otras veces ocurría que alguna de mis neuronas entraba en sinapsis con su cabecita, operación que se establecía por el contacto de antenas y dendritas, y yo podía utilizar su información. También podía pasar que, movido por la piedad o la vergüenza, me ayudara con mis investigaciones. Trataré de explicarme.

El proceso de recordar siempre me fascinó. ¿Cómo recordamos voluntariamente? ¿Cómo buscamos sin fichero, Internet, guías ni códigos un dato rebujado en la memoria? Vamos por la calle, nos cruzamos con miles de personas cuyos rostros pasan por nuestra retina sin romperla ni alarmarla. De repente uno de ellos dispara la alarma. En fracciones de segundo el cerebro ha encontrado en su archivo ese rostro y nos grita: ¡Yo conozco esa persona! ¿Dónde la he visto? Por supuesto no es un amigo ni una celebridad, es un rostro clasificado de alguna manera en algún rincón de la memoria. Los esfuerzos que hacemos por recordar son vanos porque carecemos de método para hacerlo. El único "método" que empleamos es una especie de pujo mental acompañado de sudación, ansiedad, neurosis y mordida de lengua, comida de uña, tamborileo de dedos o algún tic equivalente. No tenemos clasificados los rostros por fechas, razas, eventos, fisonomías ni orden alfabético —orden que, por otro lado, de nada serviría en este caso. Resignados, aunque "picados", seguimos nuestro camino. Lo que ignoramos es que este *pique* es un reto para nuestro cerebro, quien lanza un haz de avisados bibliotecarios hacia la memoria a frenéticas velocidades como un ejército riguroso que revisara una ciudad casa por casa en busca de un personaje. El cerebro parece entonces una ciudad negra rasgada aquí y allá por súbitos diamantes.

Nosotros, entre tanto, seguimos caminando, pensado en otra cosa —no todos los bibliotecarios están comprometidos en la pesquisa— y hasta nos olvidamos del asunto. De pronto ¡zas! ¡Claro, fue en la fiesta de Maritza! Así es como recuerda usted, señor lector, y así recordaba también yo antes del bicho, porque después de él el recuerdo, el zas, me llegaba con un informe exhaustivo del dueño del rostro, de Maritza y de todos los invitados, y esto, es obvio, sólo le sucede a quien tenga la desgracia de tener un gusano sabio en la testa.

Esos tiempos habían quedado atrás. Ahora recordaba como cualquier mortal —un poco peor, para ser exactos, pues ya no había sinapsis ni hallazgos repentinos ni lapsos por el estilo de "¡Tus besos inoxidables!"; mis asociaciones y metáforas daban grima, y tal vez no hubiere ya, tampoco, el apagón providencial que me salvara del próximo pistoletazo. Además estaba ese vacío allí, el no-bicho, algo como ese hueco en el alma que deja un amigo muerto. Porque, ¿cómo no simpatizar con una criatura que ama a Durrell, Proust y la fórmula de Euler en un mundo famosamente vano, en medio de una especie vertiginosa que corre hacia ninguna parte, cuyas opiniones están dictadas por los noticieros como en cualquier opereta de ficción, cuya fe no es sagrada, cuyas pasiones son lánguidas, su ética amorfa y su becerro oro *goldfille*? ¿Cómo no asombrarse de los hallazgos que él hacía en libros que yo había recorrido sin hallar absolutamente nada? ¿Cómo no agradecer esa mano crítica que separaba con precisión el oro de la escoria, que no temblaba al censurar un antiguo ni dudaba para aplaudir un contemporáneo?

Lo cierto es que un día que llegué a la casa con unas copas me encontré de pronto llorando con el cilindro en la mano, confiándole mis cuitas al gusano sabio. Lo saqué de su prisión, lo contemplé con el amor que inspiran la inteligencia y la fragilidad de los insectos, esos pites inocentes y prodigiosos, y lo puse con cuidado en el pabellón de la oreja derecha —no fuera a caerse y sufrir un traumatismo cerebral. El bicho pasó de inmediato a su gabinete, no sin antes limpiarse las patitas en el umbral, acto que me estremeció de ternura y cosquillitas.

Las cosas han vuelto a la "normalidad". Aunque mi amnesia empeora, las sinapsis son cada vez más frecuentes y de mejor calidad. Y si bien mi ruñido cerebro es menor cada día, el suyo crece y sus razonamientos son muy buenos porque no están entorpecidos por prejuicios de ninguna clase ni por el necio narciso de la especie humana. Quizá sea él quien me dicta estas líneas.

Alas a mitad de precio

D<small>E VERDAD</small> termino el día cansado. No es para menos. Los negocios van de mal en peor. De capa caída, como dicen. La gente no dispone de dinero como antes ni tanta fe. En estos tiempos de escándalo a la gente no le interesan las alas. Ni a mitad de precio.

A mi abuelo, de quien heredamos el oficio, le fue de maravilla, según cuentan. Tenía tres casas y un caballo. Eran otros tiempos. Usaba bigotes grandes, frondosos, mazamorreros, y botas de general de la guerra, como atestiguan las amarillentas fotografías del baúl. No alcancé a conocerlo. Con mi padre, aunque se dedicó a la bebida, el negocio todavía floreció. Se bebió las tres casas y el caballo. Mamá nos abandonó. Nos dejó solos. En el baúl, que sólo abrí después de la muerte de papá, no encontré ninguna foto suya. Era bonita y muy alegre. Le gustaban los músicos. Las malas lenguas dicen que un cantante de boleros le robó el corazón y la arrastró por la calle de la amargura.

Ahora la gente se burla del negocio. ¿Quién quiere volar con unas pinches alas si hay aviones a la mano? Cómodos, tibios, eficaces aviones. ¿Quién puede contradecirles? Algunos me compran alas para sus disfraces decembrinos o para el día de brujas. Sólo dos fechas en todo el año. ¿Y el resto? Como si uno no comiera en otros meses.

He recorrido a pie el hilo de unos diez kilómetros de ciudad. No abordo el bus porque los pasajeros se incomodan, qué tal que de pronto les chuce los ojos, y el taxi sale caro. Ahora sólo salgo de casa con un par de alas. Si consigo venderlas, salvo el día, no aspiro a más. Hoy no he podido.

Estuve a punto. Casi al mediodía, en La Castellana, que es un barrio de ricos, vi un niño en la ventana de una casa blanca. Me atrajo su aire de desamparo. Empecé a hacerle preguntas. Al principio ni siquiera me miraba. Luego lo hice reír. Tenía cara de querer jugar con un bonito par de alas. A menudo sostengo conversaciones tediosas, hay muchos desocupados en la ciudad que quieren matar el tiempo con un tipo que se empeña en vender alas, pero el niño tenía su genio. Tenía su ángel. Sólo le faltaban las alas. Me confesó su anhelo de brincar de un árbol a otro, como las ardillas, para escapar del monstruo que se traga la noche a dentelladas. Estábamos muy entretenidos cuando vino su madre y lo regañó por conversar con extraños. Ni siquiera alcancé a proponerle el negocio de las alas. Me gusta conversar con los clientes. Quiero que se sientan felices con su compra. Al fin y al cabo, alas no se compran todos los días. Digo que estuve a punto pero quién sabe. Con mujeres así pocas veces se puede. O piden una rebaja descarada o dan por hecho que a sus hijos no les interesan las alas.

Para descansar de la hinchazón de los pies, entro a *El Limonar* y pido un café negro. Estiro la mano por debajo de la mesa, aflojo los cordones con disimulo y experimento la soportable levedad del ser. El dueño me sirve el café sin palabras. Debe estar cansado de clientes que sólo piden café. En la mesa del fondo un viejo cabecea frente a un pocillo vacío. El dueño no manifiesta ninguna curiosidad por las alas. Es gordo. Tanto que en sus pantalones caben sin duda tres vendedores de alas. Olvidé mi libro de poemas. Hubiera podido corregir un verso a esta hora tan deliciosa. Tal vez se me hubiera ocurrido un nuevo poema, hace meses no me visita la gracia. En casa me espera trabajo nada poético. Tengo un cuarto que da al patio en el barrio más antiguo de la ciudad, refugio de poetas y maromeros, locos que venden collares y críticos de arte que alaban la belleza y se mueren de hambre. Y ladrones. Hay una mano de ladrones que da miedo. Cuando se me hace tarde nos cruzamos. "Con ese man no se metan", dice alguno, y me dejan sano. "Vende alas". Como quien dice, estoy más jodido que los mismos ladrones. Oficios duros. O será que de pronto necesitan un par de alas. ¿De qué otra manera alcanzarán el cielo? Tengo una ventana que da al patio donde un árbol presta abrigo a los pájaros. Una ventana para airear el alma. Quien trepe al árbol puede contemplar el cementerio. Uno se acostumbra pronto a la vecindad de los muertos que, entre otras cosas, no causan molestia alguna. No roban. Debo cepillar las alas cuando llegue a casa, desempolvarlas. La gente toca pero no compra. Manosea. A veces debo lavarlas, con sumo cuidado, con dedos de señorita. No quiero que parezcan de segunda mano porque el negocio deja de ser rentable. Sueño con mazacotes de alas, con mujeres untadas de miel que se revuelcan en lechos de plumas, con alas manchadas de sangre. Estiro la mano debajo de la mesa y rasco con gusto.

Cuando concreto una venta entro al cine. No me importa la película. Las disfruto por igual aunque las haya visto diez veces. Lo que importa es que en la tibia oscuridad del teatro puedo quitarme los zapatos. El otro día conocí a mi novia en el Teatro Almirante Padilla. Carmencita Garay, natural de San Juan de Río Seco, de piernas delgadas, bastante bonita y aficionada al chicle. Pensó que por ella iba tanto a ver *Lo que el viento se llevó*. Las mujeres son así de ilusas. Supongo que su marca era mundial: había visto la película treinta y siete veces en diez años. El asunto de nuestros amores no demoró mucho. Se enamoró de un librero. El otro día los vi comiendo helado en el Parque de los Cerezos. Toda embarazada, vestida de azul y rosa, me hizo un adiós con la mano. Vi que el librero le preguntaba quién era ese tipo. Vi que ella soltaba la risa y se le salía de la boca un pedacito de helado. Ay, Carmencita Garay, la que el viento se llevó. Mi enamorada, qué palabra tan dulce.

A veces me acuerdo de ella. Pienso que si le hubiera mostrado mi libro de poemas tal vez se hubiera casado conmigo. Tengo un retrato suyo en la billetera. Me lo dio cuando le propuse matrimonio. No me respondió. Sólo sopló para apartarse un mechón de la frente. Al despedirse, ya con un pie en el bus, me dio el retrato. Después conoció al librero y se casaron a toda prisa.

No tengo afán pero me preocupa el asunto del matrimonio. Si no me caso, no tendré hijos. Y si no tengo hijos, no sabré a quién heredarle el baúl y el oficio de vender alas. No es un baúl con muchos tesoros: solamente fotos, una cámara antigua, trompos, un revólver que ya no funciona, un anillo de mujer. Matrimonio y mortaja del cielo bajan, dicen, y es cierto porque si no me cae del cielo no entiendo cómo voy a enamorar a otra mujer. Soy un hombre cansado. Nadie va a casarse con un largo cansancio. Estoy hecho de padecimientos. Se me ha ido la vida vendiendo alas y escribiendo un libro. Ya no pregono con la voz de otros años.

Todavía estoy pensando en Carmencita Garay cuando ocurre el milagro. Una muchacha bañada en lágrimas entra a *El Limonar*, se sienta en la mesa contigua y se deja mirar. El dueño se acerca a recibir el pedido. Tal vez la mujer se decida por un postre y un delicioso capuchino. Me gustaría verle un bigote de espuma. Pero no creo que con esas lágrimas se decida por algo tan alegre.

—Un vaso de agua, por favor.

Me lo temía. El dueño hace un gesto de desilusión, de fastidio. Así para qué abrir un negocio. Agua y café, los clientes no piden más. Al dueño no le interesan las lágrimas.

La mujer bebe el agua despacio. Se le sale por los ojos a toda prisa. Me le acerco hipnotizado, contemplo el lunar de su cuello y le ofrezco las alas.

—Vuele —le digo.

Ella se levanta, se acomoda las alas y sale volando. En la puerta vuelve a mirarme y como que me envía un beso con la punta de los dedos. El dueño corre tras ella. Me levanto. La mujer olvidó pagar el vaso de agua. Cuento una y otra vez las monedas: apenas me queda para cancelar el café. Voy hasta la puerta. La muchacha se ha perdido en el cielo de las siete de la noche.

—Lo único que me faltaba —dice el dueño—. Que se me vuelen los clientes.

1996

Hombre pierde su sombra en un incendio

el que perdió su sombra
en un incendio...
César Vallejo

U N HOMBRE perdió su sombra en un incendio, y en este momento se halla encerrado por voluntad propia en su apartamento, donde permanece casi a oscuras, sin querer recibir prácticamente a nadie, y sintiéndose, según sus propias palabras, "profundamente a-sombrado".

La policía, entretanto, desarrolla una investigación tendiente a dar con el paradero del espectro.

El hecho ocurrió el martes por la tarde, durante el incendio que sufrió el edificio residencial El Molusco, en esta ciudad, y que sólo causó ligeras ruinas en un sector del mismo, gracias a la oportuna intervención del cuerpo de bomberos, que tampoco permitió víctimas.

El sujeto, un joven estudiante universitario, contó que cuando el fuego apareció en su apartamento –localizado en el cuarto piso del susodicho edificio– su sombra perdió el control de los nervios y empezó a instarlo para que saltaran por la ventana. "Me negué a hacerlo", agregó, "porque consideré que la situación no justificaba una solución de tal extremo". Luego explicó que la sombra se desesperó entonces en grado sumo y que de pronto, con una presteza que no le dio lugar a él para impedirlo, la vio desprenderse de su lado y arrojarse por la ventana.

Fueron muchos los testigos que la vieron caer. Uno de ellos declaró: "Fue una visión bellísima. Más que caer, diría que se posó suavemente sobre el pavimento, como la más fina de las panteras. De inmediato emprendió carrera hacia la esquina; se movía con la depurada plasticidad de un mimo, pero era más veloz. En un instante fue devorada por la esquina y no la vi más".

La policía ha informado que las pesquisas adelantadas no han arrojado, hasta la fecha, ningún resultado positivo, pues si bien se llegó incluso a capturar a tres individuos bajo la sospecha de haber raptado a la sombra, no se les pudo finalmente comprobar nada. Uno de ellos, identificado como Ricardo de Cuba, fue sorprendido con dieciséis sombras, por lo que se pensó que era un maniático dedicado a la colección de éstas, pero luego se logró establecer que ellas correspondían a las dieciséis personalidades de que estaba dotado el misterioso implicado. Otro, cuyo nombre no fue suministrado, fue hallado con dos sombras, pero ninguna era tampoco la buscada, ya que esta vez se trataba de la propia sombra del sospechoso y de la sombra de su propia muerte que, según se dijo, lo ha acompañado siempre. Y el tercero, cuya identidad tampoco se indicó, fue encontrado también con una sombra de más, pero era la sombra de una infamia que el tipo había cometido en su juventud.

No obstante, la Policía ha insistido que no cejará un ápice en su búsqueda. Así lo ha hecho saber el comandante de esa institución, quien sobre el particular precisó: "Personalmente lo he asumido como un reto". Y añadió: "Este caso ha llegado a obsesionarme tanto, que ya no sé si soy yo quien persigue a la sombra o si es ésta quien me persigue a mí".

Tal empeño y diligencia han servido por lo menos para llevar un poco de esperanza al joven estudiante que se niega a abandonar el asilo que ha encontrado en su propio apartamento, hasta tanto no recupere su sombra, pues cree que en la calle la gente lo miraría como un monstruo. Ciertamente, el joven se halla tan afectado por su desgracia que sus amigos más íntimos, que son de los pocos que pueden visitarlo, al ser consultados por este redactor, dijeron lo siguiente: "Hemos terminado por pensar que quien se perdió, en realidad, fue él mismo, de modo que es con su sombra con quien hablamos casi a diario en la penumbra de su apartamento".

Al cierre de esta edición, una fuente policial informó que a última hora se había logrado un nuevo indicio en la investigación, pues un ciudadano que pidió no divulgar su nombre, declaró haber visto, en un callejón del centro de la ciudad, "la sombra de la sombra".

La plegaria del jardinero

Buenas tardes, señor Ministro. ¿Cómo está la señora? ¿Y los niños? Me alegro. Bella vista la que tiene su oficina de la ciudad atardeciendo. Claro, una taza de café me sentaría bien. Muchas gracias. Como estoy seguro de que así lo desea, pasaré directamente al asunto. No tiene que recordármelo, estoy de acuerdo, la prioridad es callar de una vez por todas a la prensa: nunca había visto tanto revuelo alrededor de un suceso al margen de la política. Sí, realmente los rumores resultan inquietantes, pero si me permite disentir, es mi deber aconsejarle en mi posición de Comisionado Especial para el caso que no levante el velo oficial en torno al asunto. ¿Cómo? No, señor Ministro, con todo respeto usted no sabe de lo que estamos hablando. No se irrite, no pretendo ofenderlo: es simplemente que observo que a usted también lo ha alcanzado la censura total que impuse desde el primer día; con autorización presidencial directa, no necesito recordárselo. Sin embargo, ya que será su responsabilidad el tomar la decisión final al respecto, le informaré de todos los detalles concernientes. Comenzaré entonces. Déjeme revisar mis apuntes... Hace ya tres años que la víctima vivía en el edificio: una construcción sin nada de particular, ubicada en una zona de clase media acomodada; ladrillo rojo; diez plantas; tres apartamentos por piso excepto en el último, el penthouse, donde vivía el occiso. Un total de veinticinco viviendas; noventa y tres personas en conjunto. Según el hombre que vendió el apartamento, la víctima miró detalladamente la vivienda y al día siguiente la compró, pagando en efectivo. La descripción que nos dio el vendedor nos ha resultado muy útil, pues a pesar de nuestros esfuerzos no hemos conseguido establecer la identidad del occiso: no sólo el nombre y los documentos que utilizó para firmar el contrato eran falsos y sus huellas dactilares carecen de registro, sino que además el cuerpo quedó demasiado lesionado como para poder efectuar un reconocimiento; tan sólo un boceto realizado por computador y evidencias posteriores nos han dado cierta idea de cómo debió ser el rostro. De acuerdo con el vendedor se trataba de un hombre de estatura mediana, de 25 a 30 años, especialmente atractivo (de hecho "hermoso" fue la palabra que utilizó). Varios detalles resultan llamativos en la descripción. Primero, según la mencionada declaración, la víctima tenía el cabello de un negro oscuro, y aunque después al revisar el cadáver en el lugar del crimen casi todos los cabellos habían sido arrancados, los pocos mechones que encontramos eran de un gris platinado. Segundo, la insistencia del vendedor, un aficionado a la ópera, en describir el tono de voz de su cliente como *cantabile*. ¡Vaya usted a saber qué quería decir!... Tercero, durante todo el tiempo que duró la muestra del apartamento y la firma del contrato al día siguiente, el hoy occiso tuvo puestos unos lentes oscuros que impidieron al vendedor observar el color de sus ojos; detalle que aún no hemos sido capaces de precisar, puesto que los globos oculares fueron arrancados de sus órbitas y sacados de la escena del crimen. Aunque los vecinos (esos mismos que más tarde nos darían tantos problemas) fueron hoscos desde el principio, de sus declaraciones hemos podido extraer lo poco que sabemos de la vida del asesinado durante los tres años que precedieron a su muerte. Aparentemente, una vez instalada en su nueva vivienda, la víctima se dedicó a hacer modificaciones en el apartamento; hecho constatado por los vecinos, quienes recuerdan claramente el ruido producido por las reformas. Cuando después del crimen entramos allí, descubrimos que su propietario había derribado el techo y las paredes interiores, y sembrado la totalidad de la superficie del inmueble con distintas variedades de plantas. Parecía tener notables conocimientos de ingeniería, pues construyó un complicado sistema de cañerías para evitar que el agua se filtrara al piso inferior y distribuyó el peso de las plantas con suma habilidad para evitar que el piso colapsara. No se molestó en deshacerse de los escombros: los utilizó para construir ondulaciones del paisaje que a primera vista parecen naturales. A pesar de la magnitud de la obra, aparentemente la realizó sin ayuda y con sus propias manos, pues nadie recuerda la presencia de obreros o maquinaria durante el par de meses que duraron los ruidos. Según los vecinos, no volvieron a saber nada de él durante los siguientes tres años. De acuerdo con todas nuestras informaciones vivía como un ermitaño. No hemos encontrado a nadie que lo viera fuera de su apartamento en todo ese tiempo; ni tampoco dentro, ya que todos concuerdan en que no recibía visitas. Sin embargo, algunas evidencias posteriores que luego le diré parecen cuestionar esta última aseveración. ¿Disculpe? Según la opinión de nuestros expertos comía de las plantas que cultivaba; tenía distintas variedades, cada una con su época de cosecha. Por la calidad del humus parece ser que eran plantas de una productividad extraordinaria, aunque ahora no quede gran cosa de ellas, pues a pesar de todos nuestros esfuerzos (incluso trasplantarlas dado el ambiente hostil que se desarrolló posteriormente en el apartamento), entraron en decadencia tras la muerte de su dueño y las pocas que aún viven morirán muy pronto. Esto último puede deberse a que, según todas las evidencias, el occiso abonaba las plantas de las que comía con sus propios excrementos ¡Y créame, si esas heces tuvieran efectos extraordinarios en las plantas, ésa sería la menos sorprendente de las circunstancias relacionadas con el caso! Continúo. Pasaré directamente al hallazgo del cadáver. El descubrimiento se debe en principio a una patrulla de Sanidad enviada a la zona para investigar el fenómeno de una insólita cantidad de pájaros sobrevolando el área, impidiendo de tal modo el paso de la luz del sol que los residentes enviaron una alarma a Sanidad. Los miembros de la patrulla remitida a la zona descubrieron pronto que el vértice del vuelo de las aves se encontraba en la azotea del mencionado edificio, por lo que entraron a la construcción y subieron hasta el penúltimo piso. Allí se detuvieron, pues las escaleras al décimo piso estaban cubiertas de sangre. Los funcionarios de Sanidad llamaron entonces a la Policía, la cual envió un par de agentes para investigar el suceso. Los dos oficiales que hicieron la primera inspección encontraron la puerta del apartamento forzada, y aunque ambos tienen la suficiente experiencia para actuar con profesionalismo, lo que vieron o sintieron dentro de la vivienda debe haberles destrozado los nervios, pues no supieron contener la lengua y los medios se enteraron. Por suerte no tuvieron el valor para quedarse el tiempo suficiente para realizar una inspección más profunda ¡Quién sabe lo que habría pasado si los medios hubieran contado con informaciones menos confusas! En todo caso, comenzó el revuelo y los rumores crecieron. Afortunadamente las autoridades de Policía tuvieron la suficiente sagacidad para sellar el apartamento hasta que se tomara una decisión definitiva acerca de quien debía encargarse del caso. En ese punto de la historia hago yo mi aparición. Usted sabe bien no sólo cuál es mi posición dentro del partido, sino lo muy satisfechos que quedaron los mandos superiores con mi desempeño como director de la investigación sobre la secta responsable de la masacre en la costa hace dos años. Por tales razones, a la madrugada siguiente del hallazgo el mismo señor Presidente me nombró Comisionado Especial para el caso. Esa misma mañana me dirigí al edificio con los miembros de mi equipo. Sobre nosotros, sometiéndonos a su sombra, estaban los pájaros, una nube de tormenta hecha de carne y de plumas... Señor Ministro, lo he visto todo. Nombre cualquier tipo de muerte y yo le describiré su aspecto. Aún más. Usted sabe que uno de los vicios que no he podido desechar de mi época de estudiante es la lectura; no creo que sea un vicio particularmente nocivo mientras uno sea capaz de volver a guardar dentro del libro lo que se ha leído al devolverlo a su lugar en la biblioteca. Y creo que dicho vicio me ha servido para prepararme ante lo inesperado, así como para abrirme nuevas posibilidades de comprensión de las mentes de los criminales más complejos. ¿Sabía usted que la mayoría de los asesinos en serie tienen coeficientes intelectuales bastante superiores al promedio?... Disculpe, me estoy desviando. En todo caso, si le digo esto es para que sepa que no soy un novato, que yo creía estar listo para todo. Pero no lo estaba: lo supe desde el momento en que entré en ese apartamento. ¿Se acuerda de los pormenores de la famosa masacre? Bueno, ése fue cuando más un asesinato vulgar con pretensiones de grandeza; a fin de cuentas se trataba sólo de un montón de cadáveres despedazados y un par de asesinos fanáticos. Esto era distinto. Lo primero que me llamó la atención fue la cantidad de sangre, tanta que me hizo pensar que los dos oficiales que habían realizado la primera inspección se habían equivocado al hablar de un único cadáver; antes que el lugar de asesinato de un individuo, parecía que allí hubiera muerto una especie entera. Entre otras cosas, resultaba imposible concebir que un solo cuerpo humano pudiera contener tanta sangre, pues de ser cierto habría sido alrededor de la mitad del peso total del cuerpo. Entramos a la habitación iluminándonos con linternas, pues la nube de pájaros oscurecía de tal modo el ambiente que a pesar de ser las diez de la mañana era muy difícil distinguir algo sin ayuda de iluminación artificial. El cadáver estaba a la vista, a unos ocho metros de la entrada, pero al intentar aproximarnos los pájaros armaron tal escándalo que tuvimos que retroceder a riesgo de quedarnos sordos. Cuando se calmaron, volvimos a intentarlo y conseguimos acercarnos al cuerpo. El cadáver estaba literalmente cubierto de heridas, todas de arma cortopunzante por lo que podíamos ver (más tarde contamos 189 lesiones); la pierna y el brazo izquierdos tan lastimados que sólo el hueso y algunas fibras de músculo los unían al tronco. No era un espectáculo agradable, pero había algo más que lo hacía insoportable. Una cualidad siniestra llenaba aquel lugar. Lo más espantoso era el olor... Aquel olor. No me malinterprete, Ministro; no había nada maligno en ese apartamento, ni siquiera podría decirse que olía mal: simplemente parecía que toda posibilidad de vida se hubiera marchado de allí. Quizá lo que quiero decirle es que creo que ese debe ser el olor que reinará sobre la Tierra cuando no quede nada vivo sobre ella, que así debe oler la Muerte... No, definitivamente no era maligno, tan sólo odioso... Volviendo a los hechos, algunos detalles me llamaron la atención: primero, la cantidad de heridas sugería que habían sido varios los asesinos, ya que un solo hombre habría quedado exhausto antes de acabar; segundo, a pesar de los múltiples cortes y de las cuencas vacías había poca sangre en el rostro, lo cual sugería que las heridas que deformaban la cara le habían sido infligidas luego de que las otras desangraran el cuerpo, mucho después de que el corazón dejara de latir; tercero, la presencia de una herida mucho mayor que las otras en la espalda a la altura de los omoplatos, tan grande que daba la impresión de que la columna vertebral había sido removida de su sitio, aunque después confirmamos que continuaba allí. Viendo la imposibilidad de trabajar eficientemente con los pájaros volando a nuestro alrededor, intentamos llevarnos el cuerpo, pero las aves se tornaron agresivas y tuvimos que retroceder ante su evidente superioridad numérica. Esa misma tarde ordené que rociaran un gas, letal para los plumíferos pero inofensivo para los seres humanos, sobre la nube de pájaros; hecho que quizás explique la alta mortandad de los árboles en los alrededores, aunque lo dudo. De cualquier modo, esa fue la única de las decisiones que tomé en relación con el caso de la cual me arrepiento: no sólo los equipos de Sanidad continúan hoy, quince días después, removiendo los cadáveres de las avecillas que calculan en varios millones, y la mitad de la ciudad ha quedado oliendo a basurero, sino que ciertamente resultó inútil pues entonces llegaron las mariposas. Sí, señor Ministro: mariposas, MA-RI-PO-SAS... A diferencia de los pájaros no una variedad de especies sino una sola: grises y feas, de esas que ponen a correr a los niños y asustan a las mujeres en las noches; enormes, más de cuarenta centímetros entre las puntas de las alas; una especie desconocida según los entomólogos. Las encontramos al día siguiente de la matanza de pájaros cubriendo cada rincón del suelo y las paredes del apartamento, dejando caer un polvillo que para el final de la mañana del mismo día de su aparición formaba ya una capa de varios centímetros de espesor. Como no quería perder más tiempo, ordené tan pronto las vi que las envenenaran. Fue un error. En la tarde, los cadáveres de los insectos muertos, unidos al polvo, formaban una capa que nos llegaba al inicio de las pantorrillas, y otras mariposas idénticas a las anteriores habían salido no sabemos de dónde para remplazar a las caídas. Tuvimos pues que acostumbrarnos a trabajar entre ellas... ¿Ha oído hablar de la resistencia pasiva, señor Ministro? Tal era el tipo de oposición que nos presentaban las mariposas y si esas criaturas no tuvieran un cerebro más pequeño que un grano de maíz, diría que eran inteligentes: nos estorbaban simplemente con estar allí y debo admitir que su sola presencia, si bien inofensiva, resultaba mucho más incómoda que los picos de los pájaros. No nos quedó otra alternativa que acostumbrarnos a trabajar como arqueólogos en el desierto, levantando barricadas para impedir que la acumulación de polvo y cadáveres nos impidiera revisar el piso, usando caretas y tanques de aire para evitar que el polvillo nos produjera un escozor insoportable en los ojos y las vías respiratorias. Fue difícil. Sin embargo, me alegro de no haber esperado más tiempo, pues hemos sido incapaces de exterminar a las mariposas: cada tres días mueren y otras iguales las reemplazan. No, no parecen hacer nada más que ir a morir allí. Sí, fue una suerte trabajar rápido. Hoy la acumulación de polvo y cadáveres llega al pecho de un hombre maduro, y los miembros de mi equipo han desarrollado una repulsión invencible hacia ese cuarto; ni siquiera con los trajes aislantes que los protegen del roce de las mariposas muertas se atreven a volver: no hay fuerza sobre la Tierra que sea capaz de obligarlos a entrar de nuevo en esa necrópolis de insectos... Me estoy desviando de nuevo. Mejor pasemos a los resultados de la investigación en el apartamento. A pesar de que dadas las condiciones del lugar sería inútil buscar huellas digitales, exploramos el suelo alrededor del cuerpo y encontramos una sustancia blanca, a la que más tarde identificamos como yeso. Una vez pudimos remover el cadáver ante la impasibilidad de las mariposas, lo confié al forense del grupo y ordené a los demás miembros de mi equipo interrogar a los vecinos. Sólo conservé a dos de ellos conmigo para recorrer el lugar... Dígame una cosa, Ministro, necesito saberlo antes de continuar: ¿cree usted en la factibilidad de lo imposible? Lo siento, olvídelo. A fin de cuentas no importa. Cuando lo imposible toma la forma de una realidad indiscutible no queda más que enfrentarla, se crea o no, a riesgo de perecer, y usted, usted va a tener que tomar una decisión, lo crea o no. Por tanto lo diré rápido. Como usted sabe, entre las pocas informaciones que dejé colar a la prensa, para no ser acusado de obstruirla en caso de que se decidiera hacer públicos los resultados de la investigación, estaba el detalle de que el occiso era un ser deforme. Lo que de ningún modo permití que supieran fue la magnitud de su deformidad... Encontramos un ala, señor Ministro, y todas las evidencias indican que pertenecía a la víctima; llámela, si así le resulta más fácil aceptarla, una mutación. Derecha, perfectamente desarrollada. Estaba sepultada bajo el polvo junto a una palmera moribunda. No, no parece ser artificial: las radiografías muestran la conformación ósea propia de las alas de aves de largos vuelos, con un surtido completo de plumas remeras, coberteras y demás. Sin embargo, no es posible estar del todo seguros, pues se ha mostrado impenetrable a todos nuestros intentos de disección; ni siquiera con el taladro hemos conseguido extraer una sola pluma. Esto último quizás explique por qué sus agresores tuvieron que destrozar la carne de la espalda para arrancarla. Aun así la suavidad de las plumas, el complicado diseño en su distribución, en fin, todo en el ala, parece indicar que es natural. No lo creo, no habría podido ocultar esa característica si ya la tuviera en el momento de su arribo al edificio: el ala extendida tiene un largo de más de cuatro metros y plegada un ancho de metro y medio. Es más probable que, viniera de donde viniera, presintiera su... cambio, y ésa fuera la razón de su mudanza a aquel piso solitario. No, imposible: ¿cómo iba a poder volar con una sola ala? Sí, Ministro: un ala, no dos. Claro, estoy seguro de que no tenía otra: el tamaño de la herida encaja perfectamente con el nacimiento del ala. No lo sé, señor, me lo he preguntado muchas veces y lamento no poderle dar una respuesta. ¿De qué le sirve a un hombre una sola ala si no es para soñar con el cielo? Aunque... Lo siento, discúlpeme. Usted me conoce, Ministro, soy un profesional, pero le aseguro que nunca antes me había resultado tan necesaria la experiencia para mantener una investigación al margen de una perjudicial sensiblería... Necesito un cigarrillo, ¿le molesta si fumo? ¿También quiere uno? Perdóneme por no ofrecerle antes, pensé que había dejado de fumar. De nada, espero que le gusten los importados... Continuemos pues con el relato... ¿Le molestaría a su secretaria servirme una taza de café? Gracias... Como usted comprenderá, después de esto no nos sorprendió nada encontrar un nido construido con plumas y hojas secas, aunque nos resultó evidente que las plumas no eran suyas sino de seres alados un poco más ordinarios. ¿Cómo las conseguía? No lo sabemos. Lo que nos extrañó fue que aún no estuviera terminado. De hecho, su construcción parecía haber sido comenzada recientemente y fuimos incapaces de imaginar por qué, después de tres años viviendo en el edificio, había decidido de pronto construir un nido. Dado que no encontramos nada más, decidí que era ya tiempo de volver al cuartel y abandonamos el apartamento por ese día. Cuando los dos oficiales que cargaban el ala y yo íbamos bajando, noté algo que, de no tener que preocuparme por pájaros y mariposas, estoy seguro que habría notado antes que cualquier otra cosa: a pesar de que la sangre empapaba las escaleras al décimo piso, el suelo del noveno estaba limpio. Alguien parecía esmerarse en limpiar a fondo ese recordatorio del homicidio. Hicimos un alto e interrogamos a los propietarios de los tres apartamentos del noveno piso: un doctor con su familia, un bibliotecario solitario y una psicóloga viuda con dos hijos; pero no conseguimos ninguna declaración satisfactoria. Toda mi experiencia me decía que sus respuestas eran evasivas, así que los detuvimos a todos, incluyendo a los cinco menores, esperando ablandarlos durante el proceso de interrogación. Entonces, cargando un ala y nueve detenidos, volvimos al cuartel central, donde esperé en mi oficina a que el médico forense terminara la autopsia. El especialista calculó la hora de la muerte alrededor de la medianoche del día anterior al hallazgo del cuerpo. No pareció sorprenderse demasiado cuando le mostré el ala: había encontrado una estructura ósea inidentificable partiendo de la columna. Usted sabe que para los vertebrados parece haber una disyuntiva irremediable: o se tienen manos o se tienen alas; ese ser era la excepción a la regla, aunque como confirmara el forense sólo tuviera un ala. Un detalle que me llamó la atención fue que según el médico la carne de la espalda no había sido cortada sino desgarrada; el hueso estaba intacto: el ala había sido arrancada de cuajo. ¿Sabe usted, señor Ministro, la fuerza que se necesita para desgarrar un cuerpo de ese tamaño? Le aseguro que si sólo contara con ese dato, podría afirmar con casi absoluta certeza que el homicidio fue cometido por múltiples asesinos. El forense comprobó además que las heridas habían sido producidas por diversos objetos cortopunzantes; según él, incluso había algunas que únicamente podrían haber sido hechas con cuchillos y tenedores de cocina. El médico corroboró también mis sospechas de que las heridas del rostro habían sido infligidas mucho después que las otras. Aparte de su peculiar característica alada el cuerpo era humano, tanto externa como internamente, con el completo surtido de vísceras, corazón, hígado, pulmones, intestinos, que caracteriza a nuestra especie; únicamente el sistema circulatorio era en cierta medida anormal, pues estaba desarrollado a un nivel extraordinario, incluyendo un sistema de arterias y venas particularmente gruesas que parecían dirigirse hacia el ala. Gracias a la protección del cráneo, el cerebro no había sido herido, y aunque de un tamaño bastante superior a la media era a todas luces un cerebro humano. Lo que el perito no pudo decirme fue cuál herida le había causado la muerte, ya que todos los órganos principales con excepción del cerebro recibieron lesiones mayores, e incluso de no ser así la herida producida al serle arrancada el ala lo habría desangrado. Sin embargo, había más, mucho más, y creo que para el médico fue un alivio que yo le mostrara el ala, pues habría tenido grandes dudas de que yo creyera la realidad de lo que me mostraría a continuación si no fuera por aquel objeto emplumado que atestiguaba que yo ya me encontraba en ánimo de aceptar lo imposible. El forense me condujo a la sala de autopsias, me mostró el cuerpo y me pidió que lo examinara, quizá convencido de que no lo creería a menos de que lo descubriera yo mismo. A primera vista sólo vi un cuerpo deshecho, entre heridas y costuras de autopsia, pero me esforcé en descubrir lo que había alterado tanto al experto, aprovechando que la sangre ya no ocultaba los detalles. Entonces vi. Y necesité del gesto afirmativo del perito para confirmar lo que había visto. En el pubis, al lado derecho del cuerpo había un pene; en el izquierdo una vulva. Aquel ser era hermafrodita. Sin embargo, no era esto lo más extraño, pues según me informó el médico el hermafroditismo no es una característica tan peculiar como la mayoría pensamos; pero por regla general sólo uno de los sexos es funcional, el otro nunca alcanza la madurez. Aquel ser era nuevamente la excepción a la regla: según todas las evidencias anatómicas ambos sexos funcionaban normalmente... Me sentí mareado y tuve que sentarme. El forense esperó un momento, salió de la sala y regresó con un frasco que puso entre mis manos sin decir una palabra. Entonces supe que no era el hermafroditismo lo que había perturbado a aquel hombre acostumbrado a adentrarse en las entrañas de cuerpos despedazados, sino ese objeto de unos ocho centímetros que flotaba en un líquido amarillo en el interior del frasco. Un feto. Un feto humano a juzgar por su cabeza y las manos, ya que el resto del cuerpo no se podía observar. ¿Por qué, señor? Pues le diré, Ministro: el feto se encontraba dentro de una cáscara. Sí, una cáscara, una cáscara de huevo; el forense la había roto apenas lo suficiente para permitirme observar lo que había en su interior. Aquel ser se encontraba embarazado (o embarazada si así le resulta menos chocante) y su hijo nacería dentro de un huevo. Por favor, no me haga repetírselo: para mí es tan difícil decirle estas cosas como para usted creerlas. Tome más bien estas fotografías y véalo usted mismo. ¿Ya me cree? Entonces puedo continuar. El feto tenía el tamaño correspondiente a un embrión de tres meses, aunque a juzgar por la presencia de leche en las mamas del occiso, éste debía tener un período de gestación mucho menor que el nuestro; lo que nos permite saber además que de haber nacido el niño se habría alimentado como cualquier bebe humano. De hecho, es imposible afirmar si habría desarrollado más tarde las peculiares características de su madre o habría crecido como un ser humano normal. ¡Tan normal como pueda ser un hombre que nació de un huevo! No, señor Ministro, no sabemos quién es el padre. Hemos descartado la posibilidad de una autofecundación: no sólo su viabilidad resulta dudosa desde un punto de vista genético, sino que además la posición de los genitales no lo permitiría y no hay conexión interna entre ambos. No, definitivamente para la concepción aquel ser necesitó de, digamos, cierta colaboración. Luego de que acabara su informe, le pedí al forense que no comentara sus descubrimientos con nadie, ordené a mis hombres que continuaran el interrogatorio de los detenidos y me marché a casa. Necesitaba descansar. Como usted podrá imaginarse, a menudo en este trabajo uno pasa varios días sin dormir; pero ya a la medianoche del primer día de este caso estaba cansado, muy cansado. No espero, ni quiero, volver a vivir un día tan agotador como ése. Aun así, de nada me sirvió acostarme al llegar a mi casa: no pude dormir. Daba vueltas en mi cama y me acomodaba en distintas posturas, mas la inquietud no disminuía; tan sólo la tibieza del cuerpo de mi esposa descansando junto a mí me proporcionaba cierta tranquilidad. Una y otra vez veía los pájaros, las mariposas; una y otra vez me imaginaba a aquel ser entretejiendo cuidadosamente las plumas y las hojas secas del nido ante la inminente llegada de aquel hijo que nunca nacería. Y, ante todo, me repetía hasta el cansancio la misma pregunta sin respuesta: ¿qué sucedería con un niño que naciera como pájaro y creciera como humano? Había algo tan triste, tan infinitamente triste en todo aquello... Pero bueno, Ministro, no voy a abrumarlo con mis problemas personales, paso mejor a los descubrimientos del día siguiente. En el cuartel pregunté a mis subalternos si habían obtenido alguna información útil de los detenidos; ellos me respondieron que nada habían conseguido, pues los vecinos parecían sufrir de una amnesia colectiva acerca de lo ocurrido aquella noche. Del occiso recordaban los distintos rumores que habían surgido en torno a él durante los tres años anteriores y sus "cantos" (recalco esa palabra que ahora no debe sorprenderle) ocasionales en las noches. La mujer del médico reconoció haber limpiado un líquido rojo que, según afirmaba, estaba estropeando el aspecto de su sala al colarse bajo la puerta, pero se quedo atónita al informársele que era sangre. Luego nos dijo que debíamos estar equivocados, que aquel líquido rojo "no podía" ser sangre. Sin embargo, al preguntarle por qué no había limpiado del mismo modo las escaleras al último piso no supo qué responder. Viendo que a pesar de mis deseos de un interrogatorio más intensivo no podía detenerlos sin pruebas por más de veinticuatro horas, especialmente a los menores, conseguí una orden de cateo y me dispuse a regresar al edificio. Pero justo antes de partir el forense me llamó y me comunicó que algo extraño estaba sucediendo con el cadáver, aunque no pudiera decirme qué era exactamente lo que pasaba. Fui a la sala de autopsias y contemplé el cuerpo. A primera vista todo estaba igual: el mismo cadáver inmóvil, inerte, las mismas heridas desfigurándolo. Yo tampoco supe qué sucedía, pero también tuve la impresión de que algo estaba pasando; algo que, separado de la razón pero cercano a la intuición, no se sabía sino que se percibía. Ordené al forense que averiguara lo que estaba sucediendo y fui al edificio con los demás miembros de mi equipo. Iniciamos el cateo en el apartamento del médico. No tuvimos que buscar mucho: la máscara estaba a la vista, colgada en una de las paredes del comedor familiar. Como lo suponía, encontramos otras dos máscaras idénticas en los apartamentos del bibliotecario y la psicóloga: una clavada encima de los libros en el último tramo de la biblioteca, la otra en la pared a la cabecera de la cama solitaria. Volví al cuartel. Miré el boceto que el computador había realizado, reconstruyendo los rasgos del occiso con base en su estructura ósea, y lo comparé con la máscara. No había duda: ambos procedían de la misma cara. Sin embargo, existía una diferencia: el boceto de la máquina daba una impresión de aquel rostro en dos dimensiones, bajo distintas perspectivas, y uno imaginaba que debía ser atractivo; con la máscara, en cambio, uno sabía que aquel ser era hermoso y no había forma de escapar a esa certeza. No le describiré el rostro, Ministro, sería inútil; de hecho, algunas de sus características (el tamaño del cráneo, la distancia entre los ojos, o la nariz demasiado larga, casi animal) no corresponden al ideal de belleza en boga. Tendrá que confiar en mí si le digo que de ver esa máscara usted tendría como yo la certeza de que sí es posible una belleza única, absoluta, perfecta, y que la de aquel rostro sería entonces *la* belleza. Ante tal descubrimiento me dispuse a allanar el resto de los apartamentos, pero tuve que esperar a que se cumplieran los trámites burocráticos que una orden de cateo para tal número de viviendas exigía. De cualquier modo no fue tiempo perdido, pues durante ese lapso el forense me dijo que creía haber encontrado la causa del cambio del cadáver. Según el perito la razón es que se estaba descomponiendo. Yo realmente no podía ver la causa de tanto alboroto; si uno se muere, uno se descompone, es el orden lógico de las cosas. Pero al observar el feto, palpar el ala y escuchar lo que el médico había encontrado en una nueva autopsia, entendí su alarma. Sí, es cierto, se estaba descomponiendo, pero hasta después de muerto aquel ser no dejaba de ser original: obviando los pútridos pasos previos se estaba convirtiendo directamente en polvo. De adentro hacia afuera; siendo las vísceras, como el hígado y el corazón, y los pedazos que le habían sido arrancados, como el feto y el ala, los primeros en sufrir el cambio. Aquí debo hacer un paréntesis en el transcurrir lógico del relato e informarle que hemos sido incapaces de detener dicho proceso: ni el congelador, ni los químicos, ni la cámara de vacío han servido de nada; ni siquiera extrayéndole las vísceras a la antigua usanza hemos conseguido algo distinto a acelerar el proceso. Ya no esperamos conseguir preservar el cuerpo, pues su cambio no parece obedecer a ningún agente externo, sino a uno interno, consecuencia directa, inevitable, de la muerte. Hoy, dos semanas más tarde, el feto ya no existe, bajo las plumas del ala es posible palpar el polvo como si ésta no fuera más que un gran saco de arena, e incluso del cuerpo (a pesar de que no hay hinchazón, ni desfiguración y conserva su forma exacta) no queda más que la piel, aunque en los puntos más lastimados también ésta comienza a deshacerse. ¡Suerte que tenemos las fotografías! Pronto no quedará nada más de ese ser que un montón de polvo informe... Volviendo al encuentro con el forense, debo decir que su explicación no me satisfizo: era evidente que algo estaba cambiando en el exterior del cadáver, no sólo en su interior. Por lo tanto le ordené que continuara investigando. A mediados de la tarde recibimos por fin las órdenes de cateo, y sin perder más tiempo nos dirigimos al edificio e iniciamos el allanamiento. Tal como lo sospechaba hallamos máscaras en todos los apartamentos: idénticas, hechas todas de arcilla; lo que explicaba el yeso alrededor del cadáver, usado para sacar el molde. La única variación consistía en el uso que le habían dado los distintos habitantes del edificio. Aunque la mayoría se había limitado a colgar la máscara en un rincón del apartamento sobre altares llenos de velas e incienso, otros la habían empleado de formas bastante peculiares. Varios le habían incorporado hilos para poder atársela al rostro; algunos inclusive la llevaban puesta cuando los visitamos. Ese pintor, cuya muerte posterior tanta conmoción causó en el sector cultural, la estaba utilizando como tema central de su obra reciente. E inclusive un sujeto no muy agradable la había pegado a la cara de una muñeca inflable que guardaba bajo la cama, junto a diverso material pornográfico. Aunque los vecinos habían aceptado el cateo sin protestas y parecían no recordar el origen de las máscaras, cuando se les informó que las mismas serían decomisadas como evidencia, se volvieron tan agresivos que nos vimos forzados a abandonar el edificio. Frente a aquel ataque de locura colectiva, no tuve más alternativa que solicitar la ayuda del escuadrón antimotines. Aun así, la lucha duró varias horas antes de que consiguiéramos dominarlos: se defendían con una furia insólita, inclusive los niños. Yo mismo sufrí varias contusiones en el ataque al sexto piso, afortunadamente menores. Sin embargo, en cuanto conseguimos dominarlos y nos apoderamos de las máscaras, volvieron a ser pacíficos corderos y se entregaron sin oponer más resistencia. Luego de recoger a los heridos de ambos bandos, detuvimos a todos los vecinos, o al menos a los que continuaban de pie, y los llevamos al cuartel en tres buses de la escuela militar. Eran las nueve de la noche cuando acabó la batalla y yo, como puede suponer, estaba agotado y golpeado, mas como estaba seguro de que si volvía a mi casa me esperaba otra noche de insomnio, mandé a cinco de mis hombres a continuar la requisa en el edificio y comencé a interrogar a los detenidos. Aunque me apliqué a dicha labor desde las once de la noche a las ocho de la mañana, nada conseguí: parecían haber olvidado por completo todo lo relacionado con el occiso y las circunstancias de su muerte. Incapaz de continuar, con más de cuarenta horas sin dormir, tomé una siesta en mi oficina; afortunadamente tan cansado que hasta mis pesadillas carecían de energía. A las nueve de la mañana el forense me despertó para decirme que creía saber lo que sucedía con el cadáver. Fui a la sala de autopsias y lo observé yo mismo. El perito tenía razón: el cadáver se estaba haciendo hermoso... Usted sabe, Ministro, que la palabra "belleza" es una de esas que suenan mal en nuestra profesión, quizá por su total subjetividad, pero le aseguro que la belleza de este ser era un hecho real, objetivo, tan indiscutible como el número de balas dentro de un cuerpo o la profundidad en centímetros de una herida. Le suplico entonces que me perdone su uso, al menos por esta ocasión... En fin, como le decía, era evidente la metamorfosis del cuerpo. En la sala de autopsias yo podía observar con toda claridad la belleza del rostro: las heridas no me impedían ver; podía contemplar la hermosura del cuerpo: ni siquiera la pierna y el brazo casi desprendidos me la escondían. No me malentienda, Ministro. No estaba sanando, ni las heridas se estaban cerrando; no era un crucificado que resucita a los tres días, ni un ave incendiaria que renace de sus cenizas: muerto estaba y muerto se quedaría. Era más bien, y tendrá que perdonarme la licencia poética pues no encuentro otras palabras para describírselo, como si su belleza fuera tan inmensa que restara importancia a las heridas que lo habían matado. Nunca vi en mi carrera un cadáver hermoso y créame que he visto muchos; a veces uno encuentra cadáveres que dan una impresión de paz o de descanso, pero nunca hermosos. El de este ser era sin duda una excepción, una poderosa objeción a la fealdad de la muerte, y no soy capaz de explicar el porqué; quizá la descomposición que sufría su cuerpo en el interior empujara su belleza hacia el exterior, o tal vez al reconciliarse con su muerte había encontrado en ella una nueva forma, una nueva fase, de la belleza. ¿Quién puede saberlo? En todo caso su efecto era extraordinario y no era yo el único en sentirlo. Usted sabe, señor Ministro, que en la Policía no somos especialmente tolerantes con las tendencias homosexuales. Aun así, al mostrar el cuerpo a los demás miembros de mi equipo la reacción fue unánime: las mujeres lo encontraban "hermoso" sin que el alto grado de desarrollo de las mamas restara convicción a su calificación; los hombres se referían a él como "hermosa" sin que encontrar un pene entre las piernas junto a la prevista vulva constituyera algo más que una sorpresa. Definitivamente extraño: era como si su evidente femineidad no fuera obstáculo para su clara masculinidad, y viceversa, sino más bien un complemento a su armonía. ¿Sabía usted que en varios pueblos de la antigüedad los hermafroditas eran considerados seres de origen divino? Le aseguro que tal creencia no resulta sorprendente si existían entonces más seres como éste. Lamento, eso sí, no haber previsto el efecto que la recuperada belleza de este ser tendría entre los miembros de mi equipo, pues me costó perder al forense, uno de los miembros más antiguos del grupo, y a él su jubilación, al ser descubierto la madrugada del día siguiente acostado junto al cadáver que él mismo había diseccionado, acariciándolo. Dado lo cual tuve que despedirlo como advertencia para el resto y ordenar que se hicieran guardias junto al cuerpo para evitar futuros incidentes. De hecho, considero un alivio que el cadáver se esté descomponiendo; le confieso que a veces yo mismo he tenido la tentación de arrancarle un pedazo, no sé, una oreja, la nariz, un dedo, y llevarlo a mi casa para esconderlo donde nadie más pueda verlo... No me mire así, estoy seguro de que usted haría lo mismo. No se ofenda, Ministro, es inútil pelear entre nosotros: lo conozco bien y ambos pertenecemos a la misma camada. Sólo déjeme decirle que conservo la esperanza de que exista un ser humano sobre la Tierra que sea capaz de tolerar la presencia de esa belleza absoluta, ilimitada, sin destruirla; pero le aseguro que ese ser no somos ni usted ni yo: para nosotros lo más maravilloso de la belleza es la posibilidad de su posesión... No, no he olvidado con quién estoy hablando. ¿Y usted, señor?... Bien, aclarado ese punto, continuemos con el relato de la investigación. Lo que nos lleva al descubrimiento de los ojos, o al menos lo que quedaba de ellos, en la caja de pinceles del pintor. No fue sino hasta el segundo día de registro de las viviendas del edificio que los encontramos, si bien lo único que permanecía intacto era la esclerótica; todos los elementos internos (humores, retina, incluso la córnea) se habían convertido ya en polvo, por lo que continuamos sin saber cuál era su color. Ya antes habíamos notado que, utilizando la máscara como modelo, el pintor había intentado en varios lienzos plasmar el rostro del occiso; aparentemente sin éxito, pues todas las obras estaban inconclusas. ¿Sabía usted que dicho pintor era uno de nuestros más prometedores jóvenes artistas? Puede usted confirmarlo sin duda por el precio que alcanzaban sus cuadros en las subastas, casi imposibles para un artista vivo como él lo estaba entonces. Aun así, le aseguro que sus lienzos no se acercan a la belleza del cadáver mutilado, lo cual me hace creer que deben estar aún más alejados del original vivo y latiente. De cualquier modo, ante la nueva evidencia lo volví a interrogar y averigüé pronto que había algo en él distinto a los demás detenidos: mientras los demás se mostraban confusos e incapaces de recordar lo sucedido esa noche, él simplemente callaba. La conclusión era evidente: el pintor no sufría de esa peculiar amnesia colectiva; él recordaba lo que había pasado, quizás incluso demasiado bien. Procedimos al interrogatorio con mayor energía (le ahorraré los detalles para no aburrirlo, usted sabe lo ingeniosos que podemos ser), pero fuimos incapaces de romper su mutismo. Afortunadamente no era la primera vez que trataba con sujetos de esa calaña y sospechaba cuál podía ser el único modo de romper su silencio. Mandé traer toda su obra referente al asesinato y la contemplé frente a él. No había bocetos, sólo lienzos, siete en total, todos ellos representando fielmente las facciones de la máscara, delineados en negro, sin otro color en parte alguna del rostro excepto en los ojos: el punto donde todos variaban. En uno los reproducía amarillos, en el segundo rojos, en otro verdes y, en uno más, negro profundo; en los tres últimos simplemente había cortado la tela, dejando un agujero en su lugar. Después de pasar un rato contemplándolos, miré al pintor y le dije que no debía ser tan bueno si no era capaz siquiera de reproducir el color de unos ojos. Recuerdo claramente su mirada, jamás nadie había osado mirarme con tanto desprecio, y su contestación. Aunque, pensándolo bien, prefiero leérsela textualmente debido a su extraño contenido. Espere un momento la busco, sé que la tengo entre estos papeles... Ah, sí, aquí está. Leo pues: "Dime tú, gran crítico, ¿de qué color pintarías tú unos ojos que no tienen color? La mayoría de los ojos son como planetas alrededor del sol, reflejan en un determinado espectro la luz que reciben; los suyos no reflejaban, no lo necesitaban, pues tenían luz propia: eran soles y el espectro de su luz no pertenecía a este mundo..." Intrigante, ¿no? Más aún si se considera que esta sorprendente declaración fue lo único que conseguimos extraer de él, ya que volvió a encerrarse en su mutismo sin que hubiera forma de sacarlo nuevamente de allí, y dos días más tarde de este único acceso de locuacidad tuvo la poco original idea de ahorcarse en su celda, sin preocuparse de los muchos inconvenientes que su muerte nos traería... Ya no queda gran cosa que pueda decirle, Ministro. Hemos sido incapaces de mayores averiguaciones. En el momento presente el cadáver continúa descomponiéndose, las mariposas muertas siguen acumulándose en el apartamento, los vecinos siguen sin recordar nada referente a la noche del homicidio y los medios continúan con su acostumbrada molestia... Por supuesto. Sin embargo, lamento informarle que no hemos conseguido ningún resultado. En previsión de que existan más seres como éste hemos ido revisando cada azotea de la ciudad, pero hasta ahora la cacería ha sido un rotundo fracaso. Resultado que puede deberse tanto a la desconfianza que seguramente habrá despertado la muerte de su congénere en cualquier otro ser similar, como a la dudosa eficacia del alpiste utilizado para el cebo... Creo, Ministro, que ha llegado el momento de tomar una decisión. Nada más puedo decirle sobre el caso. No tengo respuestas para las preguntas que aún pueda tener y las conclusiones, obvias, no voy a expresarlas con palabras: usted sabe tan bien como yo que algunas cosas es mejor no decirlas en voz alta. Sólo déjeme manifestarle que creo no necesitar recordarle el deterioro que sufriría nuestra imagen en el exterior y las posibles consecuencias políticas, si llegara a saberse lo que ha pasado aquí... Sí, señor, creo que es lo mejor. Francamente es un alivio observar que usted sigue siendo tan racional como el día en que lo conocí y poder terminar en su despacho este asunto sin verme obligado a recurrir a instancias superiores. No tiene que preocuparse por eso, señor: por el silencio de los miembros de mi equipo, incluyendo al forense que despedí, respondo yo; los dos oficiales que descubrieron el cuerpo están en un sanatorio y tendrán que olvidar si quieren salir alguna vez de allí; los vecinos no recuerdan nada, e inclusive si recordaran sabrían que lo mejor para ellos es callarse. Por la prensa no se preocupe: inventar una historia es fácil, yo mismo me he divertido haciéndolo. Convertiremos a los pájaros en buscadores de carroña atraídos por el cadáver, quien, indocumentado de origen desconocido, sufrirá en nuestra versión de una deformidad un poco más convencional. En cuanto al culpable debo admitir que el pintor nos ha ofrecido un chivo expiatorio único. Sí, un crimen pasional estaría bien; les gustará incluso a sus admiradores y subirá el precio de sus obras: es de lo más artístico. En cuanto a la última prueba, el apartamento, estoy seguro de que un equipo de demolición no tardará más de una semana en borrar el edificio; la construcción de un nuevo centro comercial será suficiente excusa y creo que además será la mejor manera de exorcizar cualquier recuerdo. Mandaré a incinerar todo documento relacionado con la investigación, excepto, por supuesto, tres copias del informe final y de las fotografías: una para usted, otra para mí y otra más para el señor Presidente. Gracias por el halago, pero es innecesario: es sólo mi trabajo y trato de hacerlo lo mejor que puedo. Bien, creo que eso es todo, excepto... Ministro, usted y yo nos conocemos hace tiempo. Por eso y por el interés que ha manifestado en mi relato, o simplemente porque necesito decírselo a alguien y usted me parece el más indicado, me gustaría comentarle un aspecto de esta investigación que no he compartido con nadie, básicamente porque son suposiciones sin hechos que las apoyen y yo no quiero acabar también en un sanatorio. Si continúo, ¿sería usted capaz de escucharlas como simples especulaciones ociosas y luego olvidar lo que le he dicho?... Procedo entonces. Tres días después de la muerte del pintor, apareció en la prensa un artículo referente a los gritos animales que habían perturbado por varios días el sueño de los ciudadanos que viven alrededor del gran parque del centro de la ciudad. La mayor parte del artículo era una petición a las autoridades para que se encargaran de cazar al animal desconocido que emitía los lúgubres chillidos, pero al final del mismo aparecía, a modo de contraste jocoso, la declaración de un indigente alcohólico que juraba haber visto un ángel en dicho parque hace dos meses; esto es, un mes y medio antes del homicidio. Rápidamente mandé traer al sujeto y lo interrogué. El indigente me contó que la noche en cuestión unos ruidos extraños lo habían despertado, por lo cual se levantó de la banca donde habitualmente duerme. Pronto, a juzgar por la naturaleza de los sonidos, se convenció de que era tan sólo una de esas parejitas que encuentran en el parque el lugar más barato para hacerse el amor. Intentó, pues, dormirse de nuevo, pero no pudo, y al volver a incorporarse descubrió con sorpresa que estaba llorando; lo extraño es que, según él, "lloraba de alegría" ante la dulzura del sonido. Se levantó entonces para buscar la fuente del ruido y la encontró en una de las ramas de ese cedro que crece al pie de la llanura central del parque. Según el indigente se trataba de un ángel de dos cabezas que se abrazaba a sí mismo y gemía en el abrazo. El hombre estuvo un buen rato observando, maravillado por el espectáculo que veía entre las sombras, hasta que el extraño ser entró en un silencio profundo y entonces (utilizaré las palabras del indigente para que usted experimente mi propia sorpresa al escucharlas salir de ese ser harapiento): "El ángel de los gemidos extendió sus alas, subió en remolino hasta los cielos y se reunió con Dios"... Ahora le pido, Ministro, que imagine a dos seres hermosos, cada uno muy parecido al otro excepto en un detalle: mientras que en uno el ala que surge del centro de su espalda está orientada hacia la derecha, en el otro está orientada hacia la izquierda. Ahora únalos... Le he dicho antes que el occiso no podía volar. Bueno, quizá me equivoqué: tal vez sí podía volar, pero únicamente en determinadas circunstancias. Quizá simplemente no podía volar solo... Ministro, ya me escuchó. Ahora le pido que olvide lo que le he dicho; a fin de cuentas son sólo suposiciones. Claro, señor, ya me he encargado del testigo: lo mandé internar en una clínica de desintoxicación; allí pronto lo convencerán de que lo que vio fue sólo vapor de alcohol. Sin embargo, a pesar de ser sólo teorías hay otro detalle interesante al respecto: según el informe del forense, el sexo masculino del ser mostraba señales de emisión de semen un par de horas antes de su muerte. No, señor, como ya le he dicho no sabemos quién era su pareja, mucho menos si hubo o no fecundación. Sí, probablemente tenga usted razón; es posible incluso que se masturbara... Bueno, Ministro, espero no haberlo aburrido demasiado con mi relato, después de todo es nuestro trabajo, ¿no?... En fin, ahora que el caso está cerrado, antes de despedirme quisiera pasar a asuntos más agradables. Mi hija se casa el mes que viene y estoy seguro de que consideraría un honor que usted viniera a la boda. Gracias, señor. Estoy convencido de que pasaremos un buen rato: le enviaré la invitación con el mensajero. Le deseo una feliz noche... ¿Cómo? No, señor Ministro, no encuentro ningún inconveniente en facilitarle una de las máscaras, mientras a usted no le importe que yo también conserve una para mí mismo.

Se la enviaré mañana.

6
Tradición y novedad

Al amanecer
llegó el litógrafo

"Aʜí ᴠɪᴇɴᴇ" grita el prensista joven quien cumple su turno de permanecer asomado a la ventana mientras su compañero dormita con la cabeza recargada sobre las resmas, a medio cubrir las piernas con un encerado porque la tibieza de la primavera no ha llegado al taller, ni a la calle por donde avanza, desplazándose con cadencia mecánica de muñeco de relojería el señor conde, a cuyo paso, se inclina el panadero que abre la tienda para saludarlo, porque el señor tiene la estatura de un hombre que caminara arrodillado. Y su aspecto. Sólo que detrás suyo no hay piernas, y los botines de puntera redonda parece los calzara en la rodilla.

El conde responde al saludo llevándose la mano izquierda al bombín y sacudiendo el bastón en viaje de ascenso, como un brazo sin mano despidiéndose desde la ventanilla del tren. El panadero, erguido ahora, lo mira y oye alejarse. Lo escucha, pues a su marcha la acompañan ruidos sordos de metales que chocan. "Algazara" las llama él mismo, de férulas y dispositivos que esa mañana le ayudó a ceñir con correas y ataduras de cordón, Margot de Nantes, entre todas la que mejor domina aquella suma de metal doblado: pernos, tuercas, cierres de mariposa, cueros y correas que le hacen posible desplazarse sin caer a cada paso.

Margot ya no es bella, como dicen que fue, pero tiene manos hábiles y dulzura de campesina joven y el señor conde la prefiere entre todas para esa tarea: extiende el cuerpo desnudo y deja que la mujer asuma su tarea de ingeniero.

Muchas veces mientras respira el olor animal que empapa el aire de los burdeles a la madrugada, sueña. Y al despertar reniega por no encontrarse en el orden anterior dentro de cuyos espacios coloridos se desplaza como pez dentro del suyo, en perspectiva cambiante de golondrina, una vez, de bailarín en giro otra; de mariposa recorriendo perdida y extasiada el salón nocturno del cabaret; aire sacudido por la música, una vez cerca, otra lejos. Los rostros en sucesión formando batallones atentos o en dispersión equilibrada de formas: genteobjetos; trazos breves que el cubilete descubre como rostros. Pintura que hace pensar en gente.

"Listo", habrá dicho Margot

Y él, muchas veces, no ha querido irse. Bufa. Dice que tiene hambre. Y quien esté cerca recibirá los billetes y la orden y el portero, la encomienda de traer los platos, porque él no come sólo. "¿Marguerite? ¿Josefine? ¿Ivette?".

"Loco", dice cualquiera de las llamadas acudiendo, "Ce fou! Mais, Je l'aime".

Y es cierto. Todas lo aman. Al comienzo lo rehuían. Las asustaba porque su cuerpo macizo, como de estatua cercenada, surgía inopinadamente en cualquiera de los rincones del burdel. Ahora se lavan y usan las bacinillas en frente suyo, como si el señor conde fuera una de las internas; no mueble o animal impávido, porque con él conversan, y las hace reír o pone a cantar sobre cartones, como cuerdas de violín sin temple, las barras de pastel. Y ellas saben, pero no les importa, que su mínimo acto quede atrapado en la pintura. Ellas no son ellas, afirma él: son trazos, mentiras, signos, color extendido. Por eso, no ocultan la doble cascada del vientre sobre los muslos cuando desnudas, sentadas en la cama conversan con las otras. No tienen vergüenza, ni padecen las inseguridades que propone el orgullo. Sus culos son para el conde arquitectura corporal sin misterio y línea redondeada sobre el papel. Ante él, ellas son ellas mismas.

"No voy a hacer nada con un enano", gritó Cloe.

Fue la primera vez. Entrado en silla de manos por los amigos, tenía la estatura de todos. Luego, sentado en la silla, el hombre con piernecitas de niño, desvió la atención, y los clientes abandonaron el inventario pormenorizado de las ventajas y ofertas de cada una de las mujeres para centrarla en lo que consideraron objeto de feria.

El señor conde los miró rodearlo sin indignación; con el interés y la curiosidad que le merece al visitante solitario del parque zoológico la premura de los micos que se agolpan contra los barrotes para recibir la visita. Extrajo de uno de los bolsillos papel y sanguina, y sin perder de vista los rostros escrutadores, como si ojos y manos fueran una y la misma cosa, dibujó de la asamblea: las caras idiotizadas de quien observa un circo de pulgas.

Cuando el primer retratado superó la anonadante sorpresa que puede causar el tránsito de mirar a convertirse en objeto de observación y dio la vuelta para mirar tras la espalda del grotesco cliente qué cosa recogía, la tarea del boceto estaba conclusa y sin mirar a nadie la mano rápida daba con la sombra peso y volumen a un paisaje bestial de rostros asombrados.

"Gracias, señores", dijo y guardó el dibujo. "¿Nadie por acá bebe champagne?".

Desembarazado del armazón metálico, hacía el amor igual a todos y mejor que algunos, decían ellas. Las mujeres concluyeron por pelearse sus favores porque era tierno, sabiamente perverso y generoso sin medida. Más tarde lo amaron simplemente porque les daba alegría, y dibujándolas, confianza. La mano del señor conde avergonzaba la ruindad de los espejos, no porque las representara perfectas, sino porque hacían parte de algo que sentían bello aún cuando no supieran explicar por qué.

En la madrugada está siempre en el burdel y en la noche, desde temprano, en el Cabaret. En la mesa es él quien ordena. Lo hace con voz grave de barítono y ademanes amplios porque en sus brazos la naturaleza no economizó crecimiento. Canta, bebe, discute. Es un ser alegre. Sabe imitar las voces de los animales; ladra, maúlla, cacarea, barrita, gruñe e imita la modulación y el acento de las personas. Remeda bretones, boches, marselleses y es mujer coqueta, sabio sorbónico, marica de muladar. Pero, de pronto, desaparece. Una nube azul del cigarro que encendió alguien en una mesa vecina, sirve de pañuelo de mago. Ya no está.

El Salón es tan amplio que en el escenario, tomadas del brazo, avanzan treinta bailarinas antes de dividirse para formar dos grupos que se cruzan una y otra vez durante el baile del can-can. El foso de orquesta aloja quince músicos. Malos se consideran los días en que se registra la entrada de doscientos caballeros; de las damas no se lleva cuenta y es posible que su número supere el de los hombres, pues se ve a muchas sin compañero, agrupadas en "mesa de comadres", una vagando por ahí y, con frecuencia, parejas de muchachas que bailan entre sí para afinar los pasos o matar el tiempo. Los grupos, separados; cazadores y perdices cada cual en su terreno o probando el del otro, unas en vuelo para hacerse evidentes; otras, convertidas en presa voluntaria. A la hora del baile las partes se mezclan para no separarse ya. Entre tanda y tanda, disparos de corchos, escándalo de vasos. Cada nada las voces suenan más alto.

Y otra vez alguien pregunta por Monsieur Le Comte.

Imposible saberlo. En la pista de baile, confusión de movimiento acompasado. Giros allí, y acá, pasos en línea o cuerpos enfrentados. Todo recuerda la trampa de acceso a una colmena. El orden es reiteración del caos.

Por los corredores entre las mesas circulan; van y vienen, sin meta, los actores sin papel de la gran fiesta: mujeres de edad que superó la madurez de las manzanas exhibidas en los escaparates; alguna joven, encintado talle de avispa; otras gordas, muchas, trajeadas de señuelo. Madres con hijas a las que arrastran del brazo, sabrá nadie si para sacar o entregar a los abismos del pecado. Muchachos de provincia, trajeados de domingo, olorosos a betíver nuevo; viejos escapados al celo familiar calzando botas en lugar de pezuñas caprinas; caballeros de mundo uniformados a la Brumel; burgueses enseñando elegancias; truhanes sin vergüenza. La clownesa Cha U Kio, manojo de cinta amarilla coronando su cabeza, arrecife espumeante de gasas bordeando el descote, prepara el próximo espectáculo mientras camina entre admiradores y enemigas.

¿Y el señor Conde dónde está?

¿Cómo encontrarlo en el salón oscuro?

Criados en profusión matando las candelas. Las altas luminarias de gas se extinguen. Estalla el fuego de las candilejas.

—No sé. Es como siempre. De pronto, *pum*. ¡Ya no está! ¡Se fue! ¡Desaparece!

En la iluminada penumbra vecina al escenario, sus ojos brillan. Permanece inmóvil, oculto por su estatura y ciego a otra cosa que no sea el acontecimiento del tablado. Convertido en arpa canta el piano. Sigue al inicial arpegio la respuesta asombrada de las cuerdas y sobre el acontecimiento sonoro de los instrumentos, hasta apagarlos descubriendo el límite de las construcciones iniciadas sobre materiales muertos, la voz viva de Jean Avril como un torrente.

Los carnosos labios del conde, tan gruesos que a veces parecen colgantes, estirados se abren como los del amante en la preparación del beso. Jean Avril lo ignora. Ve el límite enceguecedor de las luces, y más allá un confuso mar de oscuras cabezas. Oye, en la pausa de su voz y la orquesta, el silencio creciente: suma de respiraciones anhelantes.

"Jean", grita el conde en murmullo, llamando.

Llegó al burdel más temprano que de costumbre. En el Salón de las poltronas, silenciosas habitantes consumidas entre sueños, terciopelos rojos y cojines de damasco, apenas reparan en su presencia. Ivette soñó, empujada por el ruido metálico de su paso, regresar a la herrería de su infancia; sabor del pan dulce; tibieza del aire tocado por la incandescente fragua.

Feliz Navidad, señor Amézquita

Tan cerca de la casa y el horror.
Juan Carlos Onetti

Ahora recuerdo al viejo y virtuoso violinista vencido por la soledad y el alcohol, la primera tarareándole a capella tonadas rotas, y el segundo haciéndole todas las muecas y calaveradas propias de sus calenturientos y embotellados demonios.

El señor Amézquita era el único sobreviviente de una familia aristocrática que caminaba por la vieja ciudad de la neblina y los paraguas. En aquellos azorados y estúpidos tiempos el que sabía manejar con gracia un paraguas a veces llegaba a ocupar el cargo de presidente de la República. El señor Amézquita iba, como lo hiciera su parentela, caminando entre tenderetes de baratijas y frituras, pero se sentía merodeando a su aire por los jardines de Luxemburgo. Todos en su casa caminaban saboreando el espacio con pasos muy lentos: cada uno era un irrepetible paseante que llevaba en su andadura un paisaje sublevado, una forma de estar siempre en otra parte. De manera que semanas santas y navidades le daban lo mismo al viejo violinista. El señor Amézquita vivía, más que en un oasis, en los bordes acuosos de sus espejismos. Y en las orillas de unas atronadoras borracheras en las que luchaban y hacían tablas la memoria y el olvido.

No era raro que amara con furor a Rubén Darío, al poeta del que sus enemigos denostaban con los más infamantes epítetos porque cruzaba por un gallinero de Managua pero veía cisnes, porque paseaba entre indígenas chorotegas desdentadas pero pensaba que eran princesas de una corte de Versalles, con lo cual hubieran condenado, decía el señor Amézquita, al de la magra figura que trocaba molinos en gigantes y mujeres de una espléndida fealdad en arquetipos de inigualable belleza.

El señor Amézquita agregaba de paso que esos siervos de la realidad y de la razón también condenarían al inventor del violín, que era gitano, según lo afirmaban los gitanos, un bohemio de carromato y de caballos, de navaja y trampería que a fuerza de virtuosismo logró con un violín y bajo los auspicios del diablo engañoso y parricida, perfeccionar el arte de atrapar la lejanía.

El triste, el aguileño señor Amézquita, de tanto haber inclinado hacia un lado el cuello para acomodar su violín, parecía una pieza de ajedrez, algo así como un alfil marfileño que siempre comía de lado al sentarse a la mesa. Por la cabeza ladeada, que a su vez parecía empeñada en ladear el horizonte, se podría suponer que le hubieran robado el instrumento y que continuara en una posición rígida como si emulara la estatua pedestre de un *paganini* de piedra.

Algunos lo bautizaron, sin que él se diera por enterado, con el gráfico y eficaz nombre de las 6 y 15, pues su hirsuta cabeza parecía siempre un minutero parado en esa hora, como si también se negara a guardarles servidumbre a los relojes.

La historia del señor Amézquita era tan desolada como terminó siéndolo su espejo. Caído en las desgracias lacustres del dipsómano, un día encontró su Shyllok, su inesperado mercader de una pobre Venecia sin agua.

El viejo de los abarrotes, igual de aguileño que él pero sin la barba rojiza y ensortijada, tenía ojos de pájaro de cetrería y una prominente nariz olfateadora de minas y becerros de oro. El usurero se encontró al señor Amézquita a la salida de uno de los profundos fosos negros de sus borracheras, y un poco en broma pero un poco más en serio, le propuso cambiarle una ventana de su casa, un ojo de aquella morada que antaño estaba llena de esplendor, de bailes, de sonatas y romanzas y mujeres trajeadas con vestidos recamados de lentejuelas, por un mercado que incluiría, por supuesto, botellas de brandy para el frío sabanero y de aguardiente anisado para pastorear las horas de su soledad.

Ya el señor Amézquita había empeñado su violín, y el poco orgullo que le había quedado como herencia de sus ancestros lo había ido gastando a cuentagotas, siempre a cuentagotas, en pequeñas y sordas mezquindades. De manera que, se dijo, una ventana menos, para lo poco que había que mirar hacia el afuera del mundo, no significaba una pérdida irreparable. Total, no ver pasar los desfiles ostentosos y un tanto bufos del batallón de la guardia presidencial con su desafinada música militar, ni dedicar una buena lonja de su tiempo a ventanear a la vieja muchacha que ya se había hecho más anciana que su espejo, eran cosas nimias que no constituían ninguna gran pérdida.

Ni siquiera la luna llena entre los raleados árboles de su calle, que en otros tiempos comparaba con un inmenso gong de plata, le merecía una mediana atención.

De otra parte, aún al perder la ventana del frente de su casa, le quedaba la que miraba al poniente y al sol de los venados del verano que algunas tardes desalojaba la niebla, una silueteadora niebla que era igual a la nata gris de su vida.

Todo esto fue primero un alivio para el señor Amézquita: no tendría ya que preocuparse por salir a reñir con sus modales de *andante cantabile* a los muchachos que golpeaban una y otra vez con sus balones los vidrios ya rotos y las maderas despintadas. Se limitó entonces a clausurar los gritos chillones que corrían sin cesar tras la pelota.

Al mes siguiente fue la pequeña terraza de ropas la que pasó a manos del mercader, del usurero que tenía un inmenso agujero negro en la conciencia, el comerciante dicharachero y vivaz y timador de apellido Escobar a quien en algunos lampos de lucidez alcohólica el señor Amézquita llamaba "el oscuro Pawnbroker", en recuerdo de una vieja película blanquinegra en la que actuaba como prestamista su héroe de la pantalla, Rod Steiger.

El señor Amézquita se dijo: "las escasas camisas que conservo, mis camisas blancas de concertista al paso de los días son más un fetiche que un ropaje, y aún me queda la chimenea, así que puedo prescindir de la terraza y de las cuerdas donde cuelgo como un pentagrama mis ropas, para secarlas mejor junto al fuego".

Pero luego fue la misma chimenea la que desapareció, la que pasó a ser propiedad de Escobar. Fue en un glacial noviembre cuando su cuello tubular dejó de levantar, en otra muestra de abandono del señor Amézquita, y del saqueo corsario del comerciante, la bandera negra del humo. Ah, el humo denso de su chimenea que siempre había sido un peculiar heraldo, el negro estandarte de su soledad.

"Cosas aleatorias", decía una y otra vez el señor Amézquita.

Y firmaba un nuevo acuerdo con Escobar para entregarle una nueva parte de su casa. Escobar era un tipejo con tan pocos escrúpulos que pasaba algunas temporadas de recreo —y se dice que hasta vivió varios años escondido allí— en una novela de sicarios.

"Mientras tenga el cobijo de mi alcoba, la ducha que es como una emisaria del río en el cubículo de un cuarto, mientras tenga una pequeña cocina y la puerta de entrada, puedo ir angostando el mundo, mi precario mundo cada vez más cercano a las cuatro tablas de la muerte. Quien va a morir mira todas las cosas con sincero desprendimiento, como el adiós silencioso de un amante, de manera que no está mal ir fraguando sin alardes, y poco a poco, la despedida".

De tal manera hablaba consigo mismo el señor Amézquita, triscando el tiempo, monologando, aleccionando su futuro, diciéndole adiós a su casa desmembrada, como si el mundo todo fuera una inmensa mesa de disección. Compararlo con el *poverello* de Asís no sería justo, pues no lo asistía ninguna beatitud, pero sin quererlo vivía como un mandato su despojo.

Fueron largos y oscuros esos meses en los que fue cambiando por mercados —en cada uno de ellos progresivamente abundaba mucho más el alcohol que el condumio— zonas y objetos de su casa, como si iniciara sin saberlo un penumbroso y constante desdibujo. Como si alguien pasara un borrador por la antigua y gloriosa memoria familiar.

Un día, tras la niebla de una de sus turbias resacas, fue a mirarse en el espejo y pudo constatar que no existía, que ni el espejo, ni el baño, ni la alcoba, ni el cuarto de estar, ni la terraza, ni el patio le pertenecían, y que ese exilio en casa ni siquiera ya era suyo. Volvía entonces al alcohol, en una cadena infernal que ataba la caída de una parte de su casa a su propia caída en el olvido y la miseria. Beber era para él acortar distancias con Dios, con un Dios oscuro y salvaje que rehacía su tarea, que en un cuaderno de contabilidad corregía su espantosa creación.

Volaron calendarios. Cuando el aprehensivo y nervioso mercader ingresó por la hoja que quedaba de la puerta principal y le pidió que abandonara sus estancias, que ya le pertenecían en su totalidad –ya no había sino un cuarto con su cama y su armario, ya le había dado tarascazos a sus ventanas, al baño, a la cocina, a la última de las habitaciones y a su viejo sillón, ya había destechado la sala y el comedor que ahora eran parte del patio, en realidad toda la casa ya era una suerte de patio o de solar–, el señor Amézquita, el antiguo y olvidado concertista, el palúdico viejo del violín, no dijo nada. Sólo se limitó a sacar la maleta que guardaba en el hueco que fuera su armario, una maleta de cuero cuarteado y descolorido, y mezcló en un doloroso barullo su carpeta con partituras arrugadas y programas de mano, un haz de ropa que nunca fue de moda, y el barrio dejó sin pena ni gloria de contemplar su ladeada sombra peregrina.

Cuando Escobar y su mujer cerraron la puerta tras su espalda, el señor Amézquita miró hacia el cielo de diciembre y vio un globo elevándose, balanceándose con un ritmo de balandra. Tenía la forma de un trompo y volaba rodeado de un intenso azul de cobalto. La vecina gorda que proyectaba la curiosa sensación de que todo lo miraba con gula, paisajes, hombres, nubes, niños, animales y objetos cobraban a su mirada un aspecto de lujuriosa cena, le dio paso en el andén al violinista, que a todas estas seguía mirando el balanceo del globo de pliegos rojos y verdes. La mujer gorda, vestida con una saya de grandes flores estampadas que parecían engullir un colibrí, detuvo su turbia mirada en la figura magra –un tanto fantasmal– y en la espalda encorvada del viejo violinista. Con una expresión mecánica y desprovista de interés, mientras mordisqueaba una manzana bañada en una capa de crujiente caramelo, le dijo con su voz lejana, asordinada:

—Feliz Navidad, señor Amézquita.

Las palmas del ghetto

A ESO DE las once Ignacio entró al almacén de la mujer del Gordo a decirle a Selene que necesitaba hablarle con urgencia.

—Sentate ahí si querés, que tengo una clienta —dijo ella.

Ignacio se sacudió la nieve y sentó a esperar mientras ella, al frente del cuarto de vestir, se mordía el labio inferior y se miraba la punta de los zapatos. Al rato salió la clienta con unos pantalones amarillos muy apretados que brillaban en las nalgas como soles, y se paró frente al espejo.

—¿Qué tal se me ven, querida? —dijo.

Pasó por la ventana una familia coreana a punto de elevarse entre los copos de nieve. Pasó, agachándole la cabeza a la ventisca, el dueño de la Carnicería Medellín, donde Ignacio compraba fríjoles secos y harina para arepas. Durante algún tiempo había comprado allí también la carne, pero dejó de hacerlo después de que lo vio rascarse el ano y tasajear, muy nítidas y profesionales, unas tiras de tocino. "Prurito en el ano, frecuente en los artríticos", pensó entonces. Y pasó, también entre los copos de nieve, el automóvil de Danilo.

Selene llevaba dos meses en el almacén. Ignacio sabía que ella no estaba al tanto de muchas cosas, y había venido a contarle en lo que estaban metidos Nelson y el Gordo, a decirle quién era él (es decir, Ignacio), a contarle lo que ahora estaba pasando y advertirle de lo que dentro de muy pocas horas pasaría.

12 a. m.

A las doce Danilo seguía dando vueltas como un abejorro alrededor de la cuadra. La clienta se había ido por fin, e Ignacio había podido explicarle todo con calma a Selene. Ella se asustó mucho al principio, por supuesto, y empezó a llorar, pero al rato se calmó y se secó las lágrimas con un Kleenex, apretándolas como a tinta con un secante, para no correrse el maquillaje. No se pintaba mucho; apenas para hacer lucir al máximo sus ojos grandes, que tenían forma de almendras y mirada lenta, como de ondas de mar.

—A mí por Nelson y por los otros no me importa. Pero qué pesar del Gordo —dijo.

Gerardo, el Gordo, no obstante vivir de lo que vivía; no obstante tener que verse involucrado de vez en cuando en una que otra muerte, era un hombre bueno. Dos cosas lo preocupaban en la vida: su familia y las grasas en la sangre. Se la pasaba haciéndose medir el colesterol y los triglicéridos, y le gustaba ver programas de televisión donde los bultos de colesterol daban tumbos contra las arterias y luego se depositaban y empezaban a acogotar el corazón. Al negocio en sí lo trataba con cierto desapego y hasta con repugnancia; pero sabía hacer las cosas con eficiencia y en el fondo era muchísimo más cauteloso que su hermano Nelson, que tanto gustaba de tecnologías, números y nombres en clave.

Un hermano de Selene estaba casado con una hermana de Ligia María, la esposa de Nelson. Ligia María era bella y gustaba de hablar de las cosas que había comprado o pensaba comprar. "Estaban vendiendo en Saks unos zapatos de ataque, querida", decía, por ejemplo, "pero no tenían mi talla". Tenía pies grandes y tendía a comprar zapatos demasiado chicos, que le producían callos y juanetes. Debía visitar al podiatra con frecuencia. Cuando Ligia empezaba a decir, "adiviná lo que compré, querida", Selene, sin darse cuenta, comenzaba a exasperarse. Para ropa, podiatra y joyas, Ligia tenía que arrancarle la plata a Nelson, quien antes de empezar el negocio había sido contador titulado, y, quizás por eso mismo, era tacaño.

Al salir del almacén, Ignacio vio otra vez pasar el Honda del retardado de Danilo, que, sin mirarlo, le hizo una señal con el meñique. "¡Gafas de sol en semejante nevada!", pensó Ignacio.

A la una de la tarde entró al apartamento de Selene, abrió la nevera y guardó el paquete de cerveza sin sacarlo del empaque de cartón ni de la bolsa plástica. Destapó una cerveza y se sentó en el sofá a mirar la foto de los padres de Selene que había sobre el televisor, tomados de la mano en un antejardín de Cali. La madre, aún joven, tenía ojos moros como los de Selene; el papá cargaba tres bolígrafos en el bolsillo de la camisa.

Ignacio tenía que llamar a Paul, quien estaba a cargo de la investigación.

—Yes —le dijo a Paul—. It's there, yea. What do you mean? Of course I did. You think I am stupid? Yes. Yes. Yes. Okay.

Su inglés era muy fluido y muy fuerte; inglés de alguien de Medellín.

Colgó el teléfono y dijo "policías hijos de puta". Si se hubieran burlado de Nelson aquella vez que dejó escapar el par de cosas que ahora los hundían a todos, Ignacio no los habría despreciado tanto. Pero Paul, después de oír lo que dijo Nelson, sólo había murmurado: "los agarramos". Se quitó los auriculares y las gafas de hipermétrope, puso al descubierto sus ojos duros como piedritas, se acomodó la repugnante corbata de misionero protestante y colocó en una bolsa de manila las cintas que perderían para siempre a Nelson y enredarían a muchos inocentes.

Danilo, que además de torpe era ignorante, lento, bruto y malvado, pasó frente a la casa. Manejaba con el brazo afuera, para mostrar su reloj y su arrogancia. "Hasta que un camión lo deje manco", pensó Ignacio mientras iba hasta la pared, se ponía en cuclillas y empezaba a cortarla cuidadosamente con una cuchilla. El temblor de las manos era apenas perceptible. Separó el trozo de pared y aparecieron los paquetes. Muchas veces había tratado de explicarle a su familia cómo se construían las edificaciones en Estados Unidos. Que de ladrillos se olvidaran, les decía; las paredes estaban vacías por dentro. Clavaban láminas de yeso prensado sobre estructuras de madera o metal y se alcanzaba a oír todo de un cuarto al otro. Y aunque todos se admiraban, él no creía que verdaderamente entendieran lo ilusorias que eran aquí las paredes, la vida. Parezco un ratón, una rata, pensó al mirar el roto por el que se veían los paquetes de billetes.

Cuando Selene llegó, a eso de las seis de la tarde, hacía ya mucho tiempo que él había vuelto a colocar el trozo de pared, le había puesto cinta y había masillado, pintado y secado la pintura con el secador de pelo. Después había salido a guardar tres paquetes en una de las casillas de la Greyhound, en Nueva Jersey; luego había ido al apartamento de Huevoduro, en Queens, a dejar otro paquete de dinero. No a "inculparlo", pensó Ignacio, pues esa no era la palabra en el caso de alguien que vivía en un sitio donde las bolsas de droga eran tantas (en las paredes, en el techo, hasta en el horno) que uno terminaba por perderles el respeto y mirarlas como si fueran de harina de maíz para arepas. Había regresado, en fin, a esperar a Selene, y ahora sólo alguien que lo supiera habría notado el leve olor a pintura en el aire. Selene era firme por todas partes, suave por todas partes; su amor envolvía por todas partes, todo lo llenaba. Entrar en ella era como entrar al paraíso terrenal.

7 p. m.

A las siete y media de la noche, Selene le dijo a la empleada del restaurante que sólo quería un pedazo pequeño de morcilla con rodajas de tomate. "Pero no me lo des demasiado pequeño tampoco, ¿oíste? ", advirtió. Ignacio pidió mondongo. Y mientras aspiraba el humo casi asfixiante de la sopa, se admiró de que las mujeres bellas se las arreglaran para comer sangre coagulada y arroz embutidos en duodeno de cerdo como si fueran frutas, fresas.

Selene había viajado a Nueva York con su padre después de terminar el bachillerato. Su padre dijo que eso no era para ellos (es decir para él y la mamá de Selene, que se había quedado en Cali esperando que su marido decidiera si Estados Unidos era o no para ellos) y se devolvió luego de seis meses; Selene se quedó, pues ya se había inscrito a clases de inglés y el Gordo y Nelson estaban consiguiéndole la visa.

—¿Tenés miedo? —preguntó Ignacio.

Ella dijo que sí. Claro que tenía miedo.

—Lo malo es que ya no te podés ir. Hay que esperar que se termine todo.

Sonó el despertador a las cinco de la mañana y a Ignacio le quedó intacto en la mente el sueño en el que Selene le acercaba la cara, rencorosa, y le decía "¡sapo, sapo, sapo!". La dejó durmiendo y salió a encontrarse con Nelson en el parque de Flushing, de donde saldrían para las bodegas del aeropuerto a recoger más material. Nelson acostumbraba decir que ciertos trabajos prefería hacerlos en persona, pues los empleados nunca les ponían el mismo empeño que él.

—¿Hablaste con L7? —preguntó—. Está lisa como jabón esta hija de puta carretera.

Ignacio sabía quién era L7. Para irritar a Nelson y sacudirse su propia irritación preguntó:

—¿Abigaíl? ¿Matarratas?

—No me digás que todavía no te sabés los hijueputas códigos —dijo Nelson—. Lo que pasa, hombre Ignacio, es que uno nunca sabe...

Y ya iba a soltar su parrafada sobre la importancia de mantener los códigos de manera estricta, así fuera para comunicarse desde lugares que al parecer no ofrecían riesgo alguno, cuando Ignacio lo interrumpió:

—No me vengás otra vez con eso, Nelson, ¿sí? Ese discursito ya me lo sé de memoria, ¿sabés?

—Bueno, pues entonces aplicalo, aplicalo —dijo Nelson, con tono casi paternal, furioso en realidad.

Ignacio lo miró con sorna. No sabés lo rápido que te vas a empezar a podrir en la cárcel, pensó. "Hablé. Hablé con Matarratas", dijo, y Nelson masculló algo, seguramente un insulto. A los demás los maltrataba con ese estilo suyo cortante, frío, repleto de desprecio y arrogancia; con él se cuidaba, e Ignacio tenía la sospecha de que se debía a que era, o alguna vez había sido, médico. Para Nelson los seres humanos una vez se titulaban pasaban a una esfera más alta de existencia.

A las siete y media de la mañana salían del aeropuerto para donde Abigail Echeverri, alias Matarratas. Abigail vivía en uno de los apartamentos más alejados, cerca de la última estación del tren. Todos los antejardines estaban cubiertos de nieve. En algunos había árboles de Navidad, muñecos del Papá Noel, cuadrigas de alces.

—¿Qué más ha habido, galeno? —dijo Abigail—. ¿Don Nelson, cómo está?

Nelson no respondió.

—Quehabido Abigailcito —dijo Ignacio.

—Andá Matarratas empezá a traer las tulas del carro, ¿sí? —dijo Nelson—. Pero mosqueate, ve, que vos a ratos parece que tuvieras plomo en el culo. ¡Claro. Como se la pasan pajeados a toda hora...!

Nelson se refería a la afición que le habían tomado los muchachos a la pornografía. Todos ellos, Abigail y Monumento, los dos Cerebros,

Huevoduro y Pacho se habían enviciado a las películas de sexo. Como los habían obligado a encerrarse en los apartamentos durante varias semanas (por razones de seguridad, a fin de cortar de raíz la posibilidad de que los siguieran), el Gordo les había conseguido televisión por satélite, para que no los matara el tedio. Y de los cientos de canales que tenían a su disposición habían optado por especializarse en los de pornografía. Hasta Abigail y Danilo, únicos a quienes se les tenía permitido salir, y sólo para diligencias de trabajo, se habían enviciado. Al escuchar las grabaciones, Ignacio se distraía mirando la cara de desconcierto de Paul y los otros detectives cuando los muchachos empezaban a hablar por teléfono sobre las películas que habían visto. Muy comentada, por ejemplo, había sido la de los tres que copulaban sobre un caballo.

—¿Y viste la estaca que le metía el de atrás a la muchacha? —preguntaba Monumento, que debía su apodo al tamaño de la nariz.

—Parecía un colino de plátano, ¿sí o no? —respondía uno de los tres hermanos Tamayo, a quienes, por sus pocas luces, apodaban Los Cerebros.

Rob Martínez, uno de los detectives, era de familia chilena pero había olvidado mucho el español y no sabía lo que era "estaca", mucho menos "colino", e Ignacio tenía que irle explicando. A veces los comentarios de los muchachos eran tan retorcidos desde el punto de vista moral y sicológico, y tan barrocos desde el punto de vista lingüístico, que no había manera de explicarlos. Resultaba entonces muy agradable ver la cara de frustración de Rob, con los audífonos puestos, esforzándose en dilucidar si la palabra "panocha", por ejemplo, que figuraba con tanta frecuencia en las conversaciones de los sujetos, era en este caso alguna clave que significara cocaína, o kilo, o envío.

12 a. m.

A eso de las doce del día Nelson e Ignacio habían hecho ya todo lo que tenían que hacer y viajaban en silencio para la casa del Gordo. Lo único que tenían en común eran los negocios, y en ese momento no había asuntos que tratar. Muy de vez en cuando, y sin demasiada convicción, Nelson trataba de decir algo, hacer algún comentario técnico sobre el estado de la calle, o sobre el funcionamiento del automóvil, pero Ignacio no encontraba nada qué decir y contestaba con monosílabos.

La casa del Gordo se encontraba en el pandemónium de las preparaciones de la Navidad. El Gordo, que por estas fechas nunca estaba demasiado sobrio y oía música casi constantemente, participaba en persona en la preparación de los tamales, se encargaba él mismo de los buñuelos y supervisaba la marcha general del asunto. Comía todo el tiempo, chorizos, morcilla, trocitos de chicharrón, para mantener bajo control el aguardiente, que a su vez parecía ayudarle a olvidarse un poco de los triglicéridos.

Ignacio tenía la esperanza de que estuviera allí Selene, y allí estaba. "Mirá cómo late que late el corazón del sapo", pensó con saña, como alguien tratando de sacarse los ojos. Selene lo miró entrar; se encontraron las miradas e Ignacio supo que no lo iba a denunciar, no iba a denunciar al denunciante, y la alegría que sintió, no por miedo, pues los del Gordo no torturaban (y de matarlo seguramente lo haría Abigail, que le caía bien y era muy buen tipo) sino por ese deseo que sentía por ella, que absorbía toda la luz, todo lo avasallaba. Se tomaron de la mano en el sofá e Ignacio vio que Ligia María le sonreía, cómplice, a Selene.

A eso de las cuatro de la tarde, Ignacio y Selene regresaron al apartamento de ella y, protegidos por el placer, flotaron otra vez, inermes, sobre la aniquilación, la muerte. Infinita la belleza del estómago, pensó él; del trazo de minúsculos vellos que van del pubis al ombligo y se extienden como rizo de agua por el resto, visibles sólo para él, el primate macho elegido, el mandril más realizado. Ninguno de los dos había mencionado al Gordo, ni a Ligia María, ni a los hijos de Ligia María, ni a la mamá del Gordo, ni a los muchachos que cuidaban los apartamentos. Durmieron otro rato; se levantaron casi a las seis de la tarde y prepararon una especie de desayuno, con huevos y pan. Se bañaron y empezaron a arreglarse para la fiesta de Navidad.

—Otra vez se largó a nevar —dijo ella cuando miró por la ventana—. Qué belleza.

Ignacio se le acercó por detrás a Selene, que se maquillaba frente al lavamanos, le bajó los pantalones interiores y la tomó por los hombros, anchos, angulosos, mientras el cabello de ella se extendía muy negro sobre las llaves de agua y los cepillos de dientes rodaban hacia el centro. Regresaron a la cama y durmieron mucho tiempo. Se levantaron casi a las diez, se bañaron de nuevo y salieron para la casa del Gordo.

A las dos de la mañana ya muchos estaban borrachos. La música atronaba. A Ignacio casi se le había olvidado lo que iba a ocurrir, cuando tumbaron la puerta y en la confusión hirieron a Abigail en el hombro y mataron al Gordo de un disparo en la cabeza. Las mujeres gritaban. Los policías insultaban, pateaban, estrujaban, ponían esposas. A Ignacio le dieron un culatazo en la coronilla y lo esposaron. Ya no nevaba. El suelo estaba espumoso y crujía cuando lo pisaban. El frío en la acera se había hecho cortante; picaba en las fosas nasales y quemaba las orejas. Ignacio vio cuando subían a Selene a una de las radiopatrullas. A las tres de la mañana pasadas, con una venda en la coronilla, fue hasta la Greyhound; y a eso de las cuatro estaba con Selene en el hotel.

El hotel era de segunda, casi de tercera, y quedaba al lado de un lote vacío, cerca del aeropuerto. La policía no iba a pagarles un hotel de cinco estrellas. Se oía continuamente el ruido de las turbinas de los aviones que llegaban y salían de las pistas. Por la ventana aparecían las ramas desnudas de ese árbol de nadie, que nadie siembra y crece sin ayuda en los lotes, en los patios descuidados o abandonados, y que es frondoso en verano, hermoso y frondoso en primavera y en otoño, y despreciado siempre, por lo excesivamente fértil y resistente. *Ghetto palm*, lo llaman.

Selene había estado llorando en el baño y se había acostado. Cuando él, luego de terminarse la media botella de aguardiente, se acostó y la buscó en la cama, ella dijo:

—Ahora no. ¿Cómo se le puede ocurrir? Ahora no.

E Ignacio nunca quiso averiguar si lo que dijo después con voz casi inaudible, "sapo, cochino", en realidad lo había dicho ella o lo había imaginado él, lo había soñado.

Bolero para
una noche de tango

Yo tengo una suerte del carajo para
encontrarme con estos metafísicos
bien alimentados, que comen la
mierda de la trascendencia como si
fuera tocinillo del cielo.
Guillermo Cabrera Infante
Tres tristes tigres

Sentimos una ola
de sangre, en nuestro pecho,
que pasa... y sonreímos,
y a laborar volvemos.
Antonio Machado
Galerías

Eʟ suicidio de mi personaje sucede en la última de las diez páginas de intrincada trama de amor e ironía. Ni una más, ni una menos, de acuerdo con la convocatoria del concurso de cuento de la biblioteca de la universidad. Escribí la palabra "fin" convencido de haber creado un relato en el que vibran presentidos reconocimientos. Releí varias veces el texto, cambié una que otra palabra, y resolví las tortuosas dudas sobre los signos de puntuación. Con el seudónimo "Apolo" y un tímido complejo de audacia lo puse en el buzón. Nada podía detenerlo con las tres copias y mi incipiente hoja de vida en sobre adjunto.

La ansiedad incontenible del mes previsto para que se diera a conocer el fallo del jurado reemplazó la amargura por mi rompimiento con Paloma Domínguez. Sí, Paloma, ese era su nombre, lo juro, no es el producto de alguna burda analogía. Desde que nos conocimos, aquella tarde de ventisca y granizo, ese amor nació sin destino. Y es que no era fácil conciliar el mundo de una autorizada bióloga con el de un casi graduado en literatura. Los tanteos y desatinos, los goces ilusorios, las expectativas fallidas nos cercaron sin futuro ante el estorbo de que Paloma era diez años mayor que yo. Ese desbalance no era contundente a la hora de la deliciosa pasión que enhebraba nuestros cuerpos; estaba embriagado de felicidad erótica, y el asunto cronológico, que a ella contrariaba, me resultaba intrascendente. Es cierto que esa desavenencia se hacía cada vez más evidente y nos asfixiaba en silencios amargos o disputas funestas –sólo un escritor tan solvente como yo, utilizaría tan atinados calificativos–. Concluí, después de profunda reflexión, que nuestros gustos irreconciliables en asuntos simples, simplísimos, casi anodinos, hacían imposible unir nuestros corazones. A mí Carlos Vives, a ella Serrat; yo soy de amaneceres de boleros; y ella, de crepúsculos de tangos; a mí helados de chocolate, a ella burbujas de vainilla; Woody Allen contra Almodóvar... lista interminable, insidiosa.

—Es un disparate, no debemos seguir —dijo sin compasión un jueves después de hacer el amor. Me dejó aturdido y desarmado. Desde entonces, era una tortura verla correr, volar, por los pasillos de la universidad envuelta en una enorme bata blanca con su autoridad de doctora. Pasaba de largo indiferente a mi presencia; al contemplarla tan fugaz, evanescente en su vuelo y cada vez más inalcanzable, me sentía miserable. La apremiante necesidad de ella se fermentaba en mi piel, en mis deseos. La desgracia de verme despreciado después de los tres meses del más dichoso enamoramiento, me causó una punzada de dolor en el pecho que sólo podría calmar con la fuga. Huir a donde la impenetrable hosquedad de Paloma no me matara; pensé, por ejemplo, en encerrarme en un claustro tibetano que me obligara al celibato, o postularme como voluntario de cualquier causa en el más lejano rincón del planeta. Sí, escapar de su recuerdo a un lugar en el que el aleteo blanco de su imagen no me persiguiera. En algún momento se me cruzó la idea de emular a Werther que mata con él sus románticas desdichas de soñador; pero ¡qué va! Para cometer suicidio hay que tener esencia de héroe, y estoy lejos de ostentarla.

Mientras esperaba ansioso el fallo del concurso, no pude concentrarme en mi tesis de grado: un complicado estudio de literatura comparada sobre los fundamentos semiológicos de las narrativas de amor, locura y muerte. Como era visitante asiduo de la biblioteca, miraba de reojo el espacio en la cartelera en el que revelarían el documento. Desconté los días, uno a uno, como quien deshoja una margarita. En mi fantasía de triunfador me imaginaba pletórico de felicidad al contemplar mi nombre en el primer renglón –no en el segundo, mucho menos en los posteriores–, enfrentado con el título de mi cuento: "Bolero para una noche de tango". El espejismo me mostraba en sesión solemne, con mi mejor vestido recibiendo la carta portadora del instante de fama que mi relato me tenía reservado. El cheque ilusorio alcanzaría para reemplazar el vestido de gala; la sesión de lectura de mi "Bolero" ante un nutrido auditorio preveía un acto que mi vanidad bendeciría por mucho tiempo. En la primera fila de mi fantasía, mis padres orgullosos de emoción dejarían de reprocharme el que me hubiera dedicado a los estudios literarios y no a la ingeniería, o al derecho, profesiones en las que, según ellos, me movería a todo motor por la autopista de la vida. En esa quimera, Paloma estrechaba su cuerpo contra el mío no sólo para felicitarme, sino como seña inequívoca de que volvería conmigo. Ensayé gestos ante el espejo para dejar registrado un inocente aire de modestia en la imprescindible fotografía del evento. Esa noche dormiría agradecido con mis protagonistas y su desdichada pero honda, hondísima historia de amor.

El día indicado, desde temprano, simulé indiferencia frente a los resultados del concurso. Como era usual, me encontré con mis amigos Valerio y Manolo que rondaban, inoficiosos, los alrededores de la biblioteca. Ellos, y algunos profesores de la facultad que conocían mis veleidades narrativas, me preguntaron si había concursado. Puse cara de ¿quién sabe?, me hice el tonto, subí los hombros, sonreí. El día transcurrió en una calma insoportable, como si las partículas de arena del reloj imaginario se hubieran unido unas a otras convirtiendo su recorrido en un avance lento y tortuoso. Registré con disimulo los movimientos que se sucedieron en el muro que soportaba la prometiente cartelera. Sólo hacia las seis y media de la tarde, desde una esquina estratégica, encaramada en el ruido de sus tacones, vi a Leonor, la desteñida secretaria de la Dirección. Se acercó con una cartulina enrollada bajo el brazo, indiferente al bullicio, a las caras ansiosas. Mi corazón empezó a cabalgar.

Desplegó el rollo con una lentitud exasperante, y lo fijó en sus cuatro esquinas. En cuestión de segundos la horda de curiosos desfiló a consultar el edicto. Contuve la incertidumbre. Esperé, inquieto, a que la procesión me dejara el espacio libre. Observé los gestos de desilusión; los interpreté como una certera seña a mi favor. Se despejó el sitio. Conté uno, dos y tres. Caminé excitado e inseguro. Me planté frente al fallo. ¡Respiración espasmódica, terror morboso! Salté los consabidos formalismos, fechas, jurados, objetivos, bla-bla-bla... quedé suspendido en el renglón que anunció el primer premio: fue culpa del cataclismo expectante que me recorrió el cuerpo, estoy seguro; fue por eso que leí mi nombre entreverado en las letras del de Samuel Lozano, y en el lugar del título "Señales de sombra", se superpusieron anhelantes, los tres sustantivos de mi prometedor "Bolero para una noche de tango". Pero esa falacia, atroz para mi espíritu, sólo duró unos segundos: la contundencia de la verdad reemplazó mi quimérico triunfo. Con el ánimo en el suelo, recorrí la lista de finalistas y los sugestivos títulos de sus cuentos. Me retiré doblegado por la derrota.

En un esfuerzo por dominar mi frustración acepté ir a la taberna con Valerio y Manolo. Intenté mostrar el ánimo de siempre, hablamos de mujeres, de lo bien que se veía Paloma, y de lo mucho que su presencia palpitante y evasiva todavía me dolía en el alma. Ellos hicieron bromas sobre eso: uno martillaba con: "se te nota más de la cuenta, y no es la primera vez que una mujer mayor se enamora de un joven", y el otro atornillaba: "ni es la primera que termina por aburrirse de él", y otras sandeces que me dejaron amargas la boca y la piel. Se atrevieron a decir que yo era un fanfarrón y que sufría de un síndrome de indigestión literaria. Estábamos pasados de tragos y por eso ignoré sus ácidas verdades y la sentencia de que iba a terminar como Alonso Quijano. Con un tono de ironía Manolo sugirió brindar por el premiado Samuel Lozano, nuestro déspota profesor de prosodia en quinto semestre. Valerio, irremediablemente borracho, se burló de los concursos literarios y de los bobos que pretenden algún reconocimiento a través de ellos. "Eso lo hacen los escritorzuelos mediocres, y perdón el pleonasmo". Los tres nos reímos pero ninguno mencionó haber participado en la convocatoria de la biblioteca. No está de más decir, que los vi merodeando la cartelera después de la retirada de Leonor.

Con la resaca fresca afronto lo inevitable: recorro lentamente las diez páginas de "Suicida", palabra que archiva mi cuento. El argumento fluye al ritmo del zumbido asordinado de la pantalla. Mi personaje, un brillante ejecutivo de una multinacional de Internet, cruza su destino con una reconocida economista, asesora de la Comunidad Europea. Un fulminante flechazo los hace víctimas de un amor contrariado y sin esperanzas ante la contundente realidad de que él es diez años menor que ella. La imposibilidad de realizar el amor la lleva a ella a retirarse de la vida pública y a refugiarse en la meditación en un monasterio del Tíbet, y él, como ya se sabe, se suicida por amor, dedicando su acto a León Naphta, en la mágica montaña, con sus falaces ironías. La sinopsis de mi cuento, puede llevar a peregrinas conclusiones, y a condenar mi talento por la apariencia sosa y convencional de mi historia, más apropiada para telenovela del mediodía. No. Mis diez páginas penetran en el drama de dos almas en función de reglas universales que se hacen tiempo, lenguaje, atmósfera. Al menos ese es mi intento: mostrar los ribetes de tragedia de folletín, esa derrota del amor, fatídica por las condiciones en que se plantea el combate. ¡Torpes jurados! ¡Cómo pueden ignorar la hondura de cada uno de mis personajes, y la forma certera como enfatizo la situación de distorsionado dramatismo que existe en el simple, simplísimo y anodino hecho –bienvenida la reiteración–, de que a él le gustan los boleros y a ella los tangos!

Me concentré en el documento. Lo sometí a una crítica descarnada, admiré uno que otro hallazgo luminoso, sus imágenes brillantes, las ideas felices. Para mí el cuento era perfecto y merecía otra oportunidad. Revisé mi agenda y encontré el recorte guardado dos semanas atrás:

Enviar antes del 5 de octubre, al Tercer Concurso de narrativa breve convocado por la Unión obrera, Apartado 3521, Habana, Cuba, un cuento inédito, ocho páginas, tres copias, datos adjuntos. Premio: 300 dólares y las obras completas de Alejo Carpentier.

Le adelgacé dos páginas y acudí a las musas para adaptarlo al contexto del mundo proletario, conservando, eso sí, la profundidad semiológica que destila mi pequeña joya narrativa. Esta vez, mi hombre cruza su destino con ella, una ferviente voluntaria de los cuerpos de salud. Una soleada tarde de brisas caribeñas y palmeras de coco ella acude a registrar las estadísticas médicas en el ingenio azucarero en el que él trabaja los ocho días de la semana. No pueden evitar el fulminante flechazo del que son víctimas de un amor contrariado y sin esperanzas ante la contundente realidad de que él es diez años menor que ella. La imposibilidad de realizar el amor la lleva a ella a arriesgar su vida con veintitrés moribundos en la quimera de una endeble balsa entre el tortuoso oleaje que separa las costas de Cuba y las de la Florida. Él, como ya se sabe, se suicida por amor, dedicando su acto a Septimus, el personaje que se autoelimina dejando a la Señora Dalloway con la mirada en el vacío. Lo de suprimirle las dos páginas a la primera versión fue lo de menos; el meollo lo conservé intacto. Los jurados cubanos admirarían la dimensión de cada uno de mis personajes, el énfasis de la situación de distorsionado dramatismo que existe en el simple, simplísimo y anodino hecho —otra vez la feliz reiteración—, de que a ella le gustan las habaneras y a él la salsa. Quedé satisfecho con la nueva versión que se fue con el seudónimo "Aquiles". Cuando conocí el resultado del concurso en el que no apareció mi nombre, me consolé convencido de que las tres copias de "Habanera para una noche de salsa" se habían extraviado en lo que supuse un tortuoso correo hasta la isla castrista.

Olvidé el cuento durante varios meses y quise hacer lo mismo con la obstinación por Paloma. Me dediqué a la lectura desenfrenada. Por una especie de inercia melancólica no podía dejar de acechar las escaleras y los pasillos a la espera de simular un encuentro casual del que sólo obtendría un enfrentamiento con su indiferencia. Me obsesioné con la tesis de grado. Se me impuso la necesidad de dejar la casa paterna, con el secreto deseo de demostrar a mis padres que sí podía valerme con mis estudios literarios. Si bien el destino frustrado de escritor no me proponía mejor camino que el de hacerme profesor, obtuve un curso de literatura medieval en el colegio de bachillerato. Una tarde vi a Paloma en la cafetería de la universidad conversando animadamente —adverbio imprescindible para evitar "embelesada"—, con el insoportable Samuel Lozano. Te miré con rabia, Paloma. En ese instante anhelé tener ocho brazos, sí ocho; uno para neutralizar al tipejo ese, y los otros para atraerte a mi cuerpo, despojarte de tu bata blanca, anudarte en mi cintura mientras otros dos brazos erotizados te recorren, otros dos delinean tus curvas, otros dos se aferran a tu cuello, y toda tú, Paloma Domínguez, te enlazas en mis abrazos locos... Y te gozo en una trinca de amor y deseo al ritmo de nuestras vibraciones, qué importa si son las de algún bolero decadente o un tango atormentado...

Me acerqué con la pretensión de que mi fantasía me daría fortaleza para abordarla. Calculé cada palabra, cada gesto y la invité al concierto de Serrat. El desaire de su mirada me indicó que la batalla para reconquistarla sería larga.

Cuando terminaba las últimas correcciones de la tesis, pensé de nuevo en el cuento. La facultad acababa de estrenar una novedosa cátedra de taller de escritura, y sus participantes se embriagaban con el furor de la creatividad. Sobra decir que no me inscribí porque me consideraba un escritor aún anónimo, pero al fin y al cabo escritor y no un aprendiz. Tampoco lo hicieron Valerio y Manolo, convencidos de que nada podíamos aprender del prepotente profesor Lacambra, conductor del taller. Veíamos con cierto desdén su juventud y su fanatismo por la ciencia ficción. Pero los tres mirábamos con inconfesada envidia el deleite del que gozaban sus alumnos. Lacambra, inauguró, además, el "consultorio literario", una modalidad de crítica abierta a los escritores clandestinos y vergonzantes para que se atrevieran a sacar a la luz sus textos y someterlos a juicio. No lo pensé dos veces. Lleno de entusiasmo hice doble click, la tesis desapareció de la pantalla y el documento "Suicida" se desperezó después de su letargo de cuatro meses y medio.

Esta vez la lectura me sorprendió menos por sus hallazgos luminosos pero me consoló que en el trasfondo sobreviviera una visión del amor con esas paradojas entre lo sublime y lo trivial, entre la pasión sin fronteras y la cordura inevitable. Sospeché que la concepción de mi ácida historia en un ingenio azucarero rodeado de cocoteros poco le diría a un obstinado por la ciencia ficción. Así es que decidí hacer algunos cambios: mis protagonistas se conocen en un viaje interplanetario bajo el hechizo de un atardecer de tres soles y una lluvia de meteoritos. Ella es cartógrafa espacial y él se desempeña como auxiliar de jurisprudencia galáctica. Un fulminante flechazo los hace víctimas de un amor contrariado y sin esperanzas que sólo dura tres años luz. Sus desavenencias, cada vez más evidentes los asfixia en silencios amargos o disputas funestas ante la contundencia de que ella fue clonada diez años, también luz, antes que él; además, él tiene ocho brazos, y ella dos antenas estorbosas. La imposibilidad de realizar el amor la lleva a ella a arriesgar su vida en una frágil cápsula sideral con una docena de refugiados entre el tortuoso oleaje de basura cósmica que separa a Nova 7 de Plutón. Él, como ya se sabe, se suicida por amor dedicando su acto valeroso a Guy Monod que alcanzó el cielo de su rayuela con un tubo de veneno.

Imaginaba al arrogante Lacambra penetrando en la profundidad de cada uno de mis personajes; lo presentía conmovido ante la situación de distorsionado dramatismo que existe en el simple, simplísimo y anodino hecho –de nuevo la afortunada letanía–, de que a él se le estremecen las dos espinas dorsales con el jazz hiper-extremo, y a ella, le hierve la sangre verde con los vetustos rock mega-metálicos. Lo envié con el título: "Jazz para una noche de rock" con el seudónimo "Menelao". Debo confesar que me retorcía en la esperanza de que el imbécil de Lacambra considerara los méritos de mi texto y fuera el descubridor de mi talento. Ocho días después recibí una lacónica nota que interpreté como un gesto de envidia: "Su estéril talento está vedado para la literatura. Dedíquese a otra cosa". Mi ego torturado me convenció de que había cometido un error al caer en la trampa del consultorio literario. Pasé la amarga página y me entregué a la versión definitiva de la dilatada tesis. Resignado, seguía con lánguida mirada el inalcanzable vuelo de Paloma por los pasillos de la universidad.

Fue Manolo quien me habló de la convocatoria de relatos femeninos publicada en el suplemento literario. Consulté las condiciones, pasé por alto eso de "por el derecho vital al reconocimiento de la mujer como dueña de un imaginario propio en la narrativa". El premio exacerbó mis deseos de gloria. Pensé que por cuenta del vetusto feminismo, mi relato, por fin, lograría su merecido reconocimiento. Una ilusoria semana en París con gastos pagados palpitaba en lo más hondo de mi vanidad de escritor. Recordé mi cuento y me emocioné al pensar en las infinitas posibilidades que anidaban en ese intenso tejido de dilemas en el que amor y muerte avivan pasiones y nostalgias.

El mecanismo del procesador corrió veloz hasta cumplir la orden de detenerse en el documento "Suicida". Alteré el texto conservando la más pura esencia, intentando significar, en su invariable contenido, la resonancia de un drama conmovedor, profundo, sin el más mínimo esguince. En esta versión lúcida y amarga, ella, una aguerrida socióloga, asesora de "Women Rights" cruza su destino con él, un auxiliar de protocolo al servicio de organismos internacionales. Un fulminante flechazo los hace víctimas de un amor contrariado y sin esperanzas: la contundente realidad de que ella es independiente y aguerrida feminista, y él, con diez años menos que ella, apenas inicia su carrera diplomática. La imposibilidad de realizar el amor la lleva a ella a reclutarse como voluntaria para la asistencia de mujeres inmigrantes que arriesgan sus vidas en endebles balsas entre el tortuoso oleaje que separa las costas de África y las de España. Él, como ya se sabe, se suicida por amor dedicando su acto valeroso a Pietro Crespi que no alcanzó a vivir ni treinta años de soledad porque se quitó la vida con un disparo en el corazón.

Satisfecho con los rumbos impredecibles de mi entusiasmo creador, comprobé una vez más la hondura de cada uno de los personajes, el énfasis en la situación de distorsionado dramatismo que existe en el simple, simplísimo y anodino hecho –afortunado estribillo–, de que ella prefiere la mazurca, y para él, la rumba simboliza la dialéctica del amor. El cuento se fue con el seudónimo "Safo", y sólo porque reconozco en mí una honestidad literaria a toda prueba, acepté que el fallo del jurado femenino ni siquiera seleccionó "Mazurca para una noche de rumba" entre los veinte títulos. Estoy seguro de que, por algún misterioso mecanismo inconsciente, no logré agazapar mi sensibilidad machista.

El fracaso en mis empeños literarios hizo que mi obsesión por Paloma se convirtiera en un combate de vida o muerte. Comprendí que en las disputas estéticas padecidas una y otra vez en los últimos dos años por cuenta del relato, existió siempre la certeza de que todo en él podía alterarse menos el suicidio del personaje. Desde la primera versión sentí esa intuición iluminada que daba a mi cuento significados certeros. Era la manera de mostrar esa paradoja tragicómica que entraña la confrontación del ideal amoroso con la realidad. Sin suicidio la historia se vendría abajo. Eché mano de Romeo y Julieta, y cinco siglos después, de Arianne y Solal, que respaldan mi argumento. Tanto Shakespeare como Cohen emulan la sublime tragedia amorosa. Sin suicidio, grandes obras de la literatura caerían de su pedestal. Pero, ¿qué saben de esos impulsos la esquiva Paloma, el laureado Samuel Lozano, o el imbécil de Lacambra?

Pienso en mis amadas lecturas, en los entrañables personajes cuyas voces, silenciadas por ellos mismos, me hablan desde su eternidad literaria: Ana Karenina justificó más de mil páginas por lanzarse a las ruedas de un tren de carga; la historia de Emma Bovary es una ciega y desesperada rebelión contra las normas sociales que logra sofocar con un recursivo veneno; Pursewarden abandona la vida con el deseo subversivo de provocar al cuarteto de amigos de Alejandría; y Eduviges Dyada, con su muerte, se suma a los fantasmas de Comala. Alejandra no alcanza a superar la adolescencia y se convierte en héroe y tumba, y el padre de Emma Zunz tomó la pócima en su terrible acto de venganza borgesiana... Y cómo olvidar a Smerdiakov que puso fin a su destino marcado por el apellido Karamasov; y a Kirilov, el héroe de Dostoyewsky que quiso matarse para reafirmar su insubordinación.

Como en el bizantino dilema entre gallinas y huevos, me he planteado varias veces ¿qué fue primero: el suicidio o la literatura? ¿Qué sería de los escritores sin ese feliz y socorrido recurso? Cuando uno está empantanado, sin rumbo, el relato se vigoriza con un suicidio. Y entonces el personaje cobra un halo misterioso de héroe. Algún poeta, cuyo nombre he olvidado, dijo que el suicida es un asesino tímido. El autor se deleita en el rompimiento de la máxima ética vital: quitarse la vida es el crimen perfecto, la impunidad en estado puro. ¿De qué otra manera podría terminar –en diez páginas, en ocho, en doce– mi héroe destronado?

Mi tesis recibió un estrecho "aceptable" y la ceremonia de grado no tuvo brillos; conservo la foto con sonrisa sosa en medio de mis resignados padres. Paloma ni se enteró. A estas alturas, ella ejerce un alto cargo en el departamento de investigaciones biológicas de la universidad. Intento pensar menos en ella: la inalcanzable, la fugitiva. Me resigné a su vuelo esquivo. Además de la cátedra de literatura medieval, dicto otros dos cursos en el colegio.

Desde hace tres meses emprendo un nuevo proyecto: El Premio Nacional de Narrativa. Su jugosa bolsa de cinco mil dólares me sumerge en el delirio de una escritura febril. La conciencia de poseer el dominio de la intrincada trama de amor e ironía vibra en cada palabra. "Tango para una noche de bolero" crece en una ambiciosa novela de doscientas páginas, ni una más, ni una menos, de acuerdo con la convocatoria del concurso. Se irá en el correo sin que nada pueda detenerla con el seudónimo "Pericles". El personaje, un estudioso de la literatura, dedicará su suicidio a Dorian Gray que se enterró un puñal en el pecho frente al espejo de su conciencia.

Desde el otro lado del viaje

SYLVIA CUMPLÍA sagradamente con el deber de ir a la oficina del correo todos los martes del calendario a reclamar su carta, que llegaba sin falta ni retraso aun cuando cosas más vitales fallaban. Desde hacía más de tres años él escribía una epístola semanal rica en detalles conmovedores capaces de alterar el sosiego de un corazón de porcelana. Lo hacía con el mismo fervor apasionado y el mismo candor devoto como si cada semana volviera a escribir la primera carta, y aunque ella nunca se preocupó ni siquiera por enviarle un telegrama en el día de su cumpleaños, ni en Navidad, mucho menos por contestar las cartas, él siempre encontraba palabras y frases nuevas desbordantes de elocuencia en su retórica personal para mantener siempre viva la llama invisible de la esperanza que había de intentar el deshielo del corazón obstinado de Sylvia.

Ella nunca leyó una carta en la oficina del correo, ni tampoco en el parque como lo suelen hacer las personas demasiado ansiosas por enterarse del contenido de la misiva. En ese aspecto ella tenía para su uso privativo una serie de rituales más dogmáticos, normativos y sofisticados. Llegaba a su casa como cualquier otro día, caminaba los pocos pasos que separaban la casa de la orilla del mar, se sentaba entre los ramajes entrelazados de los manglares, en el lugar acostumbrado, que bien pudo llamarse su trono, en la rama colgante donde el agua tibia de la tarde subía y bajaba rítmicamente alrededor de sus tobillos desnudos; aquel lugar era una especie de dominio del silencio donde no había riesgo de que alguien la interrumpiera. Leía y a veces colocaba el dedo índice derecho para marcar una puntuación, o hacía una pausa en cualquier parte para mirar distraídamente las picadas acrobáticas de las gaviotas en el puerto pesquero al frente, o para contemplar atentamente la otra orilla o tal vez la vela de un pescador tardío perfilada contra el horizonte nublado, sin saber bien si se acercaba o se alejaba. Poco le interesaba. Después de tanto tiempo viviendo en martes, para Sylvia, leer una carta no era un gesto de simple conmiseración ni una delicadeza a nombre de la cortesía y las buenas maneras, sino más bien un ritual pleno de formalidades ceremoniosas y recursos protocolarios dignos de encabezar cualquier tratado modelo en el tema. Siempre hacía las pausas con el mismo intervalo de tiempo en las distintas cartas, según lo confirmaría un observador cauteloso. Hacía una primera pausa larga para contemplar las gaviotas en su vaivén de fiestas, luego una pausa más corta, aproximadamente en la mitad de la lectura donde suspiraba hondamente varias veces como si las palabras descendieran al encuentro de otras extraviadas más allá de las cosas memorables; esto lo hacía sin que su rostro delatara signos de tristeza ni alegría; hacía la última pausa poco antes del final de la carta, y sonreía a solas mirando el agua que envolvía sus tobillos. Eso hacía pensar que él se tomaba el cuidado de contar los mismos hechos, escribir los mismos dichos y frases, pero cambiando en cada carta los nombres de personas, lugares y flores, dicho de otro modo, una nueva historia pero en el fondo la misma, todo eso quizá para poner en práctica aquello dicho por algún escolástico acerca de que si unas gotas de agua caen sobre una roca compacta no producen ni siquiera musgo, pero si cae gota tras gota en el mismo sitio año tras año, década tras década y hasta por siglos, acaban perforándola. Sylvia jamás se refirió al contenido de ninguna de las cartas; tampoco hizo comentarios con nadie. Una vez cumplidos los pasos rituales ella volvía a doblar la hoja en cuatro para luego pasarla a un destino misterioso para las otras personas a su alrededor.

A veces las cartas venían con sellos postales de países cuyos nombres ella jamás había oído mencionar ni visto, ni siquiera en los libracos más nutridos de geografía universal. Fue así que aprendió sin necesidad de atravesar el mar, sin sentarse atentamente frente a los programas culturales y didácticos de la televisión, sin tener que entregarse a la investigación en enciclopedias ilustradas, cómo era la Tour Eiffel, la Plaza de la

Concordia, el Támesis, el Vístula, el Taj-Majal, los barrios antiguos de Mélnik y todo un catálogo propedéutico de nombres de plazas, torres, avenidas, barrios, jardines, parques, paseos, catedrales, etc. "Esta mañana, a pesar de la primavera radiante y edénica, llovió sobre el mar de Dubrovnik, y la lluvia era fina y plateada, fresca y tierna. Corrí bajo la lluvia con una rosa roja en la mano buscando tus trenzas de antaño y cantando esa canción que tanto cantabas en la escuela... y Dubrovnik tenía color de paraíso, pero faltabas tú". Ella se pasaba la semana pensando en ese nombre que saltaba en la memoria como una bolita de caucho rodando cuesta abajo. Imaginaba amorfamente esa ciudad como un andurrial remoto —una aldea sobre una colina—, pensaba en ella hasta confundirla con cualquier otra cosa en el repertorio babélico de nombres impronunciables de mares y valles. Ella se imaginaba esa lluvia como cualquier otra en cualquier parte, verbigracia, en Anchorage o en Puerto Stanley. Lo que más le habría gustado, tal vez, era ver por ella misma al mar de Dubrovnik y constatar que allí también había gaviotas blancas trazando acrobacias sobre la tarde.

Su padre Mateo, consternado por el ritual de los martes, le preguntó un día, sin precisar detalles ni enfatizar interés alguno, sobre el progreso de aquella relación sentimental en diferido, a lo que ella le respondió lacónicamente, con su manera habitual de contestar las preguntas cuyas respuestas se reservaba:

—No hay ninguna relación sentimental.

—¿Y él por qué sigue escribiendo?

—Porque quiere.

—¿Y tú qué le has dicho?

—Nada.

—¿Y qué piensas decir?

—Nada.

Mateo permaneció parado bajo el dintel de la puerta, con las manos en los bolsillos del pantalón, en una quietud de estatua de museo; la miraba fijamente, con mitad rabia, mitad conmiseración, luego salió sin dejar opinión ni consejo al respecto. Su padre nunca la entendió. Ella a menudo salía con amigos; no obstante, desde hacía más de cuatro años no mantenía lazos sentimentales íntimos con nadie. Se supo por vía de filtración de secretos que ella había tirado fuera de borda a su último adonis debido a lo que ella misma definió como incompatibilidad múltiple de caracteres y gustos divergentes; además, la decisión fue íntegramente suya, y admitió –según un confidente cauteloso– que no hubo heridas, lo que supone o hasta confirma la inexistencia de huellas o cicatrices.

Las cartas siguieron llegando con una puntualidad infalible. En ellas él le manifestaba un amor grandioso, heroico e invencible, el mismo desde los tiempos inmemoriales. En la escuela que ambos frecuentaban, él le pasaba papelitos con corazones flechados pintados lerdamente con lápices de colores; ella los miraba con un frunce despreciativo antes de destinarlos finalmente a la caneca de basura o entregárselos a la maestra; esta última alternativa le garantizaba a él una fuerte reprimenda, pero a la larga poco le importaba. Ninguno de los desprecios, castigos, torturas, penas, viacrucis, lo desanimó. Al contrario. En el colegio, ya crecidos y menos ingenuos ambos, él siguió pasando cartas en esquelas con paisajes nórdicos desde el otro lado del pupitre. Y después de media vida siguió obstinado en sus anhelos y aferrado a muerte a su pasión heroica para continuar escribiendo una carta semanal a la misma destinataria desde el otro lado de todos los viajes. "Esta noche Copenhague está cubierta de nieve. Abrí la ventana de mi habitación y vi la nieve en su lento descenso, flotando en el aire como copos de algodón. Una muchacha con trenzas largas cruzó la plaza; era diferente de todas puesto que las trenzas eran negras como las que tú llevabas y la nieve iba tapizando sus cabellos como los años y el silencio van poblando mi voz y mi esperanza. En un principio pensé que era un sueño, pero no. Además, en el cruce de cualquier camino se encuentran y se confunden los sueños con la realidad para crear angustias. Ella se alejó, cerré la cortina y seguí pensando en ti con recuerdos restaurados desde antes de nuestra génesis... Sylvia, no me olvides. La vida no me alcanzará para olvidarte. Sylvia, no me olvides".

Las cartas habían seguido llegando con la acostumbrada regularidad de todos los martes, Sylvia las siguió reclamando conforme iban llegando, sin que ninguna alterara su tradicional comportamiento, excepto la última, que hizo sensiblemente algún efecto sobre ella, no por el contenido estereotipado, sino por la frase de la posdata: *"Anoche soñé con golondrinas"*.

Sylvia no supo si pensar en un presagio o en una coincidencia. Ciertamente, la noche anterior había caído una lluvia torrencial y ella había recogido una golondrina ensopada hasta los trinos, la cual se había posado agónicamente sobre las barandillas del balcón hacia el lado del mar. La secó junto al fuego de la cocina, la abrigó maternalmente bajo una toalla seca y luego la colocó en el rincón más caluroso de la casa. Cumplió toda la labor con un candor y una resignación tan caritativos que se pensaba que era para con alguien querido desde hacía muchos años. En la madrugada amainó el temporal. En la mañana siguiente encontró la toalla en el mismo rincón, con la forma aún comba del cuerpecito moldeado dentro, única huella visible del tierno huésped que a esas horas estaría sobrevolando las islas Galápagos. Siguió pensando en la coincidencia, lo que le resultaba un paliativo.

El martes siguiente cuando Sylvia llegó a la oficina del correo, el "viejito del correo" –como lo llamábamos cariñosamente– estaba algo preocupado, pues hubiera preferido tener que escribir él mismo una carta a Sylvia a decirle que aquel martes no había carta para ella; se sintió hasta culpable, lo notó ella. Pero con lástima y sinceridad tuvo que confesarle la verdad.

—Señorita Sylvia, hoy tu carta no llegó —dijo separando los brazos en alto, desesperado—, no sé qué habrá pasado.

Ella quedó como la esposa de Lot.

—Debe de estar extraviada entre las otras —dijo decepcionada.

—No. La he buscado como cien veces.

—¿Me dejas buscar? —solicitó humildemente.

—Sí, por supuesto. Pasa —accedió mientras abría la media portezuela que separaba a los clientes de él.

Ella buscó durante media hora. Efectivamente, no llegó. Se consoló esa noche con la idea de que pudo haber sido una falla de algún empleado distraído al empacar el correo. Volvió el miércoles. Nada. El jueves. En vano. El viernes. Empresa desahuciada. Tampoco hubo carta ni el lunes ni el martes siguiente. Sólo entonces Sylvia –triste– se dio cuenta de cuánto le iba a hacer falta la carta semanal de los martes desde el otro lado de todos los viajes.

El tercer martes de silencio, despejó la mesa y puso encima una maleta azul repleta de sobres timbrados en los sitios más distantes y antipódicos del mapamundi. Fue a la hora en que el crepúsculo se desplegaba sobre el mar. Ordenó las cartas por fechas desde la última hasta la primera; luego tuvo que encender la lámpara de queroseno antes de emprender a escribir, puesto que ya había entrado la noche por la ventana abierta hacia el puerto sin gaviotas acróbatas. Empezó por la última carta, luego contestó la penúltima y así sucesivamente. Mas lo cierto fue que nunca volvió a recibir una carta de martes ni de ningún otro día. "Tal vez esté muerto –pensó– en un país sin nombre ni estampillas". Sin embargo siguió contestando y enviando cartas con una diligencia incansable a cualquier parte y a todas partes, cada martes y sin haber dejado de preguntar por noticias a su nombre, por si acaso...

Una medianoche cuando aún se encontraba a la deriva en su mare mágnum de cartas por contestar, tratando de terminar una, la séptima tal vez, entró su padre Mateo, encendió la linterna de la cocina, y al pasar por la sala la vio absorta, como extraviada y a la zozobra en un sargazo de delirios tardíos, los ojos llorosos. Mateo no pudo menos que subir el brillo de la linterna para consternarse del estado demacrado del rostro de su hija.

—A quién escribes —preguntó distraído para no alarmarla.

—A él.

—Pero... —vaciló— si él no volvió a escribir.

—No.

—¿Y por qué le escribes ahora?

—Porque quiero.

—¿Qué le vas a decir?

—Todo.

Permanecieron luego atónitos ambos, mirándose el uno al otro, el padre con la linterna en la mano suspendida en el aire, la hija con el estilógrafo en remanso sobre el papel. La escena duró poco. Él entró al dormitorio, apagó la linterna, se acostó con la oscuridad y se durmió sin pensar en ella. Sylvia retomó la faena y escribió varias páginas de una epístola sin fin. Afuera diluviaba y ella, ajena a la lluvia torrencial y otras posibles catástrofes, siguió escribiendo su carta de martes hacia el otro lado del silencio de todos los viajes.

París, invierno de 1983

Viaje gratis

CLARO QUE me acuerdo del recorte y del vacío que sentí al imaginarme la ausencia de Clemencia. "¿Se acuerda, Agustín, se acuerda?" Ahora me extiende la carta para recordármelo. "El aviso decía 'Viaje gratis' y yo lo recorté para preguntarle a usted qué pensaba. Es para trabajar en otro país". Le ofrecen realizar su sueño a cambio de un trabajo que ya nadie quiere realizar en los países del norte. Lleva diez años cuidándome, arreglándome la ropa, cocinando mis caprichos, alejando el polvo de mis pulmones, poniéndole sonido a esta casa para compensar mi mudez. "Imagínese, Agustín, me consiguen la visa, me dan el pasaje, me consiguen una familia. Lo único que piden es que uno se le mida al trabajo y usted sabe que yo para eso soy como una abeja". Antes decía que trabajaba como una mula. Me costó trabajo hacerle entender que había otros animales igualmente laboriosos pero con una connotación más ingeniosa. Cuando llegó apenas podía leer las palabras más simples. Yo necesitaba que alguien hiciera mil cosas por mí. Alguien tendría que pagar mis cuentas, hacer mis compras, encargarse del mundo de afuera. Me gustaba, se veía diligente y simpática, a pesar de su edad se notaba madura, pero casi no sabía leer. Fue más fácil enseñarle que encontrar a otra que me convenciera más. Se quedó conmigo y finalmente aprendió que era más bello trabajar como las abejas.

"Anoche no pude dormir. Me entró un susto por todas partes al imaginarme sola en otro país. Yo no hablo inglés y aunque usted diga lo contrario, yo soy muy bruta. Y si no me gusta la familia, y si son groseros o aburridores o qué sé yo, y ellos hablándome y yo sin entender.

Agustín… yo quisiera unos patrones como usted". Clemencia llegó puntual al peor momento de mi vida. Los años me sorprendieron con la soledad y me dejaron como única alternativa pagar para tener compañía. Muchas enfermeras, asistentes, mucamas empujaron las ruedas de esta silla con la intención de lidiarme. A ninguno le vi disposición en el alma; más bien tenían afán en su bolsillo. Ella, por el contrario, no le mostró ganas al trabajo; vino porque pensó que necesitábamos una cocinera, se disculpó, se despidió, pero a mí me gustó su presencia ingenua.

"Mi prima, la que viene los domingos, me dijo que le encantaría reemplazarme. De tanto oírme ya lo conoce tanto como yo. Inclusive ya le enseñé algunas de sus señas, se van a entender rápido, usted ya la conoce, mejor dicho, de usted depende. Claro que lo mío todavía no es definitivo, todavía falta lo de la visa". Al igual que su viaje, las cosas siempre le llegaron sin rogarlas. Clemencia llegó oportuna y de eso me daba fe su nombre. Clemencia era lo que yo necesitaba. "Yo le voy a escribir todas las semanas. Le voy a mandar fotos de la casa y de mi nueva familia. Voy a venir todos los diciembres para que pasemos juntos la Navidad. Le voy a traer un sombrero inglés, un abrigo para el frío y una caja de pañuelos blancos con sus iniciales en el borde. Le dije a mi prima que me mantuviera al tanto. Ella escribe muy bien. Que me cuente de su salud, que me mande sus razones. Usted es la única persona que yo tengo Agustín. Pero tranquilo, todavía falta lo de la visa".

Mis pies son estas ruedas, mi único sitio es esta silla, mis palabras son un tablero sobre las rodillas. Mis deseos son garabatos hechos con tiza, mi contacto con el mundo es un televisor, un radio que me adormece, un periódico que no logro sostener y los mismos libros que Clemencia me ha leído tantas veces. Las comidas llegan a mi boca gracias a una mano ajena, caritativa, una cuchara que se desborda en su recorrido, un vaso que se derrama, un babero que recoge migas y goteras. Mi vida es esto, mis horas: las que me quedan para morir, las que le descuento a los cinco años que me faltan para irme. Me lo dijo Dios la única noche que le hablé.

"Los de la visa me preguntaron hasta cuándo me iba a quedar. Yo me había memorizado todo lo que tenía que contestar. Les mostré la carta de los Smith y les dije que ellos me estaban esperando con urgencia. Yo creo que los convencí. El gringo hasta me picó el ojo cuando salí". Siempre traté de que mi mirada no le dijera nada aunque a falta de palabras ella aprendió a leerme los ojos. No quería delatarme. Cuando los sentimientos son tan fuertes es imposible ocultarlos. El día que se me cruzó la idea por la cabeza me dio hasta risa. Yo, Clemencia, todo ese cuento. Después quise borrarlo todo, pero decidí que ya viejo podría permitirme una última ilusión. "Los de la visa insisten, quieren una recomendación firmada por usted. El novio de mi prima trabaja en una oficina y él mismo me escribió la carta. Mírela, si quedó tan bien hecha que no me la van a creer. Dice que usted es el responsable de mí, que si hay algún problema se comuniquen con usted, que me conoce hace diez años, que me tiene confianza, en fin. Firme aquí por favor". ¿Confianza? Tendría que confesarles que ella es lo más importante que me ha sucedido al final de la vida, que es la música de esta casa. Les admitiría que no quiero que se vaya pero que tampoco puedo retenerla. Ya no es la niña que llegó hace años, tímida y miedosa, ahora es una mujercita que busca encontrar su vida, lejos de esta casa húmeda y empolvada, lejos de este silencio. Les exigiría que me la cuidaran como a la más valiosa, que si algo le llegara a pasar recuperaría el habla y mis piernas para encontrar culpables.

"Me puse contenta y triste cuando me dieron la visa. Usted ya sabe por qué. Todo está listo, Agustín. Pero tranquilo, todavía falta que me manden el pasaje".

¡El baño, Clemencia! ¿Qué va a pasar con mi baño? No me atrevo a que alguien más me vea desnudo. ¿Cómo decírtelo sin caer en el ridículo? No podría con otra mano lavando mi cuerpo. Sólo tú sabes impregnar la toalla con la cantidad justa de agua, ponerla donde no molesta, donde no ofende o donde se puede sentir algún alivio. Cualquiera podría cocinar, lavar mi ropa, entender mis gestos, pero el baño, Clemencia, es tan íntimo, tan de los dos. Cómo decírtelo. "Hay algo que tengo que decirle, Agustín, pero me da vergüenza. Con todos estos atafagos a uno no le queda tiempo de pensar en nada, y yo, pues, no había pensado en lo del avión. Yo nunca he montado en avión, Agustín. Con las cosas tan horribles que uno oye". El hombre ha sido muy ambicioso, no quiere atarse a la ley natural. Cómo explicártelo con garabatos. "Yo estuve averiguando, pero ya no van barcos a Inglaterra. No desde aquí. Mi prima dice que lo único es rezar. El novio de ella dice que lo mejor es emborracharse. Yo no sé qué hacer. Tal vez rezar borracha". Esa risa tuya, Clemencia, es como una ventana abierta. Espero que la memoria me la conceda por cinco años más. Tengo la foto tuya del parque, la única, tú montada en un burro disecado y en una carcajada que te deforma la cara. Una polaroid lavada y amarillenta. Voy a pegarla detrás del tablero, cuando te vayas, para desafligir los ratos de impaciencia.

"Vengo a pedirle un permiso. Es que hoy toca hacer mercado pero me llamaron de la agencia, ya puedo ir por el pasaje. Mañana, entonces, voy a mercar con mi prima para que ella aprenda de una vez dónde se compran las cosas". Tómate el tiempo que quieras. Gástate un mes en la limpieza, otro mes en las compras, todos los días que quieras en el mercado. Demórate cinco años en tus quehaceres. Podrías esperarme para irnos juntos, tú a tu viaje y yo a mi muerte. Cinco años no son nada en tu juventud, no son mucho para un comienzo. Vámonos juntos, Clemencia, así duelen menos las despedidas. "Ya me voy". ¡No! Vámonos juntos. "Ya nos vamos". Cada uno a donde quiera irse. "Me voy, Agustín". No puedo acompañarte, sólo pretendo que ninguno se quede solo. "Vamos a ir primero a la placita a comprar unas flores, después paso a comprar alpiste, recojo su vestido en la lavandería, voy a la farmacia por jeringas, y ya después voy por el mercado; si le huele a comida no se preocupe que es el arroz que lo dejé en lento. ¿Hay algo más que necesite?". Me dan celos de la calle cada vez que te veo salir. Te pones contenta y bonita cuando resultan cosas para hacer afuera. Pienso en las sonrisas que te dan y en las que correspondes, en el viento indiscreto que te hace mostrar más de lo que yo conozco, puedo escuchar tu acento coqueto con el que logras alguna rebaja y la risa con la que celebras. Me irrita el permanente temor de que algún día alguien te enamore y no regreses, que ni siquiera vengas por tus cosas y te vayas sin despedirte.

Su prima regresó sola. Dice que fueron a la placita y que Clemencia quería comprar girasoles, pero le parecieron muy caros y peleó con la florista. Compró astromelias amarillas. Luego pasaron por la tienda de mascotas por la comida de los canarios y Clemencia se enamoró de un periquito rojo. Me dice que después fueron a la lavandería y que Clemencia reclamó por dos arrugas que le quedaron a mi vestido. Dice que se les olvidó ir a la farmacia pero que en el mercado buscarían las jerin-

gas. Me cuenta, en medio de un llanto cortado, que salieron del mercado con las bolsas llenas y que caminaron un poco para buscar un taxi y
que allí, mientras esperaban, oyeron un tiroteo cerca pero que no lo-
graron ubicar, y que después se armó una confusión de balas y de gritos. Poco le entiendo, pero entre sus lamentos incomprensibles puedo
descifrar que Clemencia cayó al piso sangrando por el pecho, enrollada
en flores salpicadas y acolchonada por los tomates frescos que no resistieron el peso de su cuerpo.

Hubo más muertos en esa ruleta loca pero ella es la única que me
importa. Cómo quisiera tener fuerza en las manos para estrangular este
dolor y poder acompañarla. Se trataba de partir juntos. Pobre niña mía;
sólo le dieron la mitad de su pasaje.

El día de la partida

*El sabio jamás renuncia a su independencia.
Aun, en medio de la suprema tempestad, se
comporta como un* vir fortis, *sólido y tenaz
en sus propósitos. Sus palabras pueden parecer
contradictorias a los oídos de los demás y
escuchará a su paso a los pedantes tildarlo de
loco, sin perder por ello la tranquilidad de su
ánimo.*

Séneca

*L os detalles de la muerte de un hombre siempre son enojosos. Y lo son
porque recuerdan a los demás hombres su propia muerte y adelantan algunos
trazos generales de lo que será nuestro futuro común. Pero estos detalles son
útiles, pues conservan la intensidad de esos últimos momentos en los que todo
se hace por vez final: un gesto, una mirada, una palabra... se diría que la
certidumbre de la partida exalta el valor de la vida y produce en el alma de
los que aún no mueren un impacto profundo, la marcha de un sello indeleble
que dice:* "Yo también seré aquel que hoy muere, yo también seré Séneca".

I

Séneca ha recibido en la mañana la orden de suicidarse, y su valerosa
esposa Pompea Paulina lee en voz alta un trozo de un escrito que su
marido ha terminado tiempo atrás. El día transcurre normalmente y
todo respira una luminosa serenidad. Todo, salvo un ligero temblor en

los labios del filósofo. Su cabello ha encanecido, pero su vigor está intacto, como corresponde a un hijo de la soleada Hispania. Lucio Anneo ha podido aguantar una andanada de reproches motivados por su riqueza excesiva; ha resistido la tentación de muchas conspiraciones –salvo ésta–; ha soportado la prepotencia de los consejeros griegos y de los innumerables oradores romanos. Su pecho sabe lo que es el exilio, el escarnio y la soledad. No ha perdido el coraje, y en su alma navega todavía la llama de la inteligencia, en medio de la desdicha abrumadora, producto de la impotencia.

Sin embargo, siente miedo. El miedo es poderoso y se mueve solo, arrastrándolo todo consigo. Cuando la vida está perdida, todos los hombres son iguales: pueden fingir valor, pero no pueden sentirlo. El valor es únicamente para los vivos. Unas horas más y todo habrá pasado. La conspiración de Pisón fracasó, y es la hora del tributo de sangre. Natal y Escevino confesaron. Más tarde, Lucano, Quinciano y Seneción. Todos los demás fueron descubiertos. Sólo la mujer libertina, la increíble Epicarnis, fue capaz de soportar el tormento sin denunciar a los otros; no es raro. ¡Las más grandes hazañas de la tozudez humana han sido realizadas por mujeres!

Es el día de la partida. Todos saben que el sabio cordobés no es un conspirador, pero también saben que el César lo odia desde hace años y que ha decidido deshacerse de él. Un tributo llegó hasta la quinta, distante cuatro millas de la ciudad, para notificarle la inminencia de su propia muerte. Cuánto le habría gustado tener tiempo para decidirlo por sí mismo. Pero siempre es tarde cuando se es un vasallo. Y el mundo no marchará bien mientras los sabios se encuentren al servicio de imbéciles.

II

El agua que corre por el patio calma la inquietud de Séneca. El recuerdo de su riqueza, donada a Nerón para alegar una fidelidad en la que ya nadie puede creer, atormentará a otros; es la hora de respirar libremente el aire de la campiña y de despedirse de los placeres que brindan a raudales las anchas fuentes del mundo. Es hora de bañarse en las termas y de probar manjares sutiles y desconocidos. Es hora de masticar el opio, venido de misteriosas montañas perdidas en Oriente. Todo el lujo sensual y el colorido de los techos artesonados tiene sentido tan sólo para el hombre que no conoce la fecha y la hora exacta de su muerte.

De una manera o de otra, el miedo se transforma en tristeza, la angustia en desencanto y el dolor se aleja probablemente para siempre. *"Si todos los hombres tuvieran la oportunidad de morir a menudo, no habría ninguno que no fuese sabio"*. El ventanal de la cámara de estudio de la quinta deja pasar un viento leve hasta la cara de este hombre de sesenta años. *"¿Cómo debo matarme?"*. Su esposa le contesta. *"Derrama el vaso de tu sangre para que fecunde la tierra. Quizá se una al Tíber y llegue al mar. Puede ser que algunas gotas vayan a dar a Hispania"*. Y luego lloró, tan hondamente como sólo lo hace quien va a perder lo más querido en el mundo; Pompea Paulina amaba a Séneca, y el amor se resiente siempre de una ausencia inevitable.

"¿Dónde quedan, pues, los preceptos de la sabiduría; dónde la disposición preparada con el discurso de tantos años para oponerse a cualquier accidente y peligro inminente?", pregunta una vez más aquel que ya no requiere de ninguna respuesta. La serenidad sincera es el fruto de una desapego que él estaba lejos de poseer; no lo pregunta porque vea correr las lágrimas de su esposa ni porque pretenda enseñar algo a sus discípulos más fieles. Lo pregunta a Séneca, porque en él todo se resiste a morir, todo quiere persistir. Está sorprendido de la fuerza de su insensata esperanza, que quiere inventar proyectos y que anoche mismo soñaba con convencer a Estacio Anneo de sembrar uno de sus campos con delicadas frutas de estación. Hoy, después de años enteros de aguardarlo, es un día último, un día de despedida, el único día abrumadoramente real en la vida de todos los hombres.

III

Roma es un nido de víboras, en donde no bien la fortuna ha sonreído a alguno, un ejército de envidiosos y mezquinos se abate sobre él. Muchos años hace que Séneca vive en Roma, y su origen provinciano no ha sido un obstáculo para que su fama crezca y su fortuna aumente. No obstante, el fantasma de los celos de César ha rondado su cabeza, y hay muchos que le odian y que se alegran de su desgracia. Uno de ellos, Acrato, liberto del César, saqueador de templos y ladrón de imágenes sagradas, y cuya sacrílega mirada se ha posado sin recato en los cuerpos de las vestales, se ha dedicado a desacreditarle públicamente, queriendo acelerar su muerte. Todo hombre ruin busca afanosamente una víctima en la cual desahogar sus culpas. Así como este Acrato, muchos otros enemigos gratuitos le acechan desde hace tiempo, esperando en la sombra para clavar sus garras en la carne del cordobés. De nada ha valido ocultarse; han ido a buscarlo a su lugar de retiro para hacerle saber que están allí y que no lo dejarán en paz.

La desdicha no ha caído de repente sobre el hombre que tanto ha escrito respecto de la firmeza del ánimo. Cada golpe ha venido acompañado de otro golpe; cada flecha de otra flecha. Lentamente, el trozo de cielo que quedaba a Séneca se vuelve un girón de tinieblas. Por fortuna, esta vez será la última. Los que sufren por detestarlo podrán por fin descansar mañana y él también descansará. Nada de esto turbará la Historia.

La vanidad propia del mundo y la falta de razón que lo rige demuestran una vez más que el filósofo tiene razón cuando desprecia a la lógica como *"no procedente para la sabiduría"* y la somete a frecuentes y punzantes burlas. La vida es el conjunto informe de impulsos y arrebatos del destino. Unos más rectos, otros más torcidos; no hay intelecto que los comprenda ni mente que los abarque. Si el hombre sensato no se dedica a esperar cualquier cosa de manos de la suerte, entonces irá perdiendo sin remedio la sensatez. Séneca se da cuenta de todo cuanto sucede, pero no puede gobernar las fuerzas que lo arrastran a la muerte; lo único que puede hacer es no pretender rebelarse en vano. Y no se rebela.

IV

Pompea Paulina quiere matarse con su esposo. Se lo ha dicho y él no se lo ha impedido. Con la solemnidad que tienen las cosas de todos los días cuando se hacen por última vez, los esclavos preparan un baño caliente para su señor. Cuando todo se ha dispuesto, Séneca baja los ojos hacia la afilada cuchilla que sin perturbarse en absoluto vaciará su cuerpo de sangre. Ha escogido esta forma de matarse, porque asegura que podrá contemplar su propia muerte y la verá venir despacio, como se atisba una nave en la distancia.

Tras un instante de vacilación, necesaria al cuerpo y a la mente para recibir la llegada de lo inevitable, Séneca empuña el arma y observa que su esposa lo hace también. Mirándose las venas con calma se hace una incisión profunda en la muñeca izquierda. La primera gota de sangre es para el arma, las demás las beberá la tierra con la misma avidez con la que absorbe las lluvias torrenciales de primavera. Pompea Paulina sangra, igual que él. La visión se hace turbia como para poder describir lo que se ve. Una pesadez lánguida se va apoderando de cada músculo, de cada movimiento, de cada impulso del aliento. La muerte hace su obra simple y eterna. La misma que perpetuamente ha hecho. Pese a ello, Séneca siente que su cuerpo delgado y viejo se demora en responder al último llamado. Las venas tienden a cerrarse y la sangre que contienen no acierta a desviarse de su rumbo. La inercia de la vida aspira a retar a la muerte; así vemos abrirse y cerrarse la boca de una serpiente decapitada o vemos temblar la pierna cortada en la batalla. Séneca pide ayuda a uno de sus amigos para apresurar la obra de la muerte. La angustia de no querer morir da paso a la impaciencia por morir pronto. El dolor es inútil cuando es definitivo.

Lucio Anneo convence a su esposa para que se retire a una habitación contigua. Nadie emite un sonido. El duelo ha comenzado desde mucho antes de la hora definitiva. El sol busca ocultarse y sopla un viento fresco venido del mar. En tardes así era un placer caminar por las arboledas floridas, hacer proyectos y abrigar esperanzas. La máscara trágica ha caído y sólo resta tener paciencia. No hay nada que no llegue; la cuestión es saber la magnitud del plazo.

V

César es un hombre doble. Abraza y besa a quien ha mandado apuñalar. El origen de su alma es oscuro, y en sus ojos apagados se percibe esa dureza que caracteriza a los crueles y esa blandura que pone en evidencia a los pusilánimes. Desde niño, su espíritu ha abundado en contradicciones. No es un mal poeta ni un mal gobernante. No obstante, no es un buen hijo ni un buen hermano. Como hombre es mucho menos que un Catón o que un Pompeyo. Vanidoso y vulgar, se ha granjeado el desprecio de su pueblo. Pero, a decir verdad, no es mucho peor que cualquiera de sus soldados; se trata tan solo de un hombre ordinario colocado en un lugar extraordinario. Sus muchos crímenes obedecen por igual a la desidia que a la perversidad. Otros ha habido en el pasado bastante peores que él, pero no han durado tanto en el mando. Si Nerón conserva el poder es porque los dioses así lo quieren. Cuestionar los motivos que puedan tener para hacerlo así es una tarea inservible.

Su inquina contra Séneca se debe a la furia que le produce la sabiduría de los demás y al desprecio que su espíritu siente por sí mismo. Sólo se puede odiar al que representa lo que no somos, lo que no podemos ser. Pero Nerón tiene las espadas, las legiones, la riqueza y la estupidez de su parte, y no hay pequeño rincón del mundo que esas cosas no conquisten. La virtud representada en un hombre, la autoridad moral o la lucidez, son escudos muy frágiles para protegerse del yugo de la ignorancia. La ignorancia es asesina y mata ingenuamente, torpemente. Hace olvidar al grasiento César que su ayo y maestro dedicó años para sentar las bases de su espíritu y que lo vio sonreír cuando era un niño ante el descubrimiento de las primeras letras y la irrupción temprana de la sabiduría. Este cordobés, profesor de retórica y de leyes, de gimnasia y de filosofía, fue en otro tiempo la gran ventana por la que se asomaba el joven Nerón a un mundo complejo y avaro. Séneca tuvo que sufrir la persecución de Agripina y bajar la cabeza ante el arribo de la fuerza bruta, la vulgaridad y la intolerancia. Resignado a merecer el poder por su virtud, debió servir de pedestal a una familia entera de canallas.

Nada ha cambiado: hoy lo hará una vez más. Será la última. Mañana brillarán los astros en el cielo y correrá alegremente el agua por las fuentes.

VI

El anciano de hoy fue el hombre maduro de ayer y el joven de unos días antes. Séneca, aunque agotado, desea la muerte lúcido y con el talante en alto. No se resigna a los arrebatos de la inconsciencia y no quiere cerrarse todas las puertas; aun la cobardía tiene grados, y la suya es pequeña: ha comprendido que hasta el miedo puede esfumarse cuando ya no tiene sentido tenerlo. La bañera ensangrentada se disuelve en sus ojos como se alejan las pesadillas, por intervalos más o menos regulares. Sus manos trepidan, y bañado en un sudor frío, se imagina atravesar un océano de bruma y de silencio, uno de esos mares que se llevan dentro durante años y que se vacían abruptamente en el momento de la muerte.

Su amigo, Estacio Anneo, gran médico, le convence de que apresure su agonía ingiriendo veneno seco, parecido a la ilustre cicuta de Sócrates. Lo traga difícilmente, porque su alma ya no quiere percibir nada; quiere, antes bien, vomitarlo todo. El corazón avanza en su pecho como si hubiera adquirido pies. Desde su entrañable probidad, el ayo de Nerón, el trágico y el orador, el sabio y rico comerciante, cavila dulcemente sobre los errores y torpezas del pasado. ¡Qué candidez hay en sus ojos, mientras se contempla en su recuerdo como si mirara a otro! Ve a su madre, reclinada en la vieja silla en su casa cordobesa. Ve a su padre, el estricto rétor Marco Anneo Séneca, solemnemente dedicado a sus libros. Ve a sus hermanos y a sus primos; observa los hermanos caballos de la infancia y la espada cartaginesa que poseyó alguna vez. Delira magníficamente, como arrastrado por una rápida embarcación de vela bellamente calafateada que gozara de viento favorable. Los momentos vividos se le arremolinan en la cabeza, pero terminan por llegar suavemente a su espíritu. Recuerda los lejanos misterios, en los que creyó ver el alma misma del mundo, atractiva e inalcanzable como la de una fiera. Recuerda antiguas pasiones y amores desgastados por el tiempo. Se ve a sí mismo y tiene ocasión de volver a amarse intensamente. Produce, tan sólo para sus ojos, el deleite y la desgracia de haber sido Séneca, precisamente Séneca y no algún otro.

Todo esto no ha sido suficiente para arrancar el aliento de su ser y desprender el alma de su cuerpo. Todavía sumido en la ensoñación, puede comprobar que se encuentra a medio camino del mundo de los muertos. Su mente trabaja ardorosamente para encontrar una solución. Uno de sus esclavos, un cartaginés moreno que hacía muchos años preparaba sus abluciones con hierbas y esencias españolas, lo transporta a un aposento donde hay un baño de agua caliente. El líquido hirviente y vaporoso salta sobre la piel de sus criados, mientras se oye decir a Séneca: *"Consagro este licor a Júpiter librador"*. Entra al baño y ya no vuelve a salir, pues aquel vapor suspende su aliento, y su alma inicia el tránsito al Tártaro profundo y obscuro, al cual todos estamos destinados, sin excepción ni perdón.

Los soldados del tribuno impiden la muerte de Pompea Paulina. El cuerpo del cordobés es quemado sin rituales, como él lo había dispuesto en su codicilo. Cuando la noticia llega a oídos de Nerón, los consejeros griegos sonríen y el Emperador hace una mueca de espanto que termina en una carcajada. Sale para un banquete en las afueras de Roma, y lleva bajo su brazo algunos libros escritos por su maestro.

La Sinfónica

1

ALZAMENDI SE alegra cuando conoce la noticia. Hubiera querido recibirla de Tobías y no del utilero. ¿Quién es el utilero para saber una noticia de esa índole primero que él? De pronto, se siente humillado. Se inclina, sin embargo, a creer que es un chisme, y decide ir a la oficina del jefe de la Sinfónica. En la sala de espera, observa la vigorosa figura del David de Miguel Ángel y heráldicas colgadas de las paredes. Descorre la cortina para mirar los transeúntes de la plaza, se sienta en una de las poltronas centenarias, y se entrega de nuevo a un ir y venir por el recinto. Trata de recordar cuántas veces Tobías lo ha dejado esperando. En su mente hay fatiga al notar que los dedos no bastan para contar los desplantes del jefe. Piensa en las secretas salidas de la oficina, y por las cuales Tobías se fuga siempre que sabe de un visitante incómodo, y opta por irse. En la plaza encuentra el pedregoso rostro del piccolista y el cuerpo rechoncho de Fonseca, el de los platillos. Se entera que ellos, desde hace días, ya sabían lo que él acaba de saber. Alzamendi se extraña aún más. Mira hacia la catedral y la una de la tarde, pintada en el reloj, aumenta su desconcierto. Mentalmente impreca la manera como Tobías planeó las cosas.

Antes de comenzar el ensayo, Alzamendi no puede sorprender a Leguizamón. De naturaleza retraída y poco dado a preocuparse por el porvenir, Leguizamón también sabe que un extranjero, dentro de unos días, va a encargarse de la Sinfónica. La humillación de ayer es hoy más intensa en Alzamendi. Considera que, por ser el músico mayor de una orquesta a la que le ha entregado sus mejores años, debería ser el primero en conocer la noticia. Sin embargo, ha sido el último. Intuye que en el desplazamiento de ella ronda alguna artimaña del jefe. Alzamendi, ahora con la piel del cuello arrugada, había visto con buenos ojos el plan de aquel hombre, inundado de carnes y cortesía, de convertir una banda militar en algo que tuviera mejor calidad sonora. Había confiado en las palabras de Tobías y ambos, el uno buscando músicos y el otro contratándolos, fueron los gestores de lo que ahora era la Sinfónica. Pero entre los dos la comunicación se ha ido resquebrajando. El jefe empezó a disgustarse con los reproches continuos del músico mayor, que no tenía reparos para decirle qué cosas no le gustaban de sus órdenes. En los últimos años, a pesar de ser Alzamendi el director de la orquesta, muy pocas veces hablaban. Tobías se valía, casi siempre, de muchachos bien parecidos o del utilero para decir cuáles obras deberían integrar los conciertos, y dónde y cuándo se realizarían. Los músicos preguntaban por la ausencia del jefe y Alzamendi decía que el poder tenía sus mañas. El músico mayor, no obstante, había aceptado su condición de subalterno y olvidaba, en cierta medida, las argucias del jefe. Por ello comparte con sinceridad el entusiasmo de los compañeros de trabajo en los días previos a la llegada del forastero. Después de largos y fríos años la Sinfónica tendrá director de planta. Esto da para una alegría perdurable. Es un milagro.

Y el milagro se celebra. La noche del día en que el jefe manda a uno de los muchachos a confirmar la presencia de Ernest Danger, Alzamendi hace una reunión en su casa. La cerveza se reparte en vasos y el aguardiente en totumas. Cardona, el monumental hombre del barítono, demuestra una vez más su capacidad para beber. A lo largo de la noche consume medio centenar de cervezas y, para comprobar que los efectos son nimios, hace números con las piernas, pronuncia trabalenguas y recuerda con nitidez los tiempos en que la Sinfónica era una veintena de músicos uniformados que amenizaba las alboradas de Tunja con marchas, polkas y bambucos. Leguizamón está absorto, aunque de vez en vez una sonrisa sacude la dureza de sus facciones paramunas cuando escucha los chistes sobre rameras y borrachos que cuenta Garnica. Pestaña, por su parte, silba pasillos a dos voces, mientras Mayorga rasga un viejo tiple. Y cada vez que terminan una pieza, con un pavoroso eructo, Cardona celebra el prodigio de los pájaros que viven en la boca del más joven de los concurrentes. A media noche Alzamendi se refiere a la tendencia que tiene el jefe de rodearse de jovencitos. "¿Cómo te pareció el de esta mañana?", pregunta Garnica. Alzamendi se toca el pelo escaso y gris. "Tobías resulta incómodo a la vista, pero tiene buen gusto", dice. Con la risotada tiembla la casa. Después, en tanto que Cardona toca en su instrumento arias de Verdi, Alzamendi siente en el cuerpo un eco de amores juveniles. La reunión termina en abrazos y comentarios. El nivel del nuevo director, las obras que interpretarán, el descanso que significa para Alzamendi la llegada de Danger. Y Pestaña, embriagado, se extraña de la forma como los hombres más viejos de la orquesta celebran la noticia. "Parecen niños en navidad", piensa. Cuando los músicos se despiden, el amanecer es frío.

2

Tocarruncho conforma un grupo de treinta músicos que no presenció, quince años atrás, la transformación de la Sinfónica. Al igual que los otros, fue contactado por el músico mayor meses después de que Tobías se instalara en la jefatura de la orquesta. Comenzó con la última trompeta, pero con el paso del tiempo llegó a ser primer atril. Es un hombre que estima su oficio. Piensa que la música es el arte por excelencia, y ser músico sentirse humano en una categoría suprema. Por eso desdeña a personas como Leguizamón, capaz de alternar su oficio de trompista con el de tendero. O como Arévalos, fagotista, que en su tiempo libre comercia con oro y ejerce la usura. Tocarruncho se repite a menudo: "Tocan un instrumento, pero no tienen nada en la cabeza". Y concluye que en aquella atmósfera está irremediablemente perdido. La amargura, entonces, es inevitable. Aunque ella también tiene otras raíces. Tocarruncho creyó que su paso por la Sinfónica sería efímero —su sueño era salir del país y convertirse en un virtuoso de la trompeta—, pero ha visto cómo los años pasan y cómo una de sus amigas se volvió su esposa y cómo se han ido llenando de hijos.

Para Tocarruncho todo lo referente a la Sinfónica es un problema. La iglesia, con sus trescientos años, le parece un lugar impropio para ensayar. Los dedos se engarabitan. De tanta humedad los pulmones se van cubriendo de moho. La resonancia es atroz. Dice que los buses en que viajan para tocar en los pueblos resultan incómodos. Es insoportable que Alzamendi, siendo saxofonista, lleve años encargado de la dirección. Insoportable que los conciertos no sean a la hora indicada y tengan que tocar con frecuencia ante auditorios abarrotados de policías, soldados y personajes que poco saben de música, pues tal es el público para el que se planea la generalidad de los conciertos. Y cuando los baños del templo se averían, Tocarruncho jura hacer audible su disgusto ante el jefe. "¡Es el colmo! No parecemos artistas. ¿Cómo permitimos este trato?", piensa. Sin embargo, al aparecer Tobías por la iglesia, Tocarrundo cae en un nerviosismo incontrolable. Se promete romper el silencio la próxima vez, pero termina vencido, enfadado consigo mismo porque sus protestas mentales aparecen en la boca de Alzamendi, del timbalista, que tiene la voz temblorosa, y de Pestaña, el muchacho del trombón. Tocarruncho sabe que los tres originan elogios en los otros, y que él no logra convencer ni en las cosas más mínimas. Pese a esto alberga la posibilidad de ser algún día admirado por la expresión de su rebeldía. En el instante en que conoce la noticia del director, Tocarruncho acaricia de nuevo ese sueño.

3

La habitación, siempre que sale Cifuentes para los ensayos de la Sinfónica, queda inmersa en un orden asombroso. Nadie en el inquilinato, regido por las normas monásticas del oboísta, puede decir que conoce la pulcritud de la ropa de cama de esa pieza, la austeridad del escritorio de pino, del pequeño escaparate y de sus sillas, ni el rigor que conservan las partituras de música de cámara en el enorme estante de metal y vidrio. Y nadie de los que viven en la casa parecen preocuparse por ello. Cifuentes, un hombre de cuarenta años, lampiño y de pocas palabras, se encarga de que sus inquilinos sean de costumbres solitarias y rasgos que denoten ausencia de interés por la vida de los demás. Sin embargo, los únicos que saben cómo es el aire atrapado en la habitación de Cifuentes son los otros integrantes del quinteto de vientos.

Dos veces por semana, la flauta Adarbe, Arévalos cuyo fagot es tan rojo como su cara, la trompa de Balbuena, y Peñuelas con su clarinete de ébano y llaves de plata, entran allí y logran, en medio de aromas de plantas medicinales, que el tiempo se detenga. Dos veces por semana, la música de Haydn, Mozart y Beethoven sale con lentitud del cuarto y parece extender un manto diáfano por los pasillos taciturnos, las innumerables piezas con sus habitantes silenciosos, el vestíbulo y el zaguán de piedra carcomida por los años.

Y a veces se teje entre ellos una comunicación musical tan plena, que el tiempo del ensayo transcurre sin palabras. Sólo los gestos de Adarbe marcan el principio de la obra, los matices delicados y fuertes, la duración de los calderones y el final. Pero también se producen pequeñas interrupciones: Cifuentes frunce de tal manera su rostro, al tocar sonidos agudos en el oboe, que Peñuelas no puede evitar sonreír; las cañas del fagot se atascan con la saliva; y Adarbe, de súbito, para de tocar y estornuda siete veces seguidas, quedando exhausto. De esos ensayos ha surgido un acercamiento entre el oboe y la flauta, aunque no una amistad entrañable. Para el oboísta nada parece ser intenso a excepción de su orden escrupuloso. Su pasado es un terreno que la gente de la orquesta ignora, y el presente lo conforma su mutismo, el inquilinato de fantasmas, su oboe, los ensayos de la Sinfónica y el quinteto en su habitación de asceta. Desde hace años, en los breves intermedios que tiene la orquesta, Cifuentes acepta las invitaciones a tomar agüita aromática que le hace la flauta. Y parece sentirse bien con Adarbe, que es dueño de toda la cordialidad extendida por el mundo. Aún así el oboe sigue siendo el mismo pedazo de piel sembrada de silencio, escuchando con leves sonrisas las historias de un flautista que ha tocado en casi todos los rincones del país.

Con todo, entre ellos existen afinidades. Llegaron a la orquesta por la época en que lo hizo Tocarruncho. Son obsesivamente minuciosos en la interpretación musical. Les fascina la música de cámara y, a pesar de la negligencia que viene mostrando Tobías con los baños del templo, están seguros de la eficacia del jefe. Consideran que en la Sinfónica hay hombres mediocres que, por el bien de la música, es necesario eliminar. Maldicen a Alzamendi porque, por simple amistad, permite que Leguizamón, un pobre tendero, esté entre ellos. "Leguizamón podrá ser lo que quiera, pero músico no es", piensan al unísono. Injurian, también interiormente, al clarinete desafinado de Garnica y el impreciso ritmo del último trompeta. No obstante, se maravillan, uno calladamente y el otro a grandes voces, por el trasero de Omaira y sus parados pechos y por sus grandes ojos verdes. Y elogian, de la misma manera, el talento de Pestaña, no sólo para tocar el trombón sino para silbar. Tratan, además, con suavidad a Arévalos porque sus préstamos son imprescindibles. Ambos, finalmente, sienten una profunda alegría cuando saben que Alzamendi dejará de dirigir la orquesta por la llegada de Ernest Danger.

4

El reloj de la catedral da las ocho cuando Pestaña empieza a cruzar la plaza. Divisa el frontis de la casa colonial donde Tobías tiene la oficina. Ve a Arévalos, recostado sobre el portón de madera. "Este es el propio", piensa, y apresura el paso. Sin saber de dónde provienen, escucha gritos. Su curiosidad se satisface cuando una mujer le manda un piropo y un sartal de carcajadas. "Otra vez se escapó del manicomio", se dice Pestaña. Y quiere reír, pero Arévalos ha desaparecido. El trombonista siente un abismo en el estómago. De nada vale buscarlo entre los transeúntes. Después, es el primero en llegar a la iglesia. Arma el trombón sin ánimos para tocar. "Tengo que comer algo", concluye. Mira fijamente en dirección de las sillas vacías del templo. Escucha el campanazo de las ocho y media cuando le vienen ganas de orinar. Mientras ve con fatiga la dirección del chorro, se asegura que pedirá el favor al hombre recién llegado. Cifuentes lanza una sonrisa postiza y contesta con sequedad: "No tengo". Pestaña quiere quistarle el pelo al oboe, pero se contiene. Aspira el aroma a yerbabuena mezclado con la vaharada de los baños. Agradece forzadamente, mete las manos en los bolsillos del pantalón, se dirige al asiento y del bolso saca un libro. Lee, sin entender, el primer poema, y recuerda a Omaira. Se levanta para esperarla en el atrio. En la puerta la visión de la calle se obstruye por Cardona. Sin vacilaciones, Pestaña le pide el favor. Cardona eructa y, con ademán paternal, le da un billete.

Pasada media hora, la iglesia está más iluminada. Cuando Pestaña se dirige a su asiento, todos escuchan a Tobías. Una red de murmullos y leves silbidos se desata. Con los ojos el trombón se disculpa. Tobías sigue hablando. Los aplausos lo interrumpen al mencionar a Ernest Danger. Adarbe, entre el bullicio, le sonríe a Omaira. Pestaña se deshace de los ojos de Tobías y repara en la esbelta presencia de los jóvenes que rodean al jefe. Recuerda tres años atrás cuando Tobías, con la misma mirada de ahora, le dijo, después de haberle autorizado para que se posesionara como primer trombón: "Ojalá la Sinfónica tuviera más muchachos como usted". Luego encuentra el gesto lascivo de Adarbe y, volteándose, mira a la única mujer de la orquesta. Omaira, con las baquetas en las manos, le guiña un ojo. Pestaña, rápidamente, evoca el cuerpo de Omaira y piensa que el encanto de ella consiste también en la esbeltez.

Omaira y Pestaña son los músicos más jóvenes de la Sinfónica. Ambos gozan de la simpatía general. Ella por ser mujer, y él por los pájaros que guarda en la boca. Al principio, Omaira se vio asediada por varios músicos. Cardona, para salir de su viudez, le prometió un futuro lleno de comodidad. Adarbe y Arévalos, entrados en años y solterones, le hicieron propuestas pesadas. El hombre de los timbales, cada vez que ella le pedía sugerencias sobre algún pasaje, la envolvía, garoso, con una mirada parecida a la que frecuentemente Cifuentes le lanzaba desde su cueva de silencio. Y en Rodríguez, la única tuba, cuando lograba encontrarse con los ojos de muchacha, las líneas de su frente desaparecían y en el rostro se trazaba un gesto trascendental. Hasta Alzamendi, que se sabía viejo para esas cosas, se le había escapado varias veces la expresión de un mal pensamiento. Pestaña entró unos meses después y de inmediato se estableció una conversación de miradas. Fue un romance corto pero intenso en los ámbitos de la cama. Él es demasiado disperso y con una impresionante capacidad de tejer caprichos alrededor de las mujeres que conoce. El ideal de mujer que alberga lo ve desparramado en muchas de ellas, y Omaira lo entiende sin odio. También entiende que el trombonista es un gastón por naturaleza. Recibe el sueldo y en un santiamén se le va en libros, licor y mujeres. A fines de mes está sin dinero y, desesperado, acude a pequeños préstamos. Omaira es quien más le ayuda. Sabe que Pestaña, a pesar de sus despilfarros, es buen pagador. Sabe, además, que en ella el amor no ha desaparecido del todo.

Poco antes de terminar Tobías, los músicos aprobaron la intervención de Pestaña. El jefe les contestó que el problema de los baños se solucionaría pronto. Tocarruncho piensa que siempre contesta lo mismo. De súbito le llegan fuerzas para abrir la boca, pero, sorprendido, escucha a Alzamendi decirlo con desparpajo. Tocarruncho siente descanso y rabia a la vez. Tobías, incómodo, mira a uno de sus jóvenes y se tranquiliza. Con serenidad le dice al grupo, dirigiéndose al músico mayor: "Señores, por su bien, no desconfíen tanto de mí". Pone sus manos sobre el estómago prominente, da gracias por la atención y se despide con un esbozo de sonrisa. Cuando desaparece, Alzamendi decide no ensayar el resto de la mañana. Pestaña le acepta la invitación para la noche. "Sí, esto hay que celebrarlo", dice Cardona a sus espaldas. Enseguida alcanza a Omaira. "Necesito un préstamo", le dice. Ella lo mira con malicia. "Te lo hago con una condición". "¿Cuál?". "Que me acompañes al cine esta noche". El trombonista escucha a Alzamendi que invita a Mayorga, la segunda trompeta y viejo tocador de tiple, a su casa. Toma una mano de la mujer. "Te acompaño mañana", dice. La percusionista mira al suelo, quita su mano y aprueba.

5

Vieron llegar al jefe, los mancebos a su saga y al nuevo director. Escucharon a Tobías referirse a los propósitos de que su orquesta fuera la mejor del país. Vieron la enorme bola de grasa jactarse de haber logrado que una insípida banda militar fuera ahora un conjunto propio para conciertos de alta calidad. "La estructuración de la orquesta se debe a mí. Los instrumentos, el acabar con las retretas y ponerlos a tocar en este sitio que yo mismo he adaptado, cambiar kepis y charreteras por el smoking, el nuevo repertorio y este gran maestro que hoy está con nosotros. Todo, absolutamente todo, se debe a mí". Tobías sintió la mirada del colectivo suspendida en su figura. La respiración de los músicos, detenida por un momento, siguió su curso cuando el jefe, con ademán displicente, agregó: "Y, por supuesto, a ustedes, estimados maestros". Alzamendi movía nerviosamente una pierna. Tocarruncho quiso estropear el discurso de Tobías con el problema de los baños, pero se horrorizó al imaginar las consecuencias. Pestaña miraba al suelo y no intervino por respeto al nuevo director. Después, escucharon al hombre rubio y de ojos azules. "Bastante joven, pero se ve que es bueno", pensó el músico mayor. Lo vieron sonreír sin motivos, decir a cada instante okey, entornar los ojos, balbucear cosas extrañas y bajar la cabeza al no encontrar palabras en castellano para expresarse.

Durante las primeras semanas Ernest Danger fue respetuoso. Repletas de gestos, de frases donde se mezclaban su idioma y el de los músicos, sus indicaciones eran atendidas lo mejor posible. Agradecía con palmaditas en la espalda las rústicas traducciones de Adarbe. En los descansos, tomaba tinto con Alzamendi, Mayorga y Cardona, quienes le contaban pedazos de la historia de la orquesta. A veces, antes de iniciar el ensayo, mientras todos buscaban sus puestos, hacía similitudes. Zuleta, la última trompeta, se le parecía a un mandril: tez amarilla, pómulos rubicundos, ojos verdosos, cejas negras y, obviamente, los rasgos de mico. El saxofón tenor, Betancourt, tenía un perfecto rostro de cerdo. Y corroboraba, con sonrisa contenida, por qué al clarinetista Peñuelas le decían Pequinés. Le gustaba la risa de niño de Cardona, los dientes pequeños, como si se hubiera quedado con los de leche, y elogiaba con un "beautiful" el sonido de su barítono. Incluso llegó a pensar que Adarbe era uno de los mejores flautistas del mundo y que su amabilidad no tenía comparaciones. No le gustaba el semblante pétreo de Cifuentes, pero sí la delicadeza de su oboe. Su entusiasmo alcanzó el límite cuando, parando un ensayo, hizo silbar a Pestaña y no pudo encontrar accesorio alguno en su boca. Pero a Ernest Danger, cuando empezó a notar que varios músicos no respondían a sus exigencias musicales, el ánimo empezó a descompensársele.

Entonces leves regaños aparecieron. Al barítono por hablar durante los ensayos, a los clarinetistas por la continua risa, al platillero porque siempre se adelantaba en las entradas, a la última trompeta por su ritmo indeciso, y a Leguizamón porque era frecuente su retraimiento. Después, y considerando los retrasos de algunos, implantó el sistema de la llamada a lista. La Sinfónica recibió con sorpresa la medida que consistía en poner cruces a los retardados. La cruz que Danger dibujaba cada jornada equivalía a un descuento en el sueldo. La medida no trascendió para los cumplidos, aunque exasperó a los otros. Tocarruncho se dijo, bisbiseante, que la condición de viles obreros estaba primando sobre la de artistas. El director, al poco tiempo, podía empezar sus ensayos a la hora prevista y con todos los músicos ubicados en sus puestos. Al poco tiempo, también, Ernest Danger era otro hombre.

6

La Sinfónica empezó a ser aclamada por su calidad sonora y la exquisita interpretación. El público, antes escaso e indiferente ante la simplicidad gestual de un director sin formación como era Alzamendi, se volvió numeroso y delirante por los brincos y morisquetas que Danger hacía en los conciertos. Un grupo de jóvenes melómanos de la pequeña ciudad se situaba siempre en las escalinatas de madera laterales al escenario. Seguían, con entrega fanática, los detalles de la dirección magistral –Danger dirigía de memoria–, sobrecogiéndose cuando resoplaba en los fortísimos, o dulcificándose cuando los ojos del forastero y sus manos, delicadas y blanquecinas, guiaban los pasajes melancólicos. Una vez, ante un auditorio repleto de carcamales, los aplausos y ovaciones se prolongaron a tal punto que la orquesta tuvo que tocar una hora más. Los conciertos eran interminables ante públicos universitarios. Danger, sin embargo, no aprobaba que la música sinfónica acabara en un festín donde el licor, la danza y la lectura de poemas envolvía a los oyentes. Además, con tales auditorios, la salida de los músicos se volvía imposible. Los estudiantes pedían en tumultos autógrafos o querían tocar un pedazo de piel o de vestido de aquellos hombres que, con meros sonidos, habían embriagado durante dos horas el transcurrir de sus vidas. El jefe no cabía de la felicidad en su oficina al leer cartas y telegramas, artículos de periódicos y revistas de la ciudad, en los que le agradecían por haber traído a un director de tan geniales condiciones. Otra cosa pasaba en el interior de la Sinfónica.

Los regaños, que al principio denotaron cierta paciencia, pasaron a ser frases cargadas de ironía y comparaciones ofensivas. Y, a veces, tomaban tal dimensión que Danger culminaba furibundo, viéndose obligado a interrumpir el ensayo. Alzamendi, entonces, se mesaba el exiguo cabello, miraba a Cardona, y decía no con la cabeza. El músico mayor, en muchas oportunidades, trató de sugerir tranquilidad. Recordaba el vacío de los años sin batuta profesional, el carácter empírico de varios músicos. Los clarinetistas, en los descansos, se quejaban por el modo en que Danger hacía repetir los pasajes escabrosos. El problema no era tocar varias veces los quince compases de un presto atiborrado de semicorcheas picadas, el problema era soportar la cara fruncida, el aliento fétido y la lluvia de escupas de Danger que pedía con voz estridente: "¡Otra vez, señores, otra vez!". En una ocasión sorprendió a Pestaña leyendo, y el regaño fue una tortura para el trombonista, pues siempre que el director le notaba ademanes perdidos, se dirigía intempestivamente hacia él con el fin de pillarle algún libro escondido entre las partituras. Hasta Adarbe y el oboísta, que justificaban casi siempre las iracundias del extranjero, se vieron asediados por llamadas de atención subidas de tono.

Un comentario surcó la atmósfera del templo. No sólo el tremendo profesionalismo era la causa de la metamorfosis anímica de Danger. Existía otra: su soledad. Se le veía salir de cine todas las noches y caminar durante horas por las calles de Tunja. Lo habían visto en una esquina exhalando volutas de aire frío y dirigiéndole la palabra a un perro. Lo encontraban, en las tardes de domingo, en la terminal de transporte, envuelto en un negro gabán de paño, ensimismado en los buses que llegaban y partían. Y se le veía salir con frecuencia de tabernas, trastabillando su nostalgia en las madrugadas. Se comentaba que huía de su pasado por las funestas consecuencias de un desbaratado afecto. Con todo, meses después de su llegada, los músicos recibieron con sorpresa un cambio en el ánimo del director. Su trato fue más amable y manifestó una paciencia que lo hacía ver como el hombre del comienzo. La causa de la repentina transformación fue su mujer y sus dos hijos, blancos, rubios y de ojos azules como Danger. La visita de ellos buscaba rehacer la perturbada relación. La cordialidad persistió hasta que los extranjeros no soportaron la melancolía de los páramos, ni el silencio de sus habitantes. El director bregó por mantenerlos junto a él. Pero pronto volvió a su condición de callejero huraño.

7

La mujer surge otra vez la misma mañana en que Leguizamón provoca la reyerta. Cuando dirigía Alzamendi se presentaba en medio de la música, cruzando la nave central con rapidez. Era bella. Sus movimientos ágiles —se creía que bailaba sobre la punta de los pies descalzos y la misma música de la Sinfónica— la hacían ver como un personaje de ensueño. Una vez la sorprendió el director. Los ojos de Danger se estremecieron por la blanca piel que traspasaba la sutileza del vestido. Sin parar el ensayo, la batuta siguiendo su curso y la cabeza volteada hacia atrás, el director pareció deleitarse. Danger, de todas maneras, presintió el mal que ella significaba para la concentración de los músicos. Por medio del utilero la hizo salir. Ese día ella no opuso resistencia. Pero la mañana de la trifulca, con los brazos levantados y dando vueltas de tal forma que la falda negara la visión de sus piernas, la mujer irrumpe en la nave central. Luego se esfuma. El templo es un pedazo de hielo. Los músicos tienen gorros de lana y guantes cuyos dedos están recortados a la altura de las falanginas. El director moquea continuamente, y es el único en no percibir el hedor de las letrinas. La mujer reaparece. A todos se les olvida el vaho. Suena la obertura de Orfeo en los Infiernos cuando la bailarina frena en mitad de la nave, desnuda sus tetas y las sacude con voluptuosidad. Enseguida hace lo mismo con el resto del cuerpo. Los dos oboes forman un lío en el pasaje que tocan, las flautas y el *piccolo* no entran en el instante preciso, y atrás el acompañamiento de los saxofones y la percusión se va al suelo. Los ojos de los clarinetistas de la primera fila se vuelven enormes y, provenientes de los cobres, un silbido y un eructo se aferran a los vitrales de la alta cúpula.

Todos ven la inepcia del utilero frente a la mujer. El director interviene, pero es inútil. Alzamendi se acerca y le dice con cautela: "Si no te vas, la policía vendrá por ti". Los músicos, entonces, ven a otra mujer: un rostro descompuesto, la desolación en los ojos, un cuerpo bien formado pero sucio. Su mirada, primero de fiera al acecho, con las palabras del músico mayor, se torna asustadiza. Pestaña se paraliza al ver que la mujer del manicomio se le aproxima para echarle, entre risas, una muchedumbre de piropos vulgares. Luego se voltea, levanta su falda y, proyectando el blanco culo sin calzones, emite el sonido de un viento con la boca. Indignados y a la vez sonrientes, los músicos ganan sus asientos. El ruido del portón del templo que cierra el utilero y el olor de los baños sacuden las fantasías de los clarinetistas. Tocarruncho, más atrás, se llena de maldiciones silenciosas. Pestaña no saca el libro del bolso, sino un pañuelo. Como la mujer les ha quitado tiempo, Danger prolonga el ensayo.

8

La música de Orfeo en los Infiernos vuelve a cubrir los rincones de la iglesia. No hay problemas. Tocan Guillermo Tell y solamente se presenta una leve indicación ante la imprecisa grandiosidad de las trompetas en el último *allegro*. Viene más tarde el andante de la Quinta Sinfonía de Tchaikovski. Balbuena, el primer corno, inicia el solo con el lirismo sugerido por el director. La tristeza de la música hace que por un momento todos olviden la pesadez del ambiente. Por primera vez, desde que se han ido sus familiares, en Danger aparece un gesto de fugaz sosiego. Sus ojos están cerrados y la batuta guía con seguridad las ondulaciones de la melodía, mientras que la otra mano marca, imperceptible, el ritmo. Todos están como transfigurados. Los que no tocan, miran de hito en hito, y los que lo hacen están fusionados con ese algo inefable pero perfecto que habita la música genial. De pronto, el director abre los ojos y su rostro se contrae. El hechizo se rompe con brusquedad. Leguizamón ha cometido un desatino. Ha soplado su instrumento para calentarlo y, sin quererlo, se le ha escapado un sonido impertinente. Lo que sigue es inaudito. Los ojos de Danger se clavan en el tendero. Le vomita una ristra de improperios. El rojo le incendia la cara. Respira profundo de tal modo que el aire suena en su nariz como un gastado fuelle. El cuello del buzo se lo sube hasta que le tapa la cara. Varios músicos hacen lo mismo que Leguizamón: miran con timidez el suelo. Danger para de golpear el atril con la batuta. Ordena empezar el andante y señala a Leguizamón, cuarto corno de la Sinfónica, para que toque el papel del primero. Al tendero se le olvida tocar. El lirismo de Balbuena da paso a un manojo de sonidos rajados. El aire de la iglesia se torna más pútrido. Alzamendi siente flojera en las piernas al ver que Danger, pasando por entre músicos y atriles, se dirige hacia Leguizamón. Con el extranjero a su lado, éste comienza de nuevo el solo. Los sonidos son decrépitas ventosidades. Danger zapatea, resopla, golpea la varita contra el atril del músico. "Míreme y sígame, señor", grita en la oreja de Leguizamón. Todos esperan que el director se calme pero, perplejos, ven cómo la rabia asciende. "¡Burro! ¡Usted es menos que un burro!", truenan las palabras que Tocarruncho percibe unidas al tufo de los baños, pero que en el fondo Adarbe y el oboísta consideran acertadas. Los clarinetistas de la primera fila se levantan de sus sillas. Alzamendi trata de relajar el ambiente con una frase que no puede concluir porque recibe un "¡no se meta, señor!" que parece un golpe bajo. Pestaña, intuyendo el futuro rumbo de los acontecimientos, guarda el pañuelo y desarma el trombón. Ante la sumisión de Leguizamón, Danger se descompone más. Sus alaridos se acompañan de un aleteo de manos que no atinan dirección precisa. Se quita la chaqueta y el buzo y los tira atrás. Entonces sus epítetos los lanza al colectivo. Cardona levanta su enorme figura y dice algo que se pierde en una cadena de eructos. Tocarruncho, inusual en él, se ve sitiado por un ramalazo de fuego. Y a sus espaldas, el hombre de los timbales empuña las baquetas. Danger tiembla, hace una mueca de dolor y, cuando parece que va a estallar en llanto, Leguizamón levanta la cabeza y dice: "Maestro, se está enloqueciendo usted de soledad". El director toma el atril del corno y lo pone a un lado. Con sus manos agarra al músico por la solapa del abrigo, lo alza como si se tratara de un monigote de trapo, lo encara y lo derrumba de un golpe.

9

El director da la espalda a los metales y a la percusión. Les muestra los ojos desafiantes a las maderas. Leguizamón ha caído privado a los pies de Tocarruncho. Alzamendi, Omaira y Cardona lo están atendiendo, cuando alguien de las trompetas exclama: "¡Qué golpe tan hijueputa!". Pestaña llama a la mujer y le propone tranquilizar al director. En ese momento, Adarbe y Cifuentes se miran y piensan lo mismo. Van a hacerlo cuando ven a Tocarruncho tomar la boquilla de su instrumento y empuñarla. Ven las señas que le hace al hombre de los timbales, que suelta las baquetas y le arrebata los platillos a Fonseca.

Ven cómo ambos se agachan y le dicen algo a Alzamendi. En cuestión de segundos, los tres se aproximan al director. Danger quiere armarse de un atril, pero Tocarruncho no le da tiempo. Su mano se estrella contra la boca injuriante. El extranjero parece asombrarse por la fuerza del golpe, y el *passshhhsss* de los platillos retumba como una pavorosa música de pesadilla. El cuerpo de Danger se desploma.

El alboroto se apodera de la iglesia. Empujados por un frenesí advenedizo, los clarinetistas tumban atriles. Los fagotes rasgan partituras. En un instante el bombo y el campanófilo se van al piso. El piccolista, Betancourt y Garnica desbaratan sillas, mientras atrás de ellos la tuba lanza sonidos que hacen temblar el escenario. Omaira deja a Leguizamón, que permanece inconsciente, para buscar a Pestaña, pero ve a Cardona brincar sobre los timbales. El dolor contrae la cara del trombonista, que observa lo mismo desde el sitio donde Danger yace extendido. El hombre de los timbales, en cambio, se carcajea al ver a Cardona elevar los brazos aleatoriamente cada vez que da un brinco pesado. Y a su lado Fonseca, desprovisto de las gafas, con los platillos de nuevo en sus manos, los estrella a cada salto dado por el barítono, arrebujado en una alegría pueril. Varios músicos, con Tocarruncho a la cabeza, traspasan el escenario, y en la nave central forman una montaña con las sillas del auditorio. Pero la risa es mayor en el timbalista, y el placer más grande que el asombro en Pestaña, cuando Cifuentes, separado en un comienzo de la confusión, es absorbido por ésta, y un montón de manos lo despojan de su peluca para botarla al aire. Adarbe traza una sonrisa y siente un gozo íntimo al seguir el rumbo de los cabellos. Pero se reprende y niega con la cabeza, mirando lelo, con el estuche de la flauta apretado contra sí y lejos de los demás, cómo el bololoy se mueve de un lado a otro. El utilero, oculto detrás de una de las columnas de la iglesia, retrata con sus ojos los hechos. Con la figura de Tobías sobrevolando su mente, intenta dar con la manera de calmar a los músicos. "Por el bien de todos debo impedir que sigan", piensa. Pero todo lo que le llega como solución lo considera inútil. Quiere proponer algo a Adarbe, aunque lo ve tan ensimismado viendo el despelote que opta por subir al coro. Allí, en medio de piruetas, gritará hasta lograr el silencio. Reconoce, sin embargo, que es mejor subir al campanario. Armado con un pedazo de hierro tocará las campanas hasta que los músicos vuelvan en sí. Está dispuesto a buscar la viga cuando ve que Pestaña discute con Alzamendi. El músico mayor tiene la mirada extraviada. El trombonista lo zarandea y le dice que romper los vitrales de la cúpula es un verdadero disparate. Detrás de ellos, Omaira trata de convencer a un Tocarruncho sudoroso de que no le prenda fuego a las sillas amontonadas. El vocerío llega a límites ensordecedores. Diversos objetos —un pedazo de clarinete, patas de atriles, banquetas y boquillas de metal— se elevan hasta la cúpula. Adarbe, con la flauta todavía pegada al pecho, le dice "sí" a Cifuentes. Van a empezar a buscar la peluca cuando una exclamación de júbilo llena el recinto. Ambos levantan la cabeza y ven los enormes vitrales estallar. Miles de pedazos, como burbujas, caen lentamente. Pestaña se toma la cabeza con las manos. Pero se desespera más al ver que Omaira llora, impotente, ante el primer trompeta. Se le ocurre sacarla del templo y olvidarse de lo que sucede y de las terribles consecuencias por venir. Pero ve el inicio de las llamas en la base de la montaña de sillas. Pestaña se lanza como un animal enfurecido sobre Tocarruncho. Los dos caen pesadamente y sus cuerpos se trenzan agresivos. Omaira reconoce el olor a quemado. El humo asciende hacia el cielo asomado en la cúpula. Apresurada, con su chaqueta, la mujer logra apagar el fuego. Entonces un sonido de juicio final se presenta. Y cubre, como si fuera una mano de gigante, la atmósfera de la iglesia.

10

Alzamendi despierta de un pesado sueño. No da crédito a lo que está en frente suyo. Piensa en Leguizamón y lo ve dormido. A unos cuantos metros reconoce al director. Comprueba que los hombres tirados en el suelo son más grandes que de pie. De las campanas va quedando un débil vestigio de vibraciones, cuando Alzamendi se pregunta: "¿Qué hacer?". Siente un desamparo nuevo en su vida. De pronto, capta con claridad la dimensión del asunto y un desorden de ideas lo asalta al notar que aún hay personas pateando papeles y profiriendo palabras. Hay dos hombres sin sentido en el escenario, la desolación extendida a lo largo de la iglesia, y un olor insoportable acuchillando los pulmones. Los músicos, poco a poco, van cayendo en cuenta de lo que han hecho.

La misma pregunta se formula en la boca de todos. Cardona, con su vestido desgarrado, y Tocarruncho, con la respiración entrecortada, se miran y atropelladamente los cobija un deseo incontrolable de esconderse debajo de la tierra. Fonseca camina de un lado a otro buscando las ruinas de sus gafas. Y el último trompeta se sorprende al sentir el peso de un nuevo cabello en su cabeza. Muchos creen que el hombre calvo que está al lado de Adarbe es un extraño metido en el barullo. Pero comprueban, casi al mismo tiempo, que en ese rostro árido habita el mismo mutismo del oboe. Alzamendi propone que se reúnan en la tienda de Leguizamón. Hay silencio como respuesta. Algunos, con ademanes de angustia, se ponen a buscar lo que ha quedado de sus instrumentos y estuches. Mayorga, Alzamendi, Cardona y Garnica cargan al corno como si se tratara de una víctima inmolada. Todos forman un tumulto junto al portón. Nadie se atreve a salir de primero. El músico mayor pide a Betancourt que lo reemplace y se lanza a la calle. Van saliendo los cargadores cuando Adarbe pregunta con timidez: "¿Y el director?". "Que se despierte solo", contesta el hombre de los timbales, su voz parecida a un trémolo. Pestaña, antes de salir, busca al utilero en la pequeña pieza donde se guardan los atriles y las partituras. Luego va al coro, al campanario, y no lo encuentra. "Debe estar con Tobías", piensa el trombonista. El panorama de la iglesia le corrobora que el porvenir será difícil. En el escenario distingue al oboe, otra vez con pelo, y al flautista dándole palmaditas en la cara al hombre de ojos azules. Omaira, sentada en las escalas del atrio, esconde la cabeza entre las rodillas. Pestaña le ayuda a levantarse. El grupo de músicos, a lo lejos, les parece un cortejo fúnebre. En un cruce de calles, Tocarruncho y Cardona se desprenden del colectivo, y toman el rumbo de sus casas. Los más jóvenes de la Sinfónica desisten de la idea de seguirlos. Dan la espalda y se van en dirección de la plaza. Cuando pasan junto a la oficina del jefe, el viento arrecia con fuerza.

El regreso

But homesick unto death.
Witter Bynner, *The Patient to the Doctors*

Esto fue lo sucedido al volver Madame Michaud de la cárcel. Ocurrió en *Les houx*, la propiedad de la familia Michaud, y no fue reseñado en ningún periódico de Bélgica. Los episodios más antiguos de la historia ocurrieron treinta y nueve años atrás; fueron noticia comentada en todas partes, pero ya no debe haber nadie fuera de la familia que los recuerde.

Les houx es un terreno de unas tres hectáreas que el bisabuelo de Madame Michaud adquirió a finales de 1860, cuando el país era aún muy joven y en el principado de Lieja los terrenos próximos se adjudicaban sin mayor trámite. Ahí creció y vivió toda su vida el abuelo de Madame Michaud, y también su padre. Ahí nacieron Madame Michaud y su hermana menor, Sara, y ahí crecieron y vivieron ambas hasta que, poco después de haber cumplido cuarenta años, en septiembre de 1960 —un siglo había pasado desde que su familia se hiciera con la propiedad que era su emblema y su orgullo—, Madame Michaud fue llevada a juicio por el asesinato del pretendiente de Sara. Se la encontró culpable de haber envenenado al hombre con el raticida utilizado en los establos de *Les houx*, y fue condenada.

El nombre de Madame Michaud no importa, pero sí importa una aclaración con respecto a su apellido y a su estado civil. Michaud era su nombre de familia y el que figuraba a la entrada de la propiedad, así: *Les houx, propriété privée. Famille Michaud, 1860.* Hasta aquel septiembre, Madame Michaud era todavía *Mademoiselle* Michaud; nunca se le había conocido un novio, y muy pocos hombres la visitaron más de una vez; pero nadie descartaba la posibilidad de que, incluso a los cuarenta, contrajera matrimonio, pues el terreno de *Les houx* valía por la mejor de las dotes y volvía a cualquiera de las dos hijas un buen partido. Pero cuando se supo que Mademoiselle Michaud era condenada a cuarenta y cinco años de prisión, en las bocas de la gente se fue instalando el *Madame*. Había en ello una mezcla de respeto y de lástima hacia una persona que ya no podría casarse, y a la que iba a ser imposible seguir llamando señorita mientras envejecía en la cárcel. Madame Michaud cumplió su condena seis años antes de lo previsto, y lo primero que haría, bien lo sabía todo el mundo, sería visitar la casa de *Les houx*.

El amor que le tuvo desde niña a la casa y a los establos, a los cultivos y a las arboledas y hasta a los terrenos desnudos que daban a la carretera, ese amor desmesurado, sería su tragedia. Desde que aprendió a caminar, su pasatiempo favorito fue recorrer en soledad los recovecos de la casa. No había un rincón de la construcción inmensa que no conociera y al que no hubiera sido capaz de llegar con los ojos cerrados. Esto puede no parecer grandioso si no se conoce la casa de *Les houx*. Por eso debo decir que tenía tres pisos, dos escaleras que accedían al segundo (una de la cocina y una del zaguán) y otra más que subía directamente al zarzo. Su perímetro era regular, un rectángulo cerrado y perfecto como una caja fuerte; pero por dentro era de diseño impar, llena de nichos y de esquinas impredecibles. Había un cuarto sin puerta al que se entraba corriendo el falso fondo de un armario: ahí, el abuelo había escondido papas y repollos de su cosecha para provocar la subida del precio durante el cambio de siglo, y el padre había escondido a una pareja judía durante la segunda guerra. Entre los dos eventos, el cuarto había pertenecido a la niña. Ella era por naturaleza solitaria, y ni siquiera su hermana sabía dónde buscarla a la hora de sentarse a la mesa o cuando alguien la necesitaba para algo. Se sabía que había estado en los establos porque llegaba oliendo a heno y a estiércol; se sabía que había pasado la mañana en la arboleda porque sus vestidos llegaban rasgados por conos de pino o estropeados sin remedio por la resina de los troncos. Cuando creció, sus padres se preocuparon: Mademoiselle Michaud visitó médicos y algún aprendiz de psicoanalista, porque a la gente le resultaba incomprensible que una joven de diecinueve años pasara todo el día sola en lugar de ver a sus amigas. Nadie entendía que no se la pudiera encontrar nunca en el mismo lugar de la amplísima casa; nadie entendía que desperdiciara los veranos vagabundeando por las tres hectáreas como un gato que orina para marcar su territorio. Empezó la guerra, y Mademoiselle Michaud ganó una súbita importancia en las funciones de la casa: durante los bombardeos nocturnos, cuando la corriente eléctrica de todo el país se cortaba para que los aviadores no ubicaran sus blancos, ella era la única capaz de encontrar objetos perdidos en la oscuridad, o de atravesar la propiedad de un extremo al otro si era preciso alimentar a los caballos o dar un recado al mayordomo. Todo ello determinó que, en 1949, cuando murió el padre de las niñas Michaud, la madre, que hasta entonces se había desentendido de esos asuntos, entregara la administración de la propiedad a la única persona que podía obtener resultados satisfactorios; y Mademoiselle Michaud tuvo la excusa perfecta para olvidar u omitir los ímpetus matrimoniales de los jóvenes de Ferrières o de Lieja o incluso de Lovaina. En ese estado, que para ella se acercaba al paraíso, pudo permanecer durante varios años. La casa nunca había conocido, ni conocería, un esplendor semejante.

En 1958 Sara conoció a Jan, un joven flamenco cuyo apellido nadie retuvo fácilmente: ni la madre, por falta de esfuerzo, ni la hermana, por ensimismamiento y desinterés. Todos los martes y todos los sábados durante dos años se le vio llegar en un Studebaker color de palo de rosa –que aparcaba frente a la casa, en el lugar que el padre había ocupado desde que compró su primer carro–, e irse apenas comenzaba a caer la noche. Rara vez coincidió con Mademoiselle Michaud en la casa: desde que lo veía cruzar el portón de entrada, ella desaparecía. Aquel hombre le resultó antipático desde el principio, y francamente repulsivo desde el sábado de verano en que llegó, no por la tarde sino antes de mediodía, con una cuadrilla de ayudantes cargados de varas de medir. Mademoiselle Michaud, desde varios rincones de la propiedad, los observaba sacar cuentas, medir el flanco que daba a la carretera, la superficie de la arboleda o la que ocupaban los terrenos sobre los que no se había construido ni nadie pensaba todavía en construir. El sábado siguiente, la misma rutina de mediciones se produjo; y al entrar a la casa, en la noche, Mademoiselle Michaud se sentó frente a su madre, que leía apaciblemente *Le rouge et le noir*. Mademoiselle Michaud guardaría para siempre ese dato nimio, porque en ningún momento de la conversación su madre cerró el libro o lo puso sobre su regazo para hablar. Con el libro abierto, el lomo de cuero fino hacia la hija inquieta, la madre explicó que Jan (y pronunció mediocremente el apellido) había pedido la mano de Sara: ella no había encontrado razones para negársela y en cambio más de una para concedérsela. Estando su padre muerto, la decisión le incumbía a ella sin deliberaciones de ningún tipo. Se casarían apenas llegara la primavera del próximo año. La primera semana de abril les parecía a todos un excelente momento.

Mademoiselle Michaud emprendió un lento estudio, del que quizás ella misma no se percataba y cuyo objeto era el futuro marido de Sara. Eso puede llamarse intuición, pero también desconfianza: la desconfianza de una mujer (porque ya, en este tiempo, Mademoiselle Michaud era una mujer) que nunca ha tratado con seres humanos; cuya amistad, en definitiva, se ha volcado siempre sobre los objetos de la casa, las vigas de un techo y las alfombras, la cal de las paredes y el cascajo del patio y la madera de un cobertizo. Las cosas y su organización en el espacio físico eran la compañía de Mademoiselle Michaud; era lógico, entonces, que la presencia del pretendiente y de sus hombres medidores la perturbara. Persiguió y espió a la pareja; su conocimiento del terreno en el que se movía le permitió pasar desapercibida. Vio sin que le importara que, cuando se encontraban solos en la sala de recibo, los novios no sólo se besaban, sino que la mano de él se perdía debajo del suéter de ella, y la de ella entre los pliegues de *tweed* de los pantalones de él. Vio, a finales de agosto, que el novio empezaba a venir más temprano, y Sara y él aprovechaban la siesta de la madre para esconderse en el cuarto detrás del armario, del cual algún tímido gemido se escapaba. Y a principios de septiembre vio que Jan usaba el teléfono del tercer piso para hacer una llamada de negocios. Habló del momento en que la mitad de todo esto le perteneciera; habló de la necesidad de poner tanta tierra inútil a producir. Los detalles que mencionó funcionaron sobre Mademoiselle Michaud con la fuerza de una catapulta. Por esos días debía ir a la frontera, donde los precios eran más bajos, para hacer una compra importante de viruta. Algún mercader pudo ofrecerle el molinillo que buscaba. Regresó a casa después de la cena, y ciegamente vació el contenido de su saquito, un polvo grueso y tosco, en el *pousse-café* del pretendiente. Jan no sobrevivió a esa noche.

La madre, sabiamente, envió a Sara a casa de una de sus amigas, en Aix-la-Chapelle. El juicio se llevó a cabo con celeridad, pues el dolo era notorio y la evidencia no hubiera podido ser más pródiga. Un camión vino a buscar a Mademoiselle Michaud para llevarla a la cárcel de mujeres, cerca de Charleroi. La madre no salió a despedirla. Imagino a la mujer que hasta los cuarenta años había vivido en el mundo de una niña, y que entonces había asesinado a alguien, mirando por última vez los predios de la familia. Dos días después, Sara, todavía enferma de náuseas, regresó a *Les houx*. No dormía, pero ése era el menor de los males. Antes de que nadie se diera cuenta, una anorexia la había llevado a la cama, un médico había venido a salvarle la vida, una terapia había comenzado y se llevaba a cabo puntualmente. Con el tiempo, su tristeza no fue más terca que la tristeza de cualquiera, y poco a poco revivió su apetito. Un accidente ocurrió cierto día: la madre quiso obligarla a probar la torta de macarrones que había comprado para ella en la pastelería de André Destiné, y que había sido siempre su favorita; Sara se negó y ante la insistencia perdió el control, manoteó demasiado cerca de la mesa que había junto a la puerta cristalera y su cachetada destrozó contra el piso un jarrón de cerámica local que había sido de la bisabuela. Notó el espacio sobre la mesa, el círculo que brillaba como una luna desde donde el jarrón había estado, inmóvil, durante tantos años. Se hubiera dicho que ese instante marcó el comienzo de su mejoría. Dijo que entraba más luz al comedor ahora; al día siguiente cambió la mesa de lugar; una semana más tarde, contrató a tres obreros que, junto al mayordomo, ampliaron el marco de la puerta cristalera en dos metros de cada lado, y la acabaron sustituyendo por un ventanal que iba del piso de parquet al cielo raso.

Nunca tuvieron noticias de Madame Michaud —ya era éste el apelativo con el que el público hablaba de ella—; y Madame Michaud no tuvo noticias de ellas. Comentaba la gente que era como si la hubieran condenado al exilio más doloroso desde el principio, y, con el tiempo, el exilio se hubiera tornado en llano olvido. Pero no era así: Sara nunca olvidó que su hermana vivía en una celda por haber envenenado al hombre que la iba a hacer feliz. Madame Michaud, por su parte, no podía sentir la culpa que le endilgaban, ni el arrepentimiento por su actuación: su universo no contemplaba esos sistemas, porque no era humano; y las cosas no son culpables, ni las construcciones sienten arrepentimiento. Es un lugar común decir que perdió la noción del tiempo; pero contaban las carceleras de su patio que salía muy poco y que rara vez se relacionó con otra de las convictas, y que vivía, en todos los demás aspectos, al margen de cualquier evolución, ignorante a las rutinas del mundo interno y a las revoluciones del externo. Encerrada en el mínimo espacio de su célula, Madame Michaud no se enteró de que su madre había muerto de muerte natural durante el invierno de 1969, y nunca supo que, en su lecho de muerte, ella la había perdonado. ¿Se habría alegrado de ese perdón? Es una certeza imposible. Su compañera, que muy pronto agotó los deseos de conversar con ella, cuenta que Madame Michaud (cuyo pelo encanecía, cuya piel transparente se iba secando como la coraza desprendida de un eucalipto) se pasaba los días enrollando y desenrollando un pliego de papel sobre el piso de la celda. Por un lado aparecía impreso un viejo calendario traído de Francia: *1954 - Dixième anniversaire de la Libération* era la leyenda marcada encima de los meses y de los días. Sobre el reverso del calendario, Madame Michaud había dibujado a lápiz el croquis de *Les houx* con tantos detalles que su compañera exclamó, al ver el plano por primera vez, que conocía el lugar. No era cierto, pero la perfección de los detalles se había impuesto sobre su memoria. La ilusión, momentánea para la otra convicta, era perfecta para Madame Michaud: y sobre ese plano vivió los años de su reclusión, ajena a su vejez acrecentada. No es difícil imaginarla volcada sobre paredes que eran un simple trazo grueso, o creyendo esconderse detrás de muros que estaban hechos no de cemento y ladrillo, sino del sombreado cuidadoso de un lápiz inclinado.

Imagino que fue la buena conducta de la convicta Madame Michaud lo que, paradójicamente, propició la distracción de las directoras de la prisión de Charleroi. Nadie, durante los últimos años de su reclusión, pareció acordarse de ella; y es fácil pensar que muchos más años le habrían sido conmutados si ella lo hubiera solicitado antes de manera oficial. Cuando se decidió que merecía la libertad anticipada, le faltaban seis años para cumplir la pena. Pero diez años atrás, la misma merced le habría sido concedida: su comportamiento fue el mismo a lo largo de toda esa vida dentro de la vida que es una condena por homicidio. En diciembre de 1998, Madame Michaud fue convocada a la sala César Franck de la prisión, donde respondió a una serie de preguntas que querían confirmar su voluntad de regresar a la sociedad y ser un miembro útil de ella. Al final de la sesión, le preguntaron si prefería salir antes o después de las fiestas: ante la inminencia de su libertad, Madame Michaud no quiso pasar un día más en la cárcel. Los intendentes pusieron entre sus pertenencias (la *toilette* con la que había llegado y un calendario en cuyo reverso había el plano de una casa) un sobre con tres mil francos en billetes de quinientos. El diecinueve de diciembre, Madame Michaud pasó la noche en un motel de Charleroi –nadie la había esperado frente a los muros de la prisión–, y antes de que amaneciera ya estaba lista para regresar a *Les houx*. (A sus setenta y nueve años, Madame Michaud había perdido el sueño, y despertaba siempre con las primeras luces.) No le tuvo que explicar al taxista dónde quedaba la propiedad de su familia.

El taxi recorrió el sendero de entrada lentamente, pues había nevado y una capa de hielo volvía la superficie resbalosa. Madame Michaud limpiaba el vaho acumulado en su ventanilla para ver la casa, su casa, y debía pensar que abriría el portón y sería para ella como si ni un día hubiera pasado. No despidió al chofer apenas se bajó del taxi, quizás porque sintió que no era cascajo lo que pisaba bajo la nieve, sino grava suelta. Pero siguió adelante, y su mano se dirigió instintivamente al espacio donde siempre estuvo el aldabón: su mano cayó en el vacío. Le debió parecer inverosímil tener que buscar con la mirada la cerradura, y tener que intentarlo dos veces antes de accionar el mecanismo. Tuvo que pensar en la posibilidad de haberse distraído en el camino, de que el chofer la hubiera traído a una casa ajena. Miró a su alrededor. En su cara se leía la confusión. Madame Michaud se sentía desorientada.

En el zaguán, donde hubo siempre un ángel de piedra apostado bajo las escaleras, no había ahora escaleras, sino una biblioteca de flormorado, y el ángel de piedra era un sillón de lectura. Tres habitaciones se repartían el área que había sido treinta y nueve años antes el salón de estar: una para las armas de cacería, otra para los vestidos de invierno y otra que

Madame Michaud no verificó, porque la vio oscura y quizás profunda (le pareció que una baranda descendía a una cava), y tuvo miedo de perderse. El primer piso era irreconocible; consoló a Madame Michaud el hecho de no poder subir al segundo –ignoraba por dónde hubiera podido hacerlo–, pues así se evitaba repetir los tanteos ciegos y la extrañeza, la dolorosa extrañeza.

Madame Michaud no estaba sola en la casa, pero la otra presencia no se hubiera delatado ni por todo el oro del mundo. Desde los rosetones del zarzo, Sara la vio salir, y fue como si sintiera ella misma el frío que golpeó a su hermana mayor en la cara. Sara no desperdició un detalle: ante su mirada ansiosa, Madame Michaud comprobó que una especie de cabaña sin paredes se levantaba donde había estado, según recordaba, el galpón de los caballos lusitanos, y enseguida, con la mano en la frente, descubrió que aquel jardín de plantas dormidas había sido antes la espesa arboleda. Agradeció que el taxi la esperara aún, porque no estaba segura de ser capaz de encontrar el camino de salida entre tantos senderos nuevos que conducían a tantas nuevas dependencias, a tantas construcciones recientes que Sara había proyectado y erigido con paciencia de artista a lo largo de treinta y nueve años, y que en muchos casos no estaban todavía ocupadas ni cumplían función alguna, porque su única justificación era reemplazar una memoria o un afecto en la mente de Madame Michaud para que ahora ella, en el puesto trasero del taxi, se preguntara a dónde podía ir, qué lugar quedaba para ella en el mundo.

Madagascar

Encontrar a Simón en Madagascar es imposible aunque Simón exista. Es alto y flaco, tiene una trompeta, una muda de ropa puesta y otra metida en una mochila verde. Tiene el pelo sucio, no tiene domicilio fijo. No tiene país, quiero decir. Simón es hijo de los ricos de Bogotá, como yo, como todos mis amigos de infancia, como todos aquellos con quienes me relaciono, los que asisten a los cócteles y a las fiestas y a las exposiciones a las que yo voy. Es hijo de los dueños del País y además quiso ser dueño también del mundo. De un trozo del mundo. Y para serlo renunció a ser del País. Todo lo hizo bien, Simón. Estudió derecho en la mejor universidad privada, tuvo las notas más altas, fue el sorprendente abogado estrella de la mejor firma, hizo un difícil postgrado en Estados Unidos y se graduó con una tesis sobresaliente. Y además lo hizo todo sin perder su apariencia de demócrata, de cauto demócrata, casi de *socialista*, si tal cosa existe. Fue un candidato perfecto para servir a la diplomacia colombiana. Procuró ser moderado, procuró no ser demasiado servil con los intereses de los países más ricos y al mismo tiempo no traicionar a los de su clase en esta pequeña República del sur. No lo consiguió, por supuesto. Entonces se gestionó desde Washington un puesto en las Naciones Unidas y allí también brilló, propuso ideas innovadoras, no perdió la inmensa sonrisa ni la cordialidad ni el temple. Todo eso mientras yo me metía más en mí mismo, mientras me hacía más viejo y más rico y más feo, mientras me casaba y me separaba sin haber tenido hijos. Mientras me acostaba con amantes, con muchas, con demasiadas. Simón seguía subiendo en la ONU, conociendo cada vez a gente más famosa, abogando por un mundo mejor, creyendo que tal cosa era posible, creyendo que a través del trabajo, la constancia, el rigor, la ingesta de recetas de chefs famosos, el desapego a la nacionalidad, a su nacionalidad, sería no solo un ciudadano del mundo, imposible de clasificar en los cócteles y los restaurantes de moda en Nueva York, sino además un verdadero salvador del mundo. De ese mundo. Tuvo una mujer hermosa y exitosa, tuvo dos hijos a los que pareció amar. Tuvo lo mejor a lo que puede aspirar la alta burguesía colombiana de la que él y yo somos tal vez ejemplares de la última camada, y al mismo tiempo representó a esos nuevos soñadores poderosos, ejecutores de la realidad de los pueblos, diseñadores de sociedades, de los que se enamoran con igual fervor las ejecutivas de las multinacionales y las miopes estudiantes de sociología de universidades públicas en cualquier país del tercer mundo. Era dios, su propio dios, un dios pequeño y autosuficiente que siempre daba utilidades a final de año. Y un día, siendo dios, sin motivos aparentes, decidió morirse. Habíamos perdido contacto regular hacía más de tres años, cuando lo decidió. Venía a Bogotá solo para las navidades, a ver a sus papás y mostrarles a sus hijos la sólida casa familiar todavía flanqueada de guardias y bosques y muros de ladrillo con moho de cien años. Para mostrarles que en Sudamérica también había gente como ellos, cautos, honestos, demócratas, cultos ejemplares de lo mejor que el ser humano en el cambio de milenio podía ofrecer. En la última de sus visitas me aburrió. Me aburrió al punto de que preferí largarme de la reunión con chimenea en la magnífica casa Tudor de sus padres y echarme solo en mi sofá a ver la televisión y a tomar martinis. Su sonrisa seguía siendo la misma, el brillo en sus ojos, la manera de contar hazañas en la diplomacia internacional, verdaderas conquistas contra la malaria, la desnutrición crónica, el sida, la opresión del pueblo palestino, la impunidad de los magnicidas ruandeses. Un hombre sólido, un hombre que demostraba que la perpetuación de la raza humana tenía sentido, o que al menos era placentero poder ver todavía a un hombre como él, a un hombre decente, vertical, luchador y rico. Pero aburría. No a los demás, ni siquiera a su mujer, a su hermosa mujer que lo miraba con devoción, ni a sus hijos que seguían jugando con él como si fuera divertido. Se aburría a sí mismo. Y me aburría a mí, que lo había conocido cuando no aburría. Y después de eso, pocos meses después, recibí un mensaje de correo electrónico suyo. Me escribía desde un café en Marsella. Llevaba quince días en la ciudad. Once de esos días caminando sin destino, otros cuatro mirando el mar. Había ido a un encuentro de burócratas internacionales, estaba reunido en una moderna sala de juntas, escuchando a alguno de los pocos superiores que tenía, cuando había visto pasar, por el andén del otro lado de la calle, a una de esas bandas de gitanos albaneses cuyos músicos están siempre borrachos y hacen mucho ruido. Sin saber por qué, como si estuviera en la publicidad de una bebida refrescante, como en la tele pero en la realidad, en su sólida realidad de candidato a jefe de la FAO o de la UNICEF, Simón había dejado de poner atención a la reunión de encorbatados salvadores del mundo, se había puesto de pie como para ir al baño pero había salido a la calle para escuchar a la banda. La banda había tocado canciones gitanas y canciones francesas y hasta canciones españolas, en un parque, solo para él, para Simón, hasta que a Simón se le había acabado todo el dinero. Después, sin saber por qué, porque sí, por una causa más fuerte que él mismo, los había seguido. Por calles y callejones y oscuros pasadizos de Marsella. Por bares de putas y bares sin putas y cafés. Hasta la pensión en donde dormían los gitanos (sintiendo que eso era todo lo que tenía que hacer, todavía con su pinta de burócrata internacional bien pagado que empezaba a deteriorarse). Por la noche, dos viejos le habían robado, sin violencia, los zapatos, el reloj, el saco, la corbata, el anillo de matrimonio y la billetera. Se había salvado el reloj guardado en un bolsillo interno del pantalón. Sin haber comido nada pero sin hambre, como alimentado por ese vacío, por esas ganas irracionales de seguir a unos gitanos borrachos por las calles de Marsella, había esperado a que los albaneses salieran de la pensión. Cuando lo vieron se rieron de él, lo señalaron con el dedo, le hicieron muecas, el más gordo maldijo en su idioma, los otros soltaron carcajadas. Y echaron a andar. Tocaron en las paradas de buses, frente a los restaurantes de los turistas, frente a las iglesias, en los mismos bares patibularios de la noche anterior. Así durante cuatro días. Al quinto los gitanos se dieron cuenta de que Simón no comía nada, que sólo tomaba agua de las fuentes públicas, y decidieron que se había vuelto loco. Los locos, los locos enloquecidos de repente, como Simón a los ojos de los gitanos, parecían traer mala suerte, porque quisieron ahuyentarlo. Lo corretearon, lo amenazaron como a un perro, intentaron engañarlo corriendo todos a la vez a un lado y después al contrario, a pesar de los acordeones y los trombones. El perro indeseado no se amedrentó y los siguió con el rabo entre las piernas, a prudente distancia, hasta que uno de los gitanos varió el itinerario, el rígido itinerario de todos los veranos, que de ahí llevaría a los músicos a otros puertos del Mediterráneo. Se metió en una pensión de mala muerte, tardó demasiado, los demás gitanos fumaron y escupieron al suelo, no dijeron nada, y finalmente el gitano más gordo y más viejo, el más maloliente, salió acompañado de un serbio o de un ruso, de un tipo muy alto y muy flaco, rubio, envuelto en una chaqueta de cuero negro, y el gitano extendió un brazo que empezó a disparar balas reales de su pistola también negra y real hacia el muro del laberinto en donde se encontraba el hambriento Simón acurrucado, callado y con la lengua afuera como un perro. Corrió por los callejones de Marsella. Supo (lo supo en las carcajadas de los algerinos que lo veían pasar descalzo y sucio, en los gritos de las gordas señoras del mercado, en su propia ligereza, en sus ganas terribles de morirse de la risa de sí mismo mientras corría), que ya no sería nunca más el otro Simón, el convencido de la transformación, de la necesidad de cambio, el triunfador. Ni el exitoso maestro del derecho internacional y de la hipocresía, de las buenas maneras y la aparente solución a los grandes problemas crónicos. Que las Naciones Unidas, sus hijos y su mujer (su vida) le importaban ahora un pito. Y que tampoco podría ser el perro faldero de los gitanos, porque a la próxima no le dispararían al muro sino directamente a su cuerpo, porque sí, por traer la mala suerte, por ser menos que un ser humano. Y entonces decidió que estaba muerto. No estaba muerto, por supuesto, solo se lo planteó de esa manera a su propia conciencia. Se dijo: estoy muerto. Y me lo escribió a mí, en el mensaje electrónico desde Marsella, hace ya más de diez años. Me describió su itinerario absurdo. Y después escribió, textualmente, *estoy muerto, he decidido morirme para el mundo. Si te llama mi mujer o uno de mis hijos o cualquier miembro de la que fue mi familia, diles que no sabes nada de mí. No existo.* Con el dinero obtenido por un reloj de bolsillo heredado de algún abuelo tan culto y tan rico como había sido el mismo Simón, se compró un par de zapatos, una mochila verde, dos mudas de ropa, un plato de guisantes y una trompeta de quinta mano. Cuando supo sacarle sonidos a la trompeta se dio cuenta de que podía vivir de eso. En verano podría dormir en cualquier parte (y en otoño y en primavera, buscando los lugares apropiados). En invierno las ciudades grandes –no lo sabría él, antiguo abanderado millonario de los más pobres– tenían su propio sistema de acogida para evitar que los buenos contribuyentes se encontraran con cuerpos de mendigos o de inmigrantes muertos de frío en los andenes. Eso si no salía de Europa. Si se mantenía en el continente de los sueños realizados. Solo fue pensarlo y deseó estar fuera de Europa. Tardó tres años (cinco o seis mensajes de correo electrónico) en llegar, a pie y dejándose llevar por camiones de carga, hasta Turquía, vía Grecia. Y de ahí saltó a las ex repúblicas soviéticas. Supo lo que era el verdadero frío. Robó para comer. Supo que su destino, su único destino en el mundo, era seguirse moviendo. Regresó a Turquía, sobornó a un marinero que lo dejó en Egipto. Por rutas secundarias, alimentándose de sobras y comida robada en pueblos perdidos del mapa, fue bajando hacia el centro de África. Assanit, Iama, Asuan, Dongola, Jartum, Juba. Lo único que justificaba la existencia física de un muerto, de un muerto viviente como él mismo se consideraba, era la persistencia de ese cuerpo. La supervivencia, lo llamaría cualquier vivo, pero Simón no se consideraba vivo y realmente, de alguna extraña manera, dejó de estarlo, como bien me demostraron sus cada vez más enigmáticos mensajes. Dejó de hablar como hablamos todos. No elaboraba frases inteligibles. Tampoco oraba como un líder espiritual. Ni siquiera gemía. Como los pastores de almas, soltaba sentencias, frases solemnes de apariencia perpetua que parecían poder aplicarse a cualquier cosa o a nada, pero las suyas eran generalidades construidas con palabras que, como él mismo, podían estar o no estar, cambiar de lugar o desaparecer. Frases que me llegaban sueltas, cortas, en medio del blanco de la pantalla, en correos electrónicos con fechas impredecibles, frases que no eran nada, que no significaban nada y cuyas palabras se podían entrelazar en cualquier orden. Como estrofas del Himno Nacional de Colombia (*Oh, oh, Gloria inmarcesible, oh júbilo inmortal,* dice el himno, pero puede ser intercambiado sin problemas por *Oh gloria inmortal, oh júbilo inmarcesible,* o por *oh júbilo, oh inmarcesible e inmortal gloria,* o también por *Inmarcesible júbilo inmortal, gloria.* Etcétera).

Lo vi a los cinco años de estar migrando. Oí su trompeta. Supe que en vivo era igual de decepcionante. Él, su trompeta, sus frases sentenciosas, esa aura de profeta de la nada, de abandonado cuerpo a merced de los elementos, de absoluto solitario que no hablaba con nadie ni dejaba que nadie le hablara y por lo que yo sabía había sido dado por desaparecido y me enviaba palabras solamente a mí, rotas frases que pretendían decir algo pero no decían nada. Era una decepción, todo él. Y sin embargo era irresistible. Demostraba que toda construcción, en un mundo como aquél en el que él había vivido antes de desaparecer (que era idéntico al que yo vivía, aunque él había estado en hoteles de cinco estrellas y yo en mi penthouse bogotano), carecía de todo sentido. No importaba nada de lo que importaba. Ni mi apartamento, ni mis negocios, ni mis amantes, ni sus olores, ni mis objetos, ni mi pasión por la música de cámara, ni mis viajes, ni mi apariencia física, ni mi ropa. Él, por supuesto, nunca dijo algo así, nunca hizo afirmaciones coherentes, mucho menos generalizaciones sociales o deducciones metafísicas. Se limitaba a ser eso, ese migrante desaliñado, ese cuerpo sobreviviente, mil veces apaleado, enfriado, vuelto a calentar, vacío de deseos, de pensamientos, de esperanzas, de reproches. Estoy convencido de que no sentía culpa. Estoy convencido de que todavía está por ahí, sobreviviendo, robándose los frutos de alguna cosecha, haciendo ruido con su trompeta. Y que para todo aquel que sepa verlo, que sepa mirar toda esa miseria, sea dónde sea, él es, todavía, como un primitivo antecesor del ser humano, un recolector consciente solo de su propia supervivencia como cuerpo, porque sí; la más contundente e irrefutable de las demostraciones acerca de la absoluta inutilidad de todo lo construido desde entonces. De la cultura. Cuando los oí me decepcionaron, decía, los sonidos de su trompeta. Fue en Londres. No fue por casualidad. Simón pilló una enfermedad venérea con una puta que según me dijo era una irlandesa gorda y borracha con la que no se acostó. Estaba borracho o drogado, Simón, cuando sí se folló a la puta. Además de sobrevivir como muerto, se emborrachaba, o se emborrachaba para sobrevivir como muerto (no para olvidar: esas son sandeces, nadie se emborracha ya para olvidar, nadie quiere olvidar nada, hoy en día). A Simón le gustaba seguir siendo eso, nada, alguien que se llamó Simón y fue algo y ahora era un cuerpo desplazándose o un muerto. A veces le gustaba ser además un cuerpo borracho, un cuerpo drogado, un cuerpo hambriento. O un cuerpo anestesiado. Un cuerpo quieto o un cuerpo en movimiento. Solo un cuerpo: un sistema defectuoso de tanto andar, roto, demasiado risueño o demasiado asustado o demasiado excitado pero sólo un cuerpo. Lo suyo era estar vivo, continuar vivo, experimentar todas las variaciones que implica el hecho de que el cuerpo esté vivo. Había descubierto que para que el cuerpo estuviera vivo, bastaba con comer y dormir lo suficiente; las variaciones, las posibilidades de la vida no estaban en la escogencia de la profesión o del oficio, en el dinero, en los objetos, en la felicidad o en la tristeza, sino en la percepción. Y buscado las variaciones de la percepción, su cuerpo, ese cuero lleno de huesos que ya se habían roto varias veces, lo experimentaba todo. Nunca se enganchó a nada. A ninguna droga ni a ninguna bebida ni a ninguna ciudad ni a la contemplación de ninguna mujer. Era demasiado pobre para ser un vicioso, tenía muy poco rigor, ningún método, muy poca sangre fría para andar robando o mintiendo o mendigando. Solo estaba. Agotaba los recursos disponibles para que su cuerpo no se muriera. Y caminaba. Nada más. Seguramente era escocesa, o londinense, o de cualquier lado, la puta que le pegó la enfermedad venérea, no irlandesa, porque cuando saqué a Simón del Hospital para desahuciados de Gospel Oak, los médicos me dijeron que además de la enfermedad venérea, el convaleciente se estaba recuperando de la peor de las resacas, la resaca de la heroína, así es que había mentido una vez, y seguramente volvía a mentir, tal vez su cabeza empezaba a fallar, a romper en esquirlas el pasado. Se folló a la gorda que tal vez era flaca, a la puta que tal vez no lo era, a la irlandesa que tal vez era galesa, pilló una enfermedad venérea, pasó muchos días tocando su trompeta en los peores barrios y sintiéndose enfermo, se metió las últimas libras en heroína y cuando se despertó hambriento y enfermo y a punto de dejar de ser también un cuerpo, fue llevado por los servicios sociales al Saint Mary's Hospital, desde donde pudo robarse una llamada internacional. Yo no estaba en mi penthouse bogotano, pero me dejó un mensaje en el contestador automático. Quería que su cuerpo siguiera vivo pero el sistema de salud inglés lo iba a echar a la calle para que se muriera de hambre o de frío porque no podía pagar las facturas adicionales y ya no se acordaba de la calle del refugio para indigentes más cercano. No sabía ni siquiera en qué zona de la peor de las ciudades del mundo para un recolector del paleolítico se encontraba. Pero tenía suerte, tenía una suerte tremenda, ese que había sido Simón, porque yo, su único interlocutor, su antiguo amigo, estaba en ese mismo momento en una reunión de negocios en Manchester. El mensaje lo había escuchado marcando la clave de mi teléfono, desde el hotel. Oí las voces del contestador sólo para hacer pasar el tiempo de la noche de Manchester, sólo para saber si alguna antigua amante me había llamado mientras no estaba. Acabadas las reuniones del día siguiente viajé a Londres. Los negocios ingleses ni siquiera habían servido para tener sexo con alguna socia vieja o joven, con alguna secretaria fea o bonita, para levantarme en una cama desconocida y poder comprobar otra vez que Simón tenía razón y el sexo también hartaba. Porque todo, también el sexo, el placer del sexo, era inútil, y creo que algo así fue lo que descubrió Simón esa tarde, hace años, mirando a los gitanos inútiles del otro lado de la ventana inútil de su reunión inútil de funcionarios inútiles: también él (el personaje que había sido, el alto funcionario de la ONU) y a pesar de que había creído precisamente lo contrario cada minuto de cada día de su exitosa vida hasta ese instante, era absolutamente inútil. Inútiles, todas sus acciones y sus proyectos. No sólo se dio cuenta, estuvo completamente seguro. Tan seguro como que llevaba ya varios meses aburrido de sí mismo, tan aburrido como para eliminarse violentamente. Aburrido de sí mismo y de todo lo que hacía. De la acción, de las ganas de transformar el mundo que mueven a sus contemporáneos. De follarse a su mujer con gran placer y de conmoverse con las monadas de sus hijos y de confirmar el aumento de ceros a la derecha de las cifras en sus cuentas bancarias y de ver que había menos hambre en un pueblo de Burundi y más hambre en todos los demás, que se construía un nuevo acueducto en una vereda de Ruanda y ninguno en las otras. Nada de eso valía la pena. Verlo entonces en Londres, tantos años después, convertido en un Simón mucho más flaco, barbado, muy serio, con ojos de loco, aunque no creo que tuviera ningún problema mental, no era impresionante. Era de esperarse. Como si toda su existencia, todo aquello que había construido antes de ser esto lo agregado, lo sobrante. Y viéndolo, a pesar del insoportable ruido que salía de su trompeta, yo también me sentí inútil. Inferior, menos verdadero. Yo también carecía de cualquier sentido (y conmigo mi ropa cómoda, mi chequera, mis clientes clasificados en el computador portátil, mis opiniones políticas, mis contradicciones, mis amantes esporádicas y sus olores, mis miedos y mis esperanzas). Y

conmigo carecía también de sentido media humanidad que seguía creyendo que cambiaba, que evolucionaba, media humanidad produciendo y acumulando. La otra media, representada por esa especie de profeta de la nada, tendido en esa cama, muy serio, esperando a que yo pagara
la cuenta y así los ingleses no lo tiraran a la calle, pareció tener razón, ser
la verdadera humanidad, en esos días de convalecencia londinense. Yo
no dejé de ser yo solamente porque tuve mucho miedo. Del hambre y el
frío, de la fragilidad de mi cuerpo que no aguantaría como el suyo si era
vapuleado por las corrientes. Miedo de no ser capaz de hacer lo que
Simón había hecho. De fallar en el intento.

Cuando se hubo curado del todo en la más austera de las pensiones
(se negó a vivir en mi hotel de cinco estrellas), lo seguí casi una semana
por las calles heladas de Londres. Mendigaba, tocaba la trompeta. Cojeando arrastraba su cuerpo terco, enfrentándose al viento y al frío, al
sólido desprecio de los ingleses que él parecía no notar. En su cara, debajo de la barba y la mugre, había siempre una sonrisa, una tensa sonrisa, como si mirara al mundo preparando el momento para atacarlo a
dentelladas. Caminaba, incansablemente, entre un concierto improvisado y otro, después de haber torturado a los viandantes con los chillidos de su trompeta, y entre una estación de metro y la siguiente, bajo la
perpetua llovizna de Londres, con las barbas mojadas. Rompía a veces
su silencio autoimpuesto para soltarme una de sus frases enigmáticas,
sentenciosas, demasiado sabias para mi entendimiento de ser humano o
solamente demasiado vacías, carentes de cualquier sustancia. Estuve una
semana así, detrás de él, sabiendo ya que no sería jalado a su mundo de
vacío, tal vez esperando ser devuelto al mío sin haber visto, como había
visto, toda la inutilidad y toda la culpa. Volver inmune, habiendo olvidado la terrible lección. Pero nada de eso pasó. Sólo lo seguí, aguanté su
trompeta, lo vi arrastrarse de día y meterse de noche bajo los aleros para
dormir. Miré cómo su barba se mojaba, cómo tosía, cómo acumulaba
monedas. Cómo existía. Hasta que me harté. Yo no tenía el valor de
lanzarme como él para dejar que el viento me llevara, eso lo sabía desde
el primer día. Y no toleraría su itinerario de la nada ni un día más, esperando frases que tampoco eran nada, que se derramaban entre las manos.
Con culpa o sin ella quería volver a mi mullido penthouse de Bogotá, a
mi despacho, al cuerpo de mi amante y a mis cuentas internacionales.

La despedida fue sobria. Simón había puesto el plato de monedas frente a una boca del metro, al lado de su mochila verde, afinaba su trompeta. Yo me acerqué y antes de que lanzara de nuevo esas notas rotas, desgarradas, que parecían querer romper toda la estabilidad y la solidez de la realidad, nos apretamos en un abrazo largo y maloliente. Después me dijo algo como *cada camino a su propio caminante,* o algo así de obvio y de abierto a todos los sentidos. Mientras caminaba hacia mi hotel de cinco estrellas para recoger mi equipaje y comprar un pasaje en primera clase en el avión a Bogotá, lo admiré más. Por ser él todo lo que yo no podría ser (por ser nada de nada de nada).

Anoche llegué de la oficina muy tarde. Me serví un whisky doble, puse un poco de jazz en el equipo, me senté en el sofá de cuero del salón y escuché el contestador automático. Después de la voz de mi amante, enojada por mi retardo, patética, estaba la voz seca, de caliza, salida del cuerpo que había sido Simón. Cinco años habían pasado desde nuestro encuentro en Londres. Dijo estar en Madagascar. Dijo estarse quedando en un convento de monjas. Me dictó su teléfono. Dijo haber visto *una tormenta de viento entre los árboles, una larga tormenta de viento y agua.* Dijo que *el viento mojado vapuleando las ramas, agitando las hojas* le había acordado de mí. Y ya. Nada más. Después de eso dejó unos segundos de silencio que interrumpió el sonido automático del aparato. Me tomé el whisky como si fuera agua sola, puse el vaso sobre la mesa de roble, miré las luces de Bogotá al otro lado de la ventana y sentí una necesidad terrible, furiosa, de hablar con Simón, de escuchar sus frases secas, inútiles, carentes de sentido. Y de que me escuchara desde su silencio, de poder hablarle de mí, de la materia: del whisky doble, de los mensajes de mi amante en el contestador, de la música de Miles Davis en los parlantes, de los objetos perfectamente dispuestos sobre los muebles de mi apartamento. Mientras marcaba el número, imaginé Madagascar como playas blancas, inmensas praderas desiertas bajo el cielo azul, viento, caseríos miserables sobre tierra roja. Simón arrastrando su figura, su no existencia por esos caminos polvorientos, frente a la mirada perpleja de los negros. Marqué dos veces el número, nadie contestó. A la tercera, una voz gutural de sexo indefinido me habló en un idioma africano. Intenté hacerle saber que buscaba a Simón, a un blanco solitario y flaco. Me colgó en medio de una frase. Volví a marcar. Contestó la misma voz africana.

Me puso con otra voz africana, femenina, que hablaba inglés. Dijo que sí, que Simón había estado ahí. Había dormido cuatro días, convaleciente por las fiebres de la malaria. Después, todavía no recuperado del todo, se había marchado andando hacia las aldeas del norte. No, ella no sabía en dónde encontrarlo. Colgué, me levanté, me serví otro whisky. Miré de nuevo mis objetos, perfectamente dispuestos sobre los muebles de madera; más atrás, del otro lado del vidrio, abajo, las luces de Bogotá extendiéndose sobre la sabana infinita.

Doctor Tomás Aguirre

EL INGENIERO Diego Espinosa no siente nostalgia por Bogotá, por su esposa y por su hija recién nacida. No logra acomodarse en el asiento del avión. Parece de cincuenta años, pero acaba de cumplir cuarenta y dos. Prefiere volver a su ciudad sin avisarle a nadie porque no quiere escenas en el aeropuerto. Lleva casi tres semanas en París y aún no le entiende ni una palabra a las francesas. Para decir verdad, los Campos Elíseos no le parecieron nada del otro mundo. Odia los vuelos. Tiene dolor de cabeza. Quiere dormir.

Pero no, no va a poder hacerlo. El doctor Tomás Aguirre, un gordo venezolano sin talla, se sienta en la silla del lado, junto a la ventana, y le dice "mucho gusto, soy Tomás Aguirre: tenemos doce horas para conocernos". Está rojo, el señor Aguirre. Suda y respira como si estuviera a punto de estallar. Trata de alcanzar los cordones de sus zapatos, para amarrárselos de una vez por todas, pero están muy lejos. Dice que desde ya siente nostalgia por las mujeres y los monumentos de París. Quisiera decirlo en francés, asegura, pero no le sale ni una palabra de esas. Qué lástima: París es la mejor ciudad que ha conocido en toda su vida. Pero, bueno, no hay problema: le encanta el mundo de juguete de los aviones y se siente mejor porque nunca, en toda su vida, había ido a Bogotá.

Ah, hay algo más: se va a casar, por segunda vez, cuando regrese. La afortunada, dice, "es una francesita deliciosa".

El gordo no para de hablar. Podría pronunciar frases por el resto de su vida. No puede creer que los aviones vuelan, se muere de la risa con la mímica preventiva de las azafatas, se siente fascinado por las bolsas para el mareo, las almohadas y las cobijas. Se queja porque ya se haya visto la película que van a dar y porque le han tocado, justo a él, los únicos audífonos que no funcionan. Le da vergüenza con Espinosa, es cierto, pero ya decidió quitarse los zapatos. No quiere carne sino pechuga de pollo. Y mientras come, y se le acaba el aire porque no puede controlarse, le pregunta a Espinosa si —bueno, si no es ninguna molestia, si al final no va a comérselo— podría regalarle su flan de caramelo.

Es la pesadilla de cualquier vuelo: un tipo que no quiere callarse. Sí, es una vida dura: quien habla todo el tiempo no tiene nada qué decir; quien tiene que decirlo todo no encuentra las palabras; y los demás, el auditorio invisible de todos los tiempos, prefiere quedarse sordo y lamentar, en su vasto mundo interior, que nadie quiera oírlos. Eso es lo que piensa, en este preciso momento, el ingeniero Diego Espinosa. Que el único que quiere hablar en el avión es el único que nadie quiere oír. Que daría lo que fuera para que ese avión, ahora que los tumban con mísiles y con bombas, no se caiga de un momento para otro al océano. No quiere decirle sus últimas palabras a ese gordo.

Espinosa se levanta, le pide a la azafata una pastilla para el dolor de cabeza y, a pesar de que siempre siente que no es bueno pararse y caminar por el avión, porque uno no sabe bien si está desnivelando algo, finalmente entra en el minúsculo baño del aeroplano. Es, quizás, el peor sitio del mundo. O lo es, al menos, para Espinosa. Ahora, en este preciso momento, se ve en el espejo y no puede con su propia mirada. Quisiera dormirse ya. Quisiera tener nueve años. Quisiera volver al edificio de su infancia a jugar a las escondidas. Un letrero iluminado le da la orden de volver al asiento y ajustarse el cinturón de seguridad. Han entrado en zona de turbulencia.

Vuelve a su asiento. Las mamás les están ajustando los cinturones de seguridad a los niños como si estuvieran en un carro que atraviesa una carretera destapada. Los papás les encuentran explicaciones físicas a las brutales caídas del avión. Los bogotanos tratan de mantener la compostura, pero algo se les sale de las manos. Algo que no es británico, sino muy, pero muy criollo: unas incontenibles ganas de abrirse la camisa hasta la mitad y quitarse los zapatos; una ganas de gritar "vamos a morir"; una innegable vocación a pensar, sin el menor sentido el humor, que el aparato va a caerse en el océano.

El gordo está dormido. Está lleno de boronas, tiene la corbata dentro de la camisa y ni siquiera el temblor del avión logra conmoverlo. Espinosa no sabe si odiarlo a muerte o mandarlo al Instituto de Bienestar Familiar para que alguna familia de potentados lo adopte. El ingeniero llega hasta su asiento, se acomoda con todo el cuidado del caso para no despertarlo, se pone sus audífonos y trata de elegir una emisora. Quisiera llegar a Bogotá, pero quisiera, también, aparecer convertido en otro. Quisiera aterrizar en otra época. Quisiera volver a cuando era capaz de conquistar a otras mujeres y no se repetía a sí mismo, una y otra vez, "el matrimonio es sagrado".

¿No sería maravilloso? Llegar a la Bogotá de cuando estaba en la Universidad y se llevaba a su apartamento de soltero a todas las mujeres que se encontraba por el camino. Aún no puede creer que haya pasado tantas noches con tantas feas. ¿En esa época no tenía gusto?, ¿no le importaba?, ¿se imaginaba otras caras en esos cuerpos? Altas, flacas, gordas, bajitas, promiscuas, pecosas, pálidas, morenas, pelirrojas, feministas, separadas, casadas, profesoras, alumnas, vírgenes, exitosas, ninfómanas, fracasadas, poetisas, secas e insensibles, frígidas, tontas, confundidas, imposibles, abandonadas, drogadictas, chistosas, nobles y de buenos sentimientos, completas desconocidas, hermanitas de mejores amigos: todas habían pasado por su cama. Las había convencido, a casi todas, de que estaba profundamente enamorado de ellas.

¿En qué momento se volvió este ser triste y cerrado sobre sí mismo que sólo se enfrentaba a la angustia en los vuelos a Europa?, ¿por qué se transformó en un padre desnaturalizado que podría no volver a ver a su hijita recién nacida?, ¿cuándo se transformó en este ejecutivo, en este exportador de ropa de algodón que no quiere hablar de las canciones que compuso, con un grupo de amigos del barrio, cuando tenía diecisiete años?, ¿en dónde dejó la música de su guitarra?, ¿la tiene bloqueada en alguna alcantarilla del cerebro?, ¿valdría la pena ir a un siquiatra a explorar sus debilidades?, ¿será mejor viajar y viajar, trabajar y trabajar, dejar al monstruo que lo habita completamente dormido?

Le sorprende que el gordo no ronque. Le sorprende que no se mueva ni un milímetro hasta cuando, preocupado, decide acercársele. No, ya no se mueve. No, ya no sonríe. Y no, no tiene pulso. Es lo que le faltaba: un cadáver. El cadáver del doctor Tomás Aguirre. Pero no, un momento. Por nada del mundo va a darle respiración boca a boca a semejante gordo. No, ni más faltaba. Y, ahora que lo piensa, tampoco quiere avisarle a la azafata que su compañero de silla acaba de morirse, porque entonces tendrían que aterrizar en algún otro país ("ladies and gentlemen", diría el piloto: "some fuckin' fat man is dead") y, una vez sobre la tierra, se verían obligados a hacer el levantamiento del cadáver. Y levantar un cadáver gordo, se sabe, es toda una tragedia.

No, no se va a mover. ¿Para qué?, ¿por quién?, ¿no están primero los sagrados intereses generales que los estúpidos intereses personales?, ¿no le gustaría inculcarle a su hija valores como la solidaridad y el respeto por los muertos?, ¿en verdad está muerto? Sí, sí que lo está. Y, aunque suene mal, va a cubrirlo con tres mantas, se va a poner los audífonos y va a ver una de las películas que ofrecen. ¿Qué más puede decir?, ¿qué más puede hacer?, ¿tiene que hacer lo que harían los demás? Quiere llegar, eso es. Quiere llegar ya. No quiere ni una hora más de vuelo. Por eso va a quedarse callado. Por lo que a él le toca, el gordo seguirá vivo hasta el aeropuerto de Eldorado.

Y no, no es insensible. Es práctico. ¿Para qué enfrentar a la familia del doctor Tomás Aguirre? Tendría que contarles, una y otra vez, sus últimas horas de vida e inventarse unas últimas palabras decorosas. ¿Para qué enfrentar a la futura esposa del gordo? Tendría que decirle, él, Espinosa, que jamás lo conoció, que lo odió por gordo y optimista, que hasta el último momento pronunció su nombre. Perdón, ¿cuál es su nombre?, ¿Sandrine? Sí, ese fue: Sandrine. Lo dijo durante toda la noche. Roncaba y decía ese nombre. Decía ese nombre y roncaba. Se ve que la adoraba, mademoiselle.

Ahora: ¿cómo enfrentar a la azafata? Tendrá que pedirle que, para no despertarlo, no le dé la comida a su vecino. Y, Dios mío, ahí viene. Es ella, la azafata, que viene con su lento carrito de metal por el pasillo. Le dice, sin pensarlo dos veces, que el doctor Tomás Aguirre está un poco indispuesto. Y la azafata, sonriente, se aleja por el corredor de caras sin sospechar nada. Espinosa, triunfal, baja el cobertor de la ventana. No sabe cómo, cuándo, ni por qué, pero decide ponerle a Aguirre los audífonos. Lo cubre con las cobijas y le pone la bolsa para el mareo en una mano. Cada vez que la azafata o el azafato se acercan, y ofrecen algo de Duty Free, finge que están conversando. Cada vez que se alejan, le pide a Dios que el martirio se termine. Odia los aviones. Odia volar. Odiar cruzar el océano. Y odia, profundamente, al doctor Tomás Aguirre.

El piloto anuncia, unas horas después, que van a llegar a Bogotá. Espinosa le quita la cobija, le pone los zapatos y le arregla la corbata al gordo. Le deja los audífonos y, después de subir el cobertor, lo pone a mirar por la ventana. El avión aterriza y la gente comienza a aplaudir. Es, para el ingeniero Espinosa, el momento más aterrador del vuelo. ¿Por qué? Porque se da cuenta, gracias a las caras de felicidad de los pasajeros, de que todos los pasajeros contemplaban la posibilidad de morirse. Las luces se encienden y los cinturones de seguridad se desatan. Comienza la llegada.

El ingeniero Espinosa se despide de Aguirre. Le dice "encantado de conocerlo" y se mete a la fuerza en la lenta cola de salida. Avanza por el corredor hasta llegar a los pasillos del aeropuerto. Le devuelve la sonrisa al piloto sudoroso y a la azafata que parece como nueva. Atraviesa los pasillos de metal, les hace a todos un gesto con la mano, como si los conociera. Ve las figuras precolombinas en las paredes y se siente, a pesar de sí mismo, en su casa. Muestra su pasaporte, encuentra su maleta, se salva de la aduana. Sale del aeropuerto, bajo la mirada de fanáticas y familiares, dispuesto a coger un taxi que lo lleve hasta su apartamento. Su esposa se va a sorprender. Puede que se ponga feliz. Uno no sabe.

Está a punto de ser positivo, pero, de entre el panorama de caras, una lo detiene. Es la de un hombre con un letrero que dice "Doctor Tomás Aguirre". Ese nombre, que había olvidado por unos segundos, lo estremece. ¿Habrá investigación?, ¿algunos policías le harán preguntas?, ¿saldrá en el periódico como un ejemplo de la falta de solidaridad entre los seres humanos? Mira su reloj. Un niño le pregunta a un hombre de bigote si ya pueden ir a la casa. Sí, es una vida dura: hay quienes deben recoger a otros porque sí en el aeropuerto de la noche; hay quienes no han tenido, no tienen y jamás tendrán quién los recoja; hay otros que se mueren en los aviones y algunos que descubren su tragedia.

Espinosa lo piensa dos veces, pero a la tercera, porque no quiere darle la cara a su pequeña familia y no quiere escenas en el apartamento, decide cambiar su vida. Va hasta el hombre del letrero y le dice que él es el doctor Tomás Aguirre. Es un error, a todas luces, pero a él no le importa. Quiere que algo explote. Quiere, por primera vez en su vida, llevar las cosas hasta sus últimas consecuencias. Al fin y al cabo, ¿qué podría ser peor?, ¿su esposa va a quererlo más que a su pequeña hija?, ¿la niña va a ser una buena persona a pesar del horrible padre que le ha tocado soportar?, ¿alguien va a decirle, de pronto, que grabe un disco con sus canciones?

El chofer lo hace entrar en el carro y lo lleva hasta la ciudad para, en palabras suyas, "entregárselo sano y salvo a los doctores". A Espinosa se le ocurre, en el interior del automóvil, que tal vez el flan de caramelo estaba envenenado y que, desde ese punto de vista, el gordo habría dado la vida por él. Piensa, de nuevo, que mañana o pasado mañana recibirá una llamada de la policía. Cree que dirá que sí le extrañó que el gordo, Aguirre, no se despidiera de él, pero que lo vio muy bien durante el viaje y pensó que quizás lo mejor era dejarlo dormido. ¿Y por qué se subió al carro del doctor y por qué asumió su identidad? Porque quería hacerle un chiste a su nuevo amigo.

Sí, quizás se lo crean. El problema es, ahora, que han tomado una oscurísima calle de Chapinero. Que el carro, ante la embestida de un par de camionetas, frena de un momento para otro. Que un par de hombres armados se lanzan contra las ventanas y le disparan al conductor. Que, mientras le gritan que lo van a amarrar a un árbol hasta que aprenda a no arrodillársele a las costumbres del Imperio y su familia les pague 15 millones de dólares, le vendan los ojos y le amarran las manos.

Él les jura por Dios que se llama Diego Espinosa. Que tiene una esposa y una hijita recién nacida. Que es ingeniero y trabaja en una fábrica de ropa de algodón. Ellos le ordenan que se calle y lo llaman "veneco de mierda". Y se ríen, entonces, del hombre equivocado.

7
Minicuento

El crimen perfecto

UNA NOCHE soñé que había matado a una mujer. Paso los detalles. Cuando desperté leí en el periódico el relato del crimen tal y como yo lo había perpetrado. Me presenté a la policía. Se rieron de mí. Dicen que encontraron al criminal. ¡Qué va! Entonces ¿por qué me sigue remordiendo la conciencia?

Benchmarking *II*

Y LA GENTE dejó de comunicarse, porque no había ni quien hablara ni quien escuchara. Los libros desaparecieron de los estantes de bibliotecas y de las librerías, y en las casas no quedó ni el recuerdo de su existencia. De los rostros desaparecieron las bocas y las orejas, en su incapacidad de comunicación chocaban unos con otros como autómatas fuera de control. Se miraban sin expresión alguna, se retiraban y seguían caminando, siempre sin rumbo. Y se perdió la utopía de los vencedores.

Azabache

Un tal González, de profesión dudosa, no había cogido las riendas de Azabache cuando el animal salió como espantado porque el empedrado empezó a bailarle debajo de las patas. Iba para Maracaibo y a las seis de la tarde se sorprendió entrando a Chinácota, que queda en la otra punta del camino que tenía pensado.

Atravesó a Cúcuta a galope forzado y dice que vio muchos muertos y casas caídas. Las grietas inmensas. Las gentes gritando. Y un nubarrón de polvo que parecía de noche.

De Chinácota telegrafiaron a Pamplona, de Pamplona a Bucaramanga y de Bucaramanga a Bogotá en una larga cadena de clavijas y señoritas temblecas, y la noticia se engordó con los muertos que le fueron sumando gratis las telegrafistas. Y en la capital supieron que no había quedado piedra sobre piedra, ni títere con cabeza; miles de títeres, por supuesto.

Sólo dos sobrevivientes: un señor González, contrabandista, claro, y un tal Assabach, que debería ser turco.

El jardín del guerrero

E L ASEDIO duró varios meses. La fortaleza resistió los embates del sitiador sin dar ninguna señal de rendición. Continuó imperturbable, como si la actividad al otro lado de las murallas no fuera amenazante. Situada entre jardines florecidos en un verde y cálido valle, enardecía la codicia del guerrero.

Y el guerrero, al pasar muchas veces a su vera, yendo o viniendo de alguna campaña, la contemplaba sin tocarla, esperando un tiempo más propicio. Y el momento llegó. El sitiador hizo todos los preparativos del caso. Dibujó mapas, organizó sus fuerzas, dispuso las armas del ataque. Calculó los factores de resistencia, detectó puntos débiles y, con la serenidad de la experiencia, se dispuso a cercarla. Seguro de la eficacia de su estrategia, cortó los canales de abastecimiento, enfiló catapultas hacia el portalón, alistó arietes y tendió escaleras suficientemente largas y fuertes para pasar sobre el foso y apoyarse en la muralla muy cerca de sus bordes. Su columna de arqueros disparó sin cesar flechas de fuego que, como estrellas errabundas, noche y día trazaban órbitas en el cielo y caían dentro de la plaza sin originar ningún incendio.

De los torreones salían bellas canciones cantadas por mujeres. La soldadesca, al escucharlas, soltaba las armas y tornábase mansa, poseída por el encantamiento. Todo avance era inútil, todo esfuerzo vano. Cada paso adelante sólo conseguía hacer más nítidos los cantos, más fuerte una dulce emoción corriendo por las venas.

Desesperado, Iago el sitiador perdía en ese instante el control de su ejército y veía esfumarse la victoria como si fuera un sueño de agua secándose en sus dedos. Una vez salido de su asombro, tornó a su serenidad y, dadas las circunstancias, apeló a su buen juicio y a su gallardía para decidir la retirada. Llamó a sus generales. Los recibió en su tienda. Y, como si estuviera planeando una batalla decisiva, los hizo ver los mapas, señaló con su espada el único camino que restaba y ordenó con premura que dirigieran prontamente a sus huestes para abandonar en orden y con paso marcial el regreso, advirtiendo que a quien osara pisotear las flores del jardín, doblar sus tallos o lastimar sus pétalos le cortaría él mismo la cabeza.

Antes de la partida, en la alborada del nuevo día, se plantó entre sus hombres y la fortaleza imposible. Mandó a los cornos entonar su himno, tomó los estandartes y su lanza. Dio tres pasos al frente, quebró la lanza contra su rodilla, pidió una tea encendida e hizo arder las insignias. Dio media vuelta con toda dignidad, se trepó al caballo y emprendió el camino de regreso. Nadie estropeó el jardín. Ganada cierta distancia, subió hasta un otero. Vio desde allí con serena tristeza el alejamiento de sus tropas. Contempló cómo, con la misma lentitud con que se alejaba su ejército invasor, el castillo se desvanecía ante sus ojos hasta desaparecer del valle por completo.

Morir último

Mire, mijo, ahora antecitos que se pierda en el llano, le quiero decir esto para que lo tenga muy en cuenta: la cosa no es ir sino volver. No es que se trate de sacarle el juste o el cuerpo al compromiso. Desde mucho antes se sabía que algún día tocaría ir. Pero eso sí, siempre hay que tirar a que los otros pongan los muertos. Mientras menos mueran de los nuestros mejor. No es miedo a la muerte, sólo es querer que estén más a la hora del triunfo. Uno siempre debe procurar morir último.

La sal de Lot

No PORQUE se hubiera vuelto una estatua de sal, Lot abandonó a la fisgona de su mujer en las afueras de Sodoma y Gomorra. Todo lo contrario: con el esmero que pudo, la llevó a cuestas hasta su hogar, y allí le destinó un lugar privilegiado en la cocina.

Dicen que cuando una pareja descendiente de la mujer de Lot contrae matrimonio, los recién casados adquieren el derecho de pellizcar la estatua y sazonar sus comidas con esa sal de ligero sabor a fuego, azufre y pecado.

El efecto afrodisíaco, aseguran, es incomparable.

El astrolabio

Cierto científico, acostumbrado a poner en práctica sus conocimientos, tomó el astrolabio para medir la distancia entre sus éxtasis amorosos y los de su amante.

Pudo comprobar que su amor era infinito, pues el sólo contacto de los labios los enviaba directamente a las estrellas.

Sin salida

ALE, AGOTADA por tanto levantamiento de estructuras arquitectónicas, se quedó dormida sobre los planos. Al despertar, miró a su alrededor y nada le era conocido. Después de frotar sus ojos y recobrar la calma, comprendió que habitaba la habitación que había estado diseñando.

Todo empeoró.

Recordó que no había dibujado las puertas de salida.

VI

RELATOS
PARA NIÑOS Y JÓVENES

INTRODUCCIÓN

Orientada en distintas direcciones, desde la segunda mitad del siglo xx la literatura para niños y jóvenes, antes desarrollada en leyendas, rondas infantiles, acertijos, cuentos populares, poemas rítmicos, versos que cuentan, historias breves y piezas teatrales, se ha ido definiendo de muy diversas maneras. Si antes interesaba la enseñanza moral, según ascendencia de las fábulas clásicas y de los cuentos tradicionales para niños, en la actualidad se fortalece particularmente el carácter lúdico, que en el caso de algunos autores contribuye a alimentar la fantasía y la imaginación, a fomentar el espíritu investigativo, reflexivo y crítico y a despertar actitudes que remitan a la visión de diferentes nociones de la realidad.

Los relatos que incluimos presentan diversos momentos, pasando por lo más pintoresco de los cuentos en verso de Rafael Pombo, uno de nuestros clásicos en el género, quien, vinculado a las fábulas clásicas, aprovecha los imaginarios de la cultura popular para recrearlos con una gran dosis de humor e ironía, color y ritmo, sugestión y juego, incluida la moraleja; Eduardo Caballero Calderón, quien, además de sus novelas de violencia, realidad social y política, también fue pródigo en memorias y cuentos para niños y jóvenes, como aquellos en los que se acerca de manera ejemplar a la historia nacional; Jairo Aníbal Niño, quien ha construido historias pensando en el niño, el adolescente o el joven que todo ser humano lleva dentro, y, como Caballero Calderón, reinventa la historia de nuestro pasado americano, haciéndola cercana a todos. Arturo Alape, más conocido como investigador y escritor de novelas y cuentos de orden testimonial y político, apunta con sus textos para niños al desarrollo de imágenes fantasiosas y de gran colorido en la mente del lector, así como Triunfo Arciniegas, dotado de imaginación cercana al surrealismo, fabula realidades imaginables –no por ello menos posibles–, introduciéndoles las contradicciones de la vida corriente que, con lujo de detalles, constituyen retos a lo inmediato cotidiano. Santiago Londoño retoma temáticas tradicionales que actualiza con formas y visiones del contar para niños contemporáneos. Pilar Lozano, con un lenguaje claramente visual, renueva imágenes cercanas a las fábulas y los bestiarios de la infancia, para hacer de ésta, más que una época en la vida del ser humano, un estado de ánimo. Y Yolanda Reyes retoma episodios en los que el paso de la infancia a la pubertad y adolescencia conmueve al individuo, invitando a revivir formas de vida y aprendizaje. Con un lenguaje llano, sus cuentos desenfadados hacen partícipes a sus lectores de situaciones y conflictos que surgen de realidades vividas y percibidas por ellos mismos.

Este tipo de cuento se ha matizado: la literatura dirigida a niños y jóvenes, sobre éstos, o fruto de ellos mismos, pretende llevar un mensaje didáctico, estético e imaginativo comprometido con la vida, en toda la extensión del término. Los autores tienen como punto de partida la creación de un mundo a través de un lenguaje de conjuro, de una palabra que dice algo más de lo que aparentemente pregona. Hay en ellos una invitación a fantasear mundos posibles, a imaginar historias, personajes, ritmos, colores, formas y situaciones, no solamente nacidas y exclusivas de los niños, sino de esa sensibilidad amparada por un sentido primigenio, aquel que se abre a una sensibilidad infantil que nunca deja de ser. Los mitos y leyendas tienen una enorme carga de esta fantasía primitiva. El niño y el joven que todos llevamos dentro, dirían en otro momento y para otros contextos no menos nuestros J. J. Rousseau y Antoine de Saint Exupéry. Por ejemplo, la narrativa de Gabriel García Márquez se sustenta en hechos que, aunque parecen inverosímiles, son posibles gracias a la imaginación y la fantasía que se proyecta desde una palabra que tiene vida propia, como se narra en una de sus obras. ¿No es eso lo que pasa con muchos de los relatos incluidos en *Cien años de soledad*, en otras "obras para adultos" y algunos de los *Doce cuentos peregrinos* como "La luz es como el agua" o "El rastro de tu sangre en la nieve"? En estos últimos las versiones de los cuentos de hadas de Perrault o los hermanos Grimm y los terribles y transgresores de Andersen se revisan a tenor del pensamiento y el mundo moderno: tal vez hoy, como decía Rubén Darío, "ya no hay princesa que cantar", pues son diferentes las Blancanieves o las Bellasdurmientes actuales, pero la imaginación sigue alimentando la fantasía y es posible que, a espaldas de las truculencias de la vida externa, algunos niños floten en una habitación llena de luz y de misterio.

La imaginación infantil permite el sueño, vivir de otra manera, construir mundos donde lo gratificante e incluso lo esperpéntico son posibles, donde la risa ante la maravilla y el absurdo aplasten la amargura o el llanto. La imaginación juvenil, aún no apartada de la anterior, entra en los descubrimientos, las disquisiciones y las sorpresas. Lo expectante acerca a otras formas de la intensidad y del movimiento, a los cambios y reconocimientos de otros mundos que si bien se relacionan con imaginaciones y fantasmagorías tradicionales, también entran en las de la ciencia ficción y lo fantástico, la realidad emocional y psicológica y la de la vida social y cotidiana.

Este tipo de literatura tiene no sólo de imaginación, sino de creación y trabajo formal y se integra a la historia de la literatura colombiana. Es parte de su contar y narrar, de ese movimiento de la creación y la representación.

El renacuajo paseador

EL HIJO de Rana, Rinrín Renacuajo,
salió esta mañana muy tieso y muy majo
con pantalón corto, corbata a la moda,
sombrero encintado y chupa de boda.
"¡Muchacho, no salgas!", le grita mamá,
pero él hace un gesto y orondo se va.

Halló en el camino a un ratón vecino,
y le dijo: "¡Amigo!, venga usted conmigo,
"visitemos juntos a doña Ratona
"y habrá francachela y habrá comilona".

A poco llegaron, y avanza Ratón,
estírase el cuello, coge el aldabón,
da dos o tres golpes, preguntan: "¿Quién es?"
—"Yo, doña Ratona, beso a usted los pies".

"¿Está usted en casa?" —"Sí, señor, sí estoy;
"y celebro mucho ver a ustedes hoy;
"estaba en mi oficio, hilando algodón,
"pero eso no importa; bien venidos son".

Se hicieron la venia, se dieron la mano,
y dice Ratico, que es más veterano:

"Mi amigo el de verde rabia de calor,
"démele cerveza, hágame el favor".

Y en tanto que el pillo consume la jarra
mandó la señora traer la guitarra
y a Renacuajito le pide que cante
versitos alegres, tonada elegante.

"¡Ay! de mil amores lo hiciera, señora,
"pero es imposible darle gusto ahora,
"que tengo el gaznate más seco que estopa
"y me aprieta mucho esta nueva ropa".

—"Lo siento infinito", responde tía Rata,
"aflójese un poco chaleco y corbata,
"y yo mientras tanto les voy a cantar
"una cancioncita muy particular".

Mas estando en esta brillante función,
de baile y cerveza, guitarra y canción,
la Gata y sus Gatos salvan el umbral,
y vuélvese aquello el juicio final.

Doña Gata vieja trinchó por la oreja
al niño Ratico maullándole: "¡Hola!"
y los niños Gatos a la vieja Rata
uno por la pata y otro por la cola.

Don Renacuajito mirando este asalto
tomó su sombrero, dio un tremendo salto,
y abriendo la puerta con mano y narices,
se fue dando a todos "noches muy felices".

Y siguió saltando tan alto y aprisa,
que perdió el sombrero, rasgó la camisa,

se coló en la boca de un pato tragón
y éste se lo embucha de un solo estirón.

Y así concluyeron, uno, dos y tres,
Ratón y Ratona, y el Rana después;
los Gatos comieron y el Pato cenó,
¡y mamá Ranita solita quedó!

La pobre viejecita

Érase una viejecita
sin nadita qué comer
sino carnes, frutas, dulces,
tortas, huevos, pan y pez.

Bebía caldo, chocolate,
leche, vino, té y café,
y la pobre no encontraba
qué comer ni qué beber.

Y esta vieja no tenía
ni un ranchito en qué vivir
fuera de una casa grande
con su huerta y su jardín.

Nadie, nadie la cuidaba
sino Andrés y Juan y Gil
y ocho criadas y dos pajes
de librea y corbatín.

Nunca tuvo en qué sentarse
sino sillas y sofás
con banquitos y cojines
y resorte al espaldar.

Ni otra cama que una grande
más dorada que un altar,
con colchón de blanda pluma,
mucha seda y mucho olán.

Y esta pobre viejecita
cada año, hasta su fin,
tuvo un año más de vieja
y uno menos que vivir.

Y al mirarse en el espejo
la espantaba siempre allí
otra vieja de antiparras,
papalina y peluquín.

Y esta pobre viejecita
no tenía qué vestir
sino trajes de mil cortes
y de telas mil y mil.

Y a no ser por sus zapatos
chanclas, botas y escarpín,
descalcita por el suelo
anduviera la infeliz.

Apetito nunca tuvo
acabando de comer,
ni gozó salud completa
cuando no se hallaba bien.

Se murió de mal de arrugas,
ya encorvada como un 3,
y jamás volvió a quejarse
ni de hambre ni de sed.

Y esta pobre viejecita
al morir no dejó más
que onzas, joyas, tierras, casas,
ocho gatos y un turpial.

Duerma en paz, y Dios permita
que logremos disfrutar
las pobrezas de esa pobre
y morir del mismo mal.

Mirringa Mirronga

Mirringa Mirronga, la gata candonga,
va a dar un convite jugando escondite,
y quiere que todos los gatos y gatas
no almuercen ratones ni cenen con ratas.

"A ver mis anteojos, y pluma y tintero,
"y vamos poniendo las cartas primero.
"Que vengan las Fuñas y las Fanfarriñas,
"y Ñoño y Marroño y Tompo y sus niñas.

"Ahora veamos qué tal la alacena.
"Hay pollo y pescado, ¡la cosa está buena!
"Y hay tortas y pollos y carnes sin grasa.
"¡Qué amable señora la dueña de casa!

"Venid mis michitos Mirrín y Mirrón.
"Id volando al cuarto de mamá Fogón
"por ocho escudillas y cuatro bandejas
"que no estén rajadas, ni rotas ni viejas.

"Venid mis michitos Mirrón y Mirrín,
"traed la canasta y el dindirindín,
"¡y zape, al mercado! que faltan lechugas
"y nabos y coles y arroz y tortuga.

"Decid a mi amita que tengo visita,
"que no venga a verme, no sea que se enferme;
"que mañana mismo devuelvo sus platos,
"que agradezco mucho y están muy baratos.

"¡Cuidado, patitas, si el suelo me embarran!
"¡Que quiten el polvo, que frieguen, que barran!
"¡Las flores, la mesa, la sopa!... ¡Tilín!
"Ya llega la gente. ¡Jesús, qué trajín!".

Llegaron en coche ya entrada la noche
señores y damas, con muchas zalemas,
en grande uniforme, de cola y de guante,
con cuellos muy tiesos y frac elegante.

Al cerrar la puerta Mirriña la tuerta
en una cabriola se mordió la cola,
mas olió el tocino y dijo "¡Miaao!
"¡Este es un banquete de pípiripao!".

Con muy buenos modos sentáronse todos,
tomaron la sopa y alzaron la copa;
el pescado frito estaba exquisito
y el pavo sin hueso era un embeleso.

De todo les brinda Mirringa Mirronga:
—"¿Le sirvo pechuga?" — "Como usted disponga;
"y yo a usted pescado, que está delicado".
—"Pues tanto le peta, no gaste etiqueta:

"Repita sin miedo". Y él dice: "Concedo";
Mas ¡ay!, que una espina se le atasca indina,
y Ñoña la hermosa que es habilidosa
metiéndole el fuelle le dice: "¡Resuelle!"

Mirriña a cuca le golpeó en la nuca
y pasó al instante la espina del diantre,
sirvieron los postres y luego el café,
y empezó la danza bailando un minué.

Hubo vals, lanceros y polka y mazurca,
y Tompo que estaba con máxima turca,
enreda en las uñas el traje de Ñoña
y ambos van al suelo y ella se desmoña.

Maullaron de risa todos los danzantes
y siguió el jaleo más alegre que antes,
y gritó Mirringa: "¡Ya cerré la puerta!
"¡Mientras no amanezca, ninguno deserta!".

Pero ¡qué desgracia! entró doña Engracia
y armó un gatuperio un poquito serio
dándoles chorizo de tío Pegadizo
para que hagan cenas con tortas ajenas.

El corneta llanero

Era todavía de noche y una niebla fina y húmeda se levantaba de los pantanos, como un vaho, y comenzaba a brillar débilmente en la altura. José Dolores se restregó los ojos, saltó del chinchorro, se lavó las manos y la cara en el charco que había dejado la lluvia en el solar, y entró en la cocina del rancho. Allí adentro era noche cerrada. Las llamas del fogón crepitaban alegremente y hacían bailar sombras y reflejos en las paredes, negras de humo. Tres viejas, en cuclillas, calentaban caldo en una olla y asaban los plátanos del desayuno. Del corralón vecino, formado con gruesas estacas clavadas en el suelo, llegaba el relincho de un caballo.

—Hoy te cogió el día, José Dolores. Los dos peones ya se fueron y te dejaron dicho que por el camino te esperaban.

El muchacho dio un mordisco al plátano que le alcanzó una de las viejas, y se llevó el tazón de barro a los labios para beber a sorbos el caldo que pringaba.

—¡Está que arde! —exclamó.

Se limpió la boca, gruesa y húmeda, con el revés de una mano.

—¿El correo de Venezuela ya cogió camino?

—A la madrugada se internó en el llano, en dirección a Pore.

—¡Ahora sí se va a armar la gorda! —dijo José Dolores con la boca llena.

—¿Y te parece poco lo que hemos sufrido? Ya no tenemos una res, ni un pedazo de cecina, y apenas unas pocas libras de sal. Lo que no se llevaron los diablos rojos del coronel Barreiro, se lo han devorado las fuerzas criollas del general Santander. Dios le pague que nos libró de los primeros, pero los chapetones dominan toda la cordillera, y sacarlos de allí no es fácil. ¡Qué tiempos estos, Dios mío! —dijo la abuela.

—¡Yo también me largo! —exclamó José Dolores.

La abuela levantó los ojos pequeñitos, perdidos entre las arrugas, para mirarlo. Era seca y amarilla como las pieles de res que se curten a la intemperie, con el revés hacia arriba, amarradas a cuatro estacas.

—No digas locuras. Eres un niño.

—A los trece, nadie es un niño...

—¡Si los tuvieras! En la Semana Santa cumpliste doce y apenas estamos en el mes de María.

—Da lo mismo... Yo sé por qué se fueron los peones, abuela. El correo nos tuvo hasta medianoche embobados contándonos cosas de la campaña de Venezuela.

Las otras viejas dejaron de moler maíz sobre una piedra, y pararon la oreja.

—Delante de éstas no puedo decirte nada. Ven conmigo...

La vieja se levantó y siguió detrás del muchacho hacia el otro tambo. Comenzaba a clarear y la hierba ya se veía verde. Sobre la llanura inmensa, despejada en el horizonte, rodaba una gigante bola de fuego. Del lado de la cordillera se espesaban las nubes y algunas parecían incendiarse.

—Ya no tendré vaqueros —gimoteó la abuela—, ni quién recoja el ganado, ni quién lo hierre, ni quién vaya por sal a la cordillera...

—Son tiempos de guerra ¡qué quieres! El correo que venía anoche de Venezuela con un mensaje para el pueblo de Pore, nos contó que el general Bolívar llegaría hoy de madrugada al cuartel de Tame, donde lo espera el general Santander. Trae mil doscientos infantes y ochocientos llaneros venezolanos que vienen reventando caballos. El general Santander tiene cerca de mil, mil uno conmigo, pues me iré dentro de un momento...

—¡Ave María Purísima! ¿Y qué piensa hacer el general Bolívar?

—No digas ni una palabra a las viejas. El correo dijo que si algo llegaba a traslucir, fusilarían sin piedad a los soplones.

—¡Bueno, pues vete! Al fin y al cabo tú eres patriota y tienes que vengar a tu padre...

—Adiós abuela... ¿No me das nada para el viaje?

—Llévate el caballo alazán. Coge las libras de sal que quedan en el rancho y se las entregas al general Bolívar. Toma la bendición y vete, vete pronto antes de que me arrepienta.

—Si me matan —respondió José Dolores— te mandaré el arito de oro que me regaló mi padre.

La fundación de "La Dolores" quedaba situada a una jornada del pueblo de Tame, donde estaba acuartelado el general Santander. José Dolores montó a caballo, cruzó a nado el caño que quedaba cerca a la casa, y se internó en el Llano. A medida que el sol se levantaba sobre el horizonte, densos vapores se iban condensando en nubes. Los matorrales chorreaban agua. Tenía que echar pie a tierra para vadear los pantanos con más seguridad y los caños que en el verano no son sino secas y polvorientas quebradas. A ratos, dejaba que el caballo fuera al paso, y él echaba una pierna sobre el pescuezo, montado a mujeriegas, y se ponía a tocar algún aire llanero, algún bambuco, en su flauta de cañas. Él mismo la había construido.

Su vida hasta entonces había sido libre como el viento. Desde cuando se acordaba de sí mismo, se veía montado en pelo, en pos de los vaqueros que servían a su padre. Salían del rancho con el alba, y galopaban hacia el corazón de la inmensa llanura que retemblaba como la pelleja de un tambor. Volvían por la tarde con alguna punta de ganado que habían sorprendido sesteando en matas distantes. Al otro día venía la faena del herraje, y encaramado en la cerca del corral, José Dolores veía a los llaneros tumbar las reses y acercarles al anca el hierro rojo. La res bramaba de rabia, sujeta al suelo por los brazos de los llaneros, duros como tenazas. Un grato olor a carne asada se dispersaba en el corral, dominando el de boñiga fresca a que olía siempre. Cuando fue un hombrecito, y le permitieron montar en pelo los potrancos cerriles, no tardó en adueñarse de todos los secretos de la doma. Montaba de un brinco sobre el animal, que apenas tenía una jáquima y un bozal en el hocico, y se lanzaba como una saeta por la llanura adentro, seguido de los vaqueros que montaban en caballos mansos. El potro corría sin descanso, corcoveando, salvando los obstáculos que encontraba en el camino, furioso, hundiendo a veces la cabeza entre las manos para libertarse de su carga. Pero José Dolores parecía cosido al espinazo del animal. Al cabo de cinco o de seis horas de brega, el sol, ya muy alto, bañaba en una onda de fuego al jinete y al caballo. Los dos chorreaban sudor. Poco a poco el potranco aflojaba el paso, se ponía al galope, luego al pasitrote, y finalmente derrengado se sacudía un poco y se quedaba quieto. El jinete echaba pie a tierra, le daba cariñosamente unas palmadas en el cuello, y le alargaba un terrón de panela. El animal estaba domado.

Cuando llegaron las fuerzas realistas de Barreiro y ocuparon a Casanare, muchos llaneros huyeron a las montañas, y otros se desperdigaron por la llanura en dirección a Arauca. Poco a poco formaron guerrillas que espontáneamente atacaban a las avanzadas de Barreiro. El general Santander, llamado por Bolívar, llegó a comienzos de 1819 y logró organizar y disciplinar a los indómitos llaneros para formar un ejército. Barreiro no pudo resistirlo. Se replegó a la cordillera y regresó por donde había venido. En una de esas refriegas, en la última, cuando las fuerzas patriotas persiguieron la retaguardia de Barreiro por uno de los caminos que trepan hacia la cordillera, fue muerto de un tiro el padre de José Dolores. Este pensaba que su padre debió quedar tendido en el camino, con el pecho descubierto, destrozado por el balazo, y con los ojos abiertos, cubiertos por una nube blanca, que mirarían sin ver los gallinazos que revoloteaban sobre los campos de batalla.

El muchacho seguía tocando en su flauta de cañas. Parecía un pequeño fauno, vestido como los llaneros, con corrosca de anchas alas en la cabeza, el torso al aire, unos calzones cortos de lienzo y los pies descalzos, cuyo dedo gordo sujetaba la acción de los estribos. Era delgado y ágil, tenía la piel casi negra de requemada por el sol, los ojos vivos, el pelo ensortijado, y llevaba como único lujo un arito de oro en una oreja. Se lo había regalado su padre el día en que domó su primer potranco. Como todos los habitantes del llano amaba su libertad por encima de todo y detestaba a los realistas de Barreiro que con sus levitas de paño y sus polainas guarnecidas de espuelas habían pretendido ponerle freno y cabestro a Casanare. Además, habían matado a su padre. Sabía él, o, mejor dicho, presentía, que la tierra no era de aquellos hombres que llegaban a ella con la pretensión de volverlos soldados, quitarles sus reses, robarles sus caballos y hacerles gritar: ¡Viva Fernando vii! José Dolores sabía que el llano era de los llaneros que conocen todos sus secretos, tienen el amor de sus inmensas soledades, en las cuales se pierde la vista y donde el hombre se embriaga con el viento que desata la carrera de su caballo. Su patria eran aquellos hierbazales, cruzados por ríos turbios y silenciosos que a veces se desbordan y forman lagunas donde viven las garzas y los caimanes. Muchas noches, cuando rendido de cansancio volvía con los vaqueros al tambo, se quedaba dormido oyéndolos contar historias de la guerra. Sucedía que todos eran guerrilleros a ratos. Casi todos se habían ido a Tame con el general Santander, y los dos viejos veteranos que quedaron en la casa, y tenían el cuerpo cubierto de blancas cicatrices, tampoco resistieron la tentación de la aventura cuando supieron la noche anterior que el general Bolívar venía galopando desde Apure hacia Tame, a través de los llanos de Arauca. José Dolores también adoraba al general Bolívar. Había oído contar sobre él cosas extraordinarias: que domaba potros como un llanero; que sabía construir balsas con un cuero de res; que podía galopar un día entero fatigando al caballo sin que él se cansara; que ganaba batallas y hacía milagros. Sabía que sólo el general Bolívar podría vencer en todos los combates y conquistar a América de cabo a rabo, hasta un lugar donde la tierra se hiela, según contaba el correo la noche anterior.

—¡Alto! ¿Quién vive?

El sol se había hundido ya tras las montañas de occidente y un enjambre de mosquitos zumbaba en torno de la cabeza de José Dolores. Olía a podrido, y a través de unos bejucos y unos matorrales espejeaba lo que debía ser un caño o un pantano. El centinela, con la lanza al brazo, tomó por el bocado el caballo de José Dolores.

—¿A dónde vas?, te digo.

—Vengo a unirme al ejército del general Bolívar. Le traigo unas libras de sal que me dio mi abuela, y este caballo.

—Ven conmigo, pero te advierto que eres muy niño para ser soldado. Tú no puedes con la lanza.

—Eso ya lo veremos.

Y José Dolores entró en el campamento donde los jefes del Estado Mayor, Bolívar, Santander, Anzoátegui, Rook, Rondón, estaban conversando. Había fogatas dispersas por la llanura. Se oía ruido de voces en la sombra, y cantos, y gritos lejanos, y relinchos de caballos, y redoble de tambores. A José Dolores le brincó el corazón en el pecho cuando al franquear la puerta del rancho que albergaba al Estado Mayor vio a un hombre pequeño, flaco, moreno, que se paseaba nerviosamente de un lado a otro.

—¡Mi General! —dijo el centinela que acompañaba al muchacho.

—¿Qué pasa? —respondió el general Bolívar, deteniéndose de pronto, con las manos atrás, frente a José Dolores—. ¿Cómo te llamas tú?

—José Dolores, mi General. Los chapetones mataron a mi padre, el dueño de "La Dolores", que es una fundación que queda allá lejos, en pleno llano, a la orilla del caño grande. Le traigo a mi General mi caballo, unas libras de sal que le manda mi abuela y... Y yo quiero ser soldado.

Los generales del Estado Mayor escuchaban con curiosidad las palabras del niño, que permanecía a la puerta del rancho dándole vueltas con las manos a su corrosca.

—¿Qué sabes hacer?

—Sé domar un potro, atravesar un caño a nado, herrar un novillo, cazar garzas en los garceros y encender una hoguera en pleno viento. También sé tocar esta flauta que hice yo mismo.

—¿De veras?

—Los llaneros sabemos muchas cosas.

—Yo adoro la música.

—Toca algo...

Ante la sorpresa de los jefes del Estado Mayor, José Dolores extrajo una caña del bolsillo y comenzó a tocar un bambuco llanero. Los generales escuchaban divertidos. Alguno llevaba el compás con la punta de la bota. A las puertas, un grupo de soldados sofocaba la risa. A lo lejos se oía el relincho de un caballo.

—¿Cómo dices que te llamas?... ¡José Dolores!

Sí, del rancho de "La Dolores", a la orilla del caño grande. ¿Crees tú, José Dolores, que podrías aprender a tocar la corneta?

—Oiga usted, coronel Rondón —dijo al jefe del batallón de los llaneros, que se encontraba presente—: Ordene a alguien que le enseñe a tocar la corneta a este muchacho. Lo haré mi corneta. Tienes tres días para aprender, ¿me oyes?

Y el General le dio un cariñoso tirón en la oreja que tenía un arito de oro, que el padre le había regalado el día en que domó su primer potro.

—Ahora, ¡firmes! ¡Media vuelta a la dere...! ¡Puedes retirarte!

Hacía pocos meses que en la aldea llamada del Setenta, en las orillas del río Apure, el general Bolívar había resuelto cruzar como un rayo los llanos de este nombre, unirse a las fuerzas que el general Santander había disciplinado en Casanare, trasmontar los Andes y caer de sorpresa sobre Barreiro para desbaratarlo en las mesetas boyacenses. Y puso por obra este pensamiento. Llegó al cuartel del general Santander en Tame con más de dos mil quinientos hombres, casi todos harapientos, desnudos, descalzos, muertos de cansancio. Sólo los soldados de la Legión Británica, al mando del coronel Rook, vestían con relativa decencia: ropas de paño, corroscas de paja y calzado de cuero en algunos casos. Los llaneros del general Santander, nacidos y curtidos en las pampas de Casanare, acostumbrados a vadear los ríos o salvarlos a nado, a luchar cuerpo a cuerpo con el jaguar, a derribar toros y a desbravar potrancos, eran rebeldes por naturaleza. De esos centauros Bolívar sacó el ejército libertador de América. Pensaba despejar la Nueva Granada de españoles para volver después a Venezuela y expulsar a los tiranos que tenían allí plantadas sólidamente sus garras. La batalla decisiva debería librarse, a juicio de Bolívar, en las plácidas mesetas de la Nueva Granada que suministraban a los ejércitos realistas vituallas, caballos y armas en abundancia. En Tame los generales decidieron trasmontar la cordillera por el antiguo camino que pasa por Pisba y Paya, y a través del pueblo de Socha lleva a los valles de Cerinza, Bonza y Sogamoso. Por ser invierno, el camino estaría prácticamente desierto. Jamás los españoles pudieron soñar que en la cabeza de Bolívar cupiera la extraordinaria locura que significaba trasmontar los Andes con un ejército de llaneros harapientos, acostumbrados desde niños a los ardores del llano. Pero lo hizo así, sencillamente porque era Bolívar...

En los corralones improvisados de Tame se habían juntado varios centenares de bestias cimarronas, recogidas en las fundaciones del llano. A una orden de los jefes, los llaneros de la caballería montaron simultáneamente sobre las bestias. Estas caracolearon enfurecidas, echando espumarajos por la boca, y algunas partieron desbocadas, llano adentro. José Dolores era uno de aquellos jinetes. Los llaneros no se dejan intimidar por un caballo, y están acostumbrados a desafiar la embestida de un toro.

De Tame a Pore, la capital de Casanare, anduvo el ejército por entre pantanos y lodazales. De Pore en adelante comenzó el ascenso de la cordillera. Llovía incansablemente y la niebla fría y algodonosa subía por las escarpadas laderas de la montaña. A la vanguardia iba la caballería llanera, en fila india; detrás el cuerpo de los infantes; por último las recuas de mulas que cargaban las piezas de gran calibre y los trozos de carne cecina para alimentar el ejército. Bolívar marchaba a veces a la cabeza de los jinetes, y otras, a la retaguardia, con las mulas, para animar a los soldados. Centenares de mujeres que tenían el marido o el hijo en el ejército, marchaban a la cola, a veces agarradas a la de las mulas, y muchas llevaban recién nacidos cargados a la espalda.

El camino era un jabón y se empinaba cada vez más. No era aquello un camino, sino una trocha, un desecho abierto a machetazos por los que iban adelante. Bordeaba acantilados que se perdían en las nubes, o contorneaba precipicios en cuyo fondo, a través de los jirones de niebla, se veían rugientes cascadas. Los negros que venían de las riberas de Maracaibo, los mulatos que fueron reclutados entre las fuerzas que Páez tenía en los llanos de Apure, los llaneros de Casanare que amaestró el general Santander, castañeteaban los dientes. Se engarrotaban a las orillas del camino, perdían resuello, y muchos caían muertos, con las carnes violáceas, o se precipitaban enloquecidos hacia los abismos sin fondo. Bolívar le decía a José Dolores, que se cubría las espaldas con un chinchorro:

—Toca alguna cosa, un joropo, para calentarles el alma a estos pobres desgraciados.

Cuando caía la tarde y era necesario acampar al abrigo de los robledales que se mecían sobre el abismo, se encendían grandes fogatas con hojas de frailejón, y José Dolores tocaba la corneta para convocar a los soldados. Sus labios, rajados por el frío, apenas podían sacar un sonido ronco y destemplado.

Había que seguir subiendo. La montaña no se acababa nunca, y no bien se había transpuesto una altura cuando más lejos se levantaba otra todavía mayor. Algunas mujeres, muertas de frío, quedaban tiradas entre las rocas, y algún recién nacido, agitaba las manos en los estertores de la agonía. Bolívar se mordía los labios.

—¿Tienes frío? —le preguntaba a José Dolores—. Toca un joropo para calentarnos...

En Paya la vanguardia del ejército tropezó con una fuerza de avanzada del general Barreiro. La escaramuza fue corta y los españoles se desmandaron monte abajo, pues ya se columbraban a lo lejos los verdes valles, las mesetas fértiles y templadas de Boyacá. A medida que descendían de Pisba, los hombres se reanimaban con el aire más tibio. Una onda de alborozo les llenaba el pecho y les calentaba la sangre. Ya no era necesario que el general Bolívar pidiera a José Dolores que tocara su flauta para reanimar a los llaneros, pues ahora tocaba solo.

Al llegar a las orillas del Chicamocha, en la peña de Tópaga y en los molinos de ese nombre, se trabó una encarnizada batalla con las fuerzas del general Barreiro que a todo trance querían impedir que Bolívar se apoderase de Tunja. José Dolores tuvo en aquella acción su primera visión de una batalla. La guerra le parecía un bello juego, y sobre el lomo del caballo, tocando su corneta, se creía amo del mundo.

Cuando el ejército pasó el río y se encaminó al valle de Cerinza, los pueblecitos boyacenses que se agarran a las laderas de la montaña o duermen en los valles, a la orilla de ríos claros y silenciosos, recibían en triunfo a los libertadores. Las gentes les llevaban maíz, pan, mantas y vituallas, y muchos se alistaban en el ejército. Siguió éste, sin detenerse, el camino que atraviesa el valle de Santa Rosa y no paró hasta dar en los Corrales de Bonza. Como en una feria constante, de todas las aldeas boyacenses llegaban voluntarios para el ejército, con recuas de mulas y caballos. El general Barreiro, desconcertado con la maniobra del Libertador, que lo amenazaba por la espalda, hizo un rápido movimiento con su ejército para interponerse en el camino de Tunja. Dominó con sus fuerzas los barrancos de Paipa. Bolívar se internó entonces hacia el oriente, en busca de una salida a través del estrecho valle por donde corre el río Vargas, formando tremedales y pantanos cuando se desborda en el invierno. Es un valle largo y estrecho, encajonado entre lomas calvas y rojizas. Barreiro avanzó con su ejército, y se situó en los cerros que dominan el pantano, en momentos en que el ejército libertador venía por el camino llamado del Salitre de Paipa, en aquel 25 de julio de 1819. Cuando Bolívar entró en el valle, Barreiro se abalanzó sobre su ejército que había caído allí como en una trampa. Estaba entre las colinas dominadas por los españoles y el Pantano de Vargas...

El ejército llevaba luchando varias horas y parecía perdido. Los españoles pasaban de tres mil y los patriotas eran dos mil apenas. El armamento de los primeros era nuevo y brillante: tenían fusiles de chispa de trescientos metros de alcance y cañones que disparaban bolas de plomo de cuatro kilos. Los patriotas sólo contaban con armas oxidadas y lanzas herrumbrosas. Tan grave era la situación, embotellados en aquella garganta, que en un momento dado Bolívar, que dirigía la acción desde un barranco, al ver que su ejército cedía terreno y estaba a punto de naufragar en el pantano, le gritó al coronel Rondón que se hallaba a su lado:

—¡Coronel, salve usted la patria!

El coronel Rondón, a todo galope, seguido de José Dolores que tocaba incansablemente su corneta para invitar a los llaneros al combate, desencadenó una carga suicida. Se abrió paso hasta las líneas de fuego, bordeó el pantano y rechazó a la caballería enemiga que lo esperaba detrás de las colinas. Sin dar respiro a sus caballos, los llaneros se revolvieron furiosamente contra sus enemigos y los arrojaron al pantano. La infantería patriota entró entonces en batalla y barrió con el resto de los españoles, que huyeron por los barrancos, en busca del camino de Paipa. La Nueva Granada estaba libre, en las mesetas frías del antiguo Virreinato se acababa de librar la batalla decisiva de América, de la cual la de Boyacá, dos semanas después, no sería sino el remate glorioso.

Herido por un balazo en el momento mismo en que soplaba su corneta, José Dolores cayó del caballo, y con medio cuerpo hundido en el pantano veía llegar las sombras de la muerte. El sol ya estaba abajo. A su lado se hallaba, con un brazo destrozado por la metralla, el coronel Rook, jefe de la Legión Británica. El coronel Rondón, jefe del escuadrón llanero, galopaba hacia el campamento de Bolívar, herido en un tobillo. José Dolores sabía ya, con la lucidez de los agonizantes, que era hombre muerto. Las fuerzas se le agotaban rápidamente, se le escapaban a borbotones con la sangre, que formaba una mancha negruzca sobre su pecho. Ya no sentía las piernas y los ojos se le nublaban. Haciendo un esfuerzo sobrehumano, logró extraer de su bolsillo su flauta de caña. La corneta estaba demasiado lejos y brillaba al ser herida por un último rayo de sol que barrió las orillas del pantano y comenzó a trepar por las peladas lomas del oriente. Los ruidos de la batalla se alejaban. Sólo de tarde en tarde se escuchaban algunos disparos, y los lamentos de los heridos y de los moribundos eran un murmullo que se llevaba el viento. Cuando llegaron dos soldados del servicio de socorro, para llevarlo en una barbacoa al campamento de la retaguardia, José Dolores trataba de tocar en su flauta aquel joropo que en la tremenda expedición de Pisba había servido para reanimar a los llaneros moribundos y para distraer a Bolívar. Les pidió que al morir le arrancaran el aro de oro que tenía en una oreja, y que su padre le había regalado el día en que domó su primer potro. Les rogó que algún día cuando se ganara la guerra, se lo llevaran a su abuela, que vivía en el rancho de "La Dolores", en Casanare, a la orilla del caño grande. Y agregó con una voz que apenas se le entendía:

—Díganle a la vieja que no importa que yo haya muerto, puesto que derrotamos a los chapetones que mataron a mi padre. Y al general Bolívar, díganle que José Dolores le dejó saludes.

El caballo y su sombra

En la llanura inmensidad de mar quieto, camino hacia la selva adentro, juega Caballo Negro con Sombra Gris. Trota Caballo Negro y simula que huye de Sombra Gris y se esconde bajo la sombra de un frondoso árbol. Sombra Gris que conoce las jugarretas de Caballo Negro se vuelve también la sombra de un árbol.

Caballo Negro se descubre y hace cabriola y Sombra Gris se descubre y brinca, crece por la cola de Caballo Negro y se desliza por la grupa, se abraza al cuello del brioso animal, respira hondo y se adelgaza para asemejarse a un delgado caballo negro.

Cansada, Sombra Gris después del largo juego decide encoger el cuerpo, amarra patas y manos, ya no en son de juego sino para buscar acomodo dentro del costillaje del juguetón animal. Quería descansar un poco de tanto ajetreo. Cuando Caballo Negro no encontró a Sombra Gris, imaginó uno de sus habituales juegos: por ejemplo escapar en silencio, introducirse en el árbol hueco y luego salir de sorpresa, agarrarlo de las patas y hacerlo caer.

Pero Sombra Gris no daba señales de vida, quería dormir un poco. Caballo Negro hace alarde de sus agilidades para llamar la atención de su amiga de tantos juegos. Sombra Gris estaba acurrucada como un pequeño caballo entre sus costillajes y no alcanzaba a escucharlo. Caballo Negro comienza a preocuparse cuando ha perdido el reflejo de sus patas sobre la hierba.

Jamás pensó que podría suceder que un día Sombra Gris, se cansara de sus juegos. Caballo Negro pensaba que Sombra Gris debía correr, dormir, soñar igual que él. Era su sombra, él su dueño.

Caballo Negro corretea por la llanura con la intención de hacer salir a Sombra Gris de su escondite, como un potrillo consentido quería volver a los juegos iniciales. Se detiene, relincha casi que lamentándose. Profunda, Sombra Gris dormía en cama de sus costillajes. Nadie escuchaba a Caballo Negro, nadie lo comprendía en la soledad de aquel llano de mar quieto.

Entonces decidió galopar en una carrera que no tuviera límites, correría hasta el horizonte para localizar al señor Sol y preguntarle por Sombra Gris. El señor Sol, dueño absoluto de las sombras que pueblan la tierra, podía darle una respuesta a su angustiosa inquietud. No podía creer que hubiera perdido por una inexplicable casualidad a Sombra Gris. Un caballo negro sin sombra era un río abandonado definitivamente por sus aguas.

Corrió incansable, en el aire se confundían cascos delanteros y traseros. La crin de Caballo Negro se asemejaba a la fugaz aparición de un meteoro en el azul espacio.

Lenta viajaba por una de las rutas del cielo una solitaria nube de color naranja. Sobre la nube, Mariposa Ojos de Gato dormía feliz, placentera, soñaba que veía estampados en sus alas los ojos luminosos de las estrellas.

Por simple descuido, al equivocar la dirección, Nube Naranja se hace lluvia al chocar de frente contra un viento traicionero. Cae Mariposa Ojos de Gato de su cama blanda, cae como hoja seca balanceándose y sus ojos alados ven asombrados cómo cae sobre el lomo de un enorme caballo negro que desesperado corre por la planicie.

Mariposa Ojos de Gato tiene sueño pesado y fue un despertar violento porque no estaba acostumbrada a ese tipo de tropel en su corta existencia. Alelada, soñolienta como si todavía estuviera en las alturas, le pregunta al veloz animal:

—¿Señora Nube Naranja, pasó la tempestad, se alejaron los truenos?

Caballo Negro detiene un poco la marcha ante esa voz desconocida que le habla desde su propio lomo.

—Yo no soy una nube naranja. ¡Soy Caballo Negro!

Un soplo de viento ligero levanta con la mano a Mariposa Ojos de Gato y la traslada del lomo a una de las orejas de Caballo Negro. Ya despierta, Mariposa Ojos de Gato se da cuenta de que la piel de un caballo negro es tan fina como la piel de Nube Naranja, y así, por el roce se entera de que no viaja sobre Nube Naranja sino sobre un enorme y veloz animal. Ella había vivido siempre en las nubes y por desgracia nunca había conocido a un hermoso caballo negro. Sorprendida, Mariposa Ojos de Gato, tímida en su ignorancia levanta vuelo.

Caballo Negro que vive en las llanuras rodeado de colores que vuelan, con un suave relincho la apacigua en sus ánimos desconfiados:

—No quería asustarla, señora Mariposa.

Mariposa Ojos de Gato regresa y se posa sobre la testa del animal. Ya sosegada pregunta sin malicia:

—¿Señora Nube-Caballo-Negro, por qué corre tanto? Las nubes no corren, se deslizan sobre los lomos lisos de los vientos.

—No me confunda con una nube. Soy Caballo Negro y los caballos galopamos así.

Perpleja, Mariposa Ojos de Gato tintinea con sus antenas y los cientos de ojos estampados en sus alas se abren desconcertados:

—Cuando Nube Naranja corre, corre porque huye de los vientos del invierno. Cuando huye desaparece, luego recoge sus vapores dispersos y vuelve a ser Nube Naranja. ¿Usted, señor Caballo-Negro-Nube, cuando corre no desaparece?

—No desaparezco porque no soy Nube Naranja. Y corro por el afán de encontrar al señor Sol, para preguntarle por Sombra Gris.

Impaciente, nervioso Caballo Negro trotaba en círculos.

—¿Su sombra? ¿Qué es una sombra, señor Caballo-Nube?

Furioso, Caballo Negro daba coces contra la hierba alta, por tanta ignorancia de su visitante.

—No me explico por qué me detengo para hablar con usted, señora Mariposa. Entiéndame, por favor, tengo mucha prisa. No conoce a Caballo Negro, no conoce la sombra de un caballo. Usted vive y duerme sobre Nube Naranja. Entonces, ¿qué diablos conoce usted, señora Mariposa?

—No tendría usted, señor Caballo-Nube, los días suficientes para escuchar todo lo que podría contarle de lo que sé. Conozco de memoria la naturaleza de los vientos. Si son livianos, extiendo mis alas y me dejo llevar por su vuelo; si andan en pandilla, paso por un lado de ellos sin que se den cuenta de mi presencia. Además conozco sobre la vida de las lluvias. Aprecio las lluvias de buen genio, así como distingo las lluvias de malas pulgas. Cuando brillan por la luz que truena, sé de inmediato que son lluvias guerreras que utilizan el fuego para asustar al mundo. Le presento disculpas por mi ignorancia. Señor Caballo-Nube, nunca en mi vida he conocido la sombra de un caballo negro.

Mi sombra es mi otro caballo negro y ella tiene por nombre Sombra Gris. Para fortuna de mi vida corre junto a mi cuerpo. Siempre anda pegada a la tierra y nunca se desprende de mis patas.

Mariposa Ojos de Gato junta las alas para mirarse a sí misma por los ojos alados y pensar por un instante en la explicación que le había dado Caballo Negro. Lo cierto es que no había entendido nada. Curiosa, Mariposa Ojos de Gato tintinea las antenas:

—¿Por qué la carrera para preguntarle al señor Sol por su sombra?

Caballo Negro evade la respuesta y continúa su acompasado ritmo en un trotecito elegante. Comenzaba a sentirse bien en compañía de esa extraña mariposa caída del cielo. Sin la prisa que lo agobiara, como deletreando sentimientos, le habla a Mariposa Ojos de Gato:

—Si quiere conocer la sombra de un caballo negro, préndase de mi crin, deje el temor y vamos. El viaje será para toda la noche.

—Imposible que yo me vaya de pronto con usted, señor Caballo-Nube. Y menos en la noche cuando acostumbro dormir sola sobre mi nube. Además, usted es un... —no dijo lo que pensaba. Pero por un pálpito se dispuso a cumplir los pensamientos que le había soplado el aleteo de sus alas:

—Vamos señor Caballo-Nube, usted tiene mucha prisa.

En las noches de cielo tranquilo, cuando las estrellas están a punto de caerse, a los vientos de la llanura les encanta agarrarse de los brazos para hacer un poderoso semicírculo, con el fin de detener la entrada de cualquier intruso en sus dominios.

A tiempo, Caballo Negro descubrió la peligrosa trampa tendida por los vientos: Mariposa Ojos de Gato le había dado el afortunado aviso. No dobló las rodillas como siempre lo hacía en el aire, lanzó las patas rectas como feroz arma y los cascos rompieron las piernas de los vientos.

Éstos dieron alaridos lastimosos que estremecieron de pavor al profundo hueco de la noche.

Mariposa Ojos de Gato duerme sobre la crin larga y sedosa de Caballo Negro. En sus sueños añora la blancura transparente de Nube Naranja. El cielo se agita por la llamarada que se levanta, al expandir el señor Sol su rojiza presencia sobre la mitad de la redondez de la tierra, empotrada como un enorme huevo en el ombligo del mundo. Con un relincho, Caballo Negro despierta a Mariposa Ojos de Gato y ella deslumbrada piensa que nunca había visto al señor Sol de madrugada, a pesar de vivir en las nubes. Siempre lo había imaginado por sus ojos alados como una gran nube redonda que jugaba todos los días a la candela.

—¿Llegamos, señor Caballo-Nube? —Mariposa Ojos de Gato bosteza, limpiándose las antenas con aire húmedo.

—El señor Sol está saliendo de su escondite, señora Mariposa.

Los grandes y hermosos ojos del señor Sol dejan la hondura de la noche y despiertan el día con la mirada de imponencia de quien alumbra el mundo y lo acaricia entre sus manos. Al frenar violentamente, los cascos delanteros de Caballo Negro se hunden en la tierra y levantan manojos de hierba; vuela Mariposa Ojos de Gato de la crin hasta la testa de su amigo.

Caballo Negro, angustiado saca fuerzas y habla con un relincho de súplica:

—Señor Sol, detenga su luz, por favor.

El señor Sol no escucha una insignificante voz cuando comienza a irradiar su poderosa luz.

—Le pido que me escuche, señor Sol, sólo unos segundos.

El astro Sol ya le estaba quitando capas de oscuridad a la redondez de la tierra, con los soplos de luz lanzadas por su enorme bocaza. Caballo Negro deja caer sobre la hierba una larga lágrima de rocío. El señor Sol también se conmueve ante los sufrimientos que afectan a las criaturas que habitan el mundo. Aplaca momentáneamente los rayos de luz, aunque sabe de antemano que la decisión afectará su corazón que tiene la forma de un enorme reloj.

—¿Quién me habla a estas horas de trabajo?

—Señor Sol, soy Caballo Negro, que por desgracia ha perdido su sombra.

—¿Qué puede hacer el señor Sol por la sombra de un caballo negro, que nunca ha visto en presencia física?

Viejo truco del señor Sol, quería hacerse de rogar. A él también le hubiera gustado muchas tardes jugar con su sombra. Pero lo sabía por experiencia que no existía en el mundo una sombra que pudiera jugar con él.

Era la paradoja de su vida, que siendo el creador de todas las sombras, no podía tener a pesar de su fantástico poderío la compañía de una sombra.

Lo intentó tantas veces y tantas veces las sombras se derritieron en segundos y sólo quedó de ellas polvillo de carbón. Cuando le sucedió por última vez, amargado, guardó en un viejo cofre el polvillo de carbón, con la íntima esperanza de rehacer un día su sombra desaparecida.

—Pues, señor Sol, con el respeto que me merece, ¿podría usted decirme, por qué Sombra Gris huyó de mi cuerpo?

—¿Qué infierno puede importarme a mí, el señor Sol, que un caballo negro, tonto y despistado, haya perdido su sombra llamada Sombra Gris?

Desconsolado, Caballo Negro presentía su derrumbamiento físico. Mariposa Ojos de Gato, no salía de su asombro en sus tantos ojos estampados. El señor Sol pensó en la proximidad de un ataque de asma: la voz le hacía cosquillas en el cuello. Quería evitar que lo vieran enfermo un par de desconocidos como Caballo Negro y Mariposa Ojos de Gato.

—¿A qué horas del día, usted señor Caballo Negro, perdió o quizás olvidó a Sombra Gris en otro destino?

Caballo Negro hizo memoria, los recuerdos acudieron de inmediato vestidos de blanco: —No fue por olvido, señor Sol. Sombra Gris se fue de mi cuerpo por voluntad propia, al mediodía de ayer, señor Sol.

Creció la gran panza del señor Sol por la risa. Soltó tamaña carcajada que hizo escapar a muchos rayos de luz que tenía escondidos en los bolsillos.

Señor Caballo Negro, al mediodía especialmente en tierra caliente, las sombras buscan un momento de quietud para dormir la siesta dentro del cuerpo de su dueño. Regrese tranquilo, Sombra Gris volverá a jugar con usted.

Tranquilo, sin el peso de la culpa, Caballo Negro giró en ruedo como si alguien lo llevara de cabestro, y vio a Mariposa Ojos de Gato con las antenas puestas en dirección de la conversación. Resopló por los belfos y en confidencia le dijo al oído a su amiga:

—Se da cuenta señora Mariposa que Sombra Gris no se había escapado de mi cuerpo.

El brioso animal rompe la más hermosa carrera en saltos y cabriolas, movimientos envolventes irradiados por la luz del señor Sol.

Al corcovear, Caballo Negro sobre las patas traseras, por los golpes en la tierra, siente que, dentro de su cuerpo, Sombra Gris escucha su llamado. Cautelosa, Sombra Gris se despereza, saca la vida hasta hacerse un delgado caballo negro, sale del cuerpo de su dueño y comienza a trotar sin desprender las patas de la tierra. Después, Caballo Negro y Sombra Gris danzaron el baile del círculo, siguiendo el ritmo de la música que en susurros entona al caer la hojarasca seca de los árboles.

Mariposa Ojos de Gato, en pleno vuelo, vio que a su lado volaba una mariposa negra y la miraba en reconocimiento inicial por los ojos blancos de sus alas.

Emocionada, voló muy alto para encontrarse con Nube Naranja, que angustiada andaba buscándola por los caminos del cielo. Mariposa Ojos de Gato se posa sobre la piel vaporosa de Nube Naranja y no puede aguantar los deseos de decirle, como si se tratara de un hermoso secreto:

—¿Cuándo bajamos de nuevo a la tierra para que usted, señora Nube Naranja, conozca su sombra y también conozca la sombra de Mariposa Ojos de Gato?

El *último resucitado*

EL BARCO negrero asomó sus velas en el mar de Cartagena y Pedro Claver fue avisado inmediatamente de su presencia. El padre Claver experimentó un hondo estremecimiento como si su alma se hubiera convertido en un galeón cargado de dolor. Rápidamente preparó lo necesario para la aplicación de los sacramentos, y en una bolsa introdujo esencias y perfumes, medicamentos, una garrafa de vino, bizcochos y dátiles. Abandonó el convento acompañado por el hermano Nicolás González y por el esclavo negro Andrés Sacabuche, de Angola, que le servía de intérprete.

Al muelle llegó primero la pestilencia y luego lo hizo el velero. Pedro Claver saltó a bordo y penetró en la cala y el bajo puente atestado de hombres y mujeres. Eran los sobrevivientes de un grupo muy grande que había sido cazado en las costas de África.

Los negros y las negras observaban asombrados a aquel hombre de rostro pálido y ojos grandes y húmedos de gacela, que pronunciaba palabras extrañas y colocaba sus manos consoladoras sobre las llagas y las heridas. Andrés Sacabuche gritaba una y otra vez:

—El padre Claver es nuestro amigo. Él es nuestro amigo.

El capitán negrero y sus hombres reunieron en tierra a los cautivos. Casi todos estaban enfermos. Algunos tenían el cuerpo cubierto de úlceras y en otros, los hierros que los aprisionaban les habían cortado las carnes hasta el hueso. Una mujer muy joven acunaba en sus brazos a un recién nacido. Pedro Claver le aplicó las aguas del bautismo y exclamó:

—Os llamareis Juan.

Al oírlo, Andrés Sacabuche pensó:

—Le debería permitir que creciera para que la vida le diera un buen nombre. Uno se gana su nombre con el tiempo. Yo no me llamo Andrés que no sé lo que quiere decir. Yo soy Oauono, que significa León que Piensa.

En ese instante, uno de los prisioneros, joven y de recia contextura, emitió un gemido y cayó a tierra. El padre Claver y sus amigos corrieron a su lado. Luego de palparlo y examinarlo cuidadosamente, el hermano Nicolás dijo:

—Está muerto.

Pedro Claver, como si no lo hubiera oído, ordenó su traslado a un rancho de techo de palma que levantaba sus temblorosas e improvisadas varas a poca distancia de la playa. El capitán negrero masculló:

—Maldita suerte. Era una buena pieza. Por él habrían pagado un muy buen precio.

Pedro Claver se despojó de su capa y sobre ella fue colocado el difunto. Luego, el padre Claver lavó el aire con un frasco de perfume, limpió el cuerpo inerte con vinagre rosado y agua bendita.

Después, de rodillas, se dispuso a orar. El hermano Nicolás siguió su ejemplo y pensó:

—El padre Claver desea devolverle la vida. Lo quiere resucitar.

Pedro Claver colocó sus manos sobre el cuerpo del negro y le pidió a Dios el don de la vida.

Contempló ese rostro oscuro y fuerte y pensó en las tierras lejanas llenas de misterio en las que ese hombre había nacido. Le llegaron a la memoria los relatos del padre Alonso de Sandoval y rememoró las palabras que construían historias maravillosas y extrañas sobre Etiopía, donde existían hombres sin cabeza y con los ojos y la boca en el pecho, y se dejó llevar por los relatos que hablaban de los sciopedes que poseen un solo pie enorme y veloz que supera a los lebreles en la carrera, y los ithiophagos que vuelan como los pájaros, y el pueblo que habita en los confines del río Brisón, gentes tan altas como gigantescos árboles de la palabra, y la existencia —de la cual daba fe fray Juan de los Santos— del negro que tenía una edad de trescientos ochenta años. Ese negro conservaba la memoria de diez y nueve reyes que habían reinado en Orón. El longevo se había casado ocho veces, tenía un hijo de noventa años, no había padecido en su vida enfermedad alguna, los dientes se le habían caído tres veces y le habían vuelto a nacer. Aparentaba una edad de treinta y cinco años, sin señales de vejez, y según fray Juan, era alto de cuerpo, grueso y gentil hombre.

Pedro Claver sintió en sus manos las picaduras de los mosquitos y sonrió dulcemente mientras decía en voz baja:

—Comed bien y en paz. Vosotros también sois criaturas de Dios.

El padre Claver se irguió, esparció en el aire unos polvos aromados y no pudo ahuyentar las imágenes de los dragones africanos que crían en sus cerebros piedras preciosas. Se puso de rodillas, invocó a Dios y a la virgen, y oró con fuerza, con ternura, con humildad. Ya estaba cayendo la tarde cuando el cuerpo del finado fue sacudido por un violento temblor. Despertó pronunciando palabras que hablaban de un camino de espejos y de un salto se puso de pie.

La noticia se esparció con rapidez y muchos acudieron a comprobar el prodigio. Entre los que llegaron a percatarse del milagro estaba el capitán negrero que tomó al hombre de la mano y exclamó:

—Bendito sea Dios. Me lo llevo para venderlo esta misma noche a don Gaspar Ruiz. Él necesita esclavos jóvenes y fuertes para el laboreo de sus minas.

Pedro Claver abrazó al esclavo y le dio la bendición. El hermano Nicolás se hincó de rodillas y elevó una oración a Dios y a la Virgen. El negro Andrés Sacabuche, de Angola, se unió al rezo y sin perder de vista al resucitado que se alejaba escoltado por el capitán susurró:

—Señor Dios, mientras esta situación en la que nos encontramos los negros, no cambié, que el buen padre Claver no resucite a ningún esclavo, que no lo vuelva a hacer nunca jamás.

Turbel el viento
que se disfrazó de brisa

Había una vez un viento cansado. Tan cansado que no era capaz de levantar los pies para dar un paso. A duras penas podía arrastrarlos.

Y tenía un montón de razones para estar así. Había perdido la cuenta de los otoños que pasó, de aquí para allá, arrancando hojas de los árboles. Había participado ya en cientos de huracanes y tornados.

Cargaba un arrume de libretas repletas de cifras de tareas cumplidas: tornillos desatornillados, mástiles de buques desamarrados, campos de trigo y de flores arrasados, cometas elevadas por los niños que él, en su paso veloz, arrancó de un tirón.

A estas alturas de su vida resultaban ya incontables los marineros que por Turbel —así se llamaba este viento— tuvieron que rifar las velas de sus embarcaciones. Mejor dicho, rasgarlas con un cuchillo, antes de que Turbel las destrozara.

Vivió siempre tan atareado que ni siquiera tuvo un rato para sentirse agotado. Y era un viento viejo. Tenía un pocotón de años encima. Andaba ya por los 527 mil 320.

Sí, Turbel era un viento viejo que jamás había tenido tiempo para sentir fatiga.

Iba arrastrando los pies, con la cabeza agachada. Así nadie notaba que estaba ojeroso, sudoroso y maltrecho. Su estado era lamentable, la verdad.

En un momento, y sin saber por qué, levantó la cara —lo hizo con dificultad— y vio una nube que atrapó su mirada y lo dejó boquiabierto.

Era tan blanca, tan cálida, tan tierna, que no resistió las ganas de sentarse en ella. Y por primera vez en su larga vida, pensó que no importaba el afán, que lo único que quería era descansar. Estirarse, abrir los brazos, dar enormes bostezos; y así lo hizo.

Se desplomó panza arriba y despatarrado, como si fuera un viento comodón. Se enrollaba para un lado, se enrollaba para el otro formando un ovillo. En verdad estaba tan, pero tan a gusto sobre esa nube que no le importó que los días volaran sin querer hacer nada.

Ni siquiera le hizo caso al pí-pí-pí de su reloj que le anunciaba el comienzo del otoño en Chile y Argentina. Ni se inmutó cuando escuchó la señal enviada por los vientos del norte que necesitaban su ayuda para formar un huracán.

Resultaba tan placentero estar así, acunado en la nube, que terminó desconectando la alarma del reloj para que nada interrumpiera aquel deleite.

No recordó tampoco el s.o.s. de Trombondó. Así se llama un viento que vive en el lejano Chocó, un rincón del mundo donde el mar abraza a la selva y no para de llover.

Trombondó necesitaba auxilio en su tarea interminable de estrellar nubes contra la montaña y convertirlas en lluvia. Estaba un tris desalentado y no quería que por su debilidad Chocó perdiera su fama de ser uno de los lugares más lluviosos de la Tierra.

Pero Turbel prefirió seguir disfrutando de la quietud. Cuando no estaba dormido miraba en el cielo las estrellas juguetonas y las pequeñas nubes blancas que se acercaban y alejaban al ritmo de la brisa.

Un día un aroma desconocido lo hizo incorporarse. Se asomó a una especie de balcón que tenía su nube y miró hacia abajo, hacia la Tierra, pues desde allá subía la peculiar fragancia.

¡Quedó maravillado! No podía creer lo que estaba viendo. Se enderezó, se restregó los ojos y cuando recobró la calma se dedicó a observar.

La Tierra era una alfombra de mil verdes distintos, salpicada de rojos, lilas, morados, amarillos, blancos y rosas. "Debe ser eso que llaman Primavera. ¿Será?", alcanzó a dudar Turbel mientras se rascaba la cabeza con uno de sus largos dedos.

Se arrodilló y acercó su morral de cachivaches, una verdadera caja de herramientas que siempre cargaba.

Allí llevaba muchas cosas: un par de pesas para hacer ejercicios, con los que templaba los músculos del pecho y ganaba fuerza para soplar; pastillas para la garganta, pues a veces se le secaba de tanto aullar; hojas de eucaliptus y menta para preparar infusiones y hacer gárgaras; una brújula para no equivocarse jamás en su manera de girar, y miles de secretos más que Turbel guardaba con celo.

Pues bien, del fondo del morral de cachivaches, sacó unos pequeños binóculos y se dedicó a fisgonear la Tierra. Vio los árboles colmados de flores de todos los colores. Algunos tenían tantas y tan grandes que sus ramas encorvadas tocaban el suelo.

¡Vio también tal cantidad de pájaros revoloteando...! Parecía que venían de un largo viaje. Todos llevaban al hombro un pequeño atadito, con sus pertenencias más queridas.

Turbel los espió unos minutos. En los árboles, descargaban su equipaje y se dedicaban a fabricar sus nidos.

Ya no le cabía la menor duda: lo que estaba viendo era eso que llaman Primavera. Nunca le había sobrado un rato para conocerla pues siempre viajó sin parar de aquí para allá, de norte a sur, de oriente a occidente para cumplir con puntualidad su apretada agenda.

Siguió examinando la Tierra. Estaba realmente embobado. De repente vio algo que no le resultó del todo extraño: un árbol adornado con mil pinceladas lilas. Y se iluminó un recuerdo que tenía refundido en el fondo de su mollera gris: el de su abuela Brisilda.

Cuando Turbel era un viento bebé ella le soplaba cuentos e historias fantásticas. La abuela fue una gran contadora de cuentos; de los lugares más remotos recibía invitaciones para arrullar con sus relatos a los vientos recién nacidos.

Ella atendía con cariño cada llamado. Preparaba su equipaje: un costal pintado con lunas y estrellas, donde acomodaba los cuentos y las velas.

"Los cuentos sólo se dejan contar a la luz de una vela", decía Brisilda, y tenía una vela especial para cada uno de sus relatos.

"Vela y cuento deben ser de igual tamaño para que se apaguen al mismo tiempo y se refundan juntas en el sueño", pensaba.

Brisilda cargaba entonces velas cortas para los cuentos cortos, velas más largas para las historias más largas.

Cuando estaba lista se amarraba un pañuelo a la cabeza. Le gustaba que durante el viaje, las brisas jugaran con su cabello y le despejaran la cara. Una cara tan dulce que parecía hecha de algodón de azúcar.

Pues bien, la abuela Brisilda le habló con frecuencia a su nieto Turbel de los cerezos en flor. Así los describía: "Un árbol que en primavera se llena de pinceladas lilas y moradas, suspendidas en el aire, como sostenidas de la nada…". Estas pinceladas lograban embrujar a Brisilda.

"Sí, claro", pensó Turbel, mientras buscaba un acomodo que le permitiera curiosear mejor: "Esos son los cerezos en flor".

Los miró y los miró largo rato. Eran tan frágiles, ¡tan hermosos! Le pasó igual que a la abuela: quedó embelesado. Tuvo que enredarse en la baranda del balcón para no caer al vacío. ¡Estaba tan conmovido!

Y por primera vez en sus 527 mil 320 años le dieron ganas de no ser un viento rápido destrozón. Abrió de nuevo los ojos –los había cerrado de la emoción– y volvió a mirar hacia la Tierra. Este viento en verdad estaba hipnotizado.

Y descubrió a una niña de trenzas negras y vestido de flores lilas, rojas y verdes. Se entretenía tratando de adivinar su cara reflejada en un charco de agua lluvia.

Hasta los oídos de Turbel llegó el rumor de una canción que entonaba la niña. Formó una especie de caracol con las manos para escuchar mejor. Esto cantaba ella:

> *Llora el viento*
> *en el canto*
> *de una nube*
> *sentado*
> *y sus lágrimas*
> *llueven*
> *sobre mi mejilla*
> *rodando*

Turbel sintió deseos de ser brisa para hacerle cosquillas en el cuello. Pero claro, como era un viento veloz no podía hacerlo. Y tuvo una idea: disfrazarse de brisa. ¿Por qué no?

"¿Pero cómo?", se preguntó. Y quedó pensativo.

Tropezó con un problema: no estaba acostumbrado a fabricar pensamientos nuevos. Al fin y al cabo no los había necesitado en una vida en la que jamás se planteó un cambio de rumbo, un desliz.

Fue tanto el esfuerzo que la cabeza le empezó a dar vueltas; le dolía. Al fin se le ocurrió una idea: taponarse la boca con una mota de nube blanca; así no soplaría tan fuerte. Le pidió a la nube que le regalara una mota para realizar su plan.

"¡Como no!", respondió de inmediato la nube. Ella misma se encargó de elegir la más adecuada. La desprendió con cuidado y la entregó a su amigo.

Turbel la acomodó en el bolsillo de su chaqueta: Una chaqueta especial que usan los vientos para aguantar el frío que sienten cuando corretean por el cielo. Así la tendría a mano en el momento de actuar.

Organizó su equipaje, el morral de cachivaches y cuando estuvo listo le zampó un besote a la nube y partió en dirección a la Tierra.

Había avanzado unos pocos pasos cuando, de repente, pensó que sería mejor hacer una prueba: "No vaya a resultar todo un desastre", se dijo. Frenó en seco provocando tamaño alboroto pues el cielo estaba anubarrado.

Colocó la mota de nube en su boca –la sintió como dulce algodón– y sopló. Pero sopló igual a como lo había hecho durante su ya larga vida. La mota de nube blanca salió despedida, muy lejos, hecha pedazos.

"No soy brisa", se dijo Turbel desconsolado. Pero no se dio por vencido. Regresó a la nube –la quería ya como a una cómplice de travesuras–, y se sentó.

Y de nuevo le llegó el rumor de la canción que repetía y repetía la niña de las trenzas negras:

> *Llora el viento*
> *en el canto*
> *de una nube*
> *sentado*
> *y sus lágrimas*
> *llueven*
> *sobre mi mejilla*
> *rodando*

Dos inmensos lagrimones rodaron por las mejillas de este viento que tampoco había tenido nunca tiempo para llorar. Las secó con sus manazas. Frunció el ceño y así, cejijunto, se puso a pensar. Tenía que encontrar la manera de convertirse en brisa.

La nube decidió ayudar a su amigo a encontrar una solución. "¡Ya sé!", gritó cuando se le ocurrió una idea: "Te amarras las piernas; así no podrás correr!".

Las piernas de los vientos son como dos largos velos. Amarrarlas resultó una tarea un poco complicada. Para lograrlo Turbel se elevó y se quedó quieto suspendido en el aire con las piernas flotando. La nube se colgó de la punta de una de ellas, se columpió hasta alcanzar la otra pierna y armó un nudo.

Cuando Turbel intentó caminar no pudo, se enredó, tropezó y ¡plof!, se fue de narices. La nube lo mimó un rato pues quedó un tanto magullado. Luego, de nuevo, los dos amigos, cejijuntos, se pusieron a pensar.

Fue entonces cuando Turbel recordó que un día, casi 300 años atrás, su abuela Brisilda le había regalado *El libro de las sorpresas: enciclopedia de palabras fantásticas*. Era justo el momento de usarlo.

Rebuscó en su morral de cachivaches. Estaba seguro de haberlo dejado en algún rincón. Sí; aún existía. Aunque era realmente añoso —sus páginas estaban amarillentas y sus letras borrosas— todavía se podía leer. Buscó la palabra clave: "brisa" y encontró: airecillo, aire lento.

Se tomó la cabeza con las dos manos y repitió en voz alta: airecillo, aire lento.

Resultó ser más sencillo de lo que imaginaba. Si quería ser brisa no tenía que amarrarse las piernas, ni taponarse la boca con una mota de nube blanca; simplemente debía tomar la decisión de cambiar la velocidad al andar. Olvidarse de su velocidad de ráfaga, y aventurarse en el mundo con un nuevo paso.

Se enderezó, echó a la espalda su morral de cachivaches, con un sonoro beso dio gracias a la nube y partió.

Pronto descubrió el secreto: saborear cada paso. Uno, dos; uno, dos... fue avanzando lentamente. Y fue tanto lo que alcanzó a sentir con los pies que lo invadió el placer de liberarse del afán que lo acompañó durante 527 mil 320 años...

¡Con la pisada recién estrenada Turbel sentía, una a una, las nubes que navegaban, a su lado, por el cielo!

Las pudo hasta contar con los largos dedos de sus manos: una, dos, tres, cuatro...

Incluso se permitió fantasear: imaginó que una nube tenía forma de pájaro, que aquella de más allá era igualita a una cometa. Y cerró los ojos del susto pues vio a una que parecía un fantasma.

Llegó a la Tierra. Justo al sitio donde estaba el cerezo en flor y la niña que se había arrimado a su sombra.

Sopló suave, como lo hacen las brisas. Apenas dos o tres pinceladas lilas suspendidas en el aire, se desprendieron de la nada y cayeron sobre la mejilla de la niña.

Ella sintió una delicada cosquilla sobre su piel; abrió por un instante sus ojos y sonrió.

"!Caray!", dijo Turbel sorprendido. Se sentía mareado de tanta felicidad. Y no pudo resistir las ganas de ponerse a dar volteretas hasta que se convirtió en una brisa bailarina. Levantaba hojas aquí, flores allá, formando pequeños remolinos. La niña se paró, y en medio de sonoras carcajadas empezó a corretear tras ellos tratando de atraparlos.

Pasaron horas y horas y Turbel y la niña no paraban de jugar y de bailar. A ninguno de los dos les importaba que el tiempo pasara...

Cerdos en el viento

DE REPENTE el cielo fue asaltado por bellos, rosados y angelicales cerdos que sonreían de oreja a oreja. Hechizado por el espectáculo multicolor de sus alas, un niño los confundió con mariposas gordas y quiso saltar para atraparlas. El periódico los consideró una flor de escándalo que revienta un día gris en una ciudad gris. Una vieja de pañoleta y bigotes se persignó y corrió a la iglesia a prepararse para el fin de los tiempos. Tropecé y se me regaron los panes del desayuno frente al almacén de bicicletas.

En tres palabras: el mundo cambió. Nunca antes fue tan fácil ni tan barato recobrar la alegría. Uno miraba al cielo y le daban unas ganas locas de reír. Por ese entonces había peleado con mi mujer y vivía solo, sin afanes, sin rabias. Exprimí cinco naranjas mientras recordaba unos versos de Neruda, bebí el jugo con huevos de codorniz en la ventana, y por fin me decidí a escribir la novela tantas veces postergada.

Era estúpido, era inconcebible un cielo lleno de mariposas gordas en pleno festival, pero también gracioso. Nadie se explicaba. Nadie preguntó y nadie explicó al principio. No había tiempo para complicaciones. Bastaba levantar la cara para espantar la pena. Casi volábamos.

Después del regocijo vinieron las preguntas. ¿Por qué, luego de tanto tiempo en el barro y las porquerizas, a los cerdos les daba por vivir en el aire? ¿A qué se debía semejante ataque espiritual? Los estudiosos acudieron a los empolvados libros de metafísica y no encontraron la respuesta. Los sacerdotes y las Hermanitas de la Caridad del Divino Señor invocaron al Espíritu Santo y, cuando éste no acudió, los solicitantes dieron por entendido que el Espíritu Santo ignoraba la respuesta. El presidente de la república escribió a los científicos de los Estados Unidos pero allí ni siquiera sabían que existían los cerdos voladores. Ese fenómeno no se presentaba en países tan avanzados. Se conocía una canción de Pink Floyd sobre los cerdos en el viento pero todo el mundo sabía que se trataba de la fantasía de un cuarteto de locos que deliraba con la música más deliciosa de este mundo. Los cantantes callejeros, los ciegos que van por el mundo pidiendo una moneda con una aporreada guitarra de cinco cuerdas y el hilo de su voz chillona, extasiados, alabaron las últimas maravillas del cielo. Se decía que Dios se había sobrado con la última de sus criaturas y que ahora por fin el mundo estaba terminado. Y en verdad la gente miraba como si fuese el primer día de la creación. Al principio, porque luego apareció la mano negra de la duda. Una mano peluda que acariciaba la garganta en el cuarto oscuro de los pensamientos.

¿Por qué el hombre tenía que estar cuestionándolo todo? Qué maldita manía.

La novela se atascó en la mitad del cuarto capítulo. Mi mujer vino a golpear a la puerta una noche cualquiera. Había llorado. Había reflexionado. Decidimos intentar de nuevo una vida en común. Como era viernes, salimos a parrandear y terminamos borrachos y abrazados en *La Viuda Alegre*, un bar de moda donde todo el mundo se saludaba de beso. Más de uno llamó por su nombre a mi mujer. Alguien deslizó una mano por su espalda hasta muy abajo y acepté que habíamos estado demasiado tiempo separados.

La gente ya no levantaba la cara para espantar la pena sino para hacer otra pregunta. Una pregunta más en su enredada vida. Otra arruga en la frente. El espectáculo de los cerdos voladores perdió su gracia. Cuando los cerdos realizaban sus asambleas aéreas, pues practicaban con fervor la democracia, el cielo se tapaba peor que con un manto de nubes. La gente maldecía cuando los cerdos no dejaban pasar el sol. Los niños chillaban porque en la ventana un cerdo intentaba alegrarles el rato y la mamá acudía con la escoba del espanto y luego el marido con el revólver de tumbar ladrones y entonces el cerdo se iba con su sonrisa de ángel a otra parte. Los viernes en la noche no faltaba ningún cerdo al baile de gala y era tal el alboroto que la gente perdió la paciencia. En realidad, nadie soportaba tanto cerdo vanidoso, lleno de harapos pintorescos, y retorciéndose en el aire como si se estuviera destrozando por dentro. Nadie entendía su regocijo de vivir en el viento. Mi mujer maldecía. Le dolía la cabeza todo el tiempo.

Los cerdos, que ya no regresaron al barro, se bañaban con espuma de mar y pedacitos de nube, porque un mar y una nube siempre estaban a la mano. Ya no más desperdicios sino tréboles, ostras y otras delicadezas. Se les volvió la piel de manzana y pronto fueron más hermosos que los pájaros. Los pintores se volvieron locos por pintarlos y en los museos bajaron las madonas y los ángeles para colgar los cerdos celestiales.

Los pájaros se murieron de envidia y rabia. Los cerdos ahora vivían en los árboles, en sofisticados lechos de terciopelo. Ya casi no tocaban tierra. Estaban felices.

Pero no el resto del mundo. A la gente le molestaba que no respetaran los semáforos, que no se fregaran la vida buscando un taxi o yendo a la casa en un atestado bus urbano, que no se aburrieran en las oficinas, que no hicieran cola para pagar impuestos, que no se les acabaran los zapatos. El espectáculo de los cerdos voladores, de pronto y por razones que se acumularon como moscas en llaga de pordiosero, se transformó en ofensa pública.

Con mi mujer vivía en una sola pelotera. Extrañaba los días felices del jugo de naranja y los primeros capítulos de la novela. Mi mujer quería que me dedicara de una vez por todas a vender autos usados. Quería que trabajara más, que viviéramos en un apartamento más grande y que nos fuéramos de vacaciones a Margarita. Nunca entendí su fascinación por la playa y los espacios abiertos. Siempre detesté ese amontonamiento de gente desnuda, tirada al sol, asándose como pollos. Sólo quería levantarme tarde, leer, escribir el resto de la novela. Mi mujer alegaba que a los treinta y cinco ya no servía para escribir novelas, que pensara en nuestro futuro y que si seguía tan desjuiciado volvería a vivir con su madre. Aunque no repliqué, sabía que apenas me estaba acercando a la edad de las novelas.

Después de una exhaustiva campaña de televisión y prensa, se llegó a la conclusión que hizo respirar de alivio a todo el mundo: los cerdos no podían continuar en el territorio de los aviones y las nubes. Muy bien, dijeron algunos, pero cómo evitar que siguieran allí, quién subiría a bajarlos. Se les ocurrió enlazarlos pero ningún cerdo se dejaba. Se les ocurrió sorprenderlos a piedra pero los cerdos habían adquirido cierta elegancia de trapecistas. Se les ocurrió perseguirlos a tiros pero los cerdos se pusieron fuera de alcance. Después de tantos fracasos, alguien propuso la solución: recortarles las alas. Los atraparon dormidos en los árboles y cerdo que amanecía sin alas era cerdo que no volaba más.

Fue una masacre de alas espantosa. Las cámaras de televisión se regodearon con tanta pluma ensangrentada. El cielo se despobló a una velocidad de vértigo. Sólo quedaba tal cual cerdo en el viento, como una mancha, que los mutilados veían desde tierra con un dolor en el costado. Los cerdos no recuperaron las alas y todos sus hijos nacían desalados. Se crearon cuerpos de seguridad para arrancarle las alas al recién nacido que, por accidente, cayera en tal provocación. El mundo volvió a ser lo que era.

Mi mujer regresó con su madre y yo reanudé la novela. Esta vez pude terminarla. Después de escribir la última página, me acerqué a la ventana con el jugo de naranja y supe que más allá del viento continuaban los sobrevivientes.

En un patio vecino, a la luz de la luna, una mujer canta la triste canción de los cerdos que extendieron sus alas de escándalo sobre el duro rostro de las ciudades. Nadie entendió. "¿Quién puede soportar tanto amor?", canta una y otra vez la mujer en el patio. Los cerdos escribieron sus penas con hilos de seda en la misma dureza del aire. La voz sube al cielo y se quiebra en pedacitos de luz. Agonizaron en silencio, escondieron la cara entre las orejas y desaparecieron. Se fueron a los desiertos y los páramos a contemplar la soledad, más allá del aire de las ciudades. La canción asegura que volverán cuando los tiempos sean menos duros.

Entre tanto, en la espera, a veces un cerdo, untado de barro y desdicha, levanta los ojos al cielo y deja caer una lágrima.

1990

Rabdomán el mago

Érase que se era una comarca donde escaseaba el pan. Una fuerte sequía, que siguió a un período de tormentosas lluvias, desastrosas inundaciones y desbordamiento de los ríos, acabó con las cosechas y dehesas, y el hambre creció como la hiedra, al igual que el descontento de los súbditos con el rey, un tirano que aumentaba sus arcas mediante severos impuestos, cobrados sin compasión por sus feroces recaudadores.

Rabdomán el mago vivía en una colina, apartado de la ciudad amurallada, que apenas si podía vislumbrar en la distancia. Estaba dedicado a leer y traducir los viejos manuscritos que heredó de su tatarabuelo, relacionados con el conocimiento de la naturaleza humana y los secretos de la antigua logia de los magos. Una huerta junto a un riachuelo, unas cuantas vacas y gallinas le daban todo lo que necesitaba para el sustento, ya que estaba retirado de su profesión.

Cierto día, cuando la hambruna se había apoderado de todos —se entiende que de todos, menos del rey—, y en vista de que la situación no mejoraba en absoluto, una procesión de vecinos se dirigió a la lejana colina donde Rabdomán tenía su modesta vivienda. La encabezaron el regidor y los ujieres del rey, pues éste se negó a participar en ella. Seguían las damas de la corte, montadas en escuálidos caballos enjaezados con los arreos más lujosos, así como los caballeros, halconeros, arqueros y pajes. También iban los distintos oficiales de los gremios, preocupados por la decadencia de sus artes y oficios. La princesa, hija única del soberano, no tomó parte en el desfile por orden de su padre, pero lo vio perderse en el horizonte desde la atalaya más alta del castillo.

Al llegar al pie de la colina, los heraldos anunciaron la presencia de la comitiva con sus tambores y clarines. Asustado por lo que parecía la hora del juicio final, Rabdomán guardó el manuscrito que examinaba y asomó su escuálida figura primero por la ventana y luego por la puerta. Un tapete rojo condujo al emisario mayor ante el mago, quien escuchó los ruegos de que salvara la comarca de la hambruna. Guardó silencio porque era de pocas palabras y la ocasión no requería de discursos sino de acciones. Lo pensó unos momentos y pidió permiso a la concurrencia, luego de anunciarles que accedería a sus peticiones. Entró a la casa, y aunque permaneció allí más de tres horas, a la multitud le pareció que había tardado apenas un abrir y cerrar de ojos, porque Rabdomán, aunque era algo ya viejo, era un mago para aquello del paso del tiempo.

Pidió que formaran una fila india, trajo su única silla, se sentó y le entregó a cada uno, sin la menor mezquindad, una varita mágica, creada por arte de magia en el sótano de su casa. Al mismo tiempo, les dio a todos y cada uno, y en privado, las palabras secretas para obrar prodigios. Todos, sin excepción, quedaron estupefactos ante la generosidad del mago, quien tenía fama de ser huraño y alejado de las cosas del mundo corriente.

Cantaron con regocijo tonadas de agradecimiento y formularon votos para que el mago tuviera larga vida y bienestar. La mayoría quiso seguir festejando, pero el regidor los instó a regresar al reino a darle la buena nueva al soberano. Ya nada les faltaría jamás, y los buenos augurios acompañaron a la caravana en su regreso, que se hizo más rápido de lo previsto.

Pronto todos dieron rienda suelta a sus deseos, contenidos hasta entonces por las penurias, el hambre y la pobreza. El panadero, en lugar de encender el fuego para asar el pan, lo golpeó con la varita, pronunció en voz baja las palabras mágicas, formuló su deseo y en cosa de segundos vio que el viejo horno era reemplazado por una resplandeciente montaña de oro de los más altos quilates. Cansado de su oficio, el herrero maldijo el hierro al rojo vivo en la fragua, empleando las palabras secretas, y al tocarlo con la varita mágica, quedó convertido en un caldo puro de rubíes resplandecientes. El sastre, conocido por su mala memoria, antes de dormirse por última vez con hambre, entró a su taller, pronunció con ciertos errores las palabras que le confiara el mago y agitó la varita, y al instante, el vestido nuevo que confeccionaba para la boda de la princesa, se convirtió, ante su profundo desencanto, en un pesadísimo traje de plomo, incluyendo los encajes y el cuello de visón.

Y al igual que en la antigua historia del rey Midas, que nadie, ni en esta ni en otras comarcas había escuchado con atención, los habitantes del reino derrocharon las palabras secretas y desgastaron las varitas mágicas para llenarse de joyas, piedras preciosas y metales valiosísimos.

Y el hambre no se acabó, y el reino poco a poco desapareció, sumido entre extensos cultivos de espigas de oro, caballos encabritados de plata, vacas de platino, gallinas de ámbar, cerdos con ojos de amatista, gansos con hígado de topacio y ojos de lapislázuli, patos de zafiro que nadaban en lagos congelados de aguamarinas, liebres opalinas con mirada de circonio escondidas en cuevas de mármol, olivos con aceitunas de esmeralda, plantas de tomate vueltas turmalina con cristalizaciones prismáticas que alegraban al mismísimo sol, viñedos con racimos de granate brillante, repollos de hojas de berilo, y sembrados iridiscentes todavía sin cosechar, porque alguien había convertido la cebada en perlas de considerable tamaño.

Como consecuencia de su excesivo acto de generosidad, y según estaba escrito en los preceptos de su profesión, Rabdomán el mago perdió sus poderes. Pero feliz por el precio que había pagado, y ya sin padecer a un amo que lo sometiera a sus caprichos y sin las molestias que le causaban las constantes peticiones de los lugareños, cultivó su huerta de guisantes y lechugas, espigó tres veces al año un pequeño sembrado de centeno con el que hizo pan, cuidó sus vacas y gallinas y vivió tranquilo y bien alimentado mucho más de cien años, dedicado a traducir los viejos mamotretos, según cuenta la tradición.

Frida

D<small>E REGRESO</small> al estudio. Otra vez, primer día de colegio. Faltan tres meses, veinte días y cinco horas para las próximas vacaciones. El profesor no preparó clase. Parece que el nuevo curso lo toma de sorpresa. Para salir del paso, ordena con una voz aprendida de memoria:

—Saquen el cuaderno y escriban con esfero azul y buena letra, una composición sobre las vacaciones. Mínimo una hoja por lado y lado, sin saltar renglón. Ojo con la ortografía y la puntuación. Tienen cuarenta y cinco minutos. ¿Hay preguntas?

Nadie tiene preguntas. Ni respuestas. Sólo una mano que no obedece órdenes porque viene de vacaciones. Y un cuaderno rayado de cien páginas, que hoy se estrena con el viejo tema de todos los años: "¿Qué hice en mis vacaciones?".

"En mis vacaciones conocí a una sueca. Se llama Frida y vino desde muy lejos a visitar a sus abuelos colombianos. Tiene el pelo más largo, más liso y más blanco que he conocido. Las cejas y las pestañas también son blancas. Los ojos son de color cielo y, cuando se ríe, se le arruga la nariz. Es un poco más alta que yo, y eso que es un año menor. Es lindísima.

Para venir desde Estocolmo, capital de Suecia, hasta Cartagena, ciudad de Colombia, tuvo que atravesar prácticamente la mitad del mundo. Pasó tres días cambiando de aviones y de horarios. Me contó que en un avión le sirvieron el desayuno a la hora del almuerzo y el almuerzo a la hora de la comida y que luego apagaron las luces del avión para hacer dormir a los pasajeros, porque en el cielo del país por donde volaban era de noche.

Así, de tan lejos, es ella y yo no puedo dejar de pensarla un sólo minuto. Cierro los ojos para repasar todos los momentos de estas vacaciones para volver a pasar la película de Frida por mi cabeza.

Cuando me concentro bien, puedo oír su voz y sus palabras enredando el español. Yo le enseñé a decir camarón con chipichipi, chévere, zapote y otras cosas que no puedo repetir. Ella me enseñó a besar. Fuimos al muelle y me preguntó si había besado a alguien, como en las películas. Yo le dije que sí, para no quedar como un inmaduro, pero no tenía ni idea y las piernas me temblaban y me puse del color de este papel.

Ella tomó la iniciativa. Me besó. No fue tan difícil como yo creía. Además fue tan rápido que no tuve tiempo de pensar "qué hago", como pasa en el cine, con esos besos larguísimos. Pero fue suficiente para no olvidarla nunca. Nunca jamás, así me pasen muchas cosas de ahora en adelante.

Casi no pudimos estar solos Frida y yo. Siempre estaban mis primas por ahí, con sus risitas y sus secretos, molestando a "los novios". Sólo el último día, para la despedida, nos dejaron en paz. Tuvimos tiempo de comer raspados y de caminar a la orilla del mar, tomados de la mano y sin decir ni una palabra, para que la voz no nos temblara.

Un negrito pasó por la playa vendiendo anillos de carey y compramos uno para cada uno. Alcanzamos a hacer un trato: no quitarnos los anillos hasta el día en que volvamos a encontrarnos. Después aparecieron otra vez las primas y ya no se volvieron a ir. Nos tocó decirnos adiós, como si apenas fuéramos conocidos, para no ir a llorar ahí, delante de todo el mundo.

Ahora está muy lejos. En "esto es el colmo de lo lejos", ¡en Suecia! Y yo ni siquiera puedo imaginarla allá porque no conozco ni su cuarto ni su casa ni su horario. Seguro está dormida mientras yo escribo aquí, esta composición.

Para mí la vida se divide en dos: antes y después de Frida. No sé cómo pude vivir estos once años de mi vida sin ella. No sé cómo hacer para vivir de ahora en adelante.

No existe nadie mejor para mí. Paso revista, una por una, a todas las niñas de mi clase (¿las habrá besado alguien?).

Anoche me dormí llorando y debí llorar en sueños porque la almohada amaneció mojada. Esto de enamorarse es muy duro...".

Levanto la cabeza del cuaderno y me encuentro con los ojos del profesor clavado en los míos.

—A ver, Santiago. Léanos en voz alta lo que escribió tan concentrado.

Y yo empiezo a leer, con una voz automática, la misma composición de todos los años:

"En mis vacaciones no hice nada especial. No salí a ninguna parte, me quedé en la casa, ordené el cuarto, jugué fútbol, leí muchos libros, monté en bicicleta, etcétera, etcétera".

El profesor me mira con una mirada lejana, incrédula, distraída. ¿Será que él también se enamoró en estas vacaciones?

MARCO TULIO AGUILERA GARRAMUÑO (Bogotá, 1949)

Cuentista, novelista y creador de obras infantiles. Desde hace más de 20 años reside en México, donde además de ser profesor universitario se dedica al cultivo de las letras. Reconocido por su prosa aguda, crítica y reflexiva, es autor de libros de cuentos diferentes tesituras: infantiles, eróticos, existenciales, críticos. Entre su obra cuentística más reconocida está: *Cuentos para después de hacer el amor* (con más de diez ediciones), *Cuentos para antes de hacer el amor* (1995), *Juegos de la imaginación* (2000). Y entre sus novelas: *Mujeres amadas* (1988), *Los placeres perdidos* (1990), *Buenabestia (Las noches de Ventura)*, *La hermosa vida* (2001), *La maestra de violín* (2001) y *El amor y la muerte* (2002). Ha obtenido varios premios, tales como el Nacional de Libros de Cuentos San Luis Potosí, el latinoamericano de cuentos de la Revista Plural, el Premio Internacional de Novela José Eustasio Rivera y el Premio Nacional de Cuento Infantil Juan de la Cabada.

El texto que incluye esta antología hace parte del libro *Eroticón frenáptero. Antología de cuentos eróticos* (Medellín: Universidad de Antioquia, 2002).

ARTURO ALAPE (Cali, 1938)

De nombre Carlos Ruiz, este autor que ha cultivado varios géneros expresivos y a quien se reconoce como novelista, cuentista, investigador, periodista, poeta y pintor, tiene una narrativa de base testimonial que refleja su compromiso con la historia del país. Su vida itinerante entre Colombia, la Unión Soviética, Alemania, Cuba y otros países, ha nutrido su escritura y sus investigaciones. Ha obtenido reconocimientos como escritor y periodista, que le merecieron el Doctorado *Honoris Causa* de la Universidad del Valle, la Beca Nacional de Literatura de Creación del Instituto Colombiano de Cultura (1995), el Premio Nacional de Periodismo Germán Arciniegas por su libro *Ciudad Bolívar. La hoguera de las ilusiones* (1994) y el premio en dramaturgia Casa de las Américas (1976) por *Guadalupe años sin cuenta* (coautor). Cuentos suyos han sido incluidos en varias antologías del país y del exterior y traducidos a varios idiomas.

Entre sus obras más importantes se encuentran los libros de cuento: *El cadáver de los hombres invisibles* (1979), *Las muertes de Tirofijo* (1976), *Julieta, los sueños de las mariposas* (1994) y las novelas: *Noche de pájaros* (1984), *Mirando al final del alba* (1998) y *Sangre ajena* (2000). Y entre sus crónicas y testimonios: *Diario de un guerrillero* (1978), *El bogotazo, memorias del olvido* (1983), *La vida de Pedro Antonio Marín, Manuel Marulanda Vélez, Tirofijo* (1989), *Tirofijo, los sueños y las montañas 1964-1984* (1994) y *Ciudad Bolívar: la hoguera de las ilusiones* (1995). Algunos de sus cuentos han sido incluidos en antologías nacionales y extranjeras. El texto que incluye esta antología hace parte del libro *El caballo y su sombra* (Bogotá: Panamericana, 2003).

GUSTAVO ÁLVAREZ GARDEAZÁBAL (Tuluá, 1945)

Cuentista, novelista, ensayista y profesor universitario, ha sido gobernador del Valle y alcalde de Buga. De actitud contestataria y de denuncia, su obra explora la realidad regional y social y las diversas violencias del país (la política, la del narcotráfico y la del conflicto armado en Colombia), gracias a un estilo de estirpe realista y cuidadosas escrituras experimentales. Entre sus obras de ficción, algunas merecedoras de premios y reconocimientos nacionales e internacionales importantes, están: *La boba y el buda* (1972), Premio Ciudad de Salamanca de 1970, *El bazar de los idiotas* (1974, llevada a la televisión), *La tara del Papa* (1976), *El titiritero* (1977), *Cóndores no entierran todos los días* (1977, llevada al cine y Premio Manacor en España [1972]), *Dabeiba* (1978, segundo Premio Nadal en 1972), *Cuentos del Parque Boyacá* (1978, Premio Casa de las Américas), *Los míos* (1981, finalista del Segundo Premio de Novela Colombiana Plaza y Janés), *Pepe Botellas* (1984), *El divino* (1986, adaptada a la televisión), *El último gamonal* (1987), *Las cicatrices de don Antonio* (cuentos infantiles, 1997), *Prisionera de la esperanza* (2000), *Comandante Paraíso* (2002) y *Las mujeres de la muerte* (2003). En 1968 obtuvo el Premio Ramón Guhl con el cuento "Ana Joaquina Torrentes", el Premio Ciudad de Badalona con el cuento "Donaldo Arrieta" y el Premio Unión Artesanal en San Sebastián, España, con el cuento "El día que volvió León María". Sus cuentos han sido incluidos en numerosas antologías del país y del exterior. El cuento "Ana Joaquina Torrentes" está traducido al alemán y forma parte de la antología *Hören wie die Hennen krähen* (Peter Schultze-Kraft, 2003).

El texto que incluye esta antología hace parte del libro *Cuentos del Parque Boyacá* (Bogotá: Plaza y Janés, 1978).

GONZALO ARANGO (Andes, 1931-Sesquilé, 1976)

Poeta y cuentista creador del Nadaísmo. De contestatario de prosa surrealista pasó a una prosa que buscaba expresar su experiencia mística. Entre sus obras más reconocidas están los libros de relatos: *Sexo y saxofón* (1963), *La consagración de la nada* (1964), *Los ratones van al infierno* (1964) y *Prosas para leer en la silla eléctrica* (1965), así como los de poesía: *Providencia* (1972), *Fuego en el altar* (1974), *Obra negra* (antología, 1974), y la pieza teatral *H. K.* (1975).

El texto que incluye esta antología hace parte del libro *Prosas para leer en la silla eléctrica* (Bogotá: Iqueima, s. f.).

TRIUNFO ARCINIEGAS (Málaga, 1957)

Autor de cuentos, poemas, relatos y ensayos sobre creación. Sus talleres literarios gozan de alto reconocimiento, así como su prosa de vuelo imaginativo y estilo cuidado y económico. Ha recibido varias distinciones, tales como el Premio Nacional de Literatura Infantil del Instituto Colombiano de Cultura con *La muchacha de Transilvania y otras historias de amor*, Premio Nacional de Dramaturgia del Instituto Colombiano de Cultura con *Torcuato es un León viejo*, VII Premio Enka de Literatura Infantil con *Las batallas de Borsalino*, Premio Comfamiliar del Atlántico con *Caperucita Roja y otras historias perversas*, Mención de Honor en el Premio Mundial de Literatura José Martí (San José de Costa Rica, 1997). Ha sido finalista en los concursos de novela Aniversario Ciudad de Pereira (1984-1985) y Taller Awasca de la Universidad de Nariño (1986). Hace parte de las antologías *Colombia a choer ouvert* (París, 1991) y *Und träumem von Leben: Erzählungen aus Kolumbien* (Zürich, 2001). Algunas de sus publicaciones más reconocidas en cuento son: *El cadáver del sol* (1982), *En Concierto* (minicuentos, 1986), los relatos para niños y jóvenes: *La silla que perdió una pata y otras historias, El león que escribía cartas de amor, La media perdida, la lagartija y el sol, Los casi bandidos que casi roban el sol, La pluma más bonita, El superburro, El vampiro y otras visitas, La sirena de agua dulce, Los besos de María, Pecas, mamá no es una gallina, El jardín del Unicornio* (2002), *Noticias de la niebla* (2002) y las obras de teatro infantil: *El pirata de la pata de palo, La vaca de Octavio, La araña sube al monte, Lucy es pecosa, Después de la lluvia* y *Mambrú se fue a la guerra*.

Los cuentos que incluimos en esta antología hacen parte del libro *El jardín del unicornio y otros lugares para hombres solos* (Bogotá: Panamericana, 2002), y fueron cedidos por el autor en versión 2004.

ARTURO BOLAÑOS MARTÍNEZ (Alto del Rosal del Monte, Pasto, 1965)

Abogado con estudios superiores en Historia, Literatura y Cine. Radicado desde hace varios años en Barcelona, es autor de los libros de poesía: *Sur-co de voz* (1997, Primer Premio Aurelio Arturo) y *Sabor a ceniza* (2002), y del libro de minicuentos *De todo un cuento* (2004), estos dos últimos publicados en Barcelona.

El texto que incluye esta antología hace parte del libro *De todo un cuento* (Barcelona: Insólita, 2004).

ROBERTO BURGOS CANTOR (Cartagena, 1948)

Cuentista, novelista, ensayista y comentarista de libros, abogado y diplomático, ha vivido en Bogotá, Panamá y Viena. En sus obras es importante el tránsito de la cultura provinciana a la urbana, sustentada en imaginarios del Caribe colombiano y de las tradiciones universales. De prosa pictórica, combinada con la narración de estirpe oral y en tensión con la experimental, entre sus obras se destacan los libros de cuento: *Lo amador* (1981), *De gozos y desvelos* (1987), *Quiero es cantar* (1998) y *Juegos de niños* (1999). Sus novelas más importantes son: *El patio de los vientos perdidos* (1984), *El vuelo de la paloma* (1993) y *Pavana del ángel* (1995). Su interesante biografía, *Señas particulares* (2001), da testimonio del país y de su generación. Sus obras han sido traducidas al francés, alemán, checo, marroquí, húngaro e inglés, e incluido en varias antologías nacionales y extranjeras. El texto que incluye esta antología hace parte del libro *Quiero es cantar* (Bogotá: Seix-Barral, 1998).

EDUARDO CABALLERO CALDERÓN (Tipacoque, 1910-1993)
Político, periodista, diplomático, académico, ensayista, cuentista, novelista y narrador de temas históricos, sociales y de la violencia, fue colaborador de periódicos, entre ellos del diario *El Tiempo* y fundador de "Editorial Guadarrama". Considerado uno de los autores más destacados de la literatura colombiana de la primera mitad del siglo xx y una de las plumas más ágiles y castizas, escribió ensayos, novelas, memorias y cuentos para niños y jóvenes. Muchos de sus libros han sido traducidos al inglés, alemán, servocroata, coreano, portugués, francés e italiano. Algunas de sus obras han sido llevadas al cine o a la televisión, como las novelas: *El Cristo de espaldas* (1952), *El buen salvaje* (1966, Premio Nadal), *Caín* (1968) y *Siervo sin tierra* (1954); *Manuel Pacho* (1962), *Tipacoque, estampas de provincia, Diario de Tipacoque* (1950), *La historia en cuentos* (5 tomos), *El cuento que no se puede contar y otros cuentos* (1981) y *Bolívar: una historia que parece un cuento* (1983), también figuran entre sus ficciones más reconocidas.
El texto que incluye esta antología hace parte del libro *La historia en cuentos 3* (Bogotá: Valencia Editores, 1989).

ANDRÉS CAICEDO (Cali, 1951-1977)
Novelista y cuentista, ensayista y crítico de cine, fundador del Cine Club de Cali y de la revista *Ojo al cine*. Considerado uno de los autores malditos de mediados del siglo xx, tanto por su vida como por su muerte y su obra, se destacó por la crítica a la sociedad y la propuesta de una narrativa que desde la música representaba el espíritu contestatario y el ritmo alucinante y vertiginoso de las décadas de 1960 y 1970, cercanas a la generación *beat*. Su obra más reconocida es la novela *¡Que viva la música!* (1977), que ha despertado el interés de diferentes lectores y estudiosos, sumada a cuentos de valiosa y sugestiva factura que tratan temas de la adolescencia en sus procesos de aprendizaje y asimilación de las normas sociales y morales. Entre los más destacados están: *Los dientes de Caperucita* (1969, segundo premio del Concurso Latinoamericano de la Revista Imagen de Caracas), *El espectador* (1969), *El tiempo de la ciénaga* (1972, premio en el Concurso Universidad Externado de Colombia), *El atravesado* (1975), *Calicalabozo, Angelitos empantanados o historias para jovencitos* (1977), *Berenice* (1978) y *Destinitos fatales* (1984).
El texto que incluye esta antología hace parte del libro *El atravesado* (Bogotá: Norma, Colección Tercer Milenio, 1997).

RICARDO CANO GAVIRIA (Medellín, 1946)

Novelista, cuentista, traductor, ensayista, biógrafo y editor, radicado en Cataluña desde hace varios lustros. Narrativa de factura muy moderna que incita a la reflexión estética, entre sus obras más destacadas están las novelas: *Prytaneum* (1981), *El pasajero Walter Benjamin* (1989), *Las ciento veinte jornadas de Bouvard y Pécuchet*, y *Una lección de abismo* (1991), el libro de relatos *En busca del Moloch* (1989), ensayos de diversa índole como: *Acusados: Flaubert y Baudelaire* (1984), la introducción a la compilación *Álvaro Mutis. Contextos para Maqroll* (1997), una reconocida biografía: *José Asunción Silva, una vida en clave de sombra* (1990) y el libro de entrevistas *El buitre y el ave fénix* (1972). Forma parte de la antología de Peter Schultze-Kraft *Und träumtem vom Leben* (2001). El cuento incluido en esta antología fue entregado por el autor en el año 2004.

ÓSCAR COLLAZOS (Bahía Solano, 1942)

Novelista, cuentista, periodista de opinión y ensayista, residió en Europa más de 20 años y ha obtenido el Premio de Periodismo Simón Bolívar. Autor de libros de cuentos, ficción juvenil, novelas, ensayos, compilaciones, crítica de arte, testimonio y periodismo, siempre ha dado testimonio de su tiempo. De estilo realista y cinematográfico, testimonial y biográfico, su obra publicada por editoriales españolas, argentinas, mexicanas, uruguayas y colombianas, es un fresco de la realidad nacional y contemporánea. Sus libros cuentan con varias ediciones y, entre los más importantes, se encuentran los de cuento: *El verano también moja las espaldas* (1966), *Son de máquina* (1967), *Esta mañana del mundo* (1969), *Biografía del desarraigo* (1974), *A golpes* (1974), *Relatos amorales* (1977), *De un amor a otro mar* (1982), *Adiós, Europa, adiós* (2000). Y las novelas: *Crónica de tiempo muerto* (1975), *Los días de la paciencia* (1976), *Memoria compartida* (1978), *Todo o nada* (1982), *Jóvenes, pobres amantes* (1983), *De putas y virtuosas: una comedia tropical* (1984), *Fugas (o de la picaresca y el teatro), Autobiografía de un embustero* (1988), *Las trampas del exilio* (1993), *La ballena varada* (relato juvenil, 1994), *Adiós a la virgen* (1995), *Morir con papá* (1997), *La modelo asesinada* (1999), *El exilio y la culpa* (2002), *Batallas en el monte de Venus* (2003). El libro *Literatura en la revolución y revolución en la literatura* (escrito con Julio Cortázar y Mario Vargas Llosa en 1970), tuvo más de diez ediciones y es una reflexión sobre el compromiso del intelectual y el escritor latinoamericano de la década de 1970. Sus ensayos y crónicas aportan al conocimiento de autores, artistas, movimientos literarios, problemas políticos y situaciones sociales. Cuentos suyos se han incluido en diferentes antologías colombianas y extranjeras, y han sido traducidos al alemán, inglés, italiano, noruego, chino y danés. El cuento incluido corresponde a la última versión entregada por el autor en el año 2004.

FERNANDO CRUZ KRONFLY (Buga, 1943)

Abogado, catedrático, cuentista, novelista, poeta y reconocido ensayista. De prosa experimental que explora temas urbanos e históricos, en una escritura que oscila entre lo experimental y lo realista. Entre sus obras de ficción más reconocidas están: *Las ala-*

banzas y los acechos (1976, 1980), que obtuvo el Premio Nacional de Libro de Cuentos en 1976; las novelas *Falleba* (con cuatro ediciones, Premio Internacional de Novela Villa de Bilbao en 1979), *La ceniza del libertador* (1987), *La ceremonia de la soledad* (1992), *La hora del sueño* (1994), *El embarcadero de los incurables*, *La caravana de Gardel*, además del libro de poesía *Abendland* (2002). Ha sido incluido en antologías nacionales y extranjeras.

El texto que incluye esta antología hace parte del libro *Las alabanzas y los acechos* (Bogotá: Oveja Negra, 1980).

JAIME ECHEVERRI (Manizales, 1943)

Cuentista, novelista, periodista, profesor universitario y tallerista de cuento con varios premios nacionales y obras publicadas en Colombia y México. Ha publicado los cuentos: *Un pedazo de luna en el andén* (1968), *Una vuelta a la manzana* (1971), *Cuerda Floja* (1986), *Las alas de los sombreros* (1986), *Historias reales de la vida falsa* (1979), *Las vueltas del baile* (1991) y *Versiones y Perversiones* (2000), y las novelas: *Reina de picas* (1990), *Corte final* (novela corta, 2002). En colaboración con Clemencia Plazas y Germán Arciniegas escribió el ensayo: *Secretos de El Dorado* (2002). Ha sido incluido en antologías nacionales y extranjeras. "El jardín del guerrero" recibió el Primer Premio en el Concurso Las 500 de la Revista *El Malpensante* en el año 2004.

OCTAVIO ESCOBAR GIRALDO (Manizales, 1962)

Novelista, cuentista, poeta, profesor universitario y médico. Ha obtenido varios premios nacionales e internacionales de literatura. Su mundo narrativo, acorde con el presente, refleja la multiplicidad de la vida cotidiana, la velocidad en los ritmos y las sensaciones, la importancia de la cultura de la imagen y los valores en la sociedad de consumo. Entre sus obras más reconocidas están los libros de cuento: *El color del agua* (1993), *Las láminas más difíciles del álbum* (1995, Premio Comfamiliar), *De música ligera* (Premio Nacional de Literatura del Ministerio de Cultura de 1998) y *Hotel en Shangri-Lá* (2002, Premio Nacional de Literatura de la Universidad de Antioquia), y las novelas: *El último diario de Tony Flowers* (1995), *Saide* (1995, Premio Nacional de Novela Negra) y *El álbum de Mónica Pont* (2002, Premio Nacional de Novela José Eustasio Rivera). Ha sido incluido en varias antologías de cuento del país y del exterior y traducido al alemán, el búlgaro y el italiano.

El texto que incluye esta antología hace parte del libro *De música ligera* (Bogotá: Babilonia, 2002).

GERMÁN ESPINOSA (Cartagena de Indias, 1938)

Novelista, cuentista, poeta, ensayista, dramaturgo, periodista, publicista, diplomático y crítico de cine y arte. Reconocido por su ficcionalización de la historia, la riqueza de su prosa impecable, la textura fantástica, misteriosa, psicológica y sugestiva de sus relatos, y la capacidad para incitar a la reflexión profunda de los temas universales. Entre sus publicaciones más importantes se encuentran los libros de cuento: *La noche de la trapa* (1965), *Los doce infiernos* (1976), *Noticias de un convento frente al mar* (1988), *El naipe negro* (1998) y *Romanza para murciélagos* (1999). Sus más reconocidas novelas son: *Los cortejos del diablo. Balada de tiempos de brujas* (1970, con más de seis ediciones y traducida al italiano y el francés); *El magnicidio* (1979); *La tejedora de coronas* (1982, con más de siete ediciones y traducida al francés en 1995), premiada por la UNESCO como obra representativa de la humanidad y considerada entre las cuatro mejores de Colombia en el siglo XX; *El signo del pez* (1987, traducida al coreano); *Sinfonía desde el nuevo mundo* (1990); *La tragedia de Belinda Elsner* (1991), *Los ojos del Basilisco* (1992), *La lluvia en el rastrojo* (1994), *La balada del pajarillo* (2000) y *Cuando besan las sombras* (2004). Cuentos suyos han sido traducidos a varios idiomas e incluidos en antologías nacionales y extranjeras.

El texto que incluye esta antología hace parte del libro *Cuentos completos* (Bogotá: Ministerio de Cultura-Arango Editores, 1998).

LUIS FAYAD (Bogotá, 1945)

Sociólogo, traductor, cuentista y novelista; reside en Alemania desde hace casi 30 años. Autor de reconocido prestigio por su prosa limpia y de estirpe realista, en su prosa hay una deliberada preocupación por lo urbano, tanto en la mirada a la ciudad como a la vivencia de sus individuos solitarios y desesperanzados. Narra situaciones en las que los individuos de la ciudad o recién llegados a ella se enfrentan a problemas de clase social, tradiciones y transformaciones, mostrando la vibración de culturas propias del mundo moderno. Ha publicado los libros de cuento: *Los sonidos del fuego* (1968), *Olor de lluvia* (1974), *Una lección de vida* (1984) y *Un espejo después* (1995); las *nouvelles*: *La carta del futuro* (1993) y *El regreso de los ecos* (1993); y las novelas: *Los parientes de Ester* (1978), *Compañeros de viaje* (1991) y *La caída de los puntos cardinales* (2000). Su obra cuenta con varias ediciones y algunos de sus cuentos han sido traducidos a varios idiomas e incluidos en diferentes antologías nacionales y extranjeras.

El texto que incluye esta antología hace parte del libro *Una lección de la vida* (Bogotá: El Áncora, 1984).

JORGE FRANCO (Medellín, 1962)

Cuentista y novelista, con estudios de dirección y realización de cine en The London International Film School, en Inglaterra. Pertenece a las nuevas generaciones de narradores colombianos: su estilo ágil y comprometido con historias actuales transmite el espíritu desencantado, la agilidad narrativa y la multiplicidad de sucesos de la vida contemporánea. Es autor del libro de cuentos *Maldito amor* (1996, Premio Nacional de Narrativa Pedro Gómez Valderrama), las novelas *Mala noche* (1997, Premio del XIV Concurso Nacional de Novela Aniversario Ciudad de Pereira en 1997, finalista en los premios nacionales de Cultura del Instituto Colombiano de Cultura Colcultura), *Rosario Tijeras* (1999, con varias ediciones en toda América Latina y España, traducida a más de seis idiomas, Premio Internacional Novela Hammett del año 2000, Beca Nacional de Creación en el Ministerio de Cultura y ha sido llevada al cine) y *Paraíso Travel* (2001), también con varias ediciones en Hispanoamérica y traducida al francés y al inglés. En 1996 "Viaje gratis" obtuvo el premio de cuento Carlos Castro Saavedra. Ha publicado cuentos en revistas nacionales e internacionales y ha sido incluido en antologías del país y del exterior.

ANDRÉS GARCÍA LONDOÑO (Caracas, 1973)
Comunicador social de la Universidad de Antioquia, ensayista y cuentista. Ha vivido la mayor parte de su vida en Colombia y ha sido editor de la revista *Alma Mater. Agenda cultural* y ha sido colaborador asiduo de las revistas *Universidad de Antioquia*, *El Malpensante* y *Boletín Cultural y Bibliográfico* del Banco de la República. Es autor del libro de cuentos *Los exiliados de la arena*.
El texto que incluye esta antología hace parte del libro *Los exiliados de la arena* (Medellín: Universidad de Antioquia, 2001).

ELIGIO GARCÍA MÁRQUEZ (Sucre, 1947-Bogotá, 2001)
Cuentista, cronista y periodista cultural, de sugestivo estilo que combina el lenguaje oral y coloquial con la precisión propia de la escritura. Desde Europa fue corresponsal de *El Espectador* de Colombia y *El Sol* de México; fue asesor de la revista *Cromos*; coordinador editorial de la revista Cambio y de programas culturales de la televisión colombiana. De su producción se destaca: *Para matar el tiempo* (novela, 1978, 1985), *Son así* (reportajes, 1982, 2002), *La tercera muerte de Santiago Nasar* (crónica, 1985), *Tras las claves de Melquiades. Historia de Cien años de soledad* (ensayo, 2001). En 1971 recibió una mención especial por su cuento "Esa rara tristeza".
El texto que incluye esta antología hace parte del libro *Obra en marcha 2. La nueva literatura colombiana*. Juan Gustavo Cobo Borda (compilador). (Bogotá: Biblioteca Colombiana de Cultura, 1976).

PEDRO GÓMEZ VALDERRAMA (Bucaramanga, 1923-Bogotá, 1992)
Abogado, periodista, catedrático, parlamentario, ministro, poeta, cuentista, ensayista y novelista. Cultor de la historia, conocedor de temas misteriosos y esotéricos, de estilo cuidado y castizo, fue autor de reconocidos libros de cuento, entre los que sobresalen: *Invenciones y artificios* (1975), *El retablo de Maese Pedro* (1967), *La procesión de los ardientes* (1973), *Más arriba del reino*; del ensayo *Muestras del diablo* (1958) y de una destacada novela histórica, *La otra raya del tigre* (1977), llevada a la televisión colombiana. Cuentos suyos circulan en distintas antologías del país y del exterior.
El texto que incluye esta antología hace parte del libro *Invenciones y artificios* (Bogotá: Biblioteca Colombiana de Cultura, 1975).

TOMÁS GONZÁLEZ (Medellín, 1950)
Narrador y cuentista, Tomás González comenzó a escribir a principios de la década

de 1970, poco después de iniciar estudios de filosofía en la Universidad Nacional de Colombia. Ha publicado las novelas *Primero estaba el mar*, *Para antes del olvido* (ganadora del V Premio Nacional de Novela Plaza y Janés de 1987), *La historia de Horacio* y *Los caballitos del diablo*; la colección de cuentos *El Rey del Honka-Monka* (1993) y la colección de poemas *Manglares*. Actualmente vive en las afueras de Bogotá y trabaja en su quinta novela, *Regresa Abraham*. Aparte de algunos poemas y cuentos que se sitúan en la ciudad de Nueva York, donde vivió más de 16 años, el resto de su obra se centra en Colombia. El cuento incluido es inédito y fue entregado por el autor en el año 2005.

ENRIQUE HOYOS OLIER (Tunja, 1936)

Profesor universitario, fue director del departamento de Lenguas de la Universidad Pedagógica Nacional, fundador y director de la revista *Dreams*. Autor de investigaciones sobre literatura en lengua inglesa y de los libros: *Cuentos de los Estados Unidos* (compilador, 1974), *Antología poética contra la guerra, hacia la paz* (compilador), *Cuentos* (2004). Ha sido incluido en antologías de minicuento.

El texto que incluye esta antología hace parte del libro *Cuentos* (Bogotá: Universidad Pedagógica Nacional, 2004).

HAROLD KREMER (Buga, 1955)

Cuentista y antologista, profesor universitario y tallerista de cuento y minicuento. Fundador y codirector de la revista *Ekoúreo*, dedicada particularmente a la ficción breve, es autor de los libros *La noche más larga* (1985), *Rumor de Mar* (1989) y *El enano más fuerte del mundo* (2004), y de algunas antologías como: *Colección de cuentos colombianos* (2002) y *Los minicuentos de Ekuóreo* (2003), en coautoría con Guillermo Bustamante. Está incluido en varias antologías de cuento colombiano y en las de Peter Schultze-Kraft *Hören wie die Hennen krähen* (2001) y *Und träumten vom Leben* (2003). "Gelatina" ha sido publicado en varias ocasiones, y la versión que incluimos fue entregada por el autor en el año 2004.

JULIO CÉSAR LONDOÑO (Palmira, 1953)

Cuentista y ensayista, Premio Jorge Isaacs en ensayo científico en 1997, finalista en la modalidad de ensayo en los Premios Nacionales de Cultura en 1998, Premio Plural de Ensayo del diario *Excelsior* de México, Beca Nacional de Creación en cuento en 1996 y distinguido con los premios Alejo Carpentier, Carlos Castro Saavedra, Universidad Veracruzana y Juan Rulfo-Radio Francia Internacional con "Pesadilla en el hipotálamo".

El texto que incluye esta antología hace parte del libro *Los geógrafos* (Bogotá: Seix-Barral, 2000).

SANTIAGO LONDOÑO (Medellín, 1955)

Reconocido investigador y crítico de arte, curador, poeta y narrador. Entre sus obras se encuentran: *Delirio del inmortal* (poesía, 1985), *Cuento hispanoamericano: siglo XIX* (compilador, 1992), *Cuentos brasileños del siglo XIX* (compilador, 1992) y de los libros de crítica de arte: *Débora Arango: vida de pintora* (1997), *Historia de la pintura y del Graba-do en Antioquia* (1996), *Arte colombiano, 3500 años de historia* (2001), *La mano luminosa. Vida y obra de Francisco Antonio Cano* (2002), *Botero, la invención de una estética* (2003) y *Breve historia de la pintura en Colombia* (2005).

PILAR LOZANO (Bogotá, 1951)

Reconocida narradora de cuentos para niños y periodista de radio, prensa y televisión. Galardonada en periodismo investigativo y dos veces ganadora del Premio Simón Bolívar (1979, 1982), obtuvo el premio Julio Daniel Chaparro por "La ruta de La Vo-rágine" en 1991. Trabajó en Alemania con la Deutsche Welle, ha sido colaboradora de las revistas *Diners*, *Semana*, *Cromos* y el *Boletín Cultural y Bibliográfico*. La sugestiva factura de sus relatos para niños, orientada hacia temas familiares, históricos y de in-formación diversa se puede encontrar en textos como *Socaire y el capitán loco* (1987), *Cuentos indígenas* (1999) y *El viento que se disfrazó de brisa* (2001).

JOAQUÍN MATTOS OMAR (Santa Marta, 1960)

Poeta, narrador y ensayista, dirigió el periódico *El Comején* y ha sido colaborador ha-bitual del *Boletín Cultural y Bibliográfico* del Banco de la República. De prosa sugesti-va y estilo cuidadoso, recrea situaciones tanto reales como fantásticas, es autor de los libros de cuentos: *Páginas de un desconocido* y *La caída de la ciudad Quilla* (1993), y de los libros de poesía: *Noticia de un hombre* (1988) y *De esta vida nuestra* (1998). Poemas suyos están incluidos en la Colección de Poesía Colombiana, Talleres Sociedad de la Imaginación.

El texto que incluye esta antología hace parte del libro *Páginas de un desconocido* (Bo-gotá: Fundación Simón y Lola Guberek, 1989).

MIGUEL MÉNDEZ CAMACHO (Cúcuta, 1942)

Poeta, novelista, cuentista, ensayista, periodista y cronista. Ha sido diplomático, coordi-nador de importantes colecciones de literatura y poesía, y decano de la Facultad de Comunicación y Periodismo de la Universidad Externado de Colombia. Entre sus publicaciones más importantes están: *Los golpes ciegos* (poesía, 1968), *Poemas de entrecasa* (1971), *Papeles* (crónicas periodísticas, 1969), *Perfil y palote* (crónicas, 1986), *Malena* (novela, 2003), *La alegría de escribir* (cuentos, crónicas y reportajes, 2003), *Desencantos y cantos* (poesía, 2003), *La última cosecha que dio pájaros* (poesía, 2004). En el año 2004 fue homenajeado como poeta nacional en el Encuentro Internacional de Poesía de la revista *Ulrika*.

El texto que incluye esta antología hace parte del libro *La alegría de escribir* (Bogotá: Universidad Externado, 2002).

PLINIO APULEYO MENDOZA (Tunja, 1932)

Estudió ciencias políticas, artes gráficas y publicidad. Se ha desempeñado como diplomático, periodista, ensayista y narrador. Dirigió la revista *Libre* y ha sido colaborador del periódico *El Tiempo*. Entre sus obras más reconocidas están: *El desertor* (cuentos, 1974), *Años de fuga* (novela, 1979), *El olor de la guayaba* (reportaje a Gabriel García Márquez, 1982), *La llama y el hielo* (testimonio, 1984), *Nuestros pintores en París* (crónicas, 1989), *Cinco días en la isla* (novela, 2002), *Ráfagas de tiempo: retratos, recuerdos* (novela, 2002). Fue merecedor del Premio Nacional de Literatura Plaza y Janés por su novela *Años de fuga*.

El texto que incluye esta antología hace parte del libro *El desertor*. Biblioteca de Literatura Colombiana (Bogotá: Oveja Negra, 1985).

ANTONIO MONTAÑA (Bogotá, 1932)

Realizó estudios en filosofía y arte. Dramaturgo, traductor, cuentista, novelista, ensayista, periodista, libretista, crítico de arte y de cine y profesor universitario. Algunos de sus cuentos, obras de teatro, guiones, películas y montajes han sido merecedores de reconocimientos nacionales e internacionales. Entre sus libros de cuentos más importantes están: *Cuando termine la lluvia* (1963), *Una fiesta (y otras fiestas)* (1976) y *El presidente sí sabe bailar*. Autor de las novelas: *Los días del miedo* (novela, 2000) y *Agua brava* (2004) y de varias obras de teatro, entre las que se reconocen: *Orestes* (1958), *Los trotalotodo* (1960), *Micenas* (1965), *Tobías y el ángel* (1966), *Diálogo de truhanes* y *De Lázaros, ciegos, clérigos, escuderos, damas y otros Pícaros* (1995). Ha sido incluido en varias antologías nacionales e internacionales. El cuento incluido, entregado por el autor, pertenece a un libro inédito.

PABLO MONTOYA (Barrancabermeja, 1963)

Cuentista, ensayista y profesor universitario. Dotado de fina cultura musical y artística, según se revela en su obra, destacada por la construcción de mundos sugerentes que invitan a la reflexión sobre la vida y el arte. Es autor de: *Cuentos de Niquía* (París, 1996), *La sinfónica y otros cuentos musicales* (1997, finalista en el Concurso Nacional de Colcultura en el año de 1995), *Habitantes* (París, 1999), *Viajeros* (Medellín, 1999), *Razia* (cuentos, 2001).

El texto que incluye esta antología hace parte del libro *La sinfónica y otros cuentos musicales* (Medellín: El Propio Bolsillo, 1997).

MARVEL MORENO (Barranquilla, 1939-París, 1995)

Cuentista y novelista, vivió gran parte de su vida en Europa. Su obra ha convocado encuentros y coloquios nacionales e internacionales, por considerarse sugestiva tanto desde el punto de vista de los estudios de género como de sus propuestas narrativas en las que se debaten la tradición en las sociedades patriarcales, penetrantes debates críticos y las escrituras de estilo visual. Entre sus más importantes obras están los cuentos: *El muñeco* (1969), *Oriana, tía Oriana* (1975), llevado al cine por Fina Torres y seleccionado por Peter Schultze-Kraft para su antología *Und träumten vom Leben* (2001), "La sala del Niño Jesús" (1976), "Ciruelas para Tomasa" (1977), incluidos posteriormente en su colección *Algo tan feo en la vida de una señora bien* (1980), cuya más reciente edición lleva como título *Oriane, tía Oriane* (2001), a la que se agrega "Autocrítica" (1981), los cuentos de *El encuentro y otros relatos* (1992) y los pertenecientes a *Las fiebres del Miramar* (2001). Su novela *En diciembre llegaban las brisas* (1985), traducida al italiano y al francés, fue finalista en 1985 del Premio Literario Internacional Plaza y Janés y recibió el Premio Literario Grinzane-Cavour en Italia como el mejor libro extranjero de 1989. Cuentos suyos figuran en antologías nacionales y extranjeras y han sido traducidos al inglés, francés e italiano.

El texto que incluye esta antología hace parte del libro *Cuentos completos* (Bogotá: Norma, 2001).

R. H. MORENO-DURÁN (Tunja, 1946)

Ensayista, cuentista, novelista, dramaturgo y destacado director de los programas de televisión *Palabra Mayor* y *Cien años de imaginación*, residió en Barcelona durante más de quince años. De estilo mordaz, experimental, polisémico y paródico, Ángel Rama lo incluyó a comienzos de la década de 1980 en la antología *Los novísimos narradores latinoamericanos* como uno de "los contestatarios del poder". Se le reconoce por la creación de sus Meninas, Mandarinas y Matriarcas, con las cuales explora juguetona y burlescamente el tema de la mujer en la cultura contemporánea. Sus recreaciones e invenciones verbales plenas de erotismo y erudición apuntan tanto a la historia y la cultura nacional como a la mundial, estableciendo interesantes relaciones, analogías y comparaciones. La mayor parte de su obra cuenta con varias ediciones. Se destacan los libros de ensayo: *De la barbarie a la imaginación* (1976, con varias ediciones y ampliaciones), *Taberna in fabula* (1991), *El festín de los conjurados. Literatura y transgresión en el fin del siglo* (Premio Nacional de Ensayo, 1998), *Denominación de origen. Momentos de la literatura colombiana* (1998) y *Mujeres de Babel. Voluptuosidad y frenesí verbal en James Joyce* (2004). De sus libros de cuento: *Metropolitanas* (1986), *Cartas en el asunto* (1995), *Pandora* (2000) y *El humor de la melancolía* (2001). Y de sus novelas: la trilogía *Fémina Suite*, considerada en Colombia una de las obras más importantes del siglo xx, compuesta por: *Juego de Damas* (1977), *El toque de Diana* (1981) y *Finnale capriccioso con madonna* (1983); *Los felinos del Canciller* (1987, finalista en los Premios Nadal y Rómulo Gallegos); *El caballero de La invicta* (1993); *Mambrú* (1996); el díptico *Donde las paralelas se encuentran* integrada por *Los felinos del canciller* (1987) y *El caballero de la Invicta* (1993); la ficción policiaca *La conexión africana* (2003) y la obra de teatro novelado *Cuestión de hábitos* (2004, Premio Literario Kutxa Ciudad de San Sebastián). Ha sido incluido en diversas antologías nacionales y extranjeras y algunos textos suyos se han traducido al inglés, el francés y el alemán.

El texto que incluye esta antología hace parte del libro *El humor de la melancolía* (Bogotá: Alfaguara, 2001).

JAIRO ANÍBAL NIÑO (Moniquirá, 1942)

Este profesor y sugestivo narrador en cuento y novela, guionista, dramaturgo y poeta, ha sido director de la Biblioteca Nacional de Colombia y conferencista. Reconocido particularmente por sus obras para niños y jóvenes, ha obtenido numerosos reconocimientos y distinciones, entre los que cabe recordar el Premio Enka de Literatura Infantil con la novela infantil *Zoro* (1977), el Primer Premio en el Concurso Nacional de Guiones de Focine (1980), el Premio Iberoamericano Chamau de México (1992) y hace parte de la Lista de Honor de la Organización Internacional para el libro juvenil en 1992 con el texto *Preguntario*. En 1966 publicó *El Monte Calvo*, obra de teatro referida a la participación del Batallón Colombia en la Guerra de Corea, y en 1981 el guión cinematográfico *El manantial de las fieras*. Con una amplia producción en cuento, novela y poesía para niños y jóvenes se destacan: *Las bodas de lata o el baile de los arzobispos* (1968), *Toda la vida* (1979), *Puro pueblo* (1977), *Dalia y Zazir* (1983), *De las alas caracolí* (1985), *Aviador Santiago* (1990), *El quinto viaje* (1991), *La estrella de papel* (1992), *Los papeles de Miguela* (1993), *La señora contraria* (1993), *El músico del aire* (1994), *El músico del aire* (1994), *La hermana del principito* (1995), *Orfeo y la cosmonauta* (1995), *Los superhéroes* (1996), *Historia y Nomeolvides* (1996), *El nido más bello del mundo* (1996), *Fútbol, goles y girasoles* (cuentos, 1998), *El río de la vida* (1999), *Gato* (2001), *Paloma mensajera* (2001), *El equipaje de la mariposa* (cuentos, 2002), *Yo soy Juan* (2003), y los libros de poesía: *La alegría de querer* (1986) y *Preguntario* (1988). Su obra ha sido ampliamente estudiada y difundida en ámbitos académicos nacionales e internacionales. El texto que incluye esta antología hace parte del libro *Historia y Nomeolvides* (Bogotá: Panamericana, 1996).

GABRIEL PABÓN VILLAMIZAR (Pamplona, 1954)

Profesor universitario, narrador, tallerista y autor de textos escolares y antologías, fue director del departamento de Lingüística de la Universidad Javeriana y actualmente dirige Pre-Til, revista monográfica dedicada al tema de la ciudad, de la Universidad Piloto de Colombia. Ha obtenido varias distinciones como el premio "Paso al Arte" del Instituto Distrital de Cultura y Turismo en la modalidad de Cuento Navideño con *Des-cuento navideño* (1999), la Mención de Honor en Minicuento con el libro *Re-versiones* (1999) y el premio Internacional Juan Rulfo-Radio Francia Internacional por el cuento "La bella música" (2001). Se le conoce, además, su libro de relatos *El visitador y otros cuentos* (2001). Ha sido incluido en varias antologías nacionales y extranjeras: como *Cuentos sin cuenta*, (Fabio Martínez, comp., 2003) y *La minificción en Colombia* (Henry González, comp., 2002).

El texto que incluye esta antología hace parte del libro *Re-versiones* (Bogotá: Letra Escarlata, 1999).

JULIO ALBERTO PAREDES CASTRO (Bogotá, 1957)

Novelista y cuentista, editor y traductor; estudió Filosofía y Letras. Reconocido por la sencillez de su prosa y la sugestión de sus temas de atmósferas urbanas, se dedica de lleno a la literatura. Es autor de *Salón Júpiter y otros cuentos* (1994), *Guía para extraviados* (cuentos, 1994), *Asuntos familiares* (cuentos, 1999), *La celda sumergida* (novela, 2003). Cuentos suyos han sido incluidos en varias antologías del país y del exterior y traducidos a varios idiomas.

El texto que incluye esta antología hace parte del libro *Guía para extraviados* (Bogotá: Norma, 1997).

RODRIGO PARRA SANDOVAL (Cali, 1938)

Cuentista, novelista, ensayista y sociólogo, radicado en México. Dotado de gran sentido de humor e ironía, su pluma crítica y paródica de renovadora escritura experimental, apunta por igual a lo nacional y a lo contemporáneo. Es autor de la serie de novelas y cuentos titulada *Historias del Paraíso*, que incluye *El álbum secreto del sagrado corazón* (1978), con varias ediciones tanto en México como en Colombia (lo que le ha merecido elogiosos comentarios de críticos y narradores nacionales e internacionales), *Un pasado para Micaela* (1988), *La amante de Shakespeare* (1989), *La hora de los cuerpos* (1994), *La didáctica vida de Aníbal Grandas* (1994) y *Tarzán y el filósofo desnudo* (1996). En el año 2001 obtuvo el premio Nacional de Literatura de Instituto Distrital de Cultura con su novela *El don de Juan*. Sus investigaciones y publicaciones sobre educación han tenido amplio reconocimiento nacional e internacional, como el Premio Interamericano de Educación Andrés Bello, el Premio Colciencias (1996) y el Premio Nacional de Ciencia (2000). Como ensayista obtuvo el Premio Latinoamericano de Ensayo La Casa Grande en 1996. En 1999 fue finalista del Premio Herralde de Novela de España. Ha sido incluido en varias antologías. El cuento incluido fue cedido por el autor.

LINA MARÍA PÉREZ (Bogotá, 1949)

Cuentista, licenciada en Filosofía y Letras, con especialización en Literatura de la Universidad Javeriana, ha sido guionista de televisión, comentarista de libros, traductora del inglés y columnista de humor. De fino estilo burlón y humor negro en el que prima la ironía, sus cuentos se caracterizan por la construcción de historias rigurosamente narradas que rescatan la primacía del relato y la precisión formal. Entre los premios y distinciones obtenidas están: Premio Internacional de Literatura Juan Rulfo-Radio Francia Internacional, modalidad Semana Negra en 1999, con "Silencio de neón", Internacional de Cuento Ejalde de España (2004), Premio Internacional de Cuentos Ignacio Aldecoa (España, 2003), Premio Internacional de Cuentos Max Aub, de Segorbe (España, 1999), Premio Nacional Pedro Gómez Valderrama (2000) y Beca Nacional de Literatura del Ministerio de Cultura. Así mismo, ha sido finalista en varios concursos internacionales y nacionales como el de cuento fantástico del Ayuntamiento de Corvera (España, 2003), Ciudad de Barrancabermeja, segundo premio de cuentos del

Instituto Distrital, entre otros. Cuentos suyos han sido incluidos en *El Malpensante*, revistas especializadas y antologías nacionales y extranjeras como: *Cuento hispanoamericano actual* (Bulgaria, 2002), *Ardores y furores. Relatos eróticos de escritoras colombianas* (2003), *Artesanías de la palabra* (Bogotá, 2003) y *Café con amor* (Bogotá, 2001). Ha publicado *Cuentos sin antifaz* (2001) y *Vladimir Nabokov. A la sombra de una nínfula* (biografía literaria, 2004). El cuento que incluimos pertenece a un libro inédito y fue cedido por la autora.

RAFAEL POMBO (Bogotá 1833-1912)

Ingeniero, periodista, poeta, fabulista, traductor, dramaturgo, fundador de algunos periódicos bogotanos. Reconocido como uno de los poetas más importantes de la tradición lírica, musical y reflexiva del siglo XIX en Colombia. Por la capacidad rítmica y humorística de sus relatos pintados y contados en verso, se considera como el más destacado escritor de temas para niños. De su extensa producción cabe destacar su obra poética, además de: *Este y Florinda o la Eva del Reino Godo Español*, ópera escrita junto con José María Ponce de León (1880), *Las tres cataratas: silva humorística americana* (1884), *Fábulas y cuentos* (relatos para niños, 1888), *Amor y matrimonio* (poesía, 1893), *Fábulas y verdades* (relatos, 1916) y *Cuentos pintados*. Sus obras han sido reeditadas en varias ocasiones.

Los textos que incluye esta antología hacen parte del libro *Fábulas y verdades* (Medellín: Bedout, 1976) y *La niña Águeda*. Selección Samper Ortega No. 27, Sección 3ª Cuadros de costumbres (Bogotá: Minerva, 1932).

AMALIA LÚ POSSO FIGUEROA (Quibdó, 1947)

Psicóloga, cuentista y cuentera que aprovecha las tradiciones orales de la cultura chocoana, dosificándolas con sensualidad, erotismo y humor. Hasta el momento sólo ha publicado un libro de cuentos titulado *Vean vé, mis nanas negras* (Bogotá: Brevedad, 2002) del cual hace parte el cuento de esta antología.

RENÉ REBETEZ (Bogotá, 1933-Providencia, 2000)

Ensayista, cuentista, poeta, periodista, cineasta, prologuista y traductor. Se le reconoce como uno de los creadores más destacados de literatura de ciencia ficción en Colombia. Entre sus libros de cuento más reconocidas están: *La nueva prehistoria* (1967), *Ellos lo llaman Amanecer y otros relatos* (1996), *Providencia: el último refugio* (relatos de viaje, 1998), *Cuentos de amor, terror y otros misterios* (1998) y *Contemporáneos del porvenir* (antología de ciencia ficción, 2000). Fue redactor de la revista *Semana* y colaborador de *Letras Nacionales*. Cuentos suyos han sido incluidos en antologías de ciencia ficción en Norteamérica, América Latina y Colombia.

El texto que incluye esta antología hace parte del libro *Ellos lo llaman amanecer y otros relatos* (Bogotá: Tercer Mundo, 1996).

YOLANDA REYES (Bogotá, 1959)

Narradora de textos para niños y jóvenes, columnista, articulista de cine y reseñista de libros, colaboradora en las revistas *Cambio, Soho, El Malpensante, Hojas de lectura* y *Consigna*. Coordinó la Biblioteca Infantil de la Fundación Rafael Pombo y ha sido tallerista de literatura para niños y directora del taller "Espantapájaros" del cual fue fundadora. En 1994 obtuvo el Premio Fundalectura con su libro *El terror de sexto "B" y otras historias de colegio*, libro que ha sido traducido al portugués y seleccionado por la Biblioteca de la Juventud de Munich en su lista de Honor White Ravens. Entre sus libros para niños o jóvenes ha publicado cuentos, novelas, poemas, obras de teatro y de historia, de los cuales se destacan: *El terror de sexto B y otras historias de colegio* (cuentos, 1995), *Una noche en el tejado* (teatro, 1998), *María de los dinosaurios* (novela, 1998), *Manuel Ancízar: una peregrinación por los caminos de la memoria* (historia, 1998), *Una noche en el tejado* (teatro, 1998), *Los meses del año son* (poesía, 1999), *Los años terribles* (cuentos), *Los agujeros negros* (2000), *Los años terribles* (novela infantil-juvenil, 2000), *Una cama para tres* (cuentos infantiles, 2003). Cuentos suyos han sido traducidos al francés, como "Frida", "A pior ora", "Saber perder", "Terca feira. 5° aula".

El texto que incluye esta antología hace parte del libro *El terror de sexto B y otras historias de colegio* (Bogotá: Alfaguara, 1995).

LENITO ROBINSON-BENT (Isla de Providencia, 1956)

Narrador y poeta que integra ambientes marinos en relatos de profunda y sugestiva nostalgia y reflexión sobre las relaciones, los viajes, la vida familiar y la espera, ha recibido beca Nacional de Literatura en 1994 por su libro de *Las casas huidizas y otros cuentos sobre fugas*, y ha publicado en coedición con César Robinson Manuel y Elizabeth Taylor el libro de literatura para niños *Temas de ayer y de hoy para lectores de mañana* y el libro de cuentos *Sobre nupcias y ausencias* (1986).

El texto que incluye esta antología hace parte del libro *Sobre nupcias y ausencias* (Bogotá: Fundación Simón y Lola Guberek, 1988).

JUAN MANUEL ROCA VIDALES (Medellín, 1946)

Poeta, ensayista, narrador y comentarista de arte; durante largo tiempo coordinó el *Magazín Dominical* de *El Espectador*. Además de sus creaciones literarias ha escrito ensayos sobre poesía, arte y literatura. Recibió de la Universidad del Valle el doctorado *Honoris Causa* en Literatura, la Cámara del Libro le otorgó el Premio Mejor Comentarista en 1992, en 1993 recibió el premio de Periodismo Simón Bolívar y el Premio Nacional de Poesía del Ministerio de Cultura en el 2004. Más conocido como poeta, tiene dos libros de relatos: *Prosa reunida* (1993) y *Las plagas secretas y otros cuentos* (2001, Premio Nacional de Cuento Universidad de Antioquia) y una novela: *Esa maldita costumbre de morir* (2003). Entre sus más reconocidos libros están: *Memoria de agua* (1973), *Luna de ciegos* (segundo premio del concurso de poesía "Eduardo Cote Lamus" de 1975), *Los ladrones nocturnos* (1977), *Señal de cuervos* (1980, Premio Nacional de

Poesía "Universidad de Antioquia", 1979), *Ciudadano de la noche* (1989), *Del lunario circense* (1990), *Pavana con el diablo* (1990), *Monólogos* (1994), *La farmacia del ángel* (1995), *Museo de encuentros* (1995), *Tertulia de ausentes* (1998), *País secreto 1979-1988* (1998), *Lugar de apariciones* (2000) y *Los cinco entierros de Pessoa* (2001). Una antología de sus poemas fue traducida al sueco bajo el título *Korpens Tecken*. El cuento incluido es inédito y fue entregado por el autor en el año 2005.

NANA RODRÍGUEZ (Tunja, 1956)

Profesora universitaria, ensayista, poeta, narradora y editora. Cultiva el minicuento apropiándose de las exigencias del género. Entre sus ficciones están: *Tunja, siete personajes, siete historias* (1992), *El sabor del tiempo* (2000), *La casa ciega y otras ficciones* (2000), *Antología* (minicuentos, 2001) y su libro de ensayo: *Elementos para una teoría del minicuento* (1996). Obtuvo el Premio de Poesía del Consejo Editorial de Autores Boyacenses por su libro *Hojas en mutación*, y el Premio Ciudad de Moniquirá con el libro *Permanencias*. Ha sido incluida en antologías de minicuento.

El texto que incluye esta antología hace parte del libro *El sabor del tiempo* (Tunja: Colibrí Ediciones, 2000).

HUGO RUIZ (Ibagué, 1942)

Reconocido particularmente como cuentista, es reseñista, ensayista y periodista, fundador de las revistas *Astrolabio* y *Plural*. Su narrativa refleja escenarios de vida urbana y pinturas de realidades contemporáneas, en las que lo narrado expresa situaciones de tensión emocional y social. Entre sus obras se destacan: "La ironía" (1966), "El milagro del Puerto" (1969), "Una mujer viene todas las noches" (1970), *Un pequeño café al bajar la calle* (cuentos, 1981) y la novela *La casa* (1987), Premio Nacional de Novela Ciudad de Pereira. Ha sido incluido en algunas antologías del exterior, como: *Nuevos rebeldes de Colombia* (Uruguay, 1966), *Cuatro cuentistas colombianos* (Argentina, 1967) y otras selecciones nacionales. El cuento que incluimos ha sido traducido al alemán y editado por Horst Erdmann Verlag (Tubingen, 1969).

El texto que incluye esta antología hace parte del libro *Un pequeño café al bajar la calle* (Ibagué: Pijao Editores, 1995).

GERMÁN SANTAMARÍA (Líbano, Tolima, 1950)

Cronista, cuentista, novelista y reportero de amplia trayectoria. Varias veces ganador del premio Simón Bolívar de Periodismo, obtuvo en 1986 en Vancouver el premio Pedro Joaquín Chamorro de la Sociedad Interamericana de Prensa. Como narrador ha obtenido varios premios literarios dentro y fuera del país, tales como el Premio Iberoamericano de Primeras Novelas en Santiago de Chile por *No morirás* (1994), finalista del Premio Casa de las Américas en La Habana, Cuba, 1974, por el libro *Morir último*, Premio OCLAE de cuento en La Habana, Cuba, por *Los días del calor* en 1971, Premio Nacional de Cuento Ciudad de Cúcuta en 1980 por el relato *Más de un Asesino*,

Premio Nacional de Cuento Universidad Externado de Colombia en 1975 por *Amorcito Case*. Algunos de sus cuentos han sido traducidos al inglés, francés, ruso y alemán. El texto que incluye esta antología hace parte del libro *Morir último* (Bogotá: La Oveja Negra, 1985).

ENRIQUE SERRANO (Barrancabermeja, 1960)
Filósofo y comunicador social, profesor universitario, cuentista y ensayista, autor de relatos de corte tradicional que revelan carácter investigativo y erudito, además de una escritura contenida, sentenciosa y reflexiva dirigida más a temas universales y del pasado. Entre sus obras más importantes están los libros de relatos: *La marca de España* (1997) y *De parte de Dios* (2000), y la novela *Tamerlán* (2003). Su cuento "El día de la partida" obtuvo el Premio Juan Rulfo-Radio Francia Internacional. Ha sido incluido en antologías del país y del exterior y forma parte de la selección de Peter Schultze-Kraft *Und träumen vom Leben* (Zürich, 2001).
El texto que incluye esta antología hace parte del libro *La marca de España* (Bogotá: Seix-Barral, 1997).

RICARDO SILVA (Bogotá, 1975)
Se ha destacado como poeta, cuentista, novelista y crítico de cine. Graduado en Estudios Literarios de la Universidad Javeriana de Bogotá y con un máster en Cine y Televisión de la Universidad Autónoma de Barcelona, es comentarista de cine en *Semana*, columnista en *Soho* y colaborador de *Gatopardo*. En el año 2000 obtuvo el Primer Premio de Poesía del Instituto Distrital de Cultura y Turismo de Bogotá. Representante claro del espíritu de su generación, su prosa burlona de estilo rápido y visual transmite la incidencia de los medios de comunicación en la vida cotidiana y la vertiginosidad del presente. Es autor de: *Diario de Semana Santa* (ensayo, 1997), *Podéis ir en paz* (teatro, 1998), *Sobre la tela de una araña* (cuentos, 1999), *Relato de Navidad en la Gran Vía* (novela, 2001), *Tic* (novela, 2003), "Semejante a la vida" (cuento) incluido en *Cuentos caníbales* (2002), *Réquiem* (poemas, 2000), ganador del Primer Premio de Poesía del Instituto de Cultura y Turismo de Bogotá, *Terranía* (poemas, 2004) y la página de Internet de ficción (ideada por el fallecido Germán Pardo García-Peña) www.ricardosilvaromero.com. El cuento "Doctor Tomás Aguirre" pertenece a un volumen de relatos en preparación y ha sido entregado por el autor para esta edición.

NICOLÁS SUESCÚN (Bogotá, 1937)
Caracterizado por un estilo puntual que refleja el espíritu del individuo contemporáneo en ciudades grises y monótonas, se le reconoce por su prosa limpia y sugestiva. Este cuentista, novelista, poeta, ensayista, traductor, redactor, pintor, editor y diagramador, es autor de varios libros de cuento, de una antinovela y de una antología de cuentos colombianos. Dirigió durante varios años la revista *Eco* y ha expuesto *collages* en diferentes galerías. Entre sus obras narrativas más reconocidas están: *El retorno a*

casa (1971), *El último escalón* (1977), *El extraño y otros cuentos* (1980), *Los cuadernos de N* ("Antinovela", 1994) y *Oniromanía* (1996). Cuentos suyos han sido traducidos a varios idiomas e incluidos en antologías nacionales y extranjeras.

El texto que incluye esta antología hace parte del libro *El retorno a casa* (Bogotá: Instituto Colombiano de Cultura, 1978).

ANTONIO UNGAR (Bogotá, 1974)

Arquitecto con estudios de doctorado en literatura, cuentista y novelista radicado en Barcelona, incluido en varias antologías de España, Colombia y Alemania. Narrador perteneciente a las más nuevas promociones, de ágil estilo narrativo y denotada ironía, expresa con claridad vivencias contemporáneas regidas por el desencanto y la desolación. Entre sus publicaciones más importantes están los libros de cuento: *De ciertos animales tristes* (2000) y *Trece circos comunes* (2001), y la novela *Zanahorias voladoras* (2004). El cuento que incluimos fue cedido por el autor para esta edición.

JUAN GABRIEL VÁSQUEZ (Bogotá, 1973)

Con estudios de doctorado en literatura latinoamericana, este cuentista y novelista ha vivido en Bélgica y Barcelona y ha sido ganador de premios en cuento, crítica de cine y crónica periodística. Pertenece a la promoción de los más jóvenes narradores colombianos. Su estilo riguroso y sobrio se esmera en la construcción de mundos más cercanos a temas universales en los que reinan la soledad esencial, las atmósferas desamparadas y las huellas del pasado. Es autor de las novelas *Persona* (1997), *Alina suplicante* (1999) y *Los informantes* (2004) y del libro de cuentos *Los amantes de Todos los Santos* (2001). Cuentos suyos han sido traducidos al francés y el alemán, e incluidos en antologías y revistas de Alemania, Francia, España y Colombia.

El texto que incluye esta antología hace parte del libro *Los amantes de Todos los Santos* (Bogotá: Alfaguara, 2001).

LUIS VIDALES (Calarcá, 1904-Bogotá, 1990)

Educador, diplomático, poeta, cuentista, ensayista y colaborador de prensa. Considerado pionero del minicuento y de las vanguardias poéticas en Colombia y escritor de compromiso social, formó parte del grupo Los Nuevos de la literatura colombiana. La Universidad de Antioquia le otorgó en 1982 el Premio Nacional de Poesía. Entre sus obras más importantes están: *Suenan timbres* (poesía y prosa, 1926, 1976), *La obreriada* (1979) y *Poemas del abominable hombre del barrio de Las Nieves* (poesía, 1985), entre otros que continúan inéditos. Uno de sus textos fue incluido en la antología de Peter Schultze-Kraft *Und Träumten vom Leben* (2001).

El texto que incluye esta antología hace parte del libro *Suenan timbres* (Bogotá: Instituto Colombiano de Cultura, 1976).

BIBLIOGRAFÍA

Caballero, Beatriz. *"Escribir es como hacer pipí"*: *Eduardo Caballero Calderón*. Bogotá: Boletín Cultural y Bibliográfico, N° 62, Vol XL, 2003.

Canetti, Elías. *El suplicio de las moscas*. España: Anaya y Mario Muchnik, 1994.

Chaparro, Adolfo y Schumacher, Christian (editores). *Racionalidad y discurso mítico*. Bogotá: Centro Editorial Universidad del Rosario/ Instituto Colombiano de Antropología ICAN, 2003.

Collazos, Óscar. "Mayo del 60: veinte años después". *Para un final de siglo*. Medellín: Universidad de Antioquia/Biblioteca pública Piloto, 1991.

Contreras Vásquez, Julián. *Diccionario de regionalismos y terminología del Vaupés. El Vaupés en su mitología*. Armenia: Instituto Colombiano de Cultura/Mitú: Coger, 1991.

Cristina, María Teresa. "La literatura en la conquista y la colonia". *Manual de Historia de Colombia*. Tomo I. Bogotá: Instituto Colombiano de Cultura, 1978. pp. 493-592.

Echeverri, Juan Alvaro (recopilador), Candre-Kinerai, Hipólito (Fuente). *Tabaco frío, coca dulce*. Bogotá: Colcultura, 1993.

Giraldo, Luz Mary. *Narrativa colombiana. Búsqueda de un nuevo canon*. Bogotá: Centro Editorial Javeriano, 2000.

_____. *Nuevo cuento colombiano. 1975-1990*. México: Fondo de Cultura Económica, 1997.

_____. *Ellas cuentan*. Bogotá: Seix–Barral, 1998.

_____. *Cuentos Caníbales*. Bogotá: Alfaguara, 2002.

Gómez, Clarita (selección y prólogo). *Lo mejor de Efe Gómez*. Bogotá: Universidad Nacional, 1987.

Gómez, Gilberto. *Entre María y la Vorágine: la literatura colombiana finisecular (1886-1903)*. Bogotá: Fondo Cultural Cafetero, 1988.

González Echeverría. *Mito y archivo. Una teoría de la narrativa latinoamericana*. Primera edición en español, México: Fondo de Cultura Económica, 2000.

Jaramillo Agudelo, Darío (compilador). *Antología de lecturas amenas*. Bogotá: Panamericana, 1998.

Moreno-Durán, R. H. *"El Carnero:* De las crónicas de la Conquista al escándalo social de la Colonia". *Manual de literatura colombiana*. Tomo I. Bogotá: Procultura-Planeta, 1988. pp. 53-76.

Mújica, Elisa. "Bogotá y su cronista Cordovez Moure". *Manual de Literatura Colombiana*. Tomo I. Bogotá: Procultura-Planeta, 1988. pp. 143-173.

Ong, Walter. *Oralidad y escritura. Tecnologías de la palabra*. Bogotá: Fondo de Cultura Económica, primera reimpresión, 1994.

Ordóñez, Montserrat. *Soledad Acosta de Samper. Una nueva lectura*. Selección y prólogo de Montserrat Ordóñez. Bogotá: Fondo Cultural Cafetero, 1988.

Orjuela, Héctor. *El discurso narrativo de la ficción colonial en Hispanoamérica: cuento, relato breve y novela. Revaloración de un canon*. Bogotá: Editora Guadalupe, 2003.

Pacheco, Carlos y Barrera Linares, Luis. *Del cuento y sus alrededores. Aproximaciones a una teoría del cuento* (2ª edición revisada y ampliada). Venezuela: Monte Ávila, 1997.

Parra R, Jaime Hernando. (Recopilador). *Los cuentos de los abuelos. Tradición oral de los indígenas Siona y Kofán del Putumayo* (edición español-inglés). Quito: Abya-Yala, 1997.

Peña Gutiérrez, Isaías. *La generación del bloqueo y el estado de sitio*. Bogotá: 1973.

_____. *La narrativa del Frente Nacional. Génesis y contratiempos*. Bogotá: Universidad Central, 1982.

_____. *Ensayos y contraseñas de la literatura colombiana (1967-1997)*. Bogotá: Universidad Central, 2002.

Perrin, Michel. *El camino de los indios muertos*. Venezuela: Monte Ávila, 1980.

_____. *Los practicantes del sueño. El chamanismo wayúu*. Venezuela: Monte Ávila, 1995.

Pineda Botero, Álvaro. *La fábula y el desastre. Estudios críticos sobre la novela colombiana 1650-1930*. Medellín: Fondo Editorial Universidad Eafit, 1999.

_____. *Juicios de residencia. La novela colombiana 1934-1985*. Medellín: Fondo Editorial Universidad Eafit, 2001.

Preuss, Konrad Theodor. *Religión y mitología de los uitotos. Segunda parte*. Bogotá: Universidad Nacional, 1994.

Rama, Ángel. *La ciudad letrada*. Hannover, USA: 1984.

_____. *Novísimos narradores hispanoamericanos en marcha*. México: Marcha, 1981.

Reichel-Dolmatoff, Gerardo. *Los kogi: Una tribu de la Sierra Nevada de Santa Marta.* Tomo II. Bogotá: Procultura/Fondo de Cultura Económica, Inderena, 1985.

Reyes, Carlos José. "El costumbrismo en Colombia". *Manual de literatura colombiana.* Tomo I. Bogotá: Procultura-Planeta, 1988. pp. 175-245.

Rodríguez-Arenas, Flor María. "Los orígenes de la novela decimonónica colombiana". *Literatura. Teoría. Historia, Crítica* N° 4. Bogotá: Departamento de Literatura, Universidad Nacional de Colombia, 2002. pp. 37-64.

_____. *Hacia la novela. La conciencia literaria en Hispanoamérica (1792-1807).* Bogotá: Códice, 1993. 2ª edición, Medellín: Universidad de Antioquia, 1998.

_____. "La Estrella Nacional (1836): Comienzos de la novela decimonónica en Colombia". *Cuadernos de Literatura.* N° 2, Bogotá: Universidad Javeriana, 1996, pp. 7-16.

Sanín Cano, Baldomero. "Maestro del habla castiza". Alape, Arturo. *Valoración múltiple sobre Tomás Carrasquilla.* Bogotá: Instituto Distrital de Cultura y Turismo/ La Habana: Centro de Investigaciones Literarias, Casa de Las Américas, 1990. pp. 103-112.

Urbina, Fernando. *Las hojas del poder.* Bogotá: Universidad Nacional de Colombia, 1992.

_____. "La mujer en el mito". *En otras palabras.* N° 6. Bogotá: Universidad Nacional de Colombia, 1999. pp. 11-31.

Varios. *Las voces del tiempo. Oralidad y cultura popular. Una aproximación teórica.* Bogotá: Editores y Autores Asociados, 1997.

Vélez de Piedrahíta, Rocío. "La madre Castillo". *Manual de literatura colombiana.* Tomo I. Bogotá: Procultura-Planeta, 1988. pp. 100-141.

Vélez Vélez, Luis Fernando. *Relatos tradicionales de la cultura catía.* Medellín: Universidad de Antioquia, 1990.

Este libro se terminó de imprimir en Bogotá,
en agosto de 2005, en los talleres de Quebecor Ltda.,
con un tiraje de 3.000 ejemplares.